LE GUIDE VERT

Picardie
Flandres
Artois

Cet ouvrage tient compte des conditions de tourisme
connues au moment de sa rédaction.
Certains renseignements peuvent perdre de leur actualité
en raison de l'évolution incessante des aménagements
et des variations du coût de la vie.
Nos lecteurs sauront le comprendre.

46, avenue de Breteuil – 75324 Paris Cedex 07
Tél. 01 45 66 12 34

●

www.michelin-travel.com

MANUFACTURE FRANÇAISE DES PNEUMATIQUES MICHELIN
Société en commandite par actions au capital de 2 000 000 000 de francs
Place des Carmes Déchaux – 63000 Clermont-Ferrand – R.C.S. Clermont-Fd 855 200 507
© Michelin et Cie, Propriétaires Éditeurs, 2000
Dépôt légal mars 2000 – ISBN 2-06-033805-0 – ISSN 0293-9436

Printed in France 11-00/5.3
Compograveur et imprimeur : MAURY IMPRIMEUR SA à Malesherbes
Brocheur : AUBIN à Ligugé
Conception graphique : Christiane Beylier à Paris 12^e
Maquette de couverture extérieure : Agence Carré Noir à Paris 17^e

LE GUIDE VERT,
l'esprit de découverte !

Avec cette nouvelle collection LE GUIDE VERT, nous avons l'ambition de faire de vos vacances des moments passionnants et mémorables, d'accompagner votre découverte de nouveaux horizons, bref... de vous faire partager notre passion du voyage.

Voyager avec LE GUIDE VERT, c'est être acteur de ses vacances, profiter pleinement de ce temps privilégié pour découvrir, s'enrichir, apprendre au contact direct du patrimoine culturel et de la nature.

Le temps des vacances avec LE GUIDE VERT, c'est aussi la détente, se faire plaisir, apprécier une bonne adresse pour se restaurer, dormir, ou se divertir.

Explorez notre sélection !

Une mise en pages claire, attrayante, illustrée d'une nouvelle iconographie, des cartes et plans redessinés, outils indispensables pour bâtir vos propres itinéraires de découverte, une nouvelle couverture parachevant l'ensemble...

LE GUIDE VERT change.

Alors plongez vite dans LE GUIDE VERT à la découverte de votre prochaine destination de voyage. Partagez avec nous cette ouverture sur le monde qui donne au temps des vacances son sens, sa substance et en définitive son véritable esprit.

L'esprit de découverte.

Jean-Michel DULIN
Rédacteur en Chef

Sommaire

Informations pratiques

Invitation au voyage

Échevinage (Saint-Amand-les-Eaux)

Carillon ambulant (Douai)

Villes et sites

Plat d'accordailles en terre vernissée

Moulin à eau (Maintenay)

Cartographie

Les cartes routières qu'il vous faut

Tout automobiliste prévoyant doit se munir de bonnes cartes. Les produits Michelin sont complémentaires : ainsi chaque ville ou site présenté dans ce guide est accompagné de ses références cartographiques sur les différentes gammes de cartes que nous proposons. L'assemblage de nos cartes est présenté ci-dessous avec délimitations de leur couverture géographique.

Pour circuler sur place vous avez le choix entre :

● les **cartes régionales** au 1/200 000 nos 236, 237, 241, qui couvrent le réseau routier principal et secondaire et donnent de nombreuses indications touristiques. Elles seront privilégiées dans le cas d'un voyage sur un large secteur. Elles permettent d'apprécier chaque site d'un seul coup d'œil et signalent, outre les caractéristiques des routes, les châteaux, les grottes, les édifices religieux, les emplacements de baignade en rivière ou en étang, les piscines, les golfs, les hippodromes, les terrains de vol à voile, les aérodromes...

● les **cartes détaillées**, dont le fonds est équivalent aux cartes régionales mais dont le format est réduit à une demi-région pour plus de facilité de manipulation. Celles-ci sont mieux adaptées aux personnes qui envisagent un séjour sédentaire sans déplacement éloigné. Consulter les cartes nos 51, 52, 53, 55, 56.

● les **cartes départementales** (au 1/150 000, agrandissement du 1/200 000). Ces cartes de proximité, très lisibles, permettent de circuler au cœur des départements suivants : Aisne (4002), Nord (4059), Oise (4060), Pas-de-Calais (4062), Somme (4080). Elles disposent d'un index complet des localités et proposent le plan de la ville préfecture.

Et n'oubliez pas, la **carte de France n° 989** vous offre une vue d'ensemble de la Picardie, des Flandres et de l'Artois, leurs grandes voies d'accès d'où que vous veniez. Le pays est ainsi cartographié au 1/1 000 000 et fait apparaître le réseau routier principal.

Enfin sachez qu'en complément de ces cartes, un serveur Minitel **3615 Michelin** permet le calcul d'itinéraires détaillés avec leur temps de parcours, et bien d'autres services. Les **3617 et 3623 Michelin** vous permettent d'obtenir ces informations reproduites sur fax ou imprimante. Les internautes pourront bénéficier de ces mêmes renseignements en surfant sur le site **www.michelin-travel.com**

L'ensemble de ce guide est par ailleurs riche de cartes et plans, dont voici la liste :

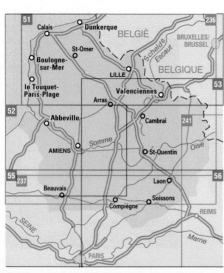

Cartes thématiques

Plans de villes

Plans de monuments

Cartes des circuits décrits

Légende

Monuments et sites

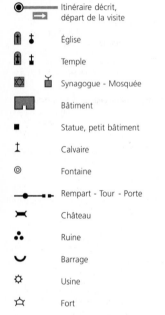

Itinéraire décrit, départ de la visite

Église

Temple

Synagogue - Mosquée

Bâtiment

Statue, petit bâtiment

Calvaire

Fontaine

Rempart - Tour - Porte

Château

Ruine

Barrage

Usine

Fort

Grotte

Monument mégalithique

Table d'orientation

Vue

Autre lieu d'intérêt

Sports et loisirs

Hippodrome

Patinoire

Piscine : de plein air, couverte

Port de plaisance

Refuge

Téléphérique, télécabine

Funiculaire, voie à crémaillère

Chemin de fer touristique

Base de loisirs

Parc d'attractions

Parc animalier, zoo

Parc floral, arborétum

Parc ornithologique, réserve d'oiseaux

Promenade à pied

Intéressant pour les enfants

Abréviations

A   Chambre d'agriculture

C   Chambre de commerce

H   Hôtel de ville

J   Palais de justice

M   Musée

P   Préfecture, sous-préfecture

POL.   Police

            Gendarmerie

T   Théâtre

U   Université, grande école

	site	station balnéaire	station de sports d'hiver	station thermale
vaut le voyage	★★★	≜≜≜	✸✸✸	‡‡‡
mérite un détour	★★	≜≜	✸✸	‡‡
intéressant	★	≜	✸	‡

Autres symboles

🛈	Information touristique
═══ ═══	Autoroute ou assimilée
❶ ❶	Échangeur : complet ou partiel
⊨⊨⊨ ═══	Rue piétonne
ɪ═════ɪ	Rue impraticable, réglementée
▭▭▭ ----	Escalier - Sentier
🚆 🖳	Gare - Gare auto-train
🚌 S.N.C.F.	Gare routière
●	Tramway
Ⓜ	Métro
	Parking-relais
♿	Facilité d'accès pour les handicapés
✉	Poste restante
☎	Téléphone
✉	Marché couvert
✢✕✢	Caserne
△	Pont mobile
∪	Carrière
✕	Mine
Ⓑ Ⓕ	Bac passant voitures et passagers
⛴	Transport des voitures et des passagers
⛵	Transport des passagers
③	Sortie de ville identique sur les plans et les cartes Michelin
Bert (R.)...	Rue commerçante
AZ B	Localisation sur le plan
⌂	Hébergement
⌂	Lieu de restauration

Carnet d'adresses

20 ch : *250/375F*	Nombre de chambres : prix de la chambre pour une personne/chambre pour deux personnes
demi-pension ou pension : 280F	Prix par personne, sur la base d'une chambre occupée par deux clients
⇆ *45F*	Prix du petit déjeuner; lorsqu'il n'est pas indiqué, il est inclus dans le prix de la chambre (en général dans les chambres d'hôte)
jusq. 5 pers. : sem. 2400F	Capacité maximale du gîte rural : prix pour la semaine
3 gîtes 2/7 pers. : sem. 2300/6000F	Nombre de gîte ruraux, capacité du plus petit gîte/du plus grand gîte, prix pour la semaine du plus petit gîte/du plus grand gîte
100 appart. 2/7 pers. : sem. 2000/5000F	Nombre d'appartements (résidence hôtelière ou village vacances) capacité mini/maxi des appartements, prix mini/maxi pour la semaine
100 lits : 50F	Nombre de lits (auberge de jeunesse ou gîte d'étage) : prix pour une personne
120 empl. : 80F	Nombre d'emplacements de camping : prix de l'emplacement pour 2 personnes avec voiture
110/250F	Restaurant prix mini/maxi : menus (servis midi et soir) ou à la carte
rest. 110/250F	Restaurant dans un lieu d'hébergement, prix mini/maxi : menus (servis midi et soir) ou à la carte
restauration	Petite restauration proposée
repas 85F	Repas type « Table d'hôte »
réserv.	Réservation recommandée
⇥	Cartes bancaires non acceptées
🅿	Parking réservé à la clientèle de l'hôtel

Les prix sont indiqués pour la haute saison

LONDON

A 2

LONDON

Terminal
Dover
Folkestone

CALAIS

Tunnel sous la Manche

MER DU NORD

Malo-les-Bains   Bray-Dunes
Dunkerque
Gravelines
A 16   **Bergues**   Hondschoote

Calais
Cap Blanc-Nez
d'Opale
Cap Gris-Nez
Wissant   **Terminal**
Guines
Parc   naturel
Wimereux
Côte
Colonne de la Gr^de Armée
NAUSICAA
Boulogne-sur-Mer   et   Marais   d'Opale
Samer   Desvres
Hardelot-Plage

Blockhaus
d'Eperlecques
St-Omer   Ascenseur
à bateaux des
Fontinettes
Coupole d'Helfaut-Wizernes

Boulonnais   des   Caps
régional
N 42

Cassel
Bailleul
Hazebrouck

Lys

PAS   DE

Aire-s-la   Lys
Dennlys Parc   Lillers   **Béthu**

Vallée
de la Course
**LE TOUQUET-
PARIS-PLAGE**
Etaples
Vée
Montreuil

PAS- DE- CALAIS
Auchel   Ro
"Gue

Azincourt
Olhain
N.-D. de Lorette   Mémorial cana
de Vimy

Parc de Bagatelle
Berck-sur-Mer
Fort-Mahon-Plage
Marquenterre
Rue
Baie de Somme
Le Crotoy
Maison de l'Oiseau
Ault

Musée des
marionnettes
du monde
Hesdin
Abbaye et jardins
de Valloires
Crécy-en-
Ponthieu
Forêt
de
Crécy
St-Valery-s-
Somme
Abbeville
Vimeu

Canche
Vallée de l'Authie
Frévent

D 916

N 39

Arras

St-Riquier
Bagatelle
Doullens
N 25
Mailly-Maillet

Parc mémorial de
Beaumont-Hamel

D 925
Dieppe

SEINE-
MARITIME

Airaines
Rambures
Picquigny

Grottes-refuges
de Naours
Parc Samara
Bertangles
Corbie
AMIENS
Belv^te de Vau

Alber
Vallée de la Som

Poix-de-
Picardie
les Évoissons
Folleville
Montdidier

SOMME

D 934

LE HAVRE

A 28
N 29

D 915

LE HAVRE

A 29

Gerberoy
Ravenel

OISE

A 28

N 31

ROUEN

Beauvais
Pays de Bray
N 31

EURE

Oise

Senlis

N 14

SEINE

A 13

VAL D'OISE

Pontoise

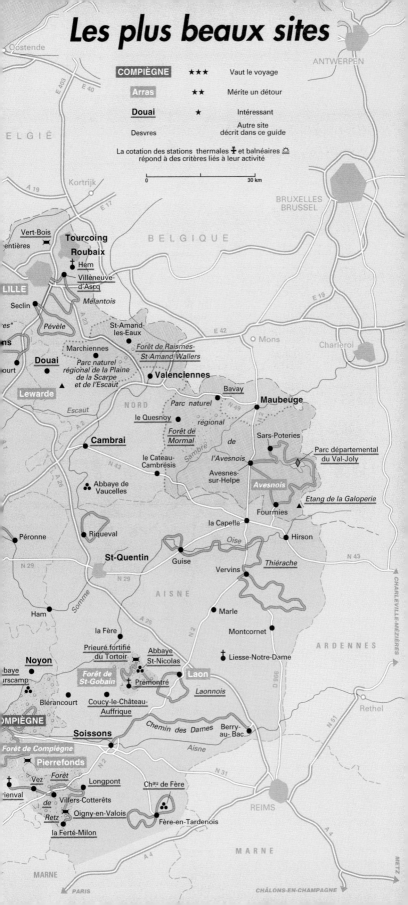

Les plus beaux sites

COMPIÈGNE	★★★	Vaut le voyage
Arras	★★	Mérite un détour
<u>Douai</u>	★	Intéressant
Desvres		Autre site décrit dans ce guide

La cotation des stations thermales ⚓ et balnéaires ⚓
répond à des critères liés à leur activité

0   30 km

Circuits de découverte

Pour de plus amples explications, consulter la rubrique"Itinéraires à thème"

№		№	
1	Échappée bucolique en Avesnois	**6**	Vallées picardes
2	Histoire et détente en Artois	**7**	Escapade en Soissonnais
3	Cathédrales de Picardie	**8**	Picardie et Valois au naturel
4	Évasion sur la Côte d'Opale	**9**	Entre Sensée et Somme
5	Beffrois de Flandres	**10**	La Picardie romantique

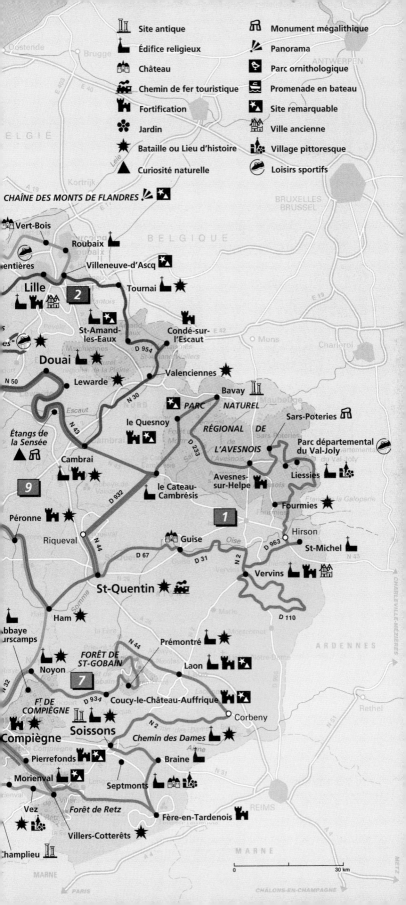

Légende

Symbole	Description
Site antique	Monument mégalithique
Édifice religieux	Panorama
Château	Parc ornithologique
Chemin de fer touristique	Promenade en bateau
Fortification	Site remarquable
Jardin	Ville ancienne
Bataille ou Lieu d'histoire	Village pittoresque
Curiosité naturelle	Loisirs sportifs

CHAÎNE DES MONTS DE FLANDRES

Vert-Bois
Roubaix
Villeneuve-d'Ascq
entières
Lille **2**
Tournai
St-Amand-les-Eaux
Condé-sur-l'Escaut
D 954
Douai
Lewarde
Valenciennes
Bavay
PARC NATUREL
le Quesnoy
Sars-Poteries
RÉGIONAL DE
L'AVESNOIS
Étangs de la Sensée
Parc départemental du Val-Joly
Cambrai
Liessies
9
Avesnes-sur-Helpe
le Cateau-Cambrésis
Fourmies
Péronne
Hirson
Riqueval
Guise
St-Michel
1
D 67
D 31
Vervins
St-Quentin
Ham
D 110
Prémontré
abbaye
urscamps
FORÊT DE
ST-GOBAIN
Laon
Noyon
7
D 934
Coucy-le-Château-Auffrique
Corbeny
FT DE
COMPIÈGNE
Soissons
Chemin des Dames
Compiègne
Pierrefonds
Braine
Morienval
Septmonts
Vez
Forêt de Retz
Fère-en-Tardenois
Villers-Cotterêts
Champlieu

REIMS

MARNE

ARDENNES

BELGIQUE

0   30 km

Mur à colombages incrusté de carreaux de céramique.

Informations pratiques

Avant le départ

adresses utiles

La plupart des renseignements concernant l'hébergement, les loisirs sportifs, la location de gîtes ruraux, la découverte de la région, les stages chez les artisans peuvent être donnés par les Comités de tourisme départementaux ou régionaux, la Maison du Nord-Pas-de-Calais installée à Paris ou les services de Loisirs Accueil. Dans la partie « Villes et sites », la rubrique « La situation » précise les coordonnées des offices de tourisme et syndicats d'initiative. Il est recommandé de s'adresser à eux pour obtenir des renseignements plus précis sur une ville, une région, les manifestations touristiques ou les possibilités d'hébergement.

COMITÉS RÉGIONAUX DU TOURISME

Nord-Pas-de-Calais – 6 pl. Mendès-France, 59028 Lille Cedex, ☎ 03 20 14 57 57, uniquement par courrier ou par téléphone. Internet www.crt-nordpasdecalais.fr

Picardie – 3 r. Vincent-Auriol, 80011 Amiens Cedex 1, ☎ 03 22 22 33 66.

COMITÉS DÉPARTEMENTAUX DU TOURISME

Nord – 6 r. Gauthier-de-Châtillon, BP 1232, 59013 Lille Cedex, ☎ 03 20 57 59 59. Internet www.cdt-nord.com

Pas-de-Calais – Rte de la Trésorerie, BP 79, 62930 Wimereux, ☎ 03 21 10 34 60.

Aisne – 24-28 av. Charles-de-Gaulle,02007 Laon Cedex, ☎ 03 23 27 76 76. Internet www.aisne.com

Oise – 19 r. Pierre-Jacoby, BP 80822, 60008 Beauvais Cedex, ☎ 03 44 45 82 12.

Somme – 21 r. Ernest-Cauvin, 80000 Amiens, ☎ 03 22 71 22 71. Internet www.somme-tourisme.com

MAISON DE PROVINCE

Maison du Nord-Pas-de-Calais – 25 r. Bleue, 75009 Paris, ☎ 01 48 00 59 62. Elle regroupe les informations touristiques, économiques et culturelles de la région Nord-Pas-de-Calais, propose la découverte du patrimoine (librairie, produits régionaux).

ADRESSES ÉLECTRONIQUES

Tout sur le Hainaut – **http://agenda.infoho.net**
Informations sur l'Avesnois – **www.avesnois.com**
Audomarois on line – **http://audomarois-online.com**
Tourisme autour du mont des Cats – **www.abbaye-montdescats.com**
Tourisme dans la région Nord-Pas-de-Calais – Minitel **3614 Étoile**.

météo

QUEL TEMPS POUR DEMAIN ?

Le service Météo-France a mis en place un système de répondeurs téléphoniques : les bulletins diffusés sont réactualisés trois fois par jour et sont valables pour une durée de cinq jours.

Prévisions nationales – ☎ 08 36 68 01 01.

Prévisions régionales – ☎ 08 36 68 00 00.

Prévisions départementales – ☎ 08 36 68 02 suivi du numéro du département (☎ 08 36 68 02 80 pour la Somme par exemple).

Prévisions pour les bords de mer – ☎ 08 36 68 08 suivi du numéro du département côtier et ☎ 08 36 68 08 77 pour les informations au large.

Toutes ces informations sont également disponibles sur minitel 3615 météo.

QUAND PARTIR ?

En **été**, pour profiter des plages qui s'égrènent le long de la Côte d'Opale, de Bray-Dunes à Mers-les-Bains.
Au **printemps** et en **automne**, pour se promener dans les charmantes vallées de l'Aa, de la Canche, de l'Authie, de la Somme, que sillonnent les Parcs naturels régionaux du Boulonnais, de l'Audomarois et de l'Avesnois.
En **hiver**, pour découvrir les villes : Amiens, Arras, Compiègne, Lille...

transports

PAR ROUTE

Lille, métropole du Nord, est au centre d'un réseau d'autoroutes qui dessert toute la région du Nord de la France et aujourd'hui en liaison directe avec la Grande-Bretagne.

Tourisme-Informations sur minitel – Consultez le **3615 Michelin** : ce serveur vous aide à préparer ou décider du meilleur itinéraire à emprunter en vous communiquant d'utiles informations routières. Les 3617 et 3623 Michelin vous permettent d'obtenir ces informations sur fax ou imprimante. Consultez la carte Michelin n° 989 (au 1/1 000 000).

Informations autoroutières – Du lundi au vendredi : Centre des renseignements autoroutes, 3 r. Edmond-Valentin, 75007 Paris, ☎ 01 47 05 90 01. Informations sur les conditions de circulation sur les

autoroutes : ☎ 08 36 68 10 77, minitel 3615 autoroute et Internet www.autoroutes.fr
Consultez également l'Atlas autoroutier Michelin n° 914.

PAR RAIL

Lille est à une heure de la capitale en TGV. Envie d'une escapade culturelle ou simplement de faire du shopping, n'hésitez pas : 24 départs chaque jour avec un aller et retour toutes les demi-heures le matin et le soir et toutes les heures le reste de la journée en semaine.
Arras est à un peu moins d'une heure de Paris par le TGV. Le trajet pour Amiens oscille d'une à deux heures en fonction du nombre d'arrêts. Quant à Beauvais, il vous faudra un peu plus d'une heure pour vous y rendre.
Informations générales, minitel 3615 ou 3616 SNCF ; informations sur le réseau régional, 3615 ou 3616 TER ; informations, réservation, vente, ☎ 08 36 35 35 35. Internet www.sncf.fr

La gare de Lille.

PAR AIR

L'**aéroport de Lille-Lesquin** est relié par vols directs à de nombreuses métropoles françaises (Bordeaux, Lyon, Strasbourg, Nice...) et étrangères. Une navette directe assure la liaison avec le centre de la ville en quinze minutes. Pour tous renseignements, s'adresser au comptoir-information de l'aéroport, ☎ 03 20 49 68 68.

tourisme et handicapés

Un certain nombre de curiosités décrites dans ce guide sont accessibles aux handicapés. Elles sont signalées par le symbole ♿. Pour de plus amples renseignements au sujet de l'accessibilité des musées aux personnes atteintes de handicaps moteurs ou sensoriels, contacter la Direction des musées de France, service Accueil des publics spécifiques, 6 r. des Pyramides, 75041 Paris Cedex 1, ☎ 01 40 15 35 88.

Guides Michelin Hôtels-Restaurants et Camping Caravaning France – Révisés chaque année, ils indiquent respectivement les chambres accessibles aux handicapés physiques et les installations sanitaires aménagées.

Comité national français de liaison pour la réadaptation des handicapés – 236 bis r. de Tolbiac, 75013 Paris, ☎ 01 53 80 66 66. Le serveur minitel **3614 Handitel** et le site Internet **www.handitel.org** assurent un programme d'information au sujet des transports, des vacances, de l'hôtellerie et des loisirs adaptés.

Guide Rousseau H... comme Handicaps – En relation avec l'association France handicaps (9 r. Luce-de-Lancival, 77340 Pontault-Combault, ☎ 01 60 28 50 12), il donne de précieux renseignements sur la pratique du tourisme et des loisirs.

Hébergement Restauration

Qu'on choisisse le littoral ou l'intérieur des contrées de Picardie, d'Artois ou des Flandres, et quelle que soit l'ambiance de vacances privilégiée – nature, culture, farniente... – c'est le bon choix ! Pour s'évader, mais aussi mieux se retrouver ; pour profiter de moments en famille ou entre amis, quelque jours ou plus d'une semaine, sous le mode sédentaire ou itinérant, c'est toujours le bon choix !
L'hospitalité, la chaleur de l'accueil des gens du Nord, bien plus qu'un cliché, restent une règle. Ces régions savent donc recevoir et se décliner en mille petits plaisirs. On peut encore y faire bonne chère et très bien dormir, et ceci sans se ruiner.
Des plus luxueux aux plus modestes, toutes les catégories d'hôtels sont évidemment représentées dans la plupart des grandes cités du Nord et le long du littoral. D'autres formules d'hébergement vous attendent ailleurs : chambres d'hôte et gîtes ruraux, notamment dans la Somme, l'Aisne, et surtout dans l'Oise. Elles séduisent par leur mélange bien dosé

de nature et de convivialité. Plusieurs Auberges de Jeunesse et de nombreux campings complètent l'éventail des possibilités. À noter : quelques opportunités originales, comme une cabine en acajou et marqueterie dans un wagon-lit des années 1930 près d'Armentières ; une chambre d'hôte à l'Abbaye de Valloires ; une hutte dans le Marquenterre...

Il est midi ! Le canard est bien dans son assiette dans l'Ouest de la Picardie, sous toutes les formes (pâtés en croûte, foie gras, terrines, magrets), et l'agneau de pré-salé a la cote autour de la baie de Somme. Soles, harengs, crevettes grises, d'une fraîcheur incomparable – proximité du port de Boulogne oblige –, règnent sur toute la côte, dans les innombrables restaurants avec vue sur la mer. L'intérieur du pays réserve aussi de savoureuses surprises et sait tirer parti de la variété des produits locaux : légumes, viandes, volailles, poissons de rivière, charcuteries, bières, fromages...
Dans les fermes ou les anciens relais de poste convertis en auberges, les « hostelleries » patinées par le temps, les brasseries, et surtout les estaminets (tavernes), on sert encore une cuisine traditionnelle, flamande ou picarde. Le Nord associe ses « chicons » aux carbonnades flamandes, le lapin aux pruneaux ou le coq à la bière. L'Audomarois et l'Amiénois ont leurs légumes des hortillons (dont le choux-fleur de St-Omer), et en font de délicieuses soupes. Le Soissonnais cultive ses haricots, cuisinés en « soissoulet ». Péronne et la vallée de la Somme ont leurs anguilles, brochets et sandres ; Valenciennes, sa langue Lucullus (feuilleté de langue de bœuf fumée et de préparation à base de foie gras) ; Cambrai, outre ses bêtises, a ses andouillettes, comme Arras.

les adresses du guide

Pour la réussite de votre séjour, vous trouverez la sélection des bonnes adresses de la collection LE GUIDE VERT. Nous avons sillonné la région pour repérer des chambres d'hôte et des hôtels, des restaurants et des fermes-auberges, des campings et des gîtes ruraux... En privilégiant des étapes, souvent agréables, au cœur des villes, des villages ou sur nos circuits touristiques, en pleine campagne ou les pieds dans l'eau ; des maisons de pays, des tables régionales, des lieux de charme et des adresses plus simples... pour découvrir la région autrement : à travers ses traditions, ses produits du terroir, ses recettes et ses modes de vie.

Le confort, la tranquillité et la qualité de la cuisine sont bien sûr des critères essentiels ! Toutes les maisons ont été visitées et choisies avec le plus grand soin, toutefois il peut arriver que des modifications aient eu lieu depuis notre dernier passage : faites-le nous savoir, vos remarques et suggestions seront toujours les bienvenues !
Les prix que nous indiquons sont ceux pratiqués en **haute saison**; hors saison, de nombreux établissements proposent des tarifs plus avantageux, renseignez-vous...

MODE D'EMPLOI

Au fil des pages, vous découvrirez nos carnets pratiques : toujours rattachés à des villes ou à des sites touristiques remarquables du guide, ils proposent une sélection d'adresses à proximité. Si nécessaire, l'accès est donné à partir du site le plus proche ou des schémas régionaux.
Dans chaque carnet, les maisons sont classées en trois catégories de prix pour répondre à toutes les attentes :
Vous partez avec un budget inférieur à 250F ? Choisissez vos adresses parmi celles de la catégorie « **À bon compte** » : vous trouverez là des hôtels, des campings, des chambres d'hôte simples et conviviales et des tables souvent gourmandes, toujours honnêtes, à moins de 100F.
Votre budget est un peu plus large, jusqu'à 500F pour l'hébergement et 200F pour la restauration ? Piochez vos étapes dans les « **Valeurs sûres** ». Dans cette catégorie, vous trouverez des maisons, souvent de charme, de meilleur confort et plus agréablement aménagées, animées par des passionnés, ravis de vous faire découvrir leur demeure et leur table. Là encore, chambres et tables d'hôte sont au rendez-vous, avec également des hôtels et des restaurants plus traditionnels, bien sûr.
Vous souhaitez vous faire plaisir, le temps d'un repas ou d'une nuit, vous aimez voyager dans des conditions très confortables ? La catégorie « **Une petite folie !** » est pour vous... La vie de château dans de luxueuses chambres d'hôte - pas si chères que cela - ou dans les palaces et les grands hôtels : à vous de choisir ! Vous pouvez aussi profiter des décors de rêve de lieux mythiques à moindres frais, le temps d'un brunch ou d'une tasse de thé... À moins que vous ne préfériez casser votre tirelire pour un repas gastronomique dans un restaurant renommé. Sans oublier que la traditionnelle formule « tenue correcte exigée » est toujours d'actualité dans ces élégantes maisons !

L'HÉBERGEMENT

LES HÔTELS

Nous vous proposons un choix très large en terme de confort. La location se fait à la nuit et le petit-déjeuner est facturé en supplément. Certains établissements assurent un service de restauration également accessible à la clientèle extérieure.

LES CHAMBRES D'HÔTE

Vous êtes reçu directement par les habitants qui vous ouvrent leur demeure. L'atmosphère est plus conviviale qu'à l'hôtel, et l'envie de communiquer doit être réciproque : misanthrope, s'abstenir ! Les prix, mentionnés à la nuit, incluent le petit-déjeuner. Certains propriétaires proposent aussi une table d'hôte, en général le soir, et toujours réservée aux résidents de la maison. Il est très vivement conseillé de réserver votre étape, en raison du grand succès de ce type d'hébergement.

LES RÉSIDENCES HÔTELIÈRES

Adaptées à une clientèle de vacanciers, la location s'y pratique à la semaine mais certaines résidences peuvent, suivant les périodes, vous accueillir à la nuitée. Chaque studio ou appartement est généralement équipé d'une cuisine ou d'une kitchenette.

LES GÎTES RURAUX

Les locations s'effectuent à la semaine ou éventuellement pour un week-end. Totalement autonome, vous pourrez découvrir la région à partir de votre lieu de résidence. Il est indispensable de réserver, longtemps à l'avance, surtout en haute saison.

LES CAMPINGS

Les prix s'entendent par nuit, pour deux personnes et un emplacement de tente. Certains campings disposent de bungalows ou de mobile homes d'un confort moins spartiate : renseignez-vous sur les tarifs directement auprès des campings.
NB : Certains établissements ne peuvent pas recevoir vos compagnons à quatre pattes ou les accueillent moyennant un supplément, pensez à le demander lors de votre réservation.

LA RESTAURATION

Pour répondre à toutes les envies, nous avons sélectionné des restaurants régionaux bien sûr, mais aussi classiques, exotiques ou à thème... Et des lieux plus simples, où vous pourrez grignoter une salade composée, une tarte salée, une pâtisserie ou déguster des produits régionaux sur le pouce.
Quelques fermes-auberges vous permettront de découvrir les saveurs de la France profonde. Vous y goûterez des produits authentiques provenant de l'exploitation agricole, préparés dans la tradition et généralement servis en menu unique. Le service et l'ambiance sont bon enfant. Réservation obligatoire ! Enfin, n'oubliez pas que les restaurants d'hôtels peuvent vous accueillir.

... et aussi

Si d'aventure, vous n'avez pu trouver votre bonheur parmi toutes nos adresses, vous pouvez consulter les Guides Michelin d'hébergement ou, en dernier recours, vous rendre dans un hôtel de chaîne.

LE GUIDE ROUGE HÔTELS ET RESTAURANTS FRANCE

Pour un choix plus étoffé et actualisé, LE GUIDE ROUGE recommande hôtels et restaurants sur toute la France. Pour chaque établissement, le niveau de confort et de prix est indiqué, en plus de nombreux renseignements pratiques. Les bonnes tables, étoilées pour la qualité de leur cuisine, sont très prisées par les gastronomes. Le symbole (**bib gourmand**) sélectionne les tables qui proposent une cuisine soignée à moins de 140F.

LE GUIDE CAMPING FRANCE

Le Guide Camping propose tous les ans une sélection de terrains visités régulièrement par nos inspecteurs. Renseignements pratiques, niveau de confort, prix, agrément, location de bungalows, de mobile homes ou de chalets y sont mentionnés.

LES CHAÎNES HÔTELIÈRES

L'hôtellerie dite «économique» peut éventuellement vous rendre service. Sachez que vous y trouverez un équipement complet (sanitaire privé et télévision), mais un confort très simple. Souvent à proximité de grands axes routiers, ces établissements n'assurent pas de restauration. Toutefois, leurs tarifs restent difficiles à concurrencer (moins de 200F la chambre double). En dépannage, voici donc les centrales de réservation de quelques chaînes :
Akena, ☎ 01 69 84 85 17
B&B, ☎ 0 803 00 29 29
Etap Hôtel, ☎ 08 36 68 89 00 (2,23F la minute)
Mister Bed, ☎ 01 46 14 38 00
Villages Hôtel, ☎ 03 80 60 92 70
Enfin, les hôtels suivants, un peu plus chers (à partir de 300F la chambre), offrent un meilleur confort et quelques services complémentaires :
Campanile, ☎ 01 64 62 46 46
Climat de France, ☎ 01 64 46 01 23
Ibis, ☎ 0 803 88 22 22

GÎTES DE FRANCE

Maison des Gîtes de France et du Tourisme vert – 59 r. St-Lazare, 75439 Paris Cedex 09, ☎ 01 49 70 75 75. Cet organisme donne les adresses des relais départementaux et publie des guides sur les différentes possibilités d'hébergement en milieu rural (gîte rural, chambre et table d'hôte, gîte d'étape, chambre d'hôte et gîte de prestige, gîte de neige, gîte et logis de pêche, gîte équestre). Minitel 3615 gîtes de France. Internet : www.gites-de-france.fr
Les Gîtes de France proposent également des vacances à la ferme avec trois formules : ferme de séjour (hébergement, restauration et loisirs), camping à la ferme et ferme équestre (hébergement et activités équestres).

HÉBERGEMENT POUR RANDONNEURS

Les randonneurs peuvent consulter le guide *Gîtes d'étapes, refuges* par A. et S. Mouraret (Rando Éditions, BP 24, 65421 Ibos, ☎ 05 62 90 09 90, minitel 3615 cadole). Cet ouvrage est principalement destiné aux amateurs de randonnées, d'alpinisme, d'escalade, de ski, de cyclotourisme et de canoë-kayak.

AUBERGES DE JEUNESSE

Ligue française pour les Auberges de la Jeunesse – 67 r. Vergniaud, 75013 Paris, ☎ 01 44 16 78 78, minitel 3615 auberge de jeunesse, internet www.auberges-de-jeunesse.com
La carte LFAJ est délivrée contre une cotisation annuelle de 70F pour les moins de 26 ans et de 100F au-delà de cet âge.

SERVICES DE RÉSERVATION LOISIRS ACCUEIL

Ils proposent des circuits et des forfaits originaux dans une gamme étendue : gîtes ruraux, gîtes d'enfants, chambres d'hôte, meublés, campings, hôtels de séjour.
Fédération nationale des services de réservation Loisirs-Accueil – 280 bd St-Germain, 75007 Paris, ☎ 01 44 11 10 44. Elle édite un annuaire regroupant les coordonnées des 59 SRLA et, pour certains départements, une brochure détaillée. Minitel 3615 résinfrance. Internet : www.resinfrance.com
Pour une réservation, s'adresser directement au « Loisirs-Accueil » du département concerné : **Nord**, ☎ 03 20 57 59 59 ; **Oise**, ☎ 03 44 45 82 12 ; **Pas-de-Calais**, ☎ 03 21 10 34 60 ; **Somme**, ☎ 03 22 71 22 70. Les adresses sont les mêmes que celles des Comités départementaux de tourisme.

LES « ESTAMINETS »

Toute l'année d'innombrables petits cafés, quelquefois paisibles, souvent très animés, au décor hétéroclite,

L'ambiance est toujours chaleureuse dans les estaminets.

désuet ou rustique, fournissent l'occasion d'une halte chaleureuse et rafraîchissante comme une bière de garde. On peut aussi s'y restaurer. Ces établissements pleins de charme que les Ch'timis nomment toujours « **estaminets** » (prononcer *étaminet*), sont l'image même du Nord. La région des monts de Flandre rassemble les plus typiques. Engagez-y la conversation et ce peuple des tavernes fera de vous l'un des leurs ; on y reste alors des heures. Quelques coups de cœur :
De Vierpot – 125 complexe Joseph-Decarter, moulin de Boëschèpe, 59299 Boëschèpe.
Het Blauwershof – 9 r. d'Eecke, 59270 Godewaersvelde.
L'Estaminet flamand – 6 r. des Fusilliers-Marins, 59140 Dunkerque.
Le St-Georges – 5 r. de Caëstre, 59114 Ecke.
L'Haezepoel – 3451 chemin de l'Haezepoel, 59122 Hondschoote.
'T Kasteelhof – Au pied du moulin, 59670 Cassel, 03 28 40 59 29.

sites remarquables du goût

Quelques sites de la région, don la richesse gastronomique s'appuie sur des produits de qualité liés à un environnement touristique intéressant, ont reçu le label « site remarquable du goût ». Il s'agit du pays du genièvre fabriqué à Houlle, Loos et Wambrechies, du port de Boulogne-sur-Mer pour les poissons, du marais audomarois à St-Omer pour son activité maraîchère, du marché sur l'eau à Amiens pour les légumes *(septembre)*.
Vous pouvez vous procurer le *Guide des produits et de la gastronomie* pour la Picardie et pour le Nord-Pas-de-Calais (ainsi qu'un livret de recettes régionales) en vous adressant à :

Chambre régionale de l'Agriculture, comité de promotion, 5 av. Roger-Salengro, 62051 St-Laurent-Blangy Cedex, ☏ 03 21 60 57 86.
Terroirs de Picardie, comité de promotion, 19 bisr. A.-Dumas, 80096 Amiens Cedex 3.

choisir son lieu de séjour

La carte que nous vous proposons fait apparaître des **villes-étapes**, telles que Beauvais, Arras ou encore Boulogne-sur-Mer. Ces localités possèdent de bonnes capacités d'hébergement et méritent une visite. Les **lieux de séjour traditionnels** sont sélectionnés pour leurs possibilités d'accueil et l'agrément de leur site, St-Amand-les-Eaux en fait partie. Enfin Lille ou encore Amiens sont classées parmi les **destinations de week-end**.

Les offices de tourisme et syndicats d'initiative renseignent sur les possibilités d'hébergement (meublés, gîtes ruraux, chambres d'hôte) autres que les hôtels et terrains de camping, décrits dans les publications Michelin, et sur les activités locales de plein air, les manifestations culturelles ou sportives de la région.

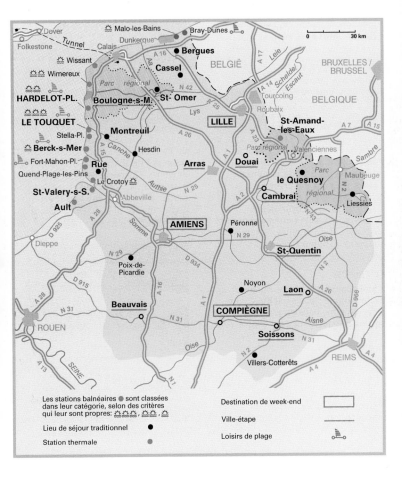

Propositions de séjour

idées de week-end

AMIENS

Au programme : visite d'Amiens (Ville d'Art et d'Histoire), cathédrale gothique, quartier St-Leu, musée de Picardie (archéologie, art médiéval, peinture), musée d'Art local et d'Histoire régionale, hortillonnages (promenades en barque, légumes des hortillons), jardins de St-Acheul (archéologie), marionnettes. Nombreux hôtels et restaurants, gastronomie picarde.

Boulogne-sur-Mer

Visite de Boulogne (Ville d'Art et d'Histoire), la ville haute et les remparts, le beffroi, la basilique ; la ville basse, les installations portuaires (port de pêche, de plaisance et de transport), la criée matinale, la plage, le centre de la mer Nausicaa. Le souvenir de Napoléon et de l'égyptologue Mariette. Nombreux hôtels et restaurants. Au menu : poissons et fruits de mer.

Compiègne

Visite de Compiègne, le palais, le parc et la forêt bien sûr. La nature très présente laisse souvent la place à l'Histoire (clairière de l'Armistice). Mille possibilités de randonnées sont offertes. La table compiégnoise est généreuse et saura rassasier les courageux marcheurs.

Lille

Visite de Lille (Ville d'Art et d'Histoire), quartiers modernes (Euralille, tour du Crédit Lyonnais, gare Lille-Europe...) et vieux Lille (Grand-Place, Vieille Bourse, rue de la Monnaie, Hospice Comtesse...), quartier St-Sauveur (Hôtel de ville et beffroi). Palais des Beaux-Arts, et très nombreux musées, citadelle, parcs et jardins. Art de vivre : nombreux hôtels, restaurants, tavernes, brasseries (industrielles et traditionnelles), distilleries de genièvre, fromage ; nuits animées et ambiance festive, pôles culturels, shopping, Grande Braderie et la berceuse du P'tit Quinquin.

Le Touquet

Ambiance vacances et animation toute l'année ; plages, dunes, vent, forêt de pins, balades architecturales, sorties élégantes, casino, char à voile, *speed sail*, large gamme d'activités nautiques, sportives et de détente, où les enfants sont particulièrement gâtés (Aqualud, clubs de plage, parc de Bagatelle à 10 km...). Promenades et randonnées, calendrier des festivités chargé. Possibilités d'hébergement et de restauration nombreuses et variées, spécialités de poissons (soupe de poissons du Touquet) et de fruits de mer.

idées de week-end prolongé

Les 7 vallées du Sud et de l'Ouest du Pas-de-Calais

Itinéraires des vallées de l'Authie et de la Canche (voir ces noms), particulièrement riches d'affluents (Course, Créquoise, Planquette, Ternoise), vallée de la Lys et haute vallée de l'Aa (voir ce nom). Paysages séduisants et variés, charmants petits villages, moulins à eau, châteaux, vestiges, etc. Souvenir de la bataille d'Azincourt, étapes à Montreuil et au Touquet ; visite de l'abbaye et des jardins de Valloires (roses). Activités nature : pêche, randonnées pédestres, VTT, équitation, kayak. Escales familiales à Dennlys Parc, parc d'attractions du Moulin de la Tour au bord de la Lys et au parc d'attractions de Bagatelle (au Sud du Touquet), musée des Marionnettes du monde à Buire-le-Sec.

Autour de l'Escaut et de la Sambre

Visite de Douai et de Cambrai (Villes d'Art et d'Histoire ; voir ces noms). Visite du prestigieux musée des Beaux-Arts de Valenciennes. Piste de ski artificielle (Loisinord) aménagée sur un terril à Nœux-les-Mines. Découverte du centre historique minier de Lewarde, balades vers les étangs de la Sensée, rencontre avec les demoiselles d'Acq et autres monolithes. Abbaye de Vaucelles, musée Matisse au Cateau-Cambrésis, dentelle de Caudry, fortifications à la Vauban au Quesnoy et à Maubeuge (voir ces noms), promenades en forêt de Mormal, site archéologique (cité romaine) de Bavay (voir ce nom). Art de vivre : ducasses, géants, brasseries ; andouillette et bêtises de Cambrai, bouclier de Gayant et Gayantine de Douai, langue Lucullus de Valenciennes, etc.

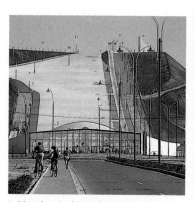

Loisinord ou le ski en plein Pas-de-Calais.

idées de séjour d'une semaine

De la métropole lilloise aux forêts du Valois

Départ de Lille. Visite de la ville et de Villeneuve, Roubaix, Tourcoing (compter 2 j.). On se dirige ensuite (le 3ᵉ j.) vers les collines artésiennes en traversant le pays minier (circuit des Gueules noires) et le secteur des batailles d'Artois pour atteindre Arras. La visite (1/2 journée) de la cité passionne, et l'étape (2 j.) réconforte. En rayonnant vers l'Est et le Sud-Est, on s'arrête autour des étangs de la Sensée et au centre historique minier de Lewarde, comme à Douai et à Cambrai (pensez aux andouillettes et aux bêtises !). Du Cambrésis, le Vermandois s'aborde en longeant les rives de l'Escaut. L'abbaye de Vaucelles, les sources de l'Escaut, le GrandCanal souterrain de Riqueval avec son « toueur », et la ville de St-Quentin méritent une halte. Retour sur Arras pour la nuit. Les 3 derniers jours sont à réserver au Noyonnais, au Laonnois, au Soissonnais et au Valois. Comme étape, on aura le choix entre la ville impériale de Compiègne, près du palais ; le village de Pierrefonds, à l'ombre de son célèbre château ; la ville haute de Laon, dont l'enceinte médiévale et la cathédrale dominent de vastes horizons... Tous ces endroits méritent votre attention. Pétries d'histoire, tapissées de très belles forêts (St-Gobain, Compiègne, Retz...), les régions de l'Est de l'Oise et du Sud-Ouest de l'Aisne regorgent de lieux d'intérêt. Dans la vallée de l'Automne, citons entre autres Morienval, Champlieu, Vez, La Ferté-Milon, Longpont... Autour de Laon, Noyon et Soissons : Prémontré, le Chemin des Dames, Coucy, l'abbaye d'Ourscamp, Septmont... Plus au Sud : Villers-Cotterêts, Oigny-en-Valois et La Fère-en-Tardenois.

PICARDIE ORIENTALE, NORD ET PAS-DE-CALAIS

Départ de Vervins. Découverte des églises fortifiées et des villes de Thiérache (Guise, La Capelle...), puis de l'Avesnois, avec son bocage, ses forêts, ses lacs (Val-Joly) et ses écomusées (Fourmies, Trélon, Liessies, Sart-Poterie...). Ces régions combinent nature (possibilités de randonnées), traditions et gastronomie (produits fermiers). Un petit hôtel ou un gîte rural s'y dénichent facilement. Le 2e jour, en route vers le Hainaut, le Cambrésis et l'Artois. On passera la nuit à Arras après s'être arrêté à Cambrai, Douai, Valenciennes et St-Amand-les-Eaux, sans oublier Bavay, Le Quesnoy et Maubeuge, ni les forêts de Mormal et Raismes-St-Amant-Wallers (parc régional de la Plaine de la Scarpe et de l'Escaut). Le 3e jour, ayant visité Arras et sa région (secteur des batailles, univers des mineurs à Lewarde et entre Lens et Auchel), on progresse vers le Nord : c'est l'étape de Lille. Deux jours seront bienvenus pour en faire le tour et rayonner vers Villeneuve, Roubaix, Tourcoing, Armentières. Le 5e jour, cap sur la Côte d'Opale. Traversée des « monts » de Flandres (moulins, estaminets, bières, jeux d'hier...) avec haltes à Bailleul, au Mont des Cats, à Cassel et à Bergues. On logera d'abord à Dunkerque ou Calais, puis à Boulogne ou au Touquet, sinon à Wissant, Wimereux ou Hardelot, qui méritent une escale. On profitera ainsi de la généreuse marée (soles, crevettes, coques, harengs...), des distractions nautiques, et surtout des vues spectaculaires sur la Manche (caps Blanc-Nez, Gris-Nez, Corniche de la Côte d'Opale, bunkers du « Mur de l'Atlantique »), avec le ballet des ferries et les falaises anglaises en toile de fond. Les enfants seront gâtés (parcs d'attractions).

CÔTE D'OPALE, ARTOIS ET PICARDIE
OCCIDENTALE

Départ de Dunkerque. Découverte des sites de la Côte d'Opale (voir ci-dessus) où l'on passera 2 nuits dans un hôtel en bord de mer, à moins que l'on opte pour un gîte rural à l'intérieur des terres. Le 3e jour sera bien rempli en parcourant l'arrière-pays : Boulonnais et Audomarois, jusqu'aux rives de la Lys. Chemin faisant, haltes à Desvres, Guînes, St-Omer et son proche marais, Helfaut-Wizernes et sa coupole chargée de terribles souvenirs, Aires-sur-la-Lys... Le 4e jour, remontée de la vallée de la Canche, depuis Le Touquet, avec escales à Étaples, Montreuil et Hesdin. De Frévent, on file sur Arras pour l'étape. Le lendemain, retour sur la côte par Lucheux et la vallée de l'Authie. Entre Doullens et Fort-Mahon-Plage, découverte de l'abbaye de Valloires. Peut-être s'y offrira-t-on une nuit de sommeil (réservation impérative), bien méritée après avoir rencontré la gent ailée dans le parc du Marquenterre, visité Rue, vu Crécy sa forêt, ainsi que la baie de Somme, du Crotoy à St-Valery. L'étape suivante est Amiens, que l'on aborde via St-Riquier ou Abbeville et la vallée de la Somme. Avec sa célèbre cathédrale, ses « hortillonnages » et ses musées, la visite de la capitale picarde exige un jour entier. Deux autre journées – ce qui nous fait 8 jours en tout – sont donc à prévoir pour rayonner autour d'Amiens. On les consacrera à la découverte du parc Samara, des grottes-refuges à Naours, et à la remontée de l'autre partie de la vallée de la Somme, vers Corbie et Péronne. L'Ouest de la Picardie révèle aussi le meilleur d'elle-même dans le Vimeu, à Rambures et Ault, comme dans la région de Beauvais, où l'on terminera en beauté avec le pays de Bray, St-Germer-de-Fly et Gerberoy.

Itinéraires à thème

routes historiques

Ces itinéraires de visite, généralement balisés, ont pour objectif de présenter le patrimoine architectural dans son contexte historique.

Route historique du Camp du Drap d'or – Découverte de l'Oise, de la Somme et du Pas-de-Calais sur les traces de François Ier. Rens. : Association de sauvegarde du patrimoine rural, chemin du Grand Marais, 59650 Villeneuve-d'Ascq, ☎ 03 20 91 06 55.

Route des Archers – Découverte du champ de bataille d'Azincourt, épisode sanglant de la guerre de Cent Ans ; promenade dans la ville fortifiée d'Hesdin, édifiée par Charles Quint en 1554 ; visite de Crécy-en-Ponthieu, témoin de la défaite des chevaliers français face aux archers anglais.

Route des Valois – Abbayes, châteaux forts, musées sont au programme au cœur des forêts de Retz et de Compiègne. Rens. : abbaye de Longpont.

Route des Abbayes Renaissantes – Rens. : site abbatial de St-Michel-en-Thiérache, 02830 St-Michel.

Route du Lys de France et de la Rose de Picardie – De Paris à Crécy-en-Ponthieu, ce circuit passe notamment à Beauvais, Gerberoy, Poix-de-Picardie, Amiens. Rens. : château de Troissereux.

autres routes thématiques

Chemin des Dames – Cette route permet de comprendre les enjeux de

Une des nombreuses empreintes laissées par la Première Guerre mondiale.

cet épisode de la Première Guerre mondiale (voir « Le Chemin des Dames »).

Circuit du Souvenir – Dans la Somme, ce circuit, fléché de Péronne à Albert, traverse les villages meurtris par les combats. Rens. : CDT de la Somme.

Routes des villes fortifiées – Elle regroupe 13 places fortes importantes de la région. D'une longueur de 500 km, la route se divise en petits circuits offrant de multiples possibilités. Chaque ville est signalée par un panneau accompagné d'un logo. Carte et dépliant disponibles dans les offices de tourisme ou syndicats d'initiative.

« Chemins des retables » – Des circuits ont été créés pour faire connaître la richesse des églises de Flandre. Rens. : Association des retables de Flandre, BP 6535, 59386 Dunkerque Cedex, ☎ 03 28 68 69 78.

circuits de découverte

Pour visualiser l'ensemble des circuits proposés, reportez-vous à la carte p. 12.

1 ÉCHAPPÉE BUCOLIQUE EN AVESNOIS
Circuit de 350 km au départ de St-Quentin – Le patrimoine avesnois se révèle au fil de ce circuit, entre bocage et forêt. Vous succomberez aux saveurs de terroirs généreux.

2 HISTOIRE ET DÉTENTE EN ARTOIS
Circuit de 300 km au départ de Lille – Après la visite de Lille et de Villeneuve-d'Ascq et un passage en Tournaisis (Belgique), cette route chemine jusqu'en Hainaut et en Cambraisis, d'où jaillissent les eaux bienfaisantes de Saint-Amand. Vous rejoindrez ensuite l'Artois et sa capitale Arras en longeant le bassin minier. Des souvenirs de guerre, de puissants beffrois, des places fortes et de beaux édifices de style baroque flamand jalonnent le parcours. En prime, gourmandises, brasseries, mélodies de carillons et art contemporain. Vous croiserez peut-être aussi géants et joyeux drilles au détour d'un carnaval ou d'une ducasse.

3 CATHÉDRALES DE PICARDIE
Circuit de 250 km au départ d'Amiens – Ce circuit au départ d'Amiens se faufile vers l'Oise et le Beauvaisis à travers la campagne picarde. De Beauvais, on entre dans le bocage du Pays de Bray avant de gagner Gerberoy, l'un des « Cent plus beaux villages de France ». Chemin

faisant, se succèdent chefs-d'œuvre d'architecture religieuse de style gothique, tandis que se révèlent quelques trésors gastronomiques.

4 ÉVASION SUR LA CÔTE D'OPALE

Circuit de 250 km au départ de Boulogne – Ce parcours revigorant vous mène le long des falaises, des dunes et des plages de la Côte d'Opale, mais aussi dans le bocage boulonnais et dans le marais audomarois. Les paysages splendides et les stations balnéaires sont autant d'invitations à la promenade et à la détente. Outre l'activité portuaire de Boulogne et de Calais, vous découvrirez des industries traditionnelles comme la faïencerie à Desvres. La marée et les terroirs conjuguent leur générosité pour le plus grand plaisir des gourmands.

5 BEFFROIS DE FLANDRES

Circuit de 250 km au départ de Lille – Après une plongée dans l'animation lilloise, ce circuit se faufile à travers la campagne en suivant la chaîne des monts de Flandre. De places fortes en villages, de beffrois en estaminets, d'églises en moulins, toute l'âme flamande s'y dévoile. Elle s'exprime aussi par ses jeux populaires, sa cuisine traditionnelle, ses brasseries artisanales et ses festivités.

Porte fortifiée de Cassel

6 VALLÉES PICARDES

Circuit de 300 km au départ d'Amiens – Ce périple familial est placé sous le signe de la plume et de l'eau. Il vous mène d'Amiens au littoral picard par la paresseuse vallée de la Somme en s'arrêtant au parc préhistorique de Samara. La réserve du Marquenterre vous permet de découvrir la vie privée de nombreuses espèces d'oiseaux. Après un crochet en Ponthieu et une étape romantique à Valloires, les enfants sont encore à l'honneur au parc d'attractions de Bagatelle, comme à Berck-sur-Mer et au Touquet. De la place forte de Montreuil, on remonte la jolie vallée de la Canche, puis on retrouve Amiens, par Naours et son étonnante ville souterraine.

Jardins de Valloires

7 ESCAPADE EN SOISSONNAIS

Circuit de 300 km au départ de Soissons – Par le célèbre chemin des Dames, l'itinéraire mène d'abord du Soissonnais au Laonnais et sa « montagne couronnée ». On passe ensuite en Noyonnais, d'où l'on redescend vers le Valois pour retrouver Soissons via Compiègne, Pierrefonds et Fère-en-Tardenois. De campagnes solitaires en forêts denses, ce circuit ravira les randonneurs. Il sera également apprécié des passionnés d'histoire et des amateurs de bonne chère (haricot de Soissons, « vert » de Laon, fruits rouges de Noyon).

8 PICARDIE ET VALOIS AU NATUREL

Circuit de 300 km au départ de Compiègne – Cette route au départ de Compiègne remonte en direction de Noyon et Ham puis longe la vallée de la Haute-Somme jusqu'à Amiens via Péronne et Corbie. On redescend vers l'Oise en traversant la campagne picarde. La vallée de l'Automne vous entraîne alors en Valois pour rejoindre Compiègne via Pierrefonds, sous les frondaisons. Connu des pêcheurs, cet itinéraire l'est aussi des amoureux de la nature et des amoureux tout court. Il séduit autant par la variété de ses paysages que par la diversité et le prestige de ses sites historiques.

9 ENTRE SENSÉE ET SOMME

Circuit de 300 km au départ d'Arras – Ce circuit vous mène d'Arras au cœur de la Picardie et suit la vallée de la Haute-Somme jusqu'en Vermandois. De Saint-Quentin, vous remontez vers les sources de l'Escaut et le Cambrésis puis vous regagnez l'Artois en longeant le bassin minier. Outre les « insolites » de ce parcours – hortillonnages à Amiens,

« muches » à Naours, « boves » à Arras, menhirs de la Sensée, « puits tournants » aux alentours de Corbie, centre historique minier de Lewarde, canal souterrain et « touage » des péniches à Riqueval, etc. – deux chemins de fer touristiques sont l'occasion d'agréables excursions, depuis Froissy et depuis Saint-Quentin. Cette route présente l'avantage de pouvoir se combiner avec les circuits ① ② ③ ⑥ ⑧ ⑩.

⑩ **A LA PICARDIE ROMANTIQUE**

Circuit de 300 km au départ d'Amiens – Cet itinéraire au départ d'Amiens traverse la Picardie intérieure, puis littorale. Il relie les sites les plus remarquables et les plus romantiques de la région. Vallées, lieux d'histoire, parcs paysagers aux parfums de roses, paradis des oiseaux, falaises, plages, plaisirs de la table, châteaux et églises... Tout s'y conjugue harmonieusement pour dépayser en amoureux ou en famille.

Labyrinthe de la cathédrale d'Amiens.

Découvrir autrement la région

en tortillard

Malgré la vitesse et le TGV, grâce à l'enthousiasme de quelques passionnés, les trains à vapeur continuent de rouler pour le plaisir des petits et des grands.

Le p'tit train de la Haute-Somme – Au Sud d'Albert, à 3 km de Bray-sur-Somme, un petit train (14 km AR, durée : 1h1/2) mène de Froissy à Dompierre en passant par le tunnel de Cappy (300 m). Au retour, visite du musée des Chemins de fer militaires ou industriels.

Le chemin de fer de la baie de Somme – Il utilise les voies de l'ancien réseau des bains de mer, qui desservait Le Crotoy, St-Valery et Cayeux à partir de Noyelles. Les paysages traversés permettent d'admirer la baie de Somme et ses mollières. Le train, composé de vieilles voitures à plate-forme, circule entre Le Crotoy, Noyelles, St-Valery et Cayeux.

Le chemin de fer touristique du Vermandois – La ligne fait 22 km de St-Quentin à Origny-Ste-Benoîte en passant par Ribemont. On traverse puis on longe le canal de la Sambre à l'Oise, très verdoyant. Des repas, à bord du Vermandois Express, dans une voiture restaurant de 1928, sont organisés certains jours de l'année.

Le chemin de fer touristique de la vallée de l'Aa – Il utilise l'ancien tronçon de la ligne St-Omer-Boulogne-sur-Mer. Le trajet sur 15 km d'Arques à Lumbres permet de visiter l'ascenseur à bateaux des Fontinettes. Des arrêts sont prévus à la Coupole d'Helfaut-Wizernes et aux souterrains d'Hallines.
Renseignements auprès de M. Chambelland à Longuenesse, ☎ 03 21 12 19 19.

Tramway touristique de la vallée de la Deûle – Promenades en tramway le long de la Deûle sur une voie métrique de deux kilomètres, entre Marquette et Wambrechies dans la banlieue lilloise.
Renseignements à l'AMITRAM, ☎ 03 28 42 44 58.

en bateau

Autrefois réservés au transport et à la batellerie, les rivières et canaux offrent aujourd'hui environ 1 900 km de voies navigables aux plaisanciers désireux de parcourir la région. Le **Comité régional de tourisme du Nord-Pas-de-Calais** édite une brochure sur le réseau fluvial de la région.
Pour louer un bateau, contacter **Croisière Plus Plaisance**, BP 19, 59266 Honnecourt-sur-Escaut, rivières et canaux de France, centrale de réservation, ☎ 03 27 74 31 00.
Depuis 1992, un péage est perçu sur les rivières et canaux gérés par les Voies Navigables de France en fonction de la surface du bateau et de

la durée d'utilisation. Trois formules sont possibles : forfait « vacances », valable 15 jours consécutifs, forfait « loisirs » valable 30 jours non consécutifs et forfait annuel.

Pour tout renseignement et pour se procurer les ouvrages, s'adresser à **Voies Navigables de France (VNF)**, 175 r. Ludovic-Boutleux, 62400 Béthune, ☎ 03 21 63 24 24. Points d'accueil à : Calais, Douai, Dunkerque, Lille, Margny-lès-Compiègne, St-Quentin, Valenciennes.

vue du ciel

Quelques possibilités de s'offrir des sensations aériennes :

L'Oise vue du ciel – Survol de l'Oise en avion touristique (vol de 45mn.) ; il s'agit d'un des « points forts » d'un forfait de week-end (2 jours/2 nuits) dans l'Oise proposé par le service Loisirs Accueil du CDT de l'Oise, ☎ 03 44 45 82 12.

Survol de la métropole lilloise – Prest'Affair, compagnie aérienne d'avions-taxis basée à l'aéroport de Lille-Lesquin, propose une fois par mois un survol de 15mn pour les individuels et un parcours sur mesure pour les groupes constitués à la demande ; rens. : Office du tourisme de Lille.

Le Touquet : vols d'initiation au pilotage – Aéroclub de l'aéroport de Touquet, ☎ 03 21 05 82 28.

Parc préhistorique de Samara – À l'extérieur du parc, un grand ballon captif peut emmener 30 passagers à chaque vol (150 m d'altitude) pour admirer un paysage étonnant ; Samara, 80310 La Chaussée-Tirancourt, ☎ 03 22 51 82 83.

dans les brasseries

Dans le Nord-Pas-de-Calais, un certain nombre de brasseries fabriquent encore de la bière d'une façon artisanale. Les établissements suivants sont ouverts à la visite :

Brasserie des Amis Réunis – 2 av. du Collège, 59230 St-Amand-les-Eaux, ☎ 03 27 48 77 77.

Brasserie d'Annoeullin – 4 Grand'Place, BP 87, 59112 Annoeullin, ☎ 03 20 86 83 60.

Brasserie Castelain – 13 r. Pasteur, 62410 Bénifontaine, ☎ 03 21 08 68 68.

Brasserie des Enfants de Gayant – 63 fbg de Paris, BP 89, 59550 Douai, ☎ 03 27 93 26 22.

Brasserie Heineken – R. du Houblon, ZI de la Pilaterie, 59370 Mons-en-Barœul, ☎ 03 20 33 67 56.

Brasserie de Saint-Sylvestre – Rte Nationale, 59114 St-Sylvestre-Cappel, ☎ 03 28 40 15 49.

Brasserie Terken – 3 quai d'Anvers, BP 409, 59057 Roubaix Cedex 1, ☎ 03 20 76 15 00.

Brasserie Thiriez – 22 r. de Wormhout, 59470 Esquelbecq, ☎ 03 28 62 88 44.

Beck – Eckelstraete, 59270 Bailleul, ☎ 03 28 49 03 90. Ferme-brasserie.

Au Baron – 2 r. du Piémont, 59570 Gussignies, ☎ 03 27 66 88 61. Micro-brasserie.

sous les carillons

Ils rythment la vie de nombreuses villes des Flandres. Un carillon est constitué de plusieurs cloches logées dans un clocher ou dans un beffroi. Selon qu'il annonce l'heure, le quart, la demie ou le trois quart, il égrène différentes ritournelles. Principaux carillons du Nord-Pas-de-Calais :

Douai – Hôtel de ville : 62 cloches.

Tourcoing – Église St-Christophe : 61 cloches.

Bergues – Beffroi : 50 cloches.

Capelle-la-Grande – Beffroi : 49 cloches.

Avesnes-sur-Helpe – Collégiale St-Nicolas : 48 cloches.

Dunkerque – Tour St-Éloi : 48 cloches.

Le Quesnoy – Hôtel de ville : 48 cloches.

Orchies – Église : 48 cloches.

St-Amand-les-Eaux – Tour abbatiale : 48 cloches.

Seclin – Collégiale St-Piat : 42 cloches.

Des concerts ont lieu régulièrement dans certaines villes *(se renseigner dans les offices de tourisme)*.

Sports et loisirs

Les services Loisirs Accueil proposent des randonnées pédestres, équestres, cyclotouristiques, des stages de pêche, de golf, de chasse, de canoë. Voir leurs coordonnées dans le chapitre « Hébergement, restauration ».

canoë-kayak

Kayak de mer

Centre Agora – Esplanade Parmentier, BP 9, 62601 Berck-sur-Mer, ☎ 03 21 89 87 91.
Mer et Rencontre – 4 digue Nicolas II, 59242 Dunkerque, ☎ 03 28 29 13 80.
Randonnées découvertes en baie de Somme – Association Quenoy, baie des Phoques, 53 quai de Lejoille, 80230 St-Valery, ☎ 03 22 60 59 98 ou 06 08 46 53 34 (M. Petilléon).
Office de tourisme – 62179 Wissant, ☎ 03 21 85 15 62.

Kayak de rivière

Canoë-kayak Club – Base nautique du petit Bief, 80400 Ham, ☎ 03 23 36 53 84 ou ☎ 03 23 81 08 42.
Base de kayak (slalom) – 4 r. des Moulins-des-Orphelins, 62170 Montreuil-s-Mer, ☎ 03 21 06 20 16.
Canoë-kayak Club – Bassin de l'Aa, écluse St-Bertin, 62500 St-Omer, ☎ 03 21 38 08 47.

cerf-volant

Magasin Atem – 110 r. de Metz, 62520 Le Touquet, ☎ 03 21 05 61 58. Pour se procurer un bon cerf-volant et apprendre à le manier.
Centre Agora – Esplanade Parmentier, BP 9, 62601 Berck-sur-Mer, ☎ 03 21 89 87 91. Pilotage et construction de cerfs-volants.

char à voile

Curieux engin que cet hybride du kart (à trois roues) et du voilier qui, mû par la seule force du vent, peut atteindre plus de 100 km/h sur les vastes étendues de sable fin et dur qu'offrent les plages du Nord et de Picardie à marée basse. À côté des chars à voile apparaissent les « speed sail », planches à voile sur roulettes.
Fédération française de char à voile – ZI de la Vigogne, 62600 Berck-sur-Mer, ☎ 03 21 84 27 69.

golf

Les amateurs de golf pourront s'adonner à ce sport de détente. Nombreux dans la région Nord-Pas-de-Calais, les golfs sont situés dans un agréable cadre de verdure, au relief vallonné, entourés de forêts ou bien ouverts sur le littoral. Se procurer la brochure « **golfs Nord-Pas-de-Calais** », au Comité régional de tourisme. En Picardie, golfs à Fort-Mahon, Quend-Plage, Grand-Laviers, Nampont-Saint-Martin, Salouel (3 km d'Amiens), Querrien (7 km d'Amiens).
Ligue de Golf de Picardie – ☎ 03 44 21 26 28.

pêche en eau douce

Ce pays traversé de rivières s'épandant en étangs est le royaume des pêcheurs, surtout le long de la Somme, la Course, la Lys, l'Aisne, l'Oise, l'Aa, ainsi que dans la région des sept vallées (la Canche, l'Authie, la Ternoise...).
Généralement le cours supérieur des rivières est classé en 1re catégorie tandis que les cours moyen et inférieur le sont en 2e. Pour la pêche dans les lacs et les rivières, il convient d'observer la réglementation nationale et locale, de s'affilier pour l'année en cours dans le département de son choix à une association de pêche et de pisciculture agréée, et d'acquitter les taxes afférentes au mode de pêche pratiqué ou éventuellement d'acheter une carte journalière. Entre le 1er juin et le 30 sept., il est possible, en certains endroits, d'obtenir une formule de permis de pêche « vacances », valable 15 jours.
La carte-dépliant commentée, *Pêche en France*, est disponible auprès du **Conseil supérieur de la pêche**, 134 av. de Malakoff, 75116 Paris, ☎ 01 45 02 20 20.
On peut se procurer des cartes et des informations locales auprès des CDT

et Fédérations de pêche de chaque département.

Fédérations départementales des associations agréées de pêche et de pisciculture – Aisne : ☎ 03 23 23 13 16 ; **Nord :** ☎ 03 20 54 52 51 ; **Oise :** 03 44 40 46 41 ; **Somme :** ☎ 03 22 52 92 91.

pêche en mer

Berck – Les Ternes, ☎ 03 21 84 43 48.

Boulogne – Les Arsouins, ☎ 03 21 87 55 99.

Calais – Vedette le *Rosabelle*, M. Guilbert, 106 r. Delannoy, ☎ 03 21 34 65 07.

Étaples – Mai-sept. Office de tourisme, ☎ 03 21 09 56 94 ou Pavillon de la mer, ☎ 03 21 94 17 51 ; possibilité également de promenade en mer.

Le Touquet – La Gaule Touquettoise, rens. et licences disponibles au café « chez Élie » (siège de la Fédération française des pêcheurs en mer), 60 r. de Calais, ☎ 03 21 05 19 63, ou M. Gillet, ☎ 03 21 05 00 41.

randonnée équestre

La région dispose de centaines de kilomètres d'itinéraires équestres à travers les forêts, le long des côtes.

Délégation nationale du tourisme équestre – 9 bd Macdonald, 75019 Paris, ☎ 01 53 2615 50. Elle édite annuellement le catalogue *Tourisme et loisirs équestres en France*, donnant les adresses des centres sélectionnés.

Comités départementaux du tourisme équestre – Aisne : ☎ 03 23 69 01 91 ; **Nord :** ☎ 03 20 09 76 22 ; **Oise :** ☎ 03 44 51 22 84 ; **Pas-de-Calais :** ☎ 03 21 57 32 97 ; **Somme :** ☎ 03 22 27 07 11.

Les adresses des centres équestres et les informations sur les circuits aménagés sont disponibles à :

Association régionale de tourisme équestre Nord-Pas-de-Calais – LePaddock, 62223 St-Laurent-Blangy, ☎ 03 21 55 40 81.

Association régionale de tourisme équestre Picardie – 8 r. Fournier-Sarlovèze, BP 20636, 60476 Compiègne Cedex 2, ☎ 03 44 40 19 54.

randonnée pédestre

Des sentiers de Grande Randonnée parcourent les Flandres, l'Artois, la Picardie et l'Avesnois. Le **GR 121** (250 km) relie Bon-Secours au Nord de Valenciennes à la Côte d'Opale près de Boulogne, en suivant les vallées de la Scarpe et de la Canche. Le **GR 120** propose une promenade dans le Boulonnais, tandis que le **GR 127** traverse les collines de l'Artois, reliant la région d'Arras au Boulonnais. Le **GR 128** (130 km) parcourt la Flandre en passant aux abords de Ardres, St-Omer et Cassel. Le **GR 122** fait découvrir la Thiérache et ses églises fortifiées. Le **GR de Pays,** balisé de traits jaunes et rouges, suit le **littoral Nord-Pas-de-Calais** de Bray-Dunes à l'estuaire de l'Authie, tandis que le **GR de Pays de l'Avesnois Thiérache** (130 km) s'aventure dans la Flandre avant de rejoindre les Ardennes. Le **PR** Pas-de-Calais, Côte d'Opale, propose 30 promenades à travers le Boulonnais et l'Audomarois, à pied ou à VTT. Il existe également le **PR** « Le Pas-de-Calais et le Comté du Kent ».

Les **GR 123, 124** et **225** font découvrir les abbayes, vallées et forêts de Picardie. Le **GR 125** relie le Vexin à la baie de Somme à travers le Pays de Bray et le Vimeu. Le **GR 12A** traverse les forêts de Compiègne, de Laigue, puis, passant par Blérancourt, gagne la forêt de St-Gobain et la région du Laonnois.

Une collection de 200 topo-guides édités par la Fédération française de randonnée pédestre sont vendus au **Centre d'information de la randonnée pédestre**, 14 r. Riquet, 75019 Paris, ☎ 01 44 89 93 93.

Le **conseil général du Nord** publie, avec le concours de l'Association départementale de la randonnée (AD Rando), des fiches-itinéraires de longueur variable avec schémas et informations. S'adresser au Comité départemental du tourisme du Nord.

Le guide Chamina propose des balades à pied et à VTT dans l'Aisne sur les pas de La Fontaine : 37 petites randonnées de 1h30 à 6h de marche et 5 itinéraires de week-end avec de nombreux renseignements. S'adresser au **Comité départemental du tourisme de l'Aisne.**

Eden 62 – 3 sq. B.-Shaw, BP 65, 62930 Wimereux, ☎ 03 21 32 13 74 *(documentation sur demande)*. C'est un organisme départemental chargé de protéger, de gérer et de faire découvrir les espaces naturels sensibles (dunes, forêts, marais, estuaires...).

ski

Loisinord – 62290 Nœux-les-Mines, ☎ 03 21 26 84 84. Station de ski aménagée sur un terril. Piste de ski artificielle.

vélo

Le réseau des petites routes de campagne se prête aux promenades à bicyclette. Les listes de loueurs de cycles sont généralement fournies par les syndicats d'initiative et les offices de tourisme.
Il est possible de transporter gratuitement son vélo dans de nombreux trains régionaux ainsi que sur la ligne Paris-Amiens-Boulogne.
Fédération française de cyclotourisme – 8 r. Jean-Marie-Jégo, 75013 Paris, ☎ 01 44 16 88 88. Elle fournit des fiches-itinéraires pour toute la France avec kilométrages, difficultés et curiosités touristiques.
Des itinéraires sont également disponibles au Comité départemental du tourisme du Nord, de la Somme (Ponthieu, Marquenterre).

VTT

Né en 1970 aux États-Unis sous la forme de *mountain bike*, le vélo tout terrain a pris un essor important depuis son apparition en 1983. La région ne manque pas de circuits balisés afin de permettre aux débutants de s'entraîner et aux cyclistes confirmés de foncer !
Pour la Somme, un topo-guide édité par le Comité départemental du tourisme à Amiens réunit une dizaine d'itinéraires de longueur et de difficulté variables. D'autres circuits (baie de Somme, vallée de la Somme, vallée du Scardon, forêt de Crécy) sont disponibles auprès du **Syndicat intercommunal de développement économique et d'aménagement du Ponthieu-Marquenterre** (3 r. de l'École-des-Filles, 80135 St-Riquier).

voile

Des écoles de voile s'échelonnent le long de la côte, de Bray-Dunes à Ault-Onival. À l'intérieur des terres, quelques plans d'eau se prêtent aussi à la pratique de ce sport, comme la base de Val-Joly dans l'Avesnois, les étangs de la Sensée, l'Escaut, et le lac de Monampteuil, près de Soissons.
Fédération française de voile – 55 av. Kléber, 75784 Paris Cedex 16, ☎ 01 44 05 81 00.

Forme et santé

ST-AMAND-LES-EAUX
Centre thermal – 59230 St-Amand-les-Eaux, ☎ 03 27 48 25 00. Les eaux et boues de St-Amand sont reconnues pour leurs vertus curatives. Traitement des rhumatismes, rééducations fonctionnelles.

BERCK-SUR-MER
Cette station balnéaire, dont l'air est le plus iodé du Nord, possède de nombreuses structures prévues pour le traitement des maladies osseuses et des séquelles des accidents de la route.
Centre Hélio-Marin – 47 r. du Dr-Calot,62600 Berck-sur-Mer, ☎ 03 21 89 40 40.
Centre de loisirs Agora – Esplanade Parmentier, BP 9, 62600

Berck-sur-Mer, ☎ 03 21 89 87 91. Programme de remise en forme.

LE TOUQUET
La célèbre station balnéaire est équipée d'un centre de thalassothérapie qui propose une large gamme de cures (santé, remise en forme, post-natale, diététique, programmes personnalisés, etc.).
Institut Thalassa – Front de mer, 62520 Le Touquet, ☎ 03 21 09 86 00.
Centre Thalgo (hôtel Park Plaza) – 4 bd de la Canche,62520 Le Touquet, ☎ 03 21 06 88 84.
Centre Aquatique et Sportif de Remise en Forme (Aqualud) – la Plage,62520 Le Touquet, ☎ 03 21 06 13 09.

Souvenirs

pour la maison

Verres et cristaux d'Arques
Arc International – 41 av. du Gén.-de-Gaulle, 62510 Arques, ☎ 03 21 95 46 96.

Faïence de Desvres
Les Artistes Faïenciers – 39 r. R.-Mingurt, 62240 Desvres, ☎ 03 21 92 39 94 ;

Fourmaintraux Dutertre – 114 r. J.-Jaurès, 62240 Desvres, ☎ 03 21 91 65 55 ;

Desvres Tradition – 1 r. du Louvre, 62240 Desvres, ☎ 03 21 92 39 43 ;

Céramiques modernes ANI-C – 108 chaussée Brunehaut, Longfosse, 62240 Desvres, ☎ 03 21 91 49 94 ;

Faïences de Douai
Chez Alfred Lieken – 134 r. de la Mairie (angle r. Gambetta), 59550 Douai, ☎ 03 27 97 42 91.

Porcelaine d'Arras
Orfèvrerie-Porcelaine Caudron – 15 pl. Vacquerie, 62000 Arras. Une spécialité de la ville : le « Bleu d'Arras », un plat de service orné d'un délicat motif à la ronce.

Poteries de Sars-Poteries
Atelier Maine – R. du Gén.-de-Gaulle, ☎ 03 27 61 68 11. 10h-12h, 14h-18h30, sam., dim. et j. fériés 15h-19h. Visite des ateliers sur RV.

Dentelles
Trois villes de la région font encore dans la dentelle : Calais, Caudry-en-Cambrésis et Bailleul (un musée de la dentelle se visite dans ces trois villes).

Objets en osier
Vannerie la Belle Endormie – 53-55 Rte Nationale, 80150 Le Boisle. 9h-19h, dim. et j. fériés 14h30-19h. Mobilier rotin, osier, idées déco et ameublement.

pour les gourmands

Soupe de poisson du Touquet
Disponible en bocaux chez de très nombreux mareyeurs, épiciers et traiteurs du Touquet. Aussi en bocaux, les fameux rollmops (harengs marinés au vinaigre et oignons) du Nord de la Côte d'Opale.

Andouillette et andouille
Il est possible d'acheter ces spécialités dans un emballage sous vide. Les amateurs d'andouillette se dirigent en priorité vers Arras et Cambrai et pour l'andouille, cela se passe à Aire-sur-la-Lys.

Bières « spéciales »ou de garde
Voilà une excellente idée-cadeau, aussi bien pour le voisin qui relève le courrier et arrose les plantes durant votre absence, que pour le beau-père qui garde votre compagnon à quatre pattes. Adresses pour se les procurer : voir la « Route des Brasseurs ».
Une variante : la **bouteille de genièvre** ; voir la « Route des Brasseurs ».

pour gâter les enfants sages

Les Bêtises de Cambrai
Afchain – ZI de Cantinpré, BP 197, 59404 Cambrai, ☎ 03 27 81 25 49.
Despinoy – Rte Nationale, 59400 Fontaine-Notre-Dame, ☎ 03 27 83 57 57.

Marionnettes picardes
Pour les marionnettistes en herbe ou pour les collectionneurs. On en trouve de jolies à Buire-le-Sec et à Amiens, dans le quartier St-Leu, chez le sculpteur **Jean-Pierre Facquier** *(voir le carnet pratique d'Amiens)*.

bonnes affaires

Magasins d'usine en général ouverts du lun. ap.-midi au sam. (ven. pour l'usine Vanoutryve).

L'usine
228 av. Alfred-Motte, 59057 Roubaix. Magasins d'usine de la région de Roubaix. Plus de 200 marques et plus de 60 enseignes (habillement, linge

de maison, tissus, équipement ménager, maroquinerie et même produits fermiers).

Magasin « La Redoute »

R. de l'Alma, 59057 Roubaix. Articles de fin de série ou sortis du catalogue. Les **Aubaines** « Textile » (85 r. de l'Alma) et les **Aubaines** « Meubles » (33 bis r. des Lignes) proposent également des articles de fin de série.

Usine Vanoutryve et Cie

75 bd d'Armentières, 59057 Roubaix. Fondée en 1860 par Félix Vanoutryve. On y trouve de nombreux tissus d'ameublement et velours.

Mc Arthur Glen

Boutiques de fabricants (vêtements et articles de luxe) ; ce grand magasin a ouvert ses portes à côté du site Eurotéléport de Roubaix.

Kiosque

ouvrages généraux

Histoire du Nord : Flandre, Artois, Hainaut, Picardie, P. Pierrard, Hachette.

Le guide du Boulonnais et de la Côte d'Opale, D. Arnaud, La Manufacture.

Nord-Pas-de-Calais, Picardie : guide du tourisme industriel et technique, coll. EDF, La France contemporaine, Solar, 1999.

Le Nord de la France, M. Barker et P. Atterbury, Nordéal,1993.

Histoire de Lille, L. Trénard, Privat.

Le Piéton à Lille, S. Bellet etT. Marcq, Balland.

Le Nord, Flandre, Artois, Picardie, A. Davesnes, Solar.

La Picardie, verdeur dans l'âme, coll. France, Autrement.

Le Nord roman : Flandre, Artois, Picardie, Laonnois, Zodiaque, diff. Desclée de Brouwer.

Nord, Picardie, Flandre, A. Davesnes, Solar.

Châteaux de la Somme ; églises de la Somme ; abbayes de la Somme, P. Seydoux, Nouvelles Éditions Latines.

Châteaux de Flandre et du Hainaut-Cambrésis ; châteaux d'Artois et du Boulonnais, P. Seydoux ; La Morande.

Dictionnaire du français régional du Nord-Pas-de-Calais, F. Carton et D. Poulet, Bonneton.

Légendes et croyances en Flandre, B. Coussée, CEM.

Vols au-dessus de la terre du Nord, S. Bellet etT. Marcq, Du Quesne.

Jeux d'hier et d'avant-hier dans le Nord-Pas-de-Calais, L. Delporte, Presses d'Angrienne.

La Côte d'Opale, P. Thomas et C. Crespel, L'Ermitage.

gastronomie

La Flandre gourmande, G. Arabian, Albin Michel, 1995.

La Cuisine du Nord par ses Chefs, Albin Michel, 1996.

Flandre, Picardie, Artois, S. Girard, Time-Life, 1997.

Dictionnaire de la cuisine du Nord-Pas-de-Calais, Bonneton, 1993.

Cuisine et paysages du Nord-Pas-de-Calais, T. Marcq et B. Wartelot, Du Quesne, 1999.

Meilleures recettes du Nord-Pas-de-Calais, M. Nouet, Ouest France, 1995.

Gastronomie des Flandres et d'Artois, Gastronomie picarde, coll. Delta 2000, SAEP.

Fromages des pays du Nord, P. Olivier, Jean-Pierre Taillandier, 1998.

littérature

Ces dames aux chapeaux verts, G. Acremant, Miroirs.

Journal d'un curé de campagne, Artois, G. Bernanos, Plon.

Les Peupliers de la Prétantaine, M. Blancpain, Denoël.

Les Croix de bois (guerre 1914-1918), R. Dorgelès, Albin Michel.

Œuvre romanesque (nombreux titres) de M. Van der Meersch, Albin Michel.

Germinal (bassin houiller), É. Zola, Livre de Poche.

Mineur de fond (fosses de Lens), A. Viseux, Plon.

Maria Vandamme ; Catherine Courage : la fille de Maria Vandamme, J. Duquesne, Grasset.

La Poussière des corons, M.-P. Armand, Presses de la Cité.

Archives du Nord (Flandre), M. Yourcenar, Gallimard.

Caporal supérieur, D. Boulanger, Gallimard.

André et Violine, A. Stil, Grasset.

La Kermesse, Le Cœur en Flandre, L'Oubliée de Salperwick, A. Sanerot-Degroote, Presses de la Cité.

bandes dessinées

HUMOUR / ADULTES

Point de fuite pour les braves, La Pédagogie du trottoir, La Dérisoire Effervescence des comprimés, La Femme du magicien, Les Dents du recoin... Boucq, Casterman. Cet auteur lillois restitue avec surréalisme toute l'âme de la métropole.

Les 6 tomes de la série *Jean-Claude Tergal*, Audie-Fluide Glacial, par le malicieux Tronchet (né à Béthune), feront hurler de rire les amateurs d'humour corrosif. J.-C. Tergal, l'anti-héros parfait, évolue notamment entre Berck-Plage et le pays minier. À lire aussi, les 2 tomes de *Houpeland*, toujours par Tronchet, Dupuis Air Libre.

HISTOIRE

1914-1918. C'était la guerre des Tranchées, Tardi, Casterman. Évocation magistrale de la Grande Guerre par une très grande pointure de la BD.

CLASSIQUE

La série des *Bécassine*, E.-J. P. Pinchon (1871-1953). Les bédéphiles les plus avertis savent-ils que le dessinateur de la célèbre petite paysanne bretonne est amiénois ?

Cinéma, télévision

La Picardie, les Flandres et l'Artois ont souvent été choisis comme cadre de tournage. Voici quelques-uns des principaux films et téléfilms qui ont mis ces régions en scène.

À **Arenberg** et **Paillencourt** (Nord) : *Germinal* de Claude Berri, avec Gérard Depardieu, Renaud, Miou-Miou.

À **Fourmies** (Nord) : *Maria Vandamme* et *Catherine Courage* (1989 et 1993), adaptation télévisée des romans de Jacques Duquesne.

Au **château de Pierrefonds** (Oise) : *Le Miracle des loups* (1924) de R. Bernard ; *Le Bossu* (1959) de Hunnebelle, avec Jean Marais ; *Les Visiteurs I et II* (1993 et 1998) de Jean-Marie Poiré, avec Christian Clavier et Jean Réno ; *Le Masque de Fer* (1998) avec Leonardo Di Caprio.

À **Ambricourt** (Pas-de-Calais) : *Le Journal d'un curé de campagne* (1951) de Robert Bresson, d'après le roman de Georges Bernanos.

Au Cirque d'**Amiens** : *Les Clowns* (1970) de Federico Fellini ; *Roselyne et les lions* (1989) de Jean-Jacques Beineix, avec Isabelle Pasco ; *Les Équilibristes* (1991) de Papatakis.

À **Bailleul** (Nord) : *La Vie de Jésus* (1996) de Bruno Dumont.

À **Compiègne** (Oise) et à **St-Quentin** (Aisne) : *La Reine Margot* (1994) de Patrice Chéreau, avec Isabelle Adjani.

À **Villeneuve-sur-Fère** : *Camille Claudel* (1988) de Bruno Nuytten, avec Isabelle Adjani et Gérard Depardieu.

La Reine Margot de Patrice Chéreau, avec Isabelle Adjani dans le rôle-titre.

Escapade dans le Kent

organiser son escapade

Vous trouverez toute la documentation nécessaire à la préparation de votre escapade auprès des représentations de la **BTA (British Tourist Authority)** ainsi qu'aux offices de tourisme locaux.

Représentations de la British Tourist Authority

Maison de la Grande-Bretagne, 19 r. des Mathurins, 75009 Paris. ☎ 01 44 51 56 20, fax 01 44 51 56 21. Minitel 3615 british. La Maison de Grande-Bretagne regroupe notamment Brittany Ferries, le Shuttle, P & O European Ferries et Sealink France.

formalités d'entrée

Papiers d'identité – Les ressortissants de l'Union européenne doivent être munis d'un passeport ou d'une carte d'identité en cours de validité.
Animaux domestiques – Ils ne peuvent entrer sur le territoire britannique et sont systématiquement placés en quarantaine.
Documents pour la voiture – Outre les papiers du véhicule, il est recommandé de se munir d'une carte verte internationale. À l'arrière du véhicule, la lettre signalant le pays d'origine est obligatoire.
Douanes – En règle générale, la législation en vigueur dans l'Union européenne est appliquée sur le territoire du Royaume-Uni.
Santé – En cas d'accident ou de maladie en cours de séjour, les ressortissants de l'Union européenne bénéficient de la gratuité des soins. Il est recommandé de se munir de l'imprimé E 111 que l'on obtiendra (en France) auprès de sa caisse de Sécurité sociale.
Sur place, le numéro téléphonique de secours est le **999**.

comment s'y rendre

Au départ de Boulogne
Les catamarans géants de la compagnie **Hoverspeed Newcat** relient Boulogne à Folkestone en 55 mn, 5 départs par jour, en haute saison. Tarifs pour un aller-retour dans la journée : 90F pour les piétons et 375F pour les voitures (max. 7 passagers). Rens. et réserv. : ☎ 03 21 30 80 55.
La compagnie de transport **Duo Line** propose en haute saison une

excursion à Folkestone ou Canterbury au départ de Calais, via Calais/Coquelles. La formule comprend le transport en autocar et la liaison trans-Manche en shuttle. Rens. et réserv. : ☎ 03 21 91 57 58.

Au départ de Calais

SUR L'EAU
Le port de Calais est desservi par les car-ferries des compagnies P&O-Stena Line et Seafrance. Env. 60 départs chaque jour. Traversée Calais-Douvres en 75 mn.
Les aéroglisseurs mettent Douvres à 35 mn de Calais.
Seafrance propose une excursion d'une journée à Canterbury. La formule comprend le transport Calais-Douvres en autocar et le trajet Dover-Canterbury en train. Rens. et réserv. : ☎ 03 21 34 55 00.

SOUS L'EAU
Le terminal d'Eurotunnel se trouve à Coquelles (3 km de la côte).
Le **shuttle** relie Calais à Folkestone, 24h/24, 7 j./7. Le trajet dure 35 mn, dont 28 dans le tunnel. ☎ 09 90 35 35 35.
L'**Eurostar** circule tous les jours et met la gare de Londres-Waterloo à 3 heures de Paris-gare du Nord.

vie quotidienne

Banques
Les banques sont ouvertes du lundi au vendredi de 9h30 à 15h30.

Heure et jours fériés
De fin octobre à fin mars, c'est l'heure de Greenwich GMT qui prévaut au Royaume-Uni, de fin mars à fin octobre, c'est l'heure GMT + 1 heure.
Les jours fériés : Nouvel An ; Vendredi saint (Good Friday) ; lundi de Pâques (Easter Monday) ; 1er lundi de mai (May Day) ; dernier lundi de mai (Spring bank holiday) ; Noël et le 26 décembre (Boxing Day, fête de St-Étienne).

MAGASINS
Les magasins sont généralement ouverts du lundi au samedi de 9h à 17h30 ou 18h, le dimanche de 10h ou 11h jusqu'à 16h.

POSTE ET TÉLÉPHONE
Les cartes postales à destination d'un pays de l'Union européenne seront affranchies à 30 pence.

Les **bureaux de poste** sont ouverts du lundi au vendredi de 9h30 à 17h30 et le samedi matin de 9h30 à 12h30.
Du Royaume-Uni vers la France : 00 33 + le numéro à 10 chiffres sans le zéro initial. De la France vers le Royaume Uni : 00 44 + indicatif de la localité sans le zéro initial + numéro du correspondant.

Calendrier festif
carnavals, sorties de géants

Dimanche précédant le Mardi gras et Mardi gras

Carnaval.	**Dunkerque**
Carnaval.	**Equihen-Plage**
Carnaval avec le géant Gargantua.	**Bailleul**

Ambiance folle au carnaval « Charivari » de Dunkerque.

Dimanche suivant le Mardi gras

Carnaval (fête de St-Pansar).	**Trélon**
Carnaval.	**Malo-les-Bains**

Dimanche après la mi-carême

Grand cortège en costumes anciens, défilé de géants, jets de noix à la foule. Carnaval le dimanche suivant.　　　　**Hazebrouck**

Lundi de Pâques

Sortie des géants Reuze-Papa et Reuze-Maman.	**Cassel**
Carnaval (après-midi).	**Denain**

Mai

Carnaval.　　　　**Amiens**

Un dimanche en juin

Sortie des géants Gédéon, Arthurine et Florentine.	**Bourbourg**
La ronde des géants.	**St-Omer**

Juillet

Carnaval d'été : défilé des géants Roland, Tisje, Tasje, Toria et Babe Tisje.　　　　**Hazebrouck**

Dimanche qui suit le 5 juillet

Sortie de la famille Gayant (géants), grand cortège.　　　　**Douai**

14 juillet

Les joutes et les géants d'Arras.　　　　**Arras**

15 août

Cortège avec les géants Martin et Martine.   **Cambrai**

2e week-end de septembre

Les Folies de Binbin.   **Valenciennes**

2e dimanche d'octobre

Fête des Louches avec les géants Grande Gueuloutte et   **Comines**
P'tite Chorchine.

festivals

Mars

Festival international du film animalier, ☎ 03 22 74   **Albert**
37 04.
Festival du cinéma « Cinémalia ».   **Beauvais**

Avril

Festival du film de l'oiseau, ☎ 03 22 24 02 02   **Abbeville et baie**
(projections, expos, balades-découvertes, conférences).   **de Somme**
Festival du film d'action et d'aventure.   **Valenciennes**

Printemps

Festival de la nouvelle.   **St-Quentin**

Mai

Festival international de jazz.   **Amiens**

Juin

Jazz sur l'Herbe, ☎ 03 22 28 20 20.   **St-Riquier**
Balades musicales, ☎ 03 22 23 53 55.   **Valloires (abbaye et**
                                                              jardins)
Music & Remparts, ☎ 03 21 31 68 38.   **Boulogne-sur-Mer**

Fin juin- début juillet

Les Folies.   **Maubeuge**

Juillet

Festival de musique, ☎ 03 21 30 40 33.   **Côte d'Opale**
Festival de musique classique.   **St-Riquier**

Autour du 14 juillet

Festival des folklores du monde.   **Bray-Dunes**

Juillet-août

Festival de musique.   **Hardelot**

Août

Festival international de musique.   **Le Touquet**

Septembre

Festival des cathédrales, ☎ 03 22 22 44 94.   **En Picardie**

Le mois d'octobre

Festival de Lille, ☎ 03 20 52 47 23.   **Lille**

En automne

Festival de musique française.   **Laon**

Mi-octobre à mi-novembre

Tourcoing Jazz Festival, ☎ 03 20 23 37 00.   **Tourcoing**
Ville associée.   **Armentières**
Ville associée.   **Lomme**
Ville associée.   **Mons-en-Barœul**

Novembre

Festival international du film d'Amiens, ☎ 03 22 71   **Amiens**
35 70.

foires, produits du terroir

L'avant-dernière semaine de juin
Fête des fraises.   **Samer**

Le dimanche après le 14 juillet
Fête de la groseille.   **Loison-sur-Créquoise**

1er dimanche de juillet
Marché aux fruits rouges.   **Noyon**

Dernier week-end de juillet
Fête de la moule.   **Wimereux**

Dernier dimanche d'août
Foire à l'ail.   **Locon**

Foire à l'ail de Locon.

1er dimanche de septembre
Foire à l'ail (du vendredi au lundi).   **Arleux**
Fête de l'andouille.   **Aire-sur-la-Lys**

3e week-end de septembre
Fête de la gastronomie, ☎ 03 22 98 08 25.   **Poix-de-Picardie**

1er week-end d'octobre
Fête du houblon.   **Steenvoorde**

3e dimanche d'octobre
Fête du cidre.   **Sains-du-Nord**

Un week-end début novembre
Fête du hareng roi.   **Étaples**

2e week-end de décembre
Fête de la dinde.   **Licques**

manifestations sportives

Mi-février
Enduro des sables, ☎ 03 21 05 21 65.   **Le Touquet**
Meeting international d'athlétisme, ☎ 03 20 72 05 17.   **Liévin**

En avril
Rencontres internationales de cerfs-volants.   **Berck-sur-Mer**

De drôles d'oiseaux survolent Berck-sur-Mer en avril, à l'occasion des Rencontres internationales de cerfs-volants.

2ᵉ dimanche d'avril

Course cycliste « Paris-Roubaix ». **Roubaix**

Mai

Course cycliste. **Dunkerque**

Tout le mois de septembre

Championnat de France de funboard. **Wimereux**

septembre

La route du poisson (manifestation équestre – année **Boulogne**
impaire).

Fin octobre – début novembre

Les 6 heures de char à voile. **Berck-sur-Mer**

autres manifestations

Dernier dimanche d'avril

Fête régionale, ☎ 03 27 20 54 71. **Villes fortifiées du Nord-Pas-de-Calais**

Ascension

Bénédiction de la mer. **Calais**

Dimanche après le jeudi de l'Ascension

Fête de Jean Mabuse. **Maubeuge**

Mai

Montgolfiades **Lille**
Euromédiévales (banquet, animations, marchés **Laon**
médiévaux).
Franche Foire (marché médiéval, tournoi européen de **Tourcoing**
chevalerie, cortèges, etc.).

Week-end de Pentecôte

Fêtes du Bouffon. **St-Quentin**

Lundi de Pentecôte

Pèlerinage. **Liesse-Notre-Dame**

Début juin

Fête Guillaume le Conquérant, ☎ 03 22 60 93 50. **St-Valery-sur-Somme**

3ᵉ dimanche de juin

Fête des roses. **Gerberoy**
Journée nationale des Moulins. Renseignements : ARAM **Différents moulins**
☎ 03 20 05 49 34.

3ᵉ dimanche après la Pentecôte

Fêtes de Lille. **Lille**

Un dimanche de juin

La légende de Raoul de Créquy. **Fressin**

23 juin

Feux de la Saint-Jean.   **Long**

Dernier week-end de juin

Fête Jeanne Hachette.   **Beauvais**

Juin et juillet

Spectacle médiéval son et lumière : « Coucy la   **Coucy-le-Château**
Merveille ».

Juillet et août

Spectacle son et lumière « Les Misérables ».   **Montreuil-sur-Mer**

Mi-juillet

Fête de la faïence.   **Desvres**

3ᵉ dimanche de juillet

Fête des métiers.   **Buire-le-Sec**

Fin juillet

Fêtes napoléoniennes.   **Boulogne-sur-Mer**
Cortège nautique.   **St-Omer**

1ᵉʳ week-end d'août

Fête de Bimberlot.   **Le Quesnoy**

Une semaine à la mi-août

Wimereux à la Belle Époque.   **Wimereux**

15 août

Grande processsion à N.-D.-Panetière.   **Aire-sur-la-Lys**
Fête de la mer et bénédiction.   **Berck-sur-Mer**
Bénédiction de la mer.   **Dunkerque, Calais**

Deux semaines, fin août

Festival des malins plaisirs.   **Montreuil-sur-Mer**

Dernier week-end d'août

Fête du Flobart   **Wissant**
Pèlerinage à N.-D.-de-Boulogne ; grande procession.   **Boulogne-sur-Mer**

Fin août à début septembre

Fêtes d'Arras ; embrasement du beffroi en septembre.   **Arras**

Fin août à fin septembre

Spectacle son et lumière, ☎ 03 22 41 06 90.   **Ailly-sur-Noye**

1ʳᵉ quinzaine de septembre

Pèlerinage à N.-D.-de-Brébières.   **Albert**

1ᵉʳ week-end de septembre

Grande braderie.   **Lille**

2ᵉ dimanche de septembre

Fête des Berlouffes.   **Wattrelos**
Procession à N.-D.-du-Cordon.   **Valenciennes**
Fête des Nieulles.   **Armentières**

Le dimanche qui précède la St-Matthieu

Fête des Charitables.   **Béthune**

Octobre

Cucurbitades : fêtes de la Courge et de la Sorcellerie.   **Marchiennes**
Le Camp du Drap d'Or.   **Guînes**
Fête de la St-Hubert (3ᵉ dimanche).   **Mont des Cats**

1ᵉʳ samedi de décembre

Fête de Saint-Nicolas.   **Boulogne-sur-Mer et**
                                                                Bergues

24 décembre

Fête des Guénels (le guénel est une lanterne taillée dans   **Boulogne-sur-Mer**
une betterave).

Hortillonnages à Amiens.

Invitation
au voyage

Rien que pour vos yeux

Cap Blanc-Nez.

C'est décidé, la Picardie, l'Artois et les Flandres, qui ont bien davantage à offrir qu'un immense champ de betteraves, constitueront le décor de vos vacances. La moisson d'images s'annonce copieuse et contrastée, avec infiniment de brumes, mais l'œil en redemande ! Car il n'y a rien de plus beau qu'un beffroi, un moulin ou un clocher gothique enveloppé dans le brouillard, sinon un port ou une falaise, un terril ou le chevalement d'un ancien puits de mine.

Moutons de prés-salés.

Saint-Valery-sur-Somme.

Raconte-moi un paysage

La Picardie, dont les roses ont fait les beaux jours de la chanson française, continue à enchanter les amoureux et à titiller les papilles des gourmets. S'il est bien vrai que la douce Samara – le fleuve Somme – a façonné la région comme le Nil l'Égypte, les pyramides ont tout à envier aux cathédrales. Ces dentelles de pierre semblent défier le temps, sinon les lois de la pesanteur. À l'intérieur, les vitraux distillent une demi-clarté vibrante, ajoutant à l'harmonie secrète. Dans les contrées de l'Oise et de l'Aisne, les arts roman et gothique se sont épanouis avec la même intensité.

D'abbayes en cathédrales, de châteaux forts en palais impérial, de forêts en jardins romantiques, de prés-salés en vallées tranquilles, de postes de guet en cabanes de pêcheurs..., tous les ingrédients du dépaysement sont là.

L'émotion l'emporte parfois sur la sérénité. Le long du Chemin des Dames, comme dans les secteurs des batailles de la Somme et d'Artois, les cimetières militaires essaiment en plein champ. Picardie, Nord et Pas-de-Calais se partagent quelques-uns des plus terribles épisodes des deux conflits mondiaux.

S'agissant du paysage flamand, Brel a tout dit, et il y a de grandes chances que la chanson du Plat Pays vous poursuive de digues en dunes, de houblonnières en marais, et qu'elle revienne à l'assaut de brasseries en beffrois.

On la croyait toute plate, cette région, mais voici qu'entre ciel et moulins surgit la chaîne des monts de Flandre, tandis qu'au loin se profilent les terrils. Non ! Pour rien au monde, serait-ce même contre l'Himalaya, ce pays n'échangerait sa présumée platitude.

Flamands, Artésiens, Cambrésiens, Hainuyers... – bref, ceux que l'on appelle les « ch'timis » – n'ont aucune occasion de s'ennuyer. Kermesses endiablées, ripailles à faire craquer Bruegel l'Ancien, brocantes, ducasses et jeux traditionnels animent le plat pays en attendant l'éveil des géants et les grands cortèges carnavalesques qui se tiennent notamment à la période de Mardi gras.

Sens de l'accueil, bonne humeur communicative, explosions de rires et de joie font oublier que le travail reste, depuis des générations, l'un des piliers de l'homme du Nord. Le secret est là : la fête donne goût au labeur, et apporte toute sa consistance au quotidien, comme le houblon donne l'amertume à la bière.

La contagion du bonheur se propage donc toute l'année, surtout dans les estaminets, âme de la Flandre vivante. Lorsque le vent du Nord s'en mêle – écoutez-le chanter –, ou que s'annonce l'orage, quel bonheur d'y trouver refuge, en compagnie de quelques blondes, brunes, rousses ou ambrées, de piqués du javelot et autres inconditionnels de la grenouille.

Héron cendré.

Cette convivialité se gagne et se mérite, car les ch'timis ont ceci de commun avec les Picards : ce sont des gens entiers, qu'il faut ménager ! N'attendez donc aucune fausse politesse, et n'hésitez pas à engager la conversation, ni à remettre la tournée de l'amitié... vous voici déjà des leurs, paré pour la grande aventure.

Pour vivre pleinement cette expérience, ne vous bornez pas aux seules splendeurs du baroque flamand.

Il faut se perdre dans les watergangs, se mettre au vert en bocage avesnois ou boulonnais, rouler sa bosse sur le mont des Cats, et relever des garnisons sur les remparts des citadelles. Il faut voir les silhouettes des derniers chevalements et se frotter à la généreuse modestie des corons. Caresser les falaises sous les ciels vaporeux de la Côte d'Opale, prendre le vent, ou franchir le « Pas ».

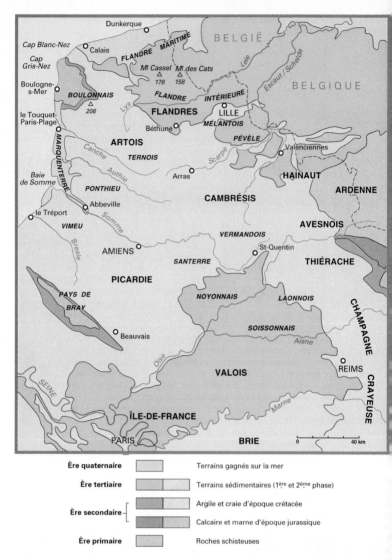

Ère quaternaire	Terrains gagnés sur la mer
Ère tertiaire	Terrains sédimentaires (1ère et 2ème phase)
Ère secondaire	Argile et craie d'époque crétacée
	Calcaire et marne d'époque jurassique
Ère primaire	Roches schisteuses

La Picardie

Les plateaux

Amples et plats, ils se couvrent d'un limon épais, qu'apprécient la betterave à sucre et les céréales dont les champs s'étendent à perte de vue sans aucune barrière.

À l'Est, le **Santerre** (Sana terra : bonne terre) et le Vermandois sont le domaine des grandes exploitations agricoles, souvent complétées d'une sucrerie ou d'une distillerie. Ravagés en 1914-1918, les villages du **Santerre** ont été refaits en briques dans les années 1920. Les fermes ont pris de l'ampleur et des airs de forteresses ; leurs murailles s'animent de frises et pilastres. Le limon a été parfois balayé, appauvrissant le sol, comme dans le **Ponthieu**, à l'habitat ouvert, fait de longs murs aveugles en torchis. Au Sud-Ouest, dans le **Vimeu**, la craie décomposée en argile à silex et le sol froid et humide donnent un paysage bocager.

L'**Amiénois**, pays de grandes cultures, s'organise en « **village-tas** ». Centrés sur l'église, ils s'entourent d'arbres jalonnant

Vallée de la Somme.

LE CONSERVATOIRE DU LITTORAL
Créé en 1975, il a pour but de sauvegarder l'espace littoral et de maintenir l'équilibre écologique. Aujourd'hui, 339 sites sont protégés, dont les dunes de Garennes-de-Lornel dans le Pas-de-Calais, 1er espace à bénéficier de son intervention. La région en compte 4 dans le Nord, 14 dans le Pas-de-Calais et 9 dans la Somme.

Notre-Dame de la Flaquette à Locquignol, forêt de Mormal.

n « chemin de ronde ». Les fermes se retrouvent derrière leurs **« courtils »** jardin potager).

_a **« carterie »**, portail et abri sous toit, donne sur la cour fermée qui précède la maison d'habitation. Dans le portail, une porte pour piétons est ajourée en sa partie supérieure de motifs en charpente (arbres _e vie, croix de Saint-André, soleils) dont _a fonction était magique et protectrice. La _our est bordée de bâtiments (pigeonnier, _curies, étables) en torchis jaune beige. _u-dessus d'un soubassement en dur lais-_é apparent, le **« seulin »**, le torchis _ecouvre les murs.

_\ l'Est et au Sud, le **Laonnois**, le **Sois-_onnais** et le **Noyonnais** font la transi-_ion avec l'Île-de-France et le Valois _arés d'épaisses forêts. Près de _3eauvais, le plateau est incisé par la « _outonnière » du **Pays de Bray**. Bocage _ rime avec élevage, et l'habitat prend _es airs normands.

_es vallées

_a Picardie occidentale est coupée de rivières – Somme, Authie et Canche – au _ébit si lent qu'elles ont peine à se frayer un chemin, préférant se disperser en _tangs poissonneux et marais giboyeux. Anciennes tourbières, rideaux de peu-_liers et prairies d'élevage alternent dans les fonds. Les villes sont nées le long de _es vallées. Aux environs d'Abbeville, Amiens, Péronne et Montdidier s'étendent _es **hortillonnages**, jardins maraîchers délimités par des canaux.

_e littoral

_a côte du Sud du Vimeu est spectaculaire, surtout près d'**Ault**, le « Balcon _e la mer ». Ici, le plateau picard s'achève dans la Manche en une falaise _ive de craie blanche striée de silex, annonciatrice des escarpements nor-_nands.

_u Nord de la baie de Somme, la plaine du **Marquenterre** a été conquise sur _a mer à la suite de la formation d'un cordon littoral par les débris arrachés à _a côte normande, poussés vers le Nord par les courants. Seules la Somme, _'Authie et la Canche se fraient un passage. Cette situation explique l'absence de ports importants, alors que les stations balnéaires se multiplient près des dunes.

Entre les dunes et le littoral primitif dont une falaise morte, très visible, indique le tracé, la plaine littorale drai-née et asséchée juxtapose cultures de blé, champs d'avoine et élevage de mou-tons (prés-salés) sur les grèves appelées **« mollières »**.

Marquenterre et Ponthieu ont un habitat ouvert. Plus on se rapproche de la côte, plus il se disperse. Les fermes sont isolées par une haie per-cée d'un portillon en bois ; la maison se fait longue et ample. Les murs de

Bailleul.

torchis sont badigeonnés de chaux, et _e rognon de silex noir s'emploie pour ses qualités d'étanchéité, en soubasse-_ments ou pour constituer, en damier avec de la brique ou de la craie, de splen-_dides murs-pignons, voire des églises entières.

_Les ports de St-Valery, Le Crotoy et Étaples n'abritent plus que des bateaux de _pêche et de plaisance.

Le Nord-Pas-de-Calais

L'Artois

Il prolonge les plateaux picards et dessine un renflement Nord-Ouest-Sud-Est terminé par un escarpement d'une centaine de mètres. Très arrosées, les collines de l'Artois restent dépouillées au Sud-Est, dans le Ternois, alors qu'elles sont verdoyantes au Nord-Ouest. La brique tend à remplacer le torchis.

Le Boulonnais

Le Haut-Boulonnais forme un plateau crayeux dont l'altitude dépasse parfois 200 m. Dans les collines, d'imposantes fermes, ex-demeures seigneuriales, ont des allures de manoirs, avec tourelles et éléments de défense.

Le bocage du Bas-Boulonnais s'accompagne d'un habitat dispersé de fermes blanchies à la chaux. Les argiles sont à l'origine de belles prairies, où se pratique l'élevage du cheval « **boulonnais** », puissant animal de trait. Les massifs de Desvres et de Boulogne s'étendent sur ces zones argileuses alors que la forêt d'Hardelot prend racine dans des terres sablonneuses. Au Nord, sur le rebord du plateau calcaire, court la spectaculaire corniche de la Côte d'Opale, où alternent falaises, vallons, dunes, prés et champs, dans une luminosité subtile et changeante. La « Terre des Deux-Caps » dévoile des vues grandioses sur la Manche et les côtes anglaises.

Les Flandres

Reine de la région, la brique est couleur sable dans la Flandre maritime ; là où elle n'est pas peinte, elle prend des nuances allant du rose au violacé ou au brun en Flandre intérieure.

La Flandre maritime – Le **Blootland** (Pays nu), humide, fouetté par le vent, a été gagné sur la mer à partir du Moyen Âge. Des ingénieurs, souvent hollandais, ont asséché la zone à grand renfort de digues, canaux et pompes, créant les moeres. De grosses fermes isolées parsèment la campagne ; aux beffrois, clochers et moulins répondent les grues et cheminées des ports de Dunkerque et Calais.

Pour se défendre des vents d'Ouest chargés de pluie, les maisons sont basses et allongées : la « **panne flamande** ». Les murs blanchis à la chaux, égayés par les couleurs vives des portes et volets, reposent sur un soubassement goudronné.

La Flandre intérieure – Le **Houtland** (Pays au bois) – par contraste avec le Pays nu – s'entrecoupe de rangées de peupliers, saules ou ormes. Sur ce fond mouillé et verdoyant se détachent les « **censes** », grandes fermes flamandes aux murs blancs et aux toits de tuiles rouges. Elles s'ordonnent autour d'une cour que dessert une porte charretière souvent surmontée d'un pigeonnier. **La chaîne des monts de Flandre** forme un chapelet de buttes qui se prolonge en Belgique.

Site des Deux-Caps.

Cense.

Plus au Nord, entre la Lys et l'Escaut, l'agglomération de **Lille-Roubaix-Tourcoing** était un empire du textile ; de hautes cheminées d'usines en témoignent encore. La reine du Nord se pare ici de tonalités délicieuses. Ces villes connaissent un renouveau urbanistique dont Lille est le meilleur exemple.

Paysage minier de la plaine d'Avion.

Le Hainaut et le Cambrésis

Hainaut et Cambrésis se recouvrent d'un limon épais où règnent la betterave et le blé. Entre ces deux régions se déploient de larges vallées. Les prairies fourragères et d'élevage leur donnent un aspect bocager. Les forêts de Raismes-Saint-Amand-Wallers et Mormal s'étendent sur les argiles à silex. Les maisons du Hainaut sont massives, en briques, avec toits d'ardoise, soubassements et parements en pierre bleue.

Le **bassin minier** traverse l'Artois puis le Nord du Cambrésis et le Hainaut pour continuer vers la Belgique et la Ruhr. C'est le « pays noir », jalonné de terrils, corons de briques et chevalements d'anciens puits de mine.

La Thiérache et l'Avesnois

Ces deux pays accidentés et bien arrosés annoncent les Ardennes. La **Thiérache** associe forêts, prairies et bocages. Les constructions en torchis s'allient à la brique sous les toits d'ardoise. De nombreux pigeonniers subsistent. Les villages, proches les uns des autres, se resserrent autour de leur **église fortifiée**. L'Avesnois s'apparente à la Thiérache, avec un relief plus marqué.

Arras.

Savoir-faire d'hier et d'aujourd'hui

Flandres, Artois et Picardie illustrent les grandes étapes de l'histoire industrielle et technique, depuis l'ère des moulins à eau et à vent jusqu'à celle de l'électricité thermonucléaire, en passant par le temps des filatures, des houillères et de l'acier. Depuis l'époque où les terres se gagnaient sur la mer jusqu'à l'âge des autoroutes de l'information et des tunnels sous les mers. « Que peu de temps suffit pour changer toute chose », s'émerveillait Victor Hugo ; Jules Verne, l'Amiénois d'adoption, ne s'en serait sans doute pas étonné.

Les moulins

Naissance d'un système technique

Au Moyen Âge, l'expansion du moulin à eau, d'origine romaine, et du moulin à vent, d'origine orientale, va procurer une force motrice nouvelle, annonçant la mécanisation. Avec l'adoption du moulin à eau, qui fournit le travail de 15 hommes, on capte pour la première fois l'énergie mécanique en un point fixe. Roues dentées et engrenages transmettent l'énergie aux meules. Bientôt, le mouvement circulaire se transforme en mouvement alternatif, grâce aux arbres à cames adaptés au dispositif, et voilà les maillets, marteaux à foulons, soufflets de four... qui s'animent. De nouvelles industries peuvent fleurir : verrerie, papeterie et métallurgie.

Moulins à eau

Ils sont dans toute la région. La forme et la dimension de la roue, élément essentiel du moulin, varient selon le débit de l'eau et le relief du terrain. La diversité est grande, avec des édifices aux superbes barrages (ventelleries en pierre de taille en Avesnois ou en bois dans le Ternois et l'Audomarois). Près du littoral et sur les

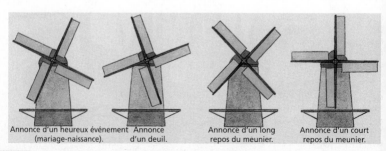

Annonce d'un heureux événement (mariage-naissance).   Annonce d'un deuil.   Annonce d'un long repos du meunier.   Annonce d'un court repos du meunier.

Deux figures de Villeneuve-d'Ascq :
le moulin à farine et son voisin le moulin des Olieux.

grands cours d'eau, on trouve les moulins à roue en dessous ou de côté. Les régions plus accidentées, comme l'Avesnois, ont des roues au-dessus. De nombreux moulins fonctionnent aussi avec des turbines. La plupart sont propriétés privées, mais quelques-uns sont ouverts au public.

Moulins à vent

Le fameux vent du Nord, Flamands et Picards l'ont exploité pour faire tourner les grandes ailes des moulins qui jalonnent la région depuis le 12ᵉ s. Au début du 19ᵉ s., on comptait 830 moulins à farine et 400 moulins à huile dans le Nord, 630 moulins à farine et 200 à 250 moulins à huile dans le Pas-de-Calais et 800 moulins à farine dans la Somme. Il n'en subsiste plus que quelques dizaines, protégés et restaurés par l'Association régionale des amis des moulins du Nord-Pas-de-Calais. Chaque année voit renaître des moulins, tant ils sont chers au cœur des habitants du Nord. Si l'eau coule toujours dans la même direction, Éole souffle de tous les côtés ; le moulin à vent en tient compte : les modèles sur pivot sont les plus répandus. Le corps entier de l'édifice repose et tourne autour d'un axe vertical, le pivot. À l'extérieur, du côté opposé aux ailes, une longue poutre, « queue », manœuvrée à la main ou au treuil, permet de faire pivoter le moulin pour le positionner face au vent dominant.

Il en reste une quinzaine dans le département du Nord ; celui de Steenvoorde est flambant neuf. C'est le moulin type du Nord, malgré sa plus grande fragilité, c'est celui qui subsiste en plus grand nombre. Lille en comptait une centaine.

Dans les moulins-tours, c'est la toiture, d'où émergent les ailes, qui pivote. Plus massifs, ils sont en brique, en pierre ou en bois et ont des formes variées : cylindrique, tronconique, octogonale... Même les toitures sont diverses, en forme de bateau renversé, à la Mansard, en cône à deux pentes, contrairement au reste de la France où toutes les toitures sont coniques. Celui de Terdeghem près de Steenvoorde, fonctionne encore, pour le plaisir, avec un vrai meunier.

JARGON MOULINOLOGIQUE

Anche : conduit par lequel la farine s'écoule de la meule dans un sac

Arbre-moteur : grand axe qui porte les ailes, ou la roue et qui transmet le mouvement

Bluterie : appareil qui sert à tamiser

Éveillure : partie creuse d'une meule à farine

Latte : barreau ou échelon de l'aile

Lattis : ensemble des lattes de l'aile

Maître-sommier : grosse poutre qui tourne sur le pivot et qui porte la cage

Mannée : grain porté au moulin pour le moudre

Queue : longue poutre destinée à orienter la cage ou la calotte du moulin à vent

Trémie : bac pyramidal renversé d'où le grain s'écoule dans la meule

Le bassin minier

La découverte (1720), puis l'extraction massive du charbon (19ᵉ s.) ont conduit à l'implantation d'une industrie lourde, minière et métallurgique, entre Auchel et Condé-sur-Escaut, et dans le bassin de la Sambre.

Les puits, que recouvrent des « chevalements » ou des tours d'extraction, desservent les galeries du fond, horizontales (bowettes ou petites boves), qui traversent les veines de houille. À partir de ces veines, on creusait des « voies » qui « limitaient » les panneaux de houille à extraire. Le soutènement marchant se déplaçait en même temps que le front de taille où s'engageait le rabot ou la haveuse, énorme machine au bras muni de pics. Évacuée vers les puits par bandes transporteuses ou en berlines, la houille remontait dans les « cages ».

En surface, on traitait la houille brute dans des lavoirs : les déchets étaient évacués sur les **terrils** et les produits nobles, calibrés pour expédition. Certaines « fines » partaient vers les usines d'agglomération d'où sortaient les « boulets ». La houille grasse, traitée dans les cokeries, assurait la production de coke sidérurgique ou de fonderie.

Le déficit des Houillères apparaît en 1959 ; une récession progressive s'engage alors, achevée en 1990 avec la fermeture du dernier puits d'extraction, le 10 d'Oignies. Le bassin minier a compté 329 terrils (plats ou coniques, rouges ou noirs) ; 70 restent exploitables.

Le renouveau du Nord-Pas-de-Calais

Par son relief, sa situation et ses ressources agricoles, le Nord-Pas-de-Calais est, depuis le Moyen Âge, une région d'échanges, à forte densité de population. Très tôt enrichies par le textile et le commerce, les villes ont affirmé leur autonomie, symbolisée par les beffrois. La région possède une façade maritime dont Boulogne est le 1ᵉʳ port de pêche français. Le « pas » de Calais, point le plus étroit entre le continent européen et la Grande-Bretagne, est sur la voie maritime la plus fréquentée du monde.

Orientations du renouveau économique

L'industrie métallurgique a connu de nombreux bouleversements. Son principal critère de localisation était la proximité des matières premières. Depuis les années 1960, la mondialisation de l'économie et la baisse des coûts de transport, permettant l'importation de matières premières plus riches en teneur, ont déplacé la métallurgie vers les ports.

Chevalement.

Centre minier de Lewarde.

Agroalimentaire – C'est le 1ᵉʳ secteur industriel de la région. Les productions régionales sont à l'origine des minoteries, biscuiteries, féculeries, brasseries, raffineries de chicorée... La betterave engendre une industrie active : râperies, sucreries, raffineries, distilleries. Les conserveries produisent un tiers du total national pour les légumes et plats cuisinés, et la moitié pour les poissons (Boulogne).

Sidérurgiste.

Textile – Spécialités depuis le Moyen Âge, le textile et l'habillement composent avec la concurrence internationale et les aléas de la mode. Le Nord-Pas-de-Calais fournit, outre la célèbre dentelle de Calais et Caudry, l'essentiel de la production française de lin (vallée de la Lys) et de peignages, ainsi qu'une part importante du fil et du tissage (laine et coton). L'activité la plus originale est la **vente par correspondance**. Parmi les dix plus importantes entreprises françaises, cinq se trouvent dans la région, La Redoute et les Trois Suisses occupent les deux premières places.

Autres activités – La **chimie organique**, l'industrie du verre et du cristal (Arques) connaissent un essor remarquable. Le **matériel ferroviaire** français, dont le VAL (métro automatique exporté dans le monde entier), est construit près de Valenciennes et Douai. L'**industrie automobile** est installée à Douai, Maubeuge, Douvrain, Hourdain et, depuis peu, à Onnaing.

La Picardie

La Picardie est une région de tradition industrielle, même si les paysages témoignent d'une activité agricole intense et moderne.

Héritage du Moyen Âge, l'**industrie textile** subsiste à Amiens, St-Quentin, dans le Santerre, la vallée de la Nièvre et la moyenne vallée de la Somme.

La **métallurgie**, principale activité industrielle, se répartit dans les grandes villes et les campagnes (robinetterie-serrurerie du Vimeu, brosserie dans la vallée du Thérain).

L'industrie picarde se caractérise par sa diversité : verre de St-Gobain, équipement automobile, chimie, cosmétiques, parachimie, plastique-caoutchouc. Elle se classe première pour la conserverie de légumes, les légumes surgelés, le sucre et ses dérivés, et deuxième pour les plats cuisinés, la parachimie, le verre.

Usine textile.

Folklore et traditions

Besogneux, le peuple du Nord n'en est pas moins festif. Toutes les occasions de décliner le mot bonheur, il sait les saisir, sinon les inventer. Rien n'est donc figé, et le folklore, qui se porte mieux que jamais, est rarement de pacotille.

« Voulez-vous rendre un peuple actif et laborieux ? Donnez-lui des fêtes, offrez-lui des amusements qui lui fassent aimer son état et l'empêchent d'envier le plus doux. Des jours ainsi perdus feront mieux valoir tous les autres... » (J.-J. Rousseau).

Fêtes et rituels

Ducasse ou kermesse

Les noms de ducasse – du mot dédicace : fête catholique –, et de kermesse – foire de l'église en flamand – désignent tous deux la fête patronale de la ville ou du village. Ces festivités hautes en couleur conservent quelques aspects de leur origine religieuse : messe, processions... Aujourd'hui s'y ajoutent les stands de forains, les concours, les jeux traditionnels et parfois une braderie.

Martin et Martine Cambrai

Le vivat flamand

Rituellement jeux et fêtes se terminent par des banquets au cours desquels les convives entonnent le vivat flamand. Se plaçant derrière la personne que l'on veut honorer, quelques participants tendent une serviette au-dessus de sa tête et versent de la bière ou du champagne tandis que l'assemblée reprend :
« Vivat, vivat semper in æternum Qu'il vive (ter) à jamais
Répétons sans cesse, qu'il vive à jamais
En santé, en paix, ce sont nos souhaits... »

Carnavals et géants

Les carnavals

Occasion de se déguiser et de suivre des défilés de chars et de géants, les carnavals se déroulent traditionnellement au moment de Mardi gras, comme à Dunkerque – le plus fou de la région – où il dure trois jours. Mais les « ch'timis » ont du mal à patienter jusqu'à cette époque ; des manifestations carnavalesques ont donc lieu toute l'année.
Le carnaval possède un rôle intégrateur (exaltation des valeurs d'un groupe, renforcement du sentiment d'appartenance) et participe aussi d'une sorte de transgression de l'ordre établi. Malgré ce côté bon enfant, il n'a rien d'une fête sage ou gentillette : c'est une brèche dans le quotidien, un moment où toutes les extravagances sont permises.

Carnaval de Dunkerque.

Gayant et sa femme, Douai.

Il ignore toute différence entre acteurs et spectateurs : on n'y assiste pas, mais on le vit. Certains y voient même un rapport essentiel au monde, et lui prêtent un caractère créateur et novateur.

Les géants

On les nomme gayant en picard ou reuze en flamand ; ils forment une famille nombreuse et prolifique (environ 200 membres). Ils incarnent l'âme de toutes les festivités. Les premiers apparaissent au Portugal au 13ᵉ s., et dans le département du Nord à partir du 16ᵉ s. Longtemps inquiétés par l'Église, ils reviennent en force au début du 20ᵉ s. Depuis une dizaine d'années, ils voyagent et se rencontrent à l'occasion de Rondes de géants.

Les géants se manifestent au son des fifres et des tambours. Ils sont souvent accompagnés de leur famille – car ils se marient et ont une progéniture souvent nombreuse – et entourés de diables, gardes du corps, roue de la fortune... Un hymne leur est attaché, comme les Reuzelieds à Dunkerque et à Cassel.

Héros culturels, les géants proviennent d'histoires et de légendes qui ont traversé les siècles.

On trouve parmi eux :

– des guerriers comme les Reuzes à Dunkerque et Cassel, d'origine scandinave ;

– des fondateurs légendaires comme Lydéric et Phinaert de Lille ;

– des personnages historiques comme Jeanne Maillotte à Lille, cabaretière qui repoussa les « Hurlus » ; l'Électeur de Bergues (Lamartine) ; Roland d'Hazebrouck, croisé de Baudouin de Flandre ; Guillaume le Conquérant de St-Valery-sur-Somme ;

– des couples célèbres dont Martin et Martine, les jaquemarts de Cambrai ; Colas et Jacqueline, maraîchers d'Arras ; Arlequin et Colombine, à Bruay-la-Bussière ;

– des personnages populaires comme Gédéon, le carillonneur de Bourbourg qui sauva les cloches du beffroi ; le colporteur Tisje Tasje d'Hazebrouck, symbole de l'esprit flamand avec sa femme Toria et sa fille Babe Tisje ; Ko Pierre, le tambour-major, à Aniche ;

– des héros légendaires comme Gargantua à Bailleul ; Gambrinus, célèbre roi de la bière, à Armentières ; Yan den Houtkapper, bûcheron qui tailla des bottes pour Charlemagne, à Steenvoorde ; Gayant de Douai qui aurait délivré sa ville des brigands ;

– des représentants de corps de métiers comme le maraîcher Baptistin à St-Omer, le mineur Cafougnette de Denain et le pêcheur Batisse de Boulogne-sur-Mer ;

– simplement un enfant comme l'espiègle Binbin, natif de Valenciennes.

Jean le Bûcheron, Steenvoorde.

Fabricant de marionnettes.

Les carillons

Enclos dans les clochers des églises ou au sommet des beffrois, les carillons rythment la vie de nombreuses villes. Ils possèdent à leur répertoire différentes mélodies selon qu'ils annoncent l'heure, le quart, la demie ou les trois quarts.

Le mot carillon viendrait de quadrillon, jeu de quatre petites cloches. Les premières horloges mécaniques du Moyen Âge s'équipent de cet instrument. Un bateleur frappait les cloches à l'aide d'un maillet ou d'un marteau. Les ajouts, au cours des siècles, d'un mécanisme, du clavier manuel et du pédalier ont permis d'augmenter le nombre des cloches (on en compte 62 à Douai) et d'enrichir les sonorités.

Des concerts de carillons sont régulièrement organisés dans certaines villes, c'est le cas à Douai, Seclin, St-Amand-les-Eaux, Maubeuge ou encore Avesnes-sur-Helpe.

Les marionnettes

La Picardie et le Nord perpétuent la tradition des marionnettes de type mixte, c'est-à-dire maniées à l'aide d'une tringle et de fils. L'Amiénois Lafleur, célèbre cabotan picard, se reconnaît par sa livrée de velours rouge et son franc-parler. Ce valet, qui personnifie le bon sens populaire, s'est répandu jusque dans le Borinage et le Hainaut en Belgique. Sa devise est « bien boire, bien manger et ne rien faire » ; son épouse s'appelle Sandrine. Lille possède aussi sa marionnette : Jacques.

Jeux traditionnels

D'extérieur

Tir à l'arc – Au Moyen Âge, les archers faisaient l'orgueil des comtes de Flandre qu'ils accompagnaient dans toutes leurs expéditions. Dès la fondation des communes, ils se regroupent en confréries ou ghildes, toujours actives. Ils se manifestent encore dans les cérémonies publiques, vêtus de costumes colorés, brandissant l'étendard de leur confrérie.

Aujourd'hui le tir à l'arc se pratique de plusieurs façons, dont la plus typique est le tir à la verticale ou tir à la perche qui consiste à abattre des oiseaux factices fixés sur des grilles, attachées à une longue perche. Au sommet, se trouve la cible la plus difficile à atteindre, le **« papegai »**. Le vainqueur est proclamé « roi de la perche ». En hiver, ce sport se pratique à l'intérieur : on tire à l'horizontale sur une grille légèrement oblique.

Le **tir à l'arbalète** est une autre tradition médiévale qui conserve ses adeptes regroupés en confréries.

Baguage.

Boîtes à pigeons.

Le billon – C'est une bille de bois, lourde et allongée. Il faut placer sa partie effilée le plus près possible d'un poteau situé à 9 m, ou la faire passer à travers un râteau (3 trous) ou un arceau (1 trou).

D'estaminet

Le bouchon – Les équipes s'affrontent, abattant avec leurs palets de métal les bouchons de liège et de bois, sur lesquels on pose parfois des pièces de monnaie.

Le javelot – Petite flèche empennée (30 à 60 cm), le javelot se lance sur un faisceau de paille très serrée qui fait office de cible (même principe que pour le jeu de fléchettes).

La bourle – Très populaire dans la région de Lille-Roubaix-Tourcoing, ce jeu est composé d'une épaisse roue de bois, qu'on manie un peu comme à la pétanque, sur une « bourloire ». « **Trou-madame** » est une version miniature de la bourle. Les palets sont beaucoup plus légers et doivent être projetés dans l'un des neuf petits casiers d'un plateau de jeu.
Il faut, sinon du souffle, une bonne poire, pour jouer au **billard Nicolas** : autour d'un plateau rond, le jeu consiste à propulser la bille dans le camp adverse en comprimant des poires en caoutchouc, pour faire du vent. La **grenouille** gobe les jetons des plus adroits.

Billard Nicolas.

Avec des animaux

Combats de coqs – Dans le « gallodrome » autour duquel s'amassent les parieurs, les coqs orgueilleux et vindicatifs, aux ergots munis de lames d'acier tranchant, bataillent jusqu'à ce que mort s'ensuive sous l'œil inquiet de leurs éleveurs, les « coqueleux ». Ces combats d'un autre âge se perpétuent surtout dans la région de Jeumont, près d'Avesnes-sur-Helpe.

Chiens ratiers – Le jeu est tout aussi cruel : trois rats sont introduits dans une cage, le chien entre à la suite ; on chronomètre alors le temps que ce dernier met pour tuer ses adversaires.

Colombophilie – Les concours de vitesse et de précision pour les pigeons voyageurs connaissent un grand succès et font l'objet de nombreux paris. Les « coulonneux », organisés en sociétés villageoises, dressent leurs pigeons à revenir au nid le plus vite possible. Convoyés dans des paniers spéciaux jusqu'à une distance pouvant atteindre 500 km, les pigeons doivent rejoindre leur colombier à une vitesse record.

Concours de pinsons – Autres volatiles entrant dans le folklore du Nord, les pinsons sont l'objet de concours de trilles. Certains en poussent jusqu'à 800 à l'heure.

À table !

L'homme du Nord sait apprécier les mérites d'une table généreuse ; les cuisines flamande et picarde lui offrent une très grande variété de plats riches et savoureux.

Quelle n'est pas sa fierté lorsqu'il peut la faire découvrir aux gens venus d'ailleurs. Les touristes ne s'y trompent pas, d'ailleurs ils en redemandent, et ils ont bien raison (ils savent qu'ils auront droit à un second service). Souvent, ils adoptent certains traits de la gastronomie locale, et repartent au pays avec quelques bonnes recettes.

Hochepot.

Cuisine flamande

Potages

Le long de la côte règnent la **soupe de poisson du Touquet**, la **caudière étaploise**, et la **courguinoise calaisienne** (au crabe). Les légumes de l'Audomarois, venus du marais labellisé « territoire remarquable du goût », vous surprendront, notamment la **crème de chou-fleur aux moules**.

Entrées

Classique flamand, le **potjevleesch** est une terrine (veau, porc, lapin et poulet). La **flamiche au maroilles**, tarte onctueuse et parfumée, est une variante de la flamiche picarde (aux poireaux). Sur la côte, on se régale de maquereaux à la boulonnaise, de harengs saurs (gendarmes, kippers ou bouffis) ou frais, de **rollmops** et de **craquelots** dunkerquois, petits harengs fumés. L'**andouille** est au rendez-vous à Aire-sur-la-Lys.

Plats

Arrosés de bière, ils s'accompagnent de pommes de terre, de chou rouge, d'une « faluche » (galette ronde de pain) ou d'endives braisées – le fameux **chicon**. Les grandes spécialités sont le **lapin aux pruneaux**, le coq à la bière et la **carbonade flamande**, bœuf braisé avec une sauce à la bière aromatisée d'oignons et d'épices. Le **hochepot** est une potée de veau, mouton, abats de porc, lard et légumes ; le **waterzoï**, un bouillon crémeux à base de poissons cuits ou de poule, avec des légumes. La **langue Lucullus**, au foie gras, se déguste à Valenciennes. Les amateurs de volailles s'arrêteront à **Licques**, pour l'andouillette, cela se passe à **Arras** et **Cambrai**.

Fromages

À l'exception du **mont des Cats**, peu corsé et toujours fabriqué par les moines, les

Restaurant lillois.

Table dressée.

fromages du Nord sont forts. La plupart viennent de Thiérache et d'Avesnois, riches en herbages. Le fleuron, c'est le **maroilles** (pâte molle, croûte lavée à la bière) créé au 10e s. par les moines de l'abbaye du même nom. Les autres vedettes de la région en sont des dérivés : **vieux Lille** (« maroilles gris »), **dauphin** (maroilles agrémenté d'épices et d'herbes), **cœur d'Avesnes** et **boulette d'Avesnes** (maroilles aux épices enrobé de paprika). D'autres fromages sont réputés, comme ceux de **Belval**, de **Bergues** et de **Béthune** ainsi que le **vieux Boulogne** et la **mimolette du Nord**.

Desserts

De succulentes tartes sont servies au dessert, dont les « **tartes au sucre** », et à la rhubarbe, sans oublier les voluptueuses tartes à « **gros bords** » ou « **au Papin** » dans le Boulonnais.

Le café léger, additionné de chicorée, que les gens du Nord consomment à toute heure, accompagne ces sucreries. Le repas peut s'achever par un verre de genièvre ou par une « bistouille » (café additionné d'alcool).

Cuisine picarde

Potages

Ils sont à l'honneur avec le velouté au potiron, la soupe aux carottes (potage Crécy) et la « **soupe des hortillons** », composée de légumes aux saveurs incomparables.

Entrées

La Somme est riche de pâtés et terrines : **pâté de canard en croûte** à Amiens, de **bécassines** à Abbeville, d'**anguilles** à Péronne. En guise de garniture, on découvre parfois un légume insolite : la **salicorne**, sorte de cornichon marin issu d'une plante du littoral. La **ficelle picarde**, création moderne, est une crêpe au jambon avec sauce béchamel aux champignons.

Plats

Canards, **bécassines** et **vanneaux**, **lapins**, **anguilles** et **brochets** de la Somme composent de nombreux plats de résistance. L'**agneau de pré-salé** est une vedette du littoral. Aux **fruits de mer** – crevettes dites « sauterelles », coques... – s'associent **soles**, turbots, harengs frais et cabillauds.

Desserts

Dans le Ponthieu et le Vimeu règne le savoureux **gâteau battu**. En été, dans les régions de Noyon et Laon, les **fruits rouges** envahissent la carte des desserts. Les **macarons** picards, à base de pâte d'amande, blancs d'œufs et une touche de miel, accompagnent le café.

PRODUCTIONS AGRICOLES
SPÉCIALITÉS GASTRONOMIQUES

☐ Région de grande culture à dominante céréalière: blé, orge, betteraves, élevage   ▨ Région de polyculture à base de céréales, betteraves et élevage   ▨ Élevage bovin sur prairies perman-

🧀 FROMAGES

Avesnes-sur-Helpe	Boulette et Cœur d'Avesnes
Belval	Fromage
Bergues	Beurre, Fromage
Béthune	Fromage fort
Cassel	Beurre
Lille	Vieux Lille
Maroilles	Maroilles, Dauphin
Mont des Cats	Fromage
Montdidier	Rollot

🍬 FRIANDISES

Amiens	Macarons, Tuiles en chocolat
Armentières	Nieulles
Arras	Cœurs en chocolat
Bavay	Chiques
Berck-sur-Mer	Succès berckois
Cambrai	Bêtises
Le Cateau-Cambrésis	Cacoules
Corbeny	Miel
Douai	Gayantines
Lille	Babeluttes, P'tits Quinquins, Tablettes blanches
Picardie	Gâteau battu
Soissons	Haricots
Valenciennes	Sottises

🍽 AUTRES SPÉCIALITÉS

Abbeville	Pâté de bécassines
Aire-s-la-Lys	Andouille
Amiens	Pâté de canard
Arras	Andouillette
Boulogne-sur-Mer	Harengs
Cambrai	Andouille, Andouillette, Tripes
Corbeny	Hydromel
Dunkerque	Craquelots
Flandres	Bière, Carbonade, Hochepot, Potjevleesch, Waterzoï
Houlle	Eau-de-vie (genièvre)
Loison-sur-Créquoise	Apéritif (perlé de groseilles)
Loos	Eau-de-vie (genièvre)
Péronne	Anguilles fumées, Pâté d'anguilles
Picardie	Apéritifs de fruits, Cidre, Ficelles, Flamiche, Potages
Valenciennes	Langue lucullus
Wambrechies	Eau-de-vie (genièvre)

La bière

Le Nord de la France vit sous le sceptre joyeux du géant armentiérois Gambrinus, roi de la bière, et sous l'auréole débonnaire de saint Arnoul, patron des brasseurs.

Une part importante des bières françaises vient du Nord-Pas-de-Calais, riche en eau, orge, et houblon. Ce dernier, cultivé en Flandre est réputé pour son arôme. Les brasseries les plus actives se concentrent dans les régions de Lille-Roubaix, St-Omer, les vallées de la Scarpe et de l'Escaut.

Les différents types de bières sont très nuancés : bière du Nord traditionnelle blonde (type « pils ») avec une légère amertume, bière de garde, bière brune régionale à la

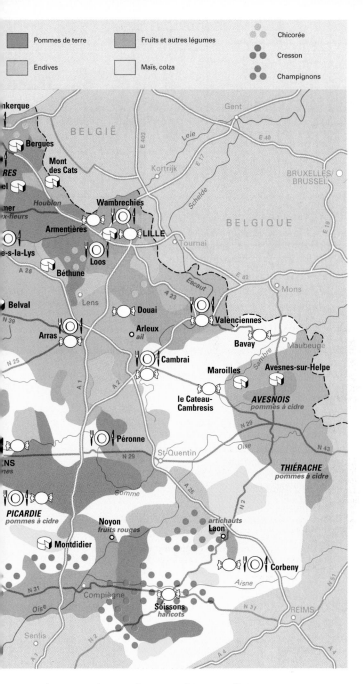

Légende:
- Pommes de terre
- Endives
- Fruits et autres légumes
- Maïs, colza
- Chicorée
- Cresson
- Champignons

Dunkerque · Bergues · Mont des Cats · BELGIË · Gent · Leie · E 403 · E 40 · Kortrijk · E 17 · BRUXELLES/BRUSSEL · Houblon · Wambrechies · Armentières · LILLE · BELGIQUE · E 19 · Schelde · Tournai · Aire-s-la-Lys · A 26 · Loos · Béthune · Escaut · E 42 · Mons · Belval · Lens · Douai · A 23 · Valenciennes · N 39 · Arras · Arleux *ail* · Bavay · Maubeuge · N 25 · A 1 · A 2 · Cambrai · Maroilles · Avesnes-sur-Helpe · Sambre · le Cateau-Cambresis · **AVESNOIS** *pommes à cidre* · N 29 · Péronne · St Quentin · Oise · N 43 · N 29 · Somme · **THIÉRACHE** *pommes à cidre* · A 26 · N 2 · **PICARDIE** *pommes à cidre* · Noyon *fruits rouges* · artichauts · Laon · Montdidier · N 31 · Corbeny · N 51 · Compiègne · Aisne · N 31 · REIMS · Oise · Soissons *haricots* · N 2 · Senlis · A 1 · A 4

saveur relativement douce et fruitée, parfois caramélisée, bières ambrée, rousse, blanche, aux fruits... Quel choix !

Le genièvre

Il est produit à partir de céréales transformées en farines qui, après cuisson, vont fermenter grâce à l'action des levures. Le « vin de céréales » obtenu est distillé en alambics dans lesquels sont ajoutées des baies de genévrier. Le genièvre ainsi distillé présente, à cette étape, ses arômes caractéristiques.

La fabrication de cette eau-de-vie se perpétue dans le Nord-Pas-de-Calais notamment à Houlle, à Wambrechies et à Loos où l'on fabrique également le « chuchemourette », apéritif composé de crème de cassis et de genièvre.

Tournants de l'Histoire

Bataille de Bouvines *par Horace Verne*

Bon nombre d'envahisseurs et bien des civilisateurs sont passés par là. Celtes, Romains, Barbares et Vandales de tout poil ; Francs, Mérovingiens, Carolingiens, Normands, puis, tour à tour, Anglais, Espagnols, Autrichiens et Prussiens. Chemin faisant, se révèlent encore les traces de leur passage.

Celtes et Romains

Avant J.-C.
- Vers **300** – Des Celto-Germains, les Belges, s'emparent du Nord de la Gaule. Les diverses tribus sont : les Nerviens (Bavay), les Atrébates (Arras), les Ambiens (Amiens), les Morins (Thérouanne), les Ménapes (Cassel), les Bellovaques (Beauvais).
- **57** – César soumet les tribus de la Gaule Belgique. Bavay, Boulogne et Amiens deviennent des centres romains importants.

Après J.-C.
- **1er au 3e s. – Paix romaine.** Le Nord de la France fait partie de la province de Belgique Seconde dont la capitale est Reims.
- **406** – Invasion des Francs.

Mérovingiens et Carolingiens
- **486** – Clovis bat l'armée romaine à Soissons.
- **561** – Division du royaume des Francs. Le Nord de la France se rattache à la Neustrie.
- **768** – Charlemagne, roi des Francs.
- **800** – Charlemagne, empereur d'Occident.
- **9e et 10e s.** – Invasions des Normands et des Hongrois.

Moyen Âge
- **1185** – L'Amiénois et le Vermandois sont annexés au domaine royal.
- **1191** – Philippe Auguste rattache l'Artois à la couronne par le traité d'Arras.
- **13e s.** – Édification des cathédrales d'Amiens et de Beauvais.

Duc de Guise.

- **1214 – Bataille de Bouvines :** victoire de Philippe Auguste sur le comte de Flandre et ses alliés.
- **1272** – Le Ponthieu passe sous l'autorité des rois d'Angleterre.
- **1314** – Philippe le Bel annexe la Flandre.
- **1337** – Début de la **guerre de Cent Ans**.
- **1346 – Bataille de Crécy.** Édouard III en sort victorieux.
- **1347** – Calais capitule devant les Anglais.
- **1369** – Le mariage du duc de Bourgogne, Philippe le Hardi, avec la fille du comte de Flandre fait passer la Flandre aux Bourguignons.
- **1415 – Bataille d'Azincourt.**
- **1435** – Traité d'Arras : Picardie et Boulonnais cédés au duché de Bourgogne.
- **1468** – L'entrevue de Péronne réunit Charles le Téméraire et Louis XI.
- **1472** – Beauvais assiégé par Charles le Téméraire (épisode de Jeanne Hachette).
- **1477** – La mort du Téméraire permet à Louis XI d'envahir la Picardie, l'Artois, le Boulonnais et le Hainaut. Marie de Bourgogne, fille de Téméraire, épouse Maximilien d'Autriche. La Flandre passe à la Maison de Habsbourg.

Des Bourbons à la Révolution
- **16e s.** – Le Nord échappe de plus en plus à l'influence française. La Flandre fait partie de l'Empire de Charles Quint.
- **1520 – Camp du Drap d'or à Guînes :** François Ier rencontre Henri VIII d'Angleterre.

- **1529** – **Paix des Dames** à Cambrai : François Ier renonce à l'Artois et à la Flandre.
- **1539** – Promulgation de l'ordonnance de Villers-Cotterêts.
- **1557** – Prise de St-Quentin par les Espagnols.
- **1558** – Le duc de Guise arrache Calais aux Anglais.
- **1559** – Le **traité du Cateau-Cambrésis** entre Henri II de France et Philippe II d'Espagne met fin aux guerres d'Italie et donne à la France les 3 évêchés de Metz, Toul et Verdun.
- **1562** – Début des **guerres de Religion**. 4 foyers protestants se développent : Amiens, Douai, Valenciennes et Béthune.
- **1598** – **Édit de Nantes.**
- **1659** – Le traité des Pyrénées, entre l'Espagne et la France, fait passer l'Artois à cette dernière, et décide du mariage de Louis XIV et Marie-Thérèse.
- **1663** – Mariage de Louis XIV avec Marie-Thérèse d'Espagne qui d'après une coutume du Brabant devrait hériter par sa mère de toute cette région. L'héritage étant revenu à un autre héritier, Louis XIV déclare la guerre « de Dévolution « aux Pays-Bas espagnols.
- **1667** – Louis XIV conquiert Charleroi, Tournai, Douai et Lille.
- **1668** – Le **traité d'Aix-la-Chapelle** donne une partie de la Flandre à Louis XIV.
- **1677** – Prise de Cambrai par Louis XIV.
- **1678** – Le **traité de Nimègue** permet à Louis XIV d'annexer les autres villes du Nord.
- **1713** – Le **traité d'Utrecht** fixe la frontière définitive du Nord de la France.

De la Révolution à nos jours

- **1793** – Victoires d'Hondschoote et de Wattignies.
- **1803** – Bonaparte rassemble son armée au camp de Boulogne pour une tentative d'invasion de l'Angleterre.
- **1840** – Louis-Napoléon (futur Napoléon III) tente de soulever Boulogne contre Louis-Philippe. C'est un échec, il est enfermé au fort de Ham.
- **1870-71** – Guerre franco-allemande : batailles de Bapaume et de St-Quentin.
- **1909** – 1re traversée aérienne de la Manche par Louis Blériot.

Guerre de 1914-1918

- **1915** – Offensive française en Artois (Neuville-St-Vaast, Vimy).
- **1916** – Offensive franco-anglaise sur la Somme.
- **1917** – Offensives française sur l'Aisne (Chemin des Dames), anglaise sur Vimy.
  Mars : repli allemand sur la ligne Hindenburg.
- **1918 – 21 mars :** attaque allemande entre Arras et La Fère, percée à St-Quentin, vers Amiens ; bataille de Picardie.`
  26 mars : Foch reçoit le commandement unique. Progression allemande enrayée.
  Juillet-novembre : Foch remporte la seconde bataille de la Marne.
  11 novembre : armistice signé à Rethondes (forêt de Compiègne).

Guerre de 1939-1945

- **1940** – « Drôle de guerre », offensive des Ardennes, bataille de Dunkerque et bataille de la Somme. Le 22 juin : l'armistice franco-allemand est signé à Rethondes.
- **Mai 1945** – La « poche de Dunkerque » est reprise par les Alliés.

L'après-guerre et l'époque contemporaine

- **1968** – Création du 1er parc naturel régional en France, connu aujourd'hui sous le nom de Plaine de la Scarpe et de l'Escaut.
- **1980** – Mise en service de la centrale nucléaire de Gravelines.
- **21 déc. 1990** – Fermeture du dernier puits d'extraction minier.
- **6 mai 1994** – Inauguration du **tunnel sous la Manche.**

Louis Blériot.

Orages d'acier

Picardie et Nord-Pas-de-Calais ont été profondément touchés par les deux conflits mondiaux. Tout commence le 1er août 1914, un mois après l'attentat de **Sarajevo**. Autriche, Serbie et Russie sont mobilisées ; l'Allemagne et la France leur emboîtent le pas. À Berlin comme à Paris, le moral est haut ; la guerre sera courte. On défile dans l'allégresse.

Les Allemands, entrés en Belgique et au Luxembourg, remportent la bataille des Frontières sur l'axe Metz-Mons, et poussent vers Paris, traversant le Nord-Pas-de-Calais. Le front se fige en un arc de cercle, de Dunkerque à la Meuse, mordant l'Artois, la Picardie et la Marne. Joffre lance sa contre-offensive, et Moltke bat en retraite : c'est la **victoire de la Marne**. L'adversaire, replié sur les rives de l'Aisne, reviendra à la charge. Les mois passent, et l'enthousiasme d'hier fléchit : à la guerre de mouvement succède la guerre d'usure.

Les Alliés perdent une belle occasion de victoire en 1915 : **Foch** déclenche l'offensive d'Artois, et le 33e corps, qu'emmène **Pétain**, perce les lignes allemandes près de Souchez, puis prend la crête stratégique de Vimy. Averti par Pétain, Foch refuse d'y croire, et n'envoie aucune troupe exploiter la brèche allemande, bientôt reconquise.

Pendant qu'on s'enlise à **Verdun**, l'offensive de la Somme est lancée, de juillet à octobre 1916. 35 nations y sont impliquées, 1 000 000 d'hommes y meurent. Dans le Nord-Pas-de-Calais, Arras, Lens, Cambrai, Bailleul, Armentières sont détruites.

1917 voit la prise de Vimy par les Anglo-Canadiens, tandis que Nivelle, remplaçant Joffre, essuie une sévère défaite au **Chemin des Dames** : 150 000 Alliés tombent en 15 jours. Mi-avril, deux attaques sont lancées sur le front de l'Aisne, alors que les mutineries et cas de sédition se multiplient. Pétain, qui succède à Nivelle, met fin aux assauts inconsidérés. En juillet et septembre, les Canadiens soutiennent deux batailles à Vimy. Fin octobre, la 10e armée française remporte la victoire de la Malmaison (Chemin des Dames). L'opération minutieuse avait été décidée par Pétain pour rendre confiance à l'armée démoralisée par l'échec subi en avril dans ce secteur.

Le 21 mars 1918, l'adversaire attaque entre Arras et La Fère à la charnière des forces franco-britanniques, et d'emblée perce à St-Quentin, vers Amiens ; la bataille de Picardie fait rage. Pétain, soucieux de couvrir Paris, s'oppose à son homologue britannique Haig, qui protège sa ligne de communication vers les ports du Nord-Pas-de-Calais. Ce type de divergences pousse les Alliés à confier le commandement unique à Foch, le 26 mars, lors de la conférence de Doullens.

Fin mai, la progression allemande est fulgurante. La France essuie une nouvelle défaite au Chemin des Dames et cède Château-Thierry, mais l'avancée est stoppée au terme de la 2e bataille de la Marne.

La contre-attaque française en Champagne, le 18 juillet, puis l'offensive généralisée des Forces Alliées, dont celle du 8 août, sur Montdidier, contraint l'Allemagne à demander l'armistice, signé le **11 novembre** à **Rethondes**, en forêt de Compiègne.

Plus de 65 millions de soldats se sont affrontés au cours de la Première Guerre mondiale. 8,5 millions d'entre eux ont péri lors des combats. Les civils ont été également sévèrement touchés (on estime à 10 millions le nombre de morts directement ou indirectement liées au conflit). Au cœur des offensives, les habitants du Nord de la France figurent parmi les plus touchés.

Poste de secours, Champagne 1916
par Louis Gillot.

Mécaniques infernales

Après neuf mois de passivité – la « **Drôle de guerre** » –, **Hitler** déclenche l'offensive des Ardennes, le 10 mai 1940. Les chars Panzer emmenés par Guderian percent les défenses françaises à Sedan, et traversent la Meuse, poursuivant leur route vers la Manche. Ils atteignent l'Oise le 16 mai. L'infanterie allemande déploie alors son bouclier le long de l'Aisne.

Hitler se rend bientôt maître de l'ensemble du Nord-Pas-de-Calais et de la haute

La Guerre *par Marcel Gromaire.*

Picardie. Abbeville tombe le 20 mai ; le lendemain, la contre-offensive britannique dans le secteur d'Arras se solde par un échec. Boulogne tombe le 22 mai, Calais le lendemain, puis Gravelines. La Campagne de France se poursuit par la bataille de Dunkerque, du 25 mai au 4 juin 1940, où 338 000 Alliés sont évacués par la mer.

De Gaulle retarde l'avancée allemande près de Montcornet, mais les fronts de la Somme et de l'Aisne cèdent le 6 juin, et les Panzer gagnent encore du terrain. Le 25 juin, ils ont atteint une ligne ondulant d'Angoulême à Grenoble. **Pétain** demande l'armistice à l'Allemagne, signé le 22 juin 1940, le lendemain de l'entrevue de Rethondes – parodie cynique de celle du 11 novembre 1918.

« *La France a perdu une bataille, mais la France n'a pas perdu la guerre* », tel est le message que De Gaulle adresse le 18 juin 1940 aux Français depuis Londres. Son objectif est de remotiver les troupes françaises dont le moral est au plus bas.

La **Résistance** s'organise bientôt alors que l'organisation Todt poursuit son travail, notamment le long de la Côte d'Opale, en consolidant le « **Mur de l'Atlantique** », ligne défensive jalonnée de blockhaus, de radars et d'importantes pièces d'artillerie.

En 1944, l'armée allemande est menacée sur tous les fronts ; Hitler décide alors d'abattre ses dernières cartes, à savoir les bombes volantes V1 puis les fusées supersoniques V2. 18 000 V1 et 3 000 V2 seront largués, surtout sur l'Angleterre et la Belgique, notamment depuis les bases de lancement du Nord-Pas-de-Calais.

L'attaque aérienne anglaise du 18 janvier 1944 sur la prison d'Amiens permet l'évasion de résistants condamnés à mort, et de démasquer 60 agents de la Gestapo. Le 2 avril, les SS assassinent 86 civils à Ascq.

La libération de la région, par les Anglais et les Canadiens, débute en septembre 1944 : Amiens (1er septembre), Lille (3 septembre), Maubeuge (4 septembre), suivent Boulogne (21 septembre) et Calais (2 octobre).

En février 1945, la conférence de Yalta jette les bases d'une nouvelle organisation mondiale, dispositions précisées en juillet par la conférence de Potsdam (occupation du territoire allemand par les Alliés, jugement des criminels de guerre...).

Hitler se suicide le 30 avril 1945, alors que sa capitale est une ville ouverte. Début mai, la « poche de Dunkerque » est reprise par les Alliés. Doenitz, qui succède au Führer à la tête de l'armée allemande, capitule à Reims le 7 mai, puis à Berlin, le lendemain.

Ce deuxième conflit mondial a mobilisé plus de 90 millions de soldats. L'estimation des pertes est très variable et va du simple au double (30 à 60 millions, civils et militaires confondus).

ABC d'architecture

Architecture religieuse

LILLERS
Plan de la collégiale St-Omer (12e s.)

La seule grande église romane subsistant dans le Nord possède un plan en croix latine à transept saillant et chœur allongé.

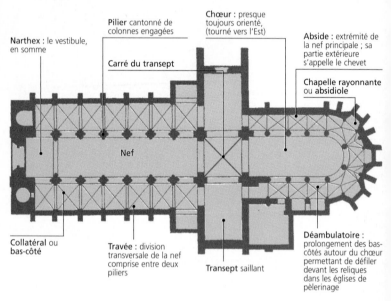

Narthex : le vestibule, en somme

Pilier cantonné de colonnes engagées

Carré du transept

Chœur : presque toujours orienté, (tourné vers l'Est)

Abside : extrémité de la nef principale ; sa partie extérieure s'appelle le chevet

Chapelle rayonnante ou **absidiole**

Nef

Collatéral ou **bas-côté**

Travée : division transversale de la nef comprise entre deux piliers

Transept saillant

Déambulatoire : prolongement des bas-côtés autour du chœur permettant de défiler devant les reliques dans les églises de pèlerinage

ST-OMER
Coupe transversale de la cathédrale (13e-15e s.)

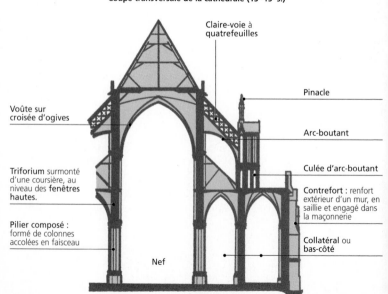

Claire-voie à quatrefeuilles

Pinacle

Voûte sur croisée d'ogives

Arc-boutant

Triforium surmonté d'une coursière, au niveau des **fenêtres hautes.**

Culée d'arc-boutant

Contrefort : renfort extérieur d'un mur, en saillie et engagé dans la maçonnerie

Pilier composé : formé de colonnes accolées en faisceau

Collatéral ou **bas-côté**

Nef

AMIENS
Façade de la cathédrale (13ᵉ s.)

La vaste cathédrale demeure l'édifice où l'architecture du gothique rayonnant est parvenue à son plein épanouissement.

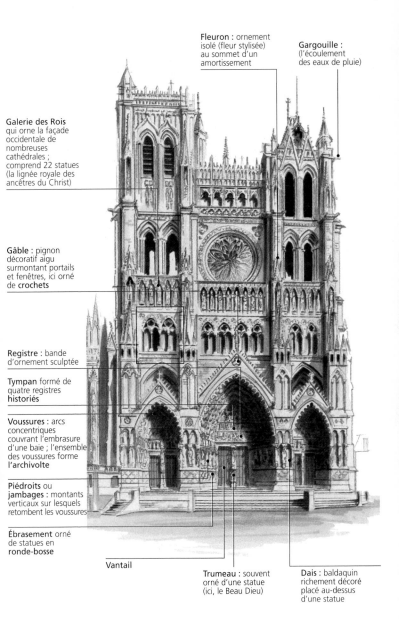

Fleuron : ornement isolé (fleur stylisée) au sommet d'un amortissement

Gargouille : (l'écoulement des eaux de pluie)

Galerie des Rois qui orne la façade occidentale de nombreuses cathédrales ; comprend 22 statues (la lignée royale des ancêtres du Christ)

Gâble : pignon décoratif aigu surmontant portails et fenêtres, ici orné de **crochets**

Registre : bande d'ornement sculptée

Tympan formé de quatre registres **historiés**

Voussures : arcs concentriques couvrant l'embrasure d'une baie ; l'ensemble des voussures forme l'**archivolte**

Piédroits ou **jambages** : montants verticaux sur lesquels retombent les voussures

Ébrasement orné de statues en **ronde-bosse**

Vantail

Trumeau : souvent orné d'une statue (ici, le Beau Dieu)

Dais : baldaquin richement décoré placé au-dessus d'une statue

Galerie ajourée aux **arcs tréflés** surmontés de baies en quadrilobes

BEAUVAIS
Chevet de la cathédrale (13ᵉ s.)

Malgré l'absence de flèche effondrée en 1573 et de nef (jamais construite faute d'argent), la cathédrale possède un magnifique chœur où la technique gothique atteint son apogée avec une hauteur sous voûte de 48 m.

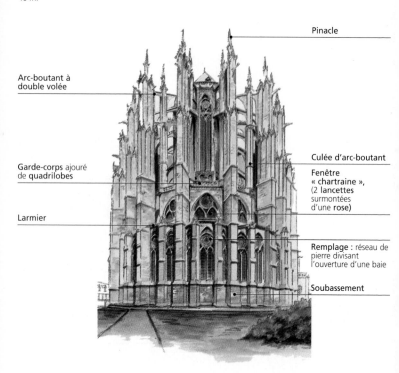

Pinacle

Arc-boutant à double volée

Culée d'arc-boutant

Garde-corps ajouré de quadrilobes

Fenêtre « chartraine », (2 lancettes surmontées d'une rose)

Larmier

Remplage : réseau de pierre divisant l'ouverture d'une baie

Soubassement

LAON – Intérieur de la cathédrale (1155-1220)
L'architecture intérieure de la cathédrale frappe par son équilibre et sa clarté.

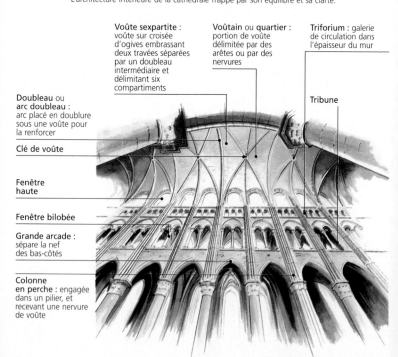

Voûte sexpartite : voûte sur croisée d'ogives embrassant deux travées séparées par un doubleau intermédiaire et délimitant six compartiments

Voûtain ou quartier : portion de voûte délimitée par des arêtes ou par des nervures

Triforium : galerie de circulation dans l'épaisseur du mur

Doubleau ou arc doubleau : arc placé en doublure sous une voûte pour la renforcer

Tribune

Clé de voûte

Fenêtre haute

Fenêtre bilobée

Grande arcade : sépare la nef des bas-côtés

Colonne en perche : engagée dans un pilier, et recevant une nervure de voûte

AIRE-SUR-LA-LYS
Orgues de la collégiale (1653)

Cet orgue richement sculpté provient de l'ancienne abbaye cistercienne de Clairmarais aux environs d'Aire-sur-la-Lys.

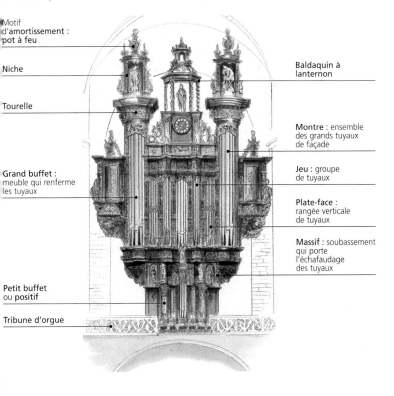

Motif d'amortissement : pot à feu

Niche

Tourelle

Grand buffet : meuble qui renferme les tuyaux

Petit buffet ou positif

Tribune d'orgue

Baldaquin à lanternon

Montre : ensemble des grands tuyaux de façade

Jeu : groupe de tuyaux

Plate-face : rangée verticale de tuyaux

Massif : soubassement qui porte l'échafaudage des tuyaux

QUAËDYPRE
Maître-autel et retable de l'église (fin 17e s.)

Le retable est aux 17e et 18e s. une composition architecturale dressée derrière la table d'autel. Il est destiné à orienter la dévotion des fidèles.

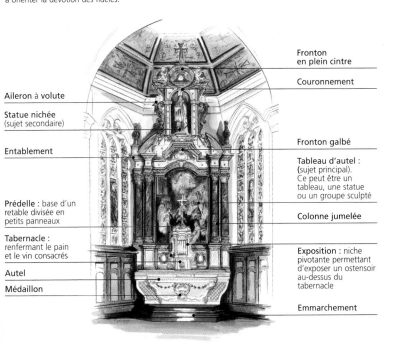

Aileron à volute

Statue nichée (sujet secondaire)

Entablement

Prédelle : base d'un retable divisée en petits panneaux

Tabernacle : renfermant le pain et le vin consacrés

Autel

Médaillon

Fronton en plein cintre

Couronnement

Fronton galbé

Tableau d'autel : (sujet principal). Ce peut être un tableau, une statue ou un groupe sculpté

Colonne jumelée

Exposition : niche pivotante permettant d'exposer un ostensoir au-dessus du tabernacle

Emmarchement

Architecture civile

ARRAS
Façades de la Grand'Place (15ᵉ et 17ᵉ s.)

À gauche l'hôtel des Trois Luppars (1467), la plus ancienne maison de la place, à droite maison datant de 1684.

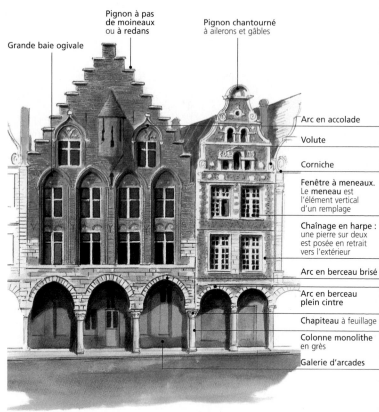

Grande baie ogivale

Pignon à pas de moineaux ou à redans

Pignon chantourné à ailerons et gâbles

Arc en accolade

Volute

Corniche

Fenêtre à meneaux. Le **meneau** est l'élément vertical d'un remplage

Chaînage en harpe : une pierre sur deux est posée en retrait vers l'extérieur

Arc en berceau brisé

Arc en berceau plein cintre

Chapiteau à feuillage

Colonne monolithe en grès

Galerie d'arcades

LONG
Château (18ᵉ s.)

Ce château, construit en appareil de brique et bossage de pierre, fut surnommé la folie Bussy du nom de son premier propriétaire qui y dépensa sa fortune.

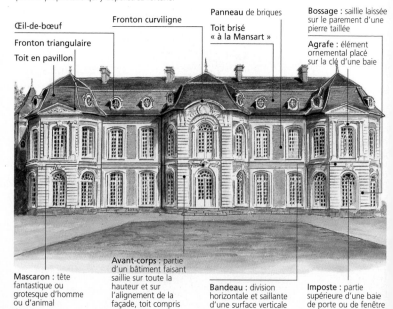

Œil-de-bœuf

Fronton triangulaire

Toit en pavillon

Fronton curviligne

Panneau de briques

Toit brisé « à la Mansart »

Bossage : saillie laissée sur le parement d'une pierre taillée

Agrafe : élément ornemental placé sur la clé d'une baie

Mascaron : tête fantastique ou grotesque d'homme ou d'animal

Avant-corps : partie d'un bâtiment faisant saillie sur toute la hauteur et sur l'alignement de la façade, toit compris

Bandeau : division horizontale et saillante d'une surface verticale

Imposte : partie supérieure d'une baie de porte ou de fenêtre

RUE – Beffroi (15ᵉ s.)
Symbole de la puissance communale, le beffroi, tour de guet,
servait également de lieu de réunion des échevins.

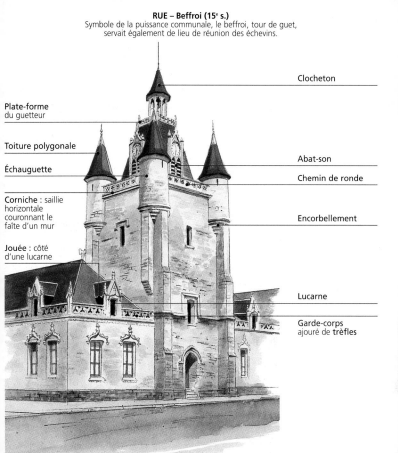

Clocheton

Plate-forme
du guetteur

Toiture polygonale

Abat-son

Échauguette

Chemin de ronde

Corniche : saillie
horizontale
couronnant le
faîte d'un mur

Encorbellement

Jouée : côté
d'une lucarne

Lucarne

Garde-corps
ajouré de **trèfles**

Architecture militaire

LE QUESNOY – Fortifications (12ᵉ s. puis 17ᵉ-19ᵉ s.)

Très bien conservées, les fortifications ont été transformées à partir de 1667 selon les idées de Vauban et se trouvent aujourd'hui nichées dans un écrin de verdure.

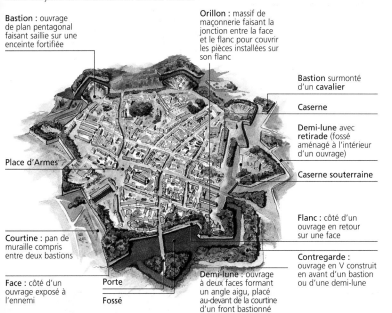

Bastion : ouvrage
de plan pentagonal
faisant saillie sur une
enceinte fortifiée

Orillon : massif de
maçonnerie faisant la
jonction entre la face
et le flanc pour couvrir
les pièces installées sur
son flanc

Bastion surmonté
d'un **cavalier**

Caserne

Demi-lune avec
retirade (fossé
aménagé à l'intérieur
d'un ouvrage)

Place d'Armes

Caserne souterraine

Flanc : côté d'un
ouvrage en retour
sur une face

Courtine : pan de
muraille compris
entre deux bastions

Contregarde :
ouvrage en V construit
en avant d'un bastion
ou d'une demi-lune

Face : côté d'un
ouvrage exposé à
l'ennemi

Porte

Fossé

Demi-lune : ouvrage
à deux faces formant
un angle aigu, placé
au-devant de la courtine
d'un front bastionné

Art en Picardie, Flandres et Artois

Malgré les révolutions, les guerres, les invasions, le Nord de la France conserve de nombreux témoignages artistiques du passé. Si l'art gallo-romain et l'art roman sont peu représentés sauf à Bavay pour le premier et à Lillers pour le second, les grandes cathédrales, joyaux de l'art gothique, rivalisent par l'audace de l'élévation et la beauté du décor sculpté, tandis que le gothique flamboyant s'est pleinement épanoui en Picardie et l'art baroque dans les Flandres.

Le gothique (12e-16e s.)

La voûte sur croisée d'ogives, l'arc brisé et l'arc-boutant sont les caractéristiques de l'art gothique, même si on en trouve les prémices dans l'art roman.

La voûte gothique a bouleversé la construction des églises. Désormais, l'architecte, maître des poussées de l'édifice, les dirige sur les quatre piliers par les ogives, les formerets (arcs lancés parallèlement à l'axe de la nef, le long du mur) et les doubleaux (arcs sous voûtes disposés transversalement par rapport à l'axe de la nef).

Détail du portail de la cathédrale de Laon.

Extérieurement ces poussées sont contrebutées par les arcs-boutants qui retombent sur des hauts piliers dont la tête est souvent lestée d'un pinacle. Ces arcs-boutants, qui comportent parfois plusieurs volées, renforcent l'effet de verticalité propre au gothique.

Les murs sont amincis et font place, sur de plus grandes surfaces, à des baies garnies de vitraux. Ceux-ci dispensent une luminosité subtile, fluctuante selon l'intensité et la direction de l'éclairage extérieur. Cette clarté contraste avec des zones d'ombre, produisant d'admirables effets plastiques.

Cathédrale d'Amiens.
Détail de la galerie des rois ornée de 22 statues.

Le triforium situé au-dessous, à l'origine aveugle, est aussi percé de baies puis disparaît au profit d'immenses fenêtres hautes. Les colonnes qui, à l'intérieur, suffisent à soutenir l'église, se transforment aussi. D'abord cylindriques et coiffées de chapiteaux, elles sont ensuite cantonnées de colonnes engagées, puis formées de faisceaux de colonnettes de même diamètre que les arcs reposant sur les chapiteaux. Finalement, les piliers sans chapiteau ne sont plus que le prolongement des arcs. C'est le cas du style flamboyant où des arcs purement décoratifs, dits liernes et tiercerons, s'ajoutent aux ogives.

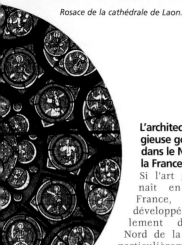

Rosace de la cathédrale de Laon.

L'architecture religieuse gothique dans le Nord de la France

Si l'art gothique naît en Île-de-France, il s'est développé parallèlement dans le Nord de la France, particulièrement en Picardie.

Les architectes – C'est seulement à l'époque gothique que l'on commence à connaître les noms des architectes des grands édifices religieux, soit par des textes, soit par des inscriptions gravées autour des « labyrinthes » tracés sur le sol des cathédrales. On sait ainsi que Robert de Luzarches donna les plans de celle d'Amiens. Mais le plus illustre maître d'œuvre du Nord de la France est sans doute Villard de Honnecourt, né dans un bourg proche de Cambrai. On lui attribue l'abbaye de Vaucelles, les tours de Laon, les chœurs de Cambrai (aujourd'hui disparu) et de St-Quentin. Ce grand voyageur a laissé un curieux carnet de notes, de recettes, de croquis, connu sous le nom d'Album de Villard de Honnecourt.

La naissance (12ᵉ-13ᵉ s.) – Alors que le premier emploi de la croisée d'ogives en France apparaît en 1125 dans l'abbatiale romane (voûte qui couvre le déambulatoire) de Morienval, des réminiscences romanes (arcs en plein cintre) subsistent dans le style gothique primitif marqué par des monuments d'une grande sobriété.

La cathédrale de Laon fournit un exemple typique de gothique primitif avec sa façade à arcatures imperceptiblement brisées, son chœur à chevet plat et ses sept tours analogues à celles de la cathédrale de Tournai. Des souvenirs de l'art roman tournaisien se retrouvent aussi à Soissons et à Noyon. L'élévation sur quatre étages (arcades, tribunes, triforium et fenêtres hautes) caractérise les édifices de cette période ainsi que les transepts terminés par des hémicycles, comme le croisillon Sud de Soissons.

L'apogée (13ᵉ-14ᵉ s.) – C'est l'âge d'or des grandes cathédrales éclairées par de vastes baies ou des roses garnies de vitraux scintillants. L'élévation sur trois étages (grandes arcades, triforium, fenêtres hautes) allège les nefs. Amiens en est l'exemple le plus remarquable, tandis que Beauvais qui voulut la surpasser est devenue le symbole de la démesure.

À Beauvais, la technique gothique atteint son apogée : les murs se réduisent au minimum, les fenêtres hautes ne laissent plus de place à la maçonnerie et le mur du fond du triforium est percé et garni de vitraux.

Dans le Nord, les maîtres d'œuvre mettent l'accent sur l'équilibre et l'harmonie du plan et des élévations, comme en témoignent les deux admirables chœurs à déambulatoire et chapelles rayonnantes de St-Omer et St-Quentin.

Le déclin (15ᵉ-16ᵉ s.) – La décadence s'amorce avec l'apparition du style flamboyant où la surabondance du décor sculpté tend à masquer les lignes essentielles des

Chœur de la cathédrale de Beauvais.

Hôtel de ville de Compiègne. Statue équestre de Louis XII (en haut, à droite).

monuments. Ce style, qui doit son nom à la forme de flammes tourmentées des meneaux des fenêtres, se caractérise par une décoration exubérante. Les portails sont coiffés de gâbles ajourés, les balustrades surmontées de pinacles, les voûtes aux dessins compliqués convergent sur d'énormes clefs de voûte pendantes très ouvragées.

Cette période offre des réalisations spectaculaires, notamment en Picardie où l'église St-Vulfran d'Abbeville rivalise avec l'abbatiale de St-Riquier, les églises de la Neuville, Mailly-Maillet et Poix et la chapelle du St-Esprit à Rue, véritable dentelle de pierre.

En Flandre s'entrecroisent les courants germaniques discernables dans les **hallenkerk,** églises-halles à trois ou cinq nefs d'égale hauteur (St-Maurice à Lille, églises de Hondschoote, Esquelbecq et Hesdin) et les influences anglaises, que l'on reconnaît dans les hautes tours carrées de St-Omer et d'Aire, formant clochers-porches, couvertes d'un réseau d'arcatures et terminées par des plates-formes que cantonnent des pinacles.

La sculpture picarde à l'époque gothique

Servis par une pierre calcaire au grain très fin et facile à tailler, les sculpteurs du Nord et surtout ceux de Picardie ont exercé leur habileté et leur imagination tant dans la sculpture d'ornements que dans la représentation des « images », figures en ronde-bosse. Au 13e s., les « tailleurs d'ymaiges » d'Amiens et d'Arras détiennent déjà les quali-tés picardes spécifiques que l'on retrouve au cours des siècles : leurs figures, d'une exécution poussée, sont empreintes d'un charme et d'une bonhomie que relève un accent de vie familière.

*Château de Bailleul
à Condé-sur-l'Escaut.*

La fin du 15ᵉ s. et le début du 16ᵉ s. sont aussi des époques favorables pour la sculpture picarde qui s'enorgueillit alors de « huchiers » (sculpteurs sur bois) renommés, auteurs notamment des remarquables stalles de la cathédrale d'Amiens et des vantaux des portes de la collégiale St-Vulfran à Abbeville. Ces mêmes sculpteurs ont ciselé les cadres de bois délicats qui rehaussent les peintures du « Puy-Notre-Dame » en l'honneur de la Vierge, exposées aujourd'hui au musée de Picardie à Amiens.

L'architecture civile flamande à l'époque gothique

Dès la fin du 13ᵉ s., l'originalité de l'architecture gothique flamande se manifeste dans les édifices communaux, beffrois et hôtels de ville, élevés par les cités qui ont obtenu une charte urbaine garantissant leur indépendance.

Beffrois – Symbole de la puissance communale, le beffroi se dresse isolé (à Bergues, Béthune) ou englobé dans l'hôtel de ville (à Douai, Arras et Calais). Il est conçu comme un donjon avec échauguettes et mâchicoulis. Au-dessus des fondations qui abritent la prison, des salles superposées avaient diverses fonctions comme la salle des gardes. Au sommet la salle des cloches renferme le **carillon** qui égrène ses airs guillerets toutes les heures, demi-heures et quarts. La salle des cloches est entourée d'échauguettes d'où les guetteurs surveillaient les ennemis et les incendies. Enfin, couronnant l'ensemble, la girouette symbolise la cité : lion des Flandres à Arras, Bergues et Douai, élégante sirène à Bailleul, dragon à Béthune, etc.

Hôtels de ville – Souvent imposants, ils frappent par la richesse de la décoration de leur façade couverte de niches, statues, gâbles, pinacles. À l'intérieur, la grande salle du conseil ou des fêtes présente des murs couverts de fresques illustrant l'histoire de la ville.

Les plus beaux hôtels de ville (Douai, Arras, St-Quentin, Hondschoote, Compiègne) datent des 15ᵉ et 16ᵉ s. La plupart ont subi des dommages et des modifications ; d'autres ont été complètement reconstruits dans leur style d'origine, comme à Arras.

L'après-gothique

La Renaissance (16ᵉ s.)

Architecture – Sous l'influence de l'Italie, l'architecture Renaissance suit une orientation nouvelle marquée par le retour aux formes antiques : colonnes et galeries superposées donnent de la grandeur aux monuments. Les façades sont sculptées de niches, de statues, de médaillons ; des pilastres encadrent les baies.

Dans le Nord, l'architecture religieuse Renaissance trouve peu de résonance : elle se manifeste seulement dans le portail de Notre-Dame d'Hesdin. Par contre, plus nombreux sont les édifices civils, parmi lesquels on peut citer le bailliage d'Aire, la Maison du Sagittaire à Amiens, l'hôtel de la Noble Cour à Cassel, l'hôtel de ville d'Hesdin.

*Château
de Villers-Cotterêts.*

Le classicisme et le baroque (17e-18e s.)

Architecture – Au cours des 17e et 18e s., l'architecture montre deux visages, l'un baroque, dominé par l'irrégularité des contours et l'abondance des formes, l'autre classique, placé sous le signe de la sobriété et l'observance des règles antiques. On trouve plutôt le style baroque dans la Flandre, le Hainaut et l'Artois qui ont subi l'influence espagnole et le style classique en Picardie.

Sous l'influence de la Contre-Réforme et de ses principaux artisans, les jésuites, quantité d'édifices religieux sont bâtis au 17e s., comme les églises du Cateau-Cambrésis et d'Aire, les chapelles de St-Omer et de Cambrai.

Nombre de bâtiments civils baroques subsistent, souvent appareillés de briques et de pierres blanches. Caractérisée par des bossages et un riche décor sculpté, la Bourse de Lille a donné naissance au **baroque flamand**, que l'on retrouve dans la demeure de Gilles de la Boé à Lille, à l'hôpital de Seclin et au mont-de-piété de Bergues. Plus au Sud, le baroque s'atténue et comporte des éléments classiques dans l'admirable ensemble des maisons à arcades et volutes des places d'Arras.

Vauban.

En Picardie, baroque et classique s'allient au 18e s., tant dans les abbayes de Valloires et de Prémontré que dans les châteaux de Bertangles, d'Arry, de Long, de Cercamp et la délicieuse « folie de Bagatelle ».

L'Artois et le Hainaut sont aussi riches en châteaux du 18e s., aux façades classiques décorées de frontons et presque « mangées » par les fenêtres : Colembert, Flers, Pont-de-Briques, Souverain-Moulin. Parmi les fleurons de cette architecture du 18e s. dans le Nord, le château de l'Hermitage construit par le duc de Croÿ près de Condé-sur-l'Escaut.

L'architecture militaire

Avant Vauban

Avec les derniers Valois, les ingénieurs militaires, instruits par l'exemple italien, adoptent le système des courtines défendues aux angles par des bastions saillants. Certains bastions, en forme d'as de pique, sont dits « à orillons » en raison de leurs renflements latéraux qui protègent du feu des assaillants les batteries couvrant la courtine. On peut voir ce genre d'ouvrages au Quesnoy. Bastions et courtines, habituellement appareillés en pierres, sont couronnés de plates-formes portant les canons ; des tourelles suspendues surveillent fossés et alentours.

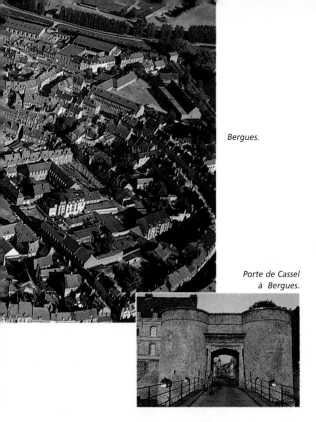

Bergues.

*Porte de Cassel
à Bergues.*

Au début du 17ᵉ s., Henri IV dispose d'un ingénieur spécialiste de la « castramétation », comme on dit alors : il s'agit de **Jean Errard** (1554-1610), de Bar-le-Duc, surnommé « le père de la fortification française ». Dans le Nord, Errard fortifie Ham et Montreuil, construit les citadelles de Calais, Laon, Doullens et Amiens, toujours existantes.

Au temps de Vauban

Le Prestre de Vauban (1633-1707) s'inspire de ses prédécesseurs pour établir son système caractérisé par des bastions que complètent des demi-lunes, le tout, environné de profonds fossés. Profitant des obstacles naturels, utilisant les matériaux du pays, il donne aussi une valeur esthétique aux ouvrages qu'il conçoit.

Sur la côte et sur la frontière de Flandre et du Hainaut, Vauban met en place le **« Pré carré »** : deux lignes de places fortes assez rapprochées les unes des autres pour empêcher le passage de l'ennemi et pour se secourir entre elles en cas d'attaque.

La première comporte 15 places : Dunkerque, Bergues, Furnes (Veurne), Knocke (Knokke), Ypres (Ieper), Menin (Menen), Lille, Tournai, Mortagne, Condé-sur-l'Escaut, Valenciennes, le Quesnoy, Maubeuge, Philippeville et Dinant.

La deuxième, un peu en arrière, en comprend 13 : Gravelines, St-Omer, Aire-sur-la-Lys, Béthune (puis St-Venant), Arras, Douai, Bouchain, Cambrai, Landrecies, Avesnes, Marienbourg, Rocroi et Mézières.

Les fortifications du Nord rempliront leur mission défensive jusqu'aux invasions de 1814 et 1815. Durant la Campagne de France en 1940, celles du Quesnoy, de Lille, Bergues, Dunkerque, Gravelines et Calais ont servi de solides points d'appui, protégeant la retraite des armées franco-britanniques.

Architecture militaire récente

Les blockhaus du **Mur de l'Atlantique** qui jalonnent le littoral ont été mis en place par l'Organisation Todt dès 1940. On en dénombrait environ 10 000 sur l'ensemble de la côte française en 1944, surtout dans le Nord-Pas-de-Calais, considéré comme zone de guerre contre l'Angleterre.

Dans les profondes forêts d'Éperlecques et de Clairmarais, les Allemands ont contruit d'énormes installations de béton pour le lancement des fusées V1 et V2 sur Londres. Les forteresses d'Éperlecques, de Mimoyecques et l'étonnante coupole d'Helfaut-Wizernes sont autant d'exemples impressionnants de la démesure de cette architecture de béton.

Fortifications, Maubeuge.

Personnalités du Nord

Les gens du Nord sont des hommes d'action, quelques forceurs du destin en témoignent : Condorcet, Robespierre, Camille Desmoulins, Saint-Just, Pétain, De Gaulle, Leclerc de Hauteclocque, Blériot, Dassault…

Ils peuvent être aussi des créateurs délicats et discrets, comme Givenchy, des artistes sensibles et malicieux, comme le truculent Raymond Devos, ou reflétant l'atmosphère de ces paysages aux vastes étendues et la vivacité de leurs habitants, comme Marguerite Yourcenar dans le domaine littéraire.

Marguerite Yourcenar.

Écrivains

Au 13ᵉ s., les **trouvères** de langue picarde s'opposent aux troubadours de langue d'oc par une verve caustique et drue, présente chez les précurseurs du théâtre français : les Arrageois **Jean Bodel**, poète jongleur, et **Adam de La Halle**.

Aux conteurs succèdent les chroniqueurs des 14ᵉ et 15ᵉ s. Le Valenciennois **Froissart** décrit la guerre de Cent Ans, et **Philippe de Commynes** retrace les règnes de Louis XI et de Charles VIII dans ses Mémoires.

Le réformateur **Calvin** naît à Noyon en 1509, et le tragédien **Jean Racine**, à La Ferté-Milon en 1639.

Traditionnellement frondeuses, la Picardie et l'Artois connaissent leur période faste au 18ᵉ s. des libertins, avec l'**abbé Prévost**, né à Hesdin, qui évoque dans Manon Lescaut ses amours pour une aventurière, et avec l'Amiénois **Choderlos de Laclos**, sulfureux auteur du roman Les Liaisons dangereuses.

Le Cotterézien **Alexandre Dumas** (Les Trois Mousquetaires, Le Comte de Monte-Cristo) et le Péronnais **Pierre Mac Orlan** (Quai des brumes) restent deux grands auteurs du 19ᵉ s. Au 20ᵉ s., l'Amiénois **Roland Dorgelès** dépeint la vie des Poilus de la Grande Guerre. En Flandre, **Marguerite Yourcenar**, première femme nommée à l'Académie française, évoque son enfance flamande près de Bailleul. Pour le Nouveau Roman, citons **Michel Butor** (La Modification), qui vient de Mons-en-Barœul.

À l'académicien lillois **Alain Decaux** on doit de nombreux ouvrages historiques et la création d'émissions radiophoniques et télévisées consacrées à l'histoire. Le journaliste et écrivain **Jacques Duquesne** est dunkerquois.

Peintres

Au 15ᵉ s., âge d'or de la peinture flamande, le Douaisien **Jean Bellegambe** exécute surtout des retables dont le polyptyque d'Anchin. Son style montre la double influence flamande (souci du détail, choix de coloris) et française (décor architectural annonçant déjà la Renaissance).

Au 17ᵉ s., les trois frères **Le Nain**, élevés à Laon, se signalent par un style différent des grands peintres de l'époque. Le plus célèbre, **Louis**, fut un des maîtres du réalisme français avec ses scènes paysannes (La Charrette, Repas des paysans) évoquant la vie des

Maison des Écrivains au Mont-Noir.

villageois du Laonnois, leurs maisons, la douce campagne environnante. **Antoine** subit encore l'influence flamande dans ses scènes de genre, et **Mathieu** peint la bourgeoisie et des scènes mythologiques.

Au 18e s., le Nord voit une floraison de peintres : le Valenciennois **Antoine Watteau** met tout son art de dessinateur et de coloriste à peindre ces fêtes galantes et campagnardes caractéristiques du siècle libertin. Il est suivi dans ce style par son élève **Jean-Baptiste Pater**.

Le Picard **Quentin de La Tour**, merveilleux pastelliste, ressuscite toute une époque à travers ses portraits très expressifs, échantillonnage de la société du 18e s. Sa ville natale, St-Quentin, possède une riche collection de ses œuvres (musée Antoine-Lécuyer).

Pendant la Révolution, le Consulat et l'Empire, **Louis Léopold Boilly** peint d'un pinceau alerte et vif des scènes de genre, parfois galantes, et des portraits de ses contemporains.

Au 20e s., citons le Catésien **Matisse**, à qui sa ville natale a consacré un musée, et **Marcel Gromaire**, né à Noyelles-sur-Sambre, dont l'œuvre la plus célèbre est La Guerre.

L'Embarquement pour Cythère par Watteau.

Et aussi

BD – Bécassine, la plus célèbre des petites paysannes bretonnes, est née sous le crayon de l'Amiénois **Pinchon**. Le Lillois **François Bouck** (La Dérisoire Effervescence des comprimés, Les Dents du recoin) exprime avec humour et surréalisme l'univers de la métropole. Le Béthunois Didier Vasseur, dit **Tronchet**, est l'un des chefs de file de « l'école » Fluide glacial, extrêmement corrosif.

Cinéma – Les réalisateurs **Louis Malle** (Au revoir les enfants) et **Étienne Chatillez** (La vie est un long fleuve tranquille), et des comédiens tels que **Jean Piat, Philippe Noiret, Brigitte Fossey, Pierre Richard, Ronny Coutteure, Catherine Jacob**… sont autant d'enfants du Nord et du 7e art.

Humour, musique, TV – Parmi les humoristes, **Raymond Devos** occupe une place privilégiée. Le chef d'orchestre **Jean-Claude Casadesus** est également de la région, tout comme **Line Renaud, Pierre Bachelet, Isabelle Aubret, Jacques Bonnaffé** dans les domaines du music-hall et de la variété. Le journaliste **Bruno Masure** se classe aussi dans la catégorie humoristes.

Détail de la cathédrale d'Amiens.

Villes
et sites

Abbeville

Reconstruite après-guerre, l'ancienne capitale du Ponthieu est une cité moderne, proche de la mer. Dynamique et commerçante, elle a prêté son nom à une période préhistorique : l'abbevillien. Elle est notamment la patrie de l'amiral Courbet et de l'archéologue Jacques Boucher de Perthes.

La situation

Cartes Michelin n°s 52 plis 6, 7 ou 236 pli 22 – Somme (80). De l'A16, le centre se rejoint par la N1. L'animation se trouve autour de deux axes qui se croisent place de l'Hôtel-de-Ville. **?** *1 pl. Am.-Courbet, 80100 Abbeville,* ☎ *03 22 24 27 92.*

Le nom

Abbatis Villa, soit « maison de campagne de l'abbé ». Abbeville dépendait à l'origine de l'abbaye de St-Riquier.

Les gens

24 567 Abbevillois. Au paléolithique inférieur, l'Abbevillois dégrossit des pierres, taille des bifaces ou « coups-de-poing ». Bref, il bricole.

comprendre

13e-16e s. – La ville passe de mains en mains : anglaises, bourguignonnes, françaises, suivant les aléas des combats visant la possession de la vallée de la Somme. Rendue à la France sous Louis XI, elle voit, en 1514, le mariage de Marie d'Angleterre avec Louis XII, alors âgé de 52 ans.

La 1re entreprise « intégrée » ? – Pour libérer l'économie nationale de la tutelle étrangère, Colbert encourage la fabrication en France de produits jusqu'alors importés. En 1665, le drapier hollandais **Josse Van Robais** débarque à Abbeville pour y fonder la **Manufacture Royale des Rames**. Prospère jusqu'au 18e s., l'entreprise réunit toutes les étapes de la fabrication : filage, tissage, foulage, apprêt, teinture.

Le père de la préhistoire – Boucher de Perthes (1788-1868) laisse le souvenir d'un touche-à-tout de génie. Directeur des Douanes d'Abbeville, les bancs d'alluvions de la Somme le confrontent à la préhistoire. Il cherche des silex taillés qui accompagneraient les ossements de l'homme antédiluvien. Des tourbes bocagères, il extrait la matière d'un ouvrage, *Antiquités celtiques et antédiluviennes.* Sa théorie : l'existence d'un homme paléolithique contemporain des pachydermes disparus. On dit qu'il payait 10 centimes chaque caillou de forme curieuse.

Jours tragiques : mai-juin 1940 – Après la percée allemande à Sedan, Abbeville devient un point stratégique de la Résistance. Le centre est bombardé le 20 mai et tombe aux mains de l'adversaire. La 4e div. cuirassée, menée par le colonel **De Gaulle**, se lance alors à la reconquête des monts de Caubert.

se promener

De l'Hôtel de ville, rayonnent les rues commerçantes. La rue du Pont-aux-Brouettes rejoint St-Vulfran.

Collégiale St-Vulfran

Avr.-oct. : 10h-12h, 14h-18h.
Commencée en 1488, sa construction s'arrête en 1539. Le chœur de style gothique bâtard est achevé au 17e s. faute d'argent.

Les lignes de la collégiale Saint-Vulfran évoquent celles d'une cathédrale.

Façade flamboyante★ – Sa richesse illustre une conception de la fin du 15e s. : l'architecture au service de la sculpture. Les deux tours flanquées de tourelles de

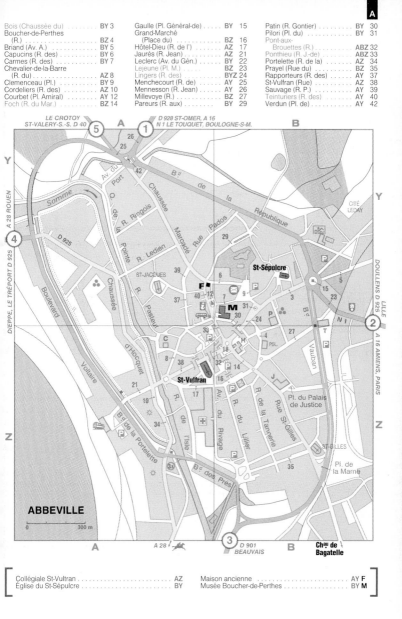

guet s'élèvent à 55 m. Au 19e s., elles sont croquées à l'envi par les peintres romantiques et célébrées par Victor Hugo.

Portail central – Statues d'évêques et beaux **vantaux** Renaissance offerts par Jehan Mourette, maître de la Confrérie du Puy Notre-Dame d'Abbeville. Au centre de la porte, les Évangélistes et leurs symboles sont encadrés par saint Pierre et saint Paul. Au-dessus : frise de cavaliers. En haut : scènes de la vie de la Vierge.

Intérieur – Vitraux abstraits de W. Einstein *(chœur)*.

Maison ancienne

29 r. des Capucins : Cette maison en encorbellement témoigne de l'habitat urbain des 15e et 16e s.

Église du St-Sépulcre

Eté : 14h-18h en sem.

Érigée au 15e s., remaniée au 19e s. dans le style gothique ►
flamboyant. Ne subsistent de l'édifice primitif que la tour du clocher, les piliers et archivoltes de la nef, les deux collatéraux et la chapelle du Saint-Sépulcre.

> **À VOIR**
> Vitraux★★
> contemporains aux
> tonalités harmonieuses
> *(Passion et Résurrection
> du Christ)*, dus à Alfred
> Manessier.

carnet pratique

RESTAURATION
- *Valeur sûre*

L'Escale en Picardie – *15 r. des Teinturiers - ☎ 03 22 24 21 51 - fermé vacances de fév., 20 août au 8 sept.,dim. soir, lun. et soirs fériés - 125/285F.* Voilà l'escale idéale pour déguster poissons et fruits de mer ! Ici tout est bien frais, préparé avec soin et servi avec beaucoup de gentillesse. Au coin du feu, vous apprécierez cette petite halte gourmande avant de repartir sur les routes.

HÉBERGEMENT
- *Valeur sûre*

Hôtel de France – *19 pl. du Pilori - ☎ 03 22 24 00 42 - 🅿 - 69 ch. : 280/700F - ⊑ 50F - restaurant 98F.* La bonne adresse de la ville : en plein centre, il accueille une clientèle d'affaires et de passage dans son décor moderne et fonctionnel. Les chambres rénovées sont bien équipées et insonorisées. Plusieurs menus dont un pour les enfants.

visiter

Musée Boucher de Perthes★

Tlj sf mar. : 14h-18h. Fermé 1ᵉʳ janv., 1ᵉʳ mai, 14 juil., 1ᵉʳ nov., 25 nov. Gratuit. ☎ 03 22 24 08 49.

Le musée occupe le beffroi (13ᵉ s.), un petit bâtiment (15ᵉ s.) et un édifice neuf, en retrait. Sculptures médiévales (retable de la chartreuse de Thuison), céramiques et tapisseries, peintures (16ᵉ-18ᵉ s.), mobilier picard du 17ᵉ s. On y admire aussi une œuvre de C. Claudel et une très belle Vierge à l'Enfant en argent (1568). Collections préhistoriques consacrées à Boucher de Perthes.

LA DENT DE LA MER
Le musée expose une dent de mammouth découverte sur la plage d'Ault.

alentours

Château de Bagatelle★ *(Au Sud-Est de la ville)*
133 rte de Paris. De juil. à fin août : visite guidée (3/4h) tlj sf mar. 14h-18h. 50F. ☎ 03 22 24 02 69.
Abraham Van Robais fit construire Bagatelle vers 1740, pour se détendre et y accueillir ses relations d'affaires. Au rez-de-chaussée d'origine s'est ajouté un étage d'habitation en attique, percé d'œils-de-bœuf, puis un comble à la Mansart (1790). Malgré ces campagnes successives, le château conserve une certaine harmonie.

Intérieur – Pièces de réception et salons : ornementation rocaille, mobilier du 18ᵉ s., délicates boiseries peintes. Un superbe escalier à double volée et rampe en fer forgé fut ingénieusement adapté au vestibule pour donner accès à l'étage d'habitation, plus bas de plafond.

Abords – Jardin à la française orné de statues, parc botanique planté d'essences rares et variées.

Monts de Caubert *5 km à l'Ouest d'Abbeville.*
Au 1ᵉʳ virage annonçant un carrefour, prendre à gauche la petite route qui suit la crête. Après 1,5 km : calvaire et **vue** sur la Somme, la ville et les plaines du Ponthieu.

Le Vimeu *(voir ce nom)*

Sedaine disait en 1770 du château de Bagatelle qu'il « ferait plaisir aux dieux ; l'art moderne y paraît si beau qu'il semble sortir des mains de la nature ».

Airaines

Ce petit centre industriel abritait le château des ducs de Luynes, dont les vestiges subsistent sur la colline. L'église Notre-Dame, à flanc de coteau, se profile dans le paysage vallonné.

La situation
Cartes Michelin n°s 52 pli 7 ou 236 pli 23 – Somme (80). L'Airaines alimente la Somme. La D 901 traverse la ville du Nord au Sud et la D 936, d'Est en Ouest. **🛈** *Pl. de la Mairie, 80270 Airaines, ☎ 03 22 29 34 07.*

Le nom
Il viendrait du latin *arena*, « sable », « gravier », ou *arenae*, « arènes », « catacombes ». Pour les Celtes, *Aa Ren* signifie « l'eau qui coule ». La ville est justement parcourue de 3 petits cours d'eau ; la Somme, à deux pas, s'appelait d'ailleurs *Samara*, « grand cours d'eau ».

Les gens
2 099 Airainois. Le maréchal **Leclerc de Hauteclocque** (1902-1947) reste le plus illustre des enfants du pays.

visiter

Église Notre-Dame et prieuré
De mi-mai à mi-sept. : w.-end et j. fériés 14h30-18h (juil.-août : tlj). 20F. ☎ 03 22 29 45 05.
Ancienne chapelle (12e et 13e s.) d'un prieuré clunisien, elle dépendait alors de St-Martin-des-Champs à Paris. Le dessin de sa façade romane est pur et dépouillé. En entrant, à gauche, on découvre une **cuve baptismale** romane (11e s.), conçue pour le baptême par immersion. Le prieuré abrite un **centre d'Art et de Culture** (expositions).

L'un des catéchumènes sculptés sur les flancs de la cuve baptismale de l'Église Notre-Dame se laisse tenter par le diable.

Église St-Denis
Sur demande auprès de l'Office de tourisme.
Précédée par un clocher-porche, l'église paroissiale (15e-16e s.) contient quelques œuvres d'art du 16e s. : Mise au tombeau *(bas-côté gauche)*, crucifix *(entrée du chœur)*, statue de saint Denis portant sa tête dans ses mains *(bas-côté droit)*. Clés pendantes et vitraux Renaissance.

alentours

Château de Tailly *(4 km au Sud par la D 901)*
Situé côté droit, au lieu-dit Tailly l'Arbre à Mouches. Du début du 18e s., il appartenait au maréchal **Leclerc** qui aimait y résider à l'époque de la chasse. Son char de commandement et son avion se nommaient « Tailly ».

Aire-sur-la-Lys

Marché agricole entre Flandres et Artois, l'ancienne place forte entourée de verdure se distingue par les hautes tours du beffroi et de la collégiale. Elle prospère surtout sous la domination espagnole (16e-17e s.). Son bailliage est un petit bijou.

PLAISIR DU PALAIS
Deux spécialités airoises : l'andouille (dans toutes les boucheries, charcuteries, triperies), et les mastelles (biscuits proches du spéculoos et du sablé ; un seul artisan installé sur la Grand'Place les fabrique encore).

La situation
Cartes Michelin n°s 51 Nord-Ouest du pli 14 ou 236 pli 14 – Pas-de-Calais (62). La bourgade aligne ses façades au charme suranné. De l'A 26, prendre direction Lillers, puis la N 43 ou la D 188.

🛈 *Le Bailliage, 62120 Aire-sur-la-Lys,* ☎ *03 21 39 65 66.*

Le nom
Il fait référence au *canal d'Aire* (40 km) qui amène la *Lys* jusqu'à Bauvin. Née en Artois, cette rivière (214 km) traverse les Flandres pour rejoindre l'Escaut en Belgique.

Les gens
9 661 Airois. Le géant Lydéric, fondateur d'Aire, est marié à la princesse écossaise Chrymilde. **Bernanos** a fait ses premières dictées au collège Ste-Marie.

carnet pratique

RESTAURATION
• *À bon compte*
Au St-Erasme – *18 rte de Blaringhem - 59173 Sercus - 14 km au SO d'Aire-sur-la-Lys par N 43 puis D 106 -* ☎ *03 28 41 85 43 - fermé vacances de fév., 27 août au 10 sept., dim. soir et lun. - réserv. le sam. - 67/115F.* Ici vous aurez sûrement l'impression d'entrer dans un tableau de Breughel. Avec ses murs en briques et son sol panachant ardoises, grès et carrelage en mosaïque, cet estaminet est très typique. Après avoir fait bombance, essayez-vous aux jeux flamands mis à votre disposition.

HÉBERGEMENT
• *Valeur sûre*
Hostellerie des Trois Mousquetaires – *Rte de Béthune (N 43) -* ☎ *03 21 39 01 11 - fermé mi-déc. à mi-janv. -* 🅿 *- 33 ch. : 340/660F -* ⚌ *60F - restaurant 125/275F.* Dans un parc, cette demeure cossue du 19e s. est une étape paisible. Vous apprécierez ses cheminées qui réchauffent les salons, ses chambres spacieuses parfois équipées de lits à baldaquins et la jolie vue sur la vallée de la Lys dont vous profiterez à table.

AIRE-SUR-LA-LYS

La construction du bailliage fut rendue possible par un impôt sur le vin et la bière.

se promener

Grand'Place

Édifié entre 1720 et 1840, l'**hôtel de ville** montre un balcon de proclamations et un fronton aux armes d'Aire. En retrait, se dresse le **beffroi**, refait au 18ᵉ s. Dans l'angle Sud, le **bailliage★** du 17ᵉ s., style Renaissance finissante. Sa belle galerie à arcades est surmontée d'une frise sculptée d'emblèmes et d'une logette rectangulaire en saillie (bretèche). Attique décoré d'une seconde frise.

Collégiale St-Pierre★

Achevée au 17ᵉ s., c'est l'un des plus importants exemples de style flamboyant et Renaissance en Flandre.

Intérieur – Le dessin des nervures des voûtes est reproduit au sol. Le chœur est clos d'un jubé ciselé par Boileau ; à sa gauche, statue dorée de **N.-D. Panetière**. Le **buffet d'orgues** vient de l'abbatiale de Clairmarais. Chœur et abside ont souffert d'un bombardement en 1944. Au fond, jolie Vierge à l'Enfant (15ᵉ s.).

Église St-Jacques

En sem. 14h-17h.

Fin du 17ᵉ s. Ancienne chapelle du collège Ste-Marie. Sa façade est de style « jésuite ». Son abondant décor sculpté est fidèle à la tradition flamande : colonnes et pilastres annelés, frontons brisés, ailerons en volutes.

La **tour★** de la collégiale St-Pierre (62 m) rappelle celle de N.-D. de St-Omer.

alentours

Isbergues *(5 km au Sud-Est par la D 187)*
Isbergues, la sœur de Charlemagne, mourut ici. Canonisée, elle donna son nom au village. L'**église** de pèlerinage du 15ᵉ s., à la tour imposante, analogue à celle de St-Pierre d'Aire, conserve la châsse de la sainte.

Thérouanne *(10 km à l'Ouest par la D 157)*
Capitale de la Morinie romaine puis riche évêché et ville ▶ fortifiée, cette enclave française dans les territoires d'Empire fut rasée par Charles Quint en 1553. Sur la colline au Nord du bourg, subsistent les vestiges d'une cathédrale qui compterait parmi les premiers témoignages de l'architecture gothique en France.

À SAVOIR
Le célèbre « Grand Dieu » de Thérouanne qui ornait un des portails se trouve dans la cathédrale de St-Omer.

itinéraire

DE LA HAUTE VALLÉE DE L'AA À DENNLYS PARC

Entre Wicquinghem et Remilly-Wirquin, l'Aa a creusé une vallée vouée à l'élevage. La rivière, bordée de peupliers et saules, est parfois ponctuée de moulins et de piscicultures. Le parcours se termine par la visite de Dennlys parc.

Environ 1h1/4. Quitter Aire par la D 157 ; à Thérouanne prendre la D 190 et la D 928 à droite.

Merck-St-Liévin
La tour de son **église** (16e-17e s.) est renforcée de contreforts à ressauts. À l'intérieur, sous le porche narthex, fonts baptismaux du 16e s. protégés par un couvercle en bois sculpté (18e s.) ; châsse de saint Liévin à l'extrémité du bas-côté droit ; chœur à voûte en étoile.
Prendre la D 928 vers Fauquembergues.

Fauquembergues
Le bourg s'étage sur les pentes de la vallée. **Église** (13e s.) avec tour fortifiée portant bretèche sur mâchicoulis.
Prendre la D 129.

Renty
Son vieux moulin et son lac invitent à la détente.
Continuer la D 129 et prendre la D 148 à droite puis la D 120 à gauche vers Dennebroeucq.

Dennlys parc
⬚ & *Juin-août : (dernière entrée 1h av. fermeture) 10h-19h. Pâques-mai : vac. scol., dim., j. fériés 11h-18h ; sept. : dim. 11h-18h. 48F.* ☎ *03 21 95 11 39.*
Traversé par la Lys qui actionne la roue de son moulin, Dennlys est le parc d'attractions le plus familial de la région. Aux classiques – château hanté, grande roue, ... – s'ajoutent des inédits – la brouette magique et le parcours du combattant pour les costauds.

IL EST MIDI !
Face au moulin-musée, la brasserie (ouv. le midi) propose des repas dans un cadre rustique et familial (thé dansant avec orchestre les dim. de sept. à juin). Du bar, qui abrite un orgue mécanique du siècle dernier, résonnent valses et tangos.

Albert

Proche du front lors de la bataille de la Somme (1916) et de celle de Picardie, Albert sera presque totalement détruit. La cité d'Ancre est aujourd'hui une cité moderne et aérée, fière de ses 250 façades Art déco.

UN AVION EN GARE !
La gare d'Albert expose un avion Potez 36, hommage au constructeur aéronautique originaire de la région.

La situation
Cartes Michelin n°s 52 pli 9 ou 236 pli 25 – Somme (80). La D 929 contourne la ville par le Sud (Méaulte) où l'Aérospatiale occupe les anciennes usines d'aviation **Potez**. L'Ancre traverse la ville du Nord au Sud.
🛈 *9 r. Gambetta, 80300 Albert,* ☎ *03 22 75 16 42.*

Le nom
D'abord nommée *Ancre*, comme la rivière qui l'arrose. Concino Concini, favori de Marie de Médicis, obtient le marquisat en 1610 et meurt en 1617. La reine mère tombe alors en disgrâce et Louis XIII offre la terre d'Ancre au duc de Luynes, Charles d'*Albert* qui lui donna son nom.

visiter

Basilique N.-D. de Brébières
Cet édifice néo-byzantin, en brique rouge, unique dans la région, est un lieu de pèlerinage très fréquenté. Une jolie **Vierge à l'Enfant** dorée, due au sculpteur Albert Roze, domine le clocher. Elle soulève l'Enfant à bout de bras. Vierge miraculeuse (11e s.) à l'intérieur.

À SAVOIR
Inclinée pendant trois ans suite à l'impact d'un obus sur le dôme (1915-1918), la « vierge penchée » a retrouvé son équilibre, et ce n'est pas un miracle !

Musée des Abris – Somme 1916
De mars à mi-déc. : 9h30-12h, 14h-18h (juil.-août : 9h30-18h). 20F. ☎ *03 22 75 16 17.*
Dans un souterrain aménagé en abri anti-aérien (1939), évocation de la vie des Poilus. Entrée près de la basilique.

carnet pratique

VISITE

Visite guidée de la ville – L'Office de
tourisme organise une visite guidée sur le
thème « Albert et l'Art déco ».

RESTAURATION

● **Valeur sûre**
La Taverne du Cochon Salé – R. Albert
- 80300 Authuille - 6 km au N d'Albert par
D 50 et D 151 - ☎ 03 22 75 46 14

- fermé 1er au 15 janv., dim. soir et lun.
- 110/145F. On y mange, on y boit, on
s'y plaît... Telle est la devise de cette maison
rondement menée par un ancien charcutier.
Avec cette enseigne le cochon est à
l'honneur bien sûr, sous toutes ses formes,
mais tentez aussi l'original gâteau battu au
foie gras.

circuit

LES CHAMPS DE BATAILLE *(34 km – 1h)*

Un circuit à l'Est et au Nord d'Albert évoque les soldats
britanniques et sud-africains de l'armée Douglas Haig,
tombés lors de l'offensive alliée de l'été 1916 (bataille de
la Somme).
Prendre la route de Bapaume, D 929.
À droite, on aperçoit le premier cimetière britannique.

La Boisselle
Un cratère de la « guerre des mines » rappelle la violence
des combats que connut ce village.
*Prendre à droite la D 20. Traverser Bazentin et Longueval,
puis tourner à gauche.*

Mémorial sud-africain et musée commémoratif du
bois de Delville
  ♿ *Tlj sf lun. 10h-17h45 (de mi-oct. à fin mars : tlj sf lun.
10h-15h45). Fermé déc.-janv. et j. fériés. Gratuit. ☎ 03 22 85
02 17.*
Le mémorial et le musée, installé dans une réplique
réduite du château de Capetown, célèbrent les Sud-
Africains morts lors des deux guerres.
*Revenir sur la D 20 et tourner à droite dans la D 107
rejoignant la D 929 que l'on prend à gauche.*

Pozières
Cimetière britannique clôturé de colonnes. Sur le
mémorial, figurent les noms de 14 690 disparus.
Tourner à droite dans la D 73.

Mémorial britannique de Thiepval
Dominant l'Ancre, il forme un arc de triomphe en
briques et porte les noms de 73 367 soldats anglais.
Continuer la D 73.
À droite, la **tour d'Ulster**, réplique de celle située près
de Belfast, célèbre les soldats de la 36e division irlandaise.
La route franchit ensuite la vallée de l'Ancre.

Parc-mémorial de Beaumont-Hamel★
Sur un plateau battu par les vents, le champ de bataille,
où combattit, en juillet 1916, la division canadienne de
Terre-Neuve, a été conservé et aménagé : tranchées,
avant-postes... Le monument, surmonté du Caribou de
Terre-Neuve, comporte un balcon d'orientation : **vue** sur
le champ de bataille.
*Redescendre la vallée de l'Ancre et prendre à droite la D 50
vers Albert.*

Amiens★★

« Une ville idéale, Amiens en l'an 2000 » : c'est le titre d'une nouvelle de Jules Verne, ancien conseiller municipal d'Amiens. L'an 2000 nous y sommes... à vous d'apprécier la justesse d'un tel titre ! Cabotans, hortillonnages et gastronomie font oublier les façades sans grâce des reconstructions d'après-guerre. La cathédrale, admirable vaisseau gothique épargnée par la guerre, reste le pôle majeur du tourisme amiénois.

La situation

Cartes Michelin n°s 52 pli 8 ou 236 pli 24 – Somme (80). L'A 16 et l'A 1 sont les voies les plus directes.
🛈 *6 bis r. Dusevel, 80000 Amiens,* ☎ *03 22 71 60 50.*

Le nom

Pour rallier plus vite Boulogne, les Romains avaient construit *Samora-Briva*, le pont sur la Samara. Amiens oublie désormais les Romains et met à l'honneur la capitale des Ambiens, peuplade belge qui en fit sa capitale à l'époque gallo-romaine.

Les gens

160 815 Amiénois. Hardis, courageux, redoutables dans leurs colères, tels sont les Picards.

Lafleur et son épouse Sandrine sont les vedettes de la troupe du Théâtre de Marionnettes.

comprendre

Le manteau de saint Martin – Amiens fut évangélisée au 4e s. par Firmin et les siens. Saint Martin, cavalier de la légion romaine, y tient garnison : c'est alors qu'il croise un mendiant transi de froid. Il coupe son manteau avec son épée et le partage avec le malheureux.

Le chef de Jean-Baptiste – Wallon de Sarton, chanoine de Picquigny, ramène en 1206 « la face de saint Jean-Baptiste » de la 4e croisade. En 1218, l'incendie du sanctuaire roman d'Amiens donne l'occasion à l'évêque Evrard de Fouilloy de construire un édifice digne de la précieuse relique. La cathédrale est commencée en 1220.

Naissance d'une industrie : le textile – Affiliée à la Hanse de Londres, Amiens connaît la prospérité au Moyen Âge. La draperie, le trafic des vins, le port en font un lieu très fréquenté. On y traite la « guède » ou pastel, précieuse plante tinctoriale que l'on nomme localement **« waide »**. Broyée dans des moulins, cette plante produit un beau bleu. À la fin du 15e s. apparaît la fabrication des « sayettes », serges de laine mêlées de soie, qui feront la réputation des articles d'Amiens. Le règne de Louis XIV voit l'introduction des « velours d'Amiens ».

Orages d'acier – La vallée de la Somme étant, avec celle de l'Aisne, un obstacle majeur à l'envahisseur venu du Nord, Amiens, tête de pont, n'a pas échappé aux assauts. En 1918, lors de la bataille de Picardie, la ville est l'objectif de Ludendorff et reçoit quelques 12 000 obus et « marmites ». Elle est incendiée en 1940 lors de la bataille de la Somme. En 1944, sa prison est l'objet d'une périlleuse attaque aérienne destinée à faciliter l'évasion de résistants incarcérés (opération Jéricho).

RESTAURATION

● *Valeur sûre*

Marissons – *Pont de la Dodane* - ☎ *03 22 92 96 66 - fermé 24 déc. au 5 janv., sam. midi et dim. - 120/265F.* Inutile de chercher, l'adresse du quartier St-Leu, c'est là ! Un ancien atelier à bateaux aménagé en restaurant dans un minijardin fleuri qui se transforme en terrasse l'été... En hiver, on s'installe sous sa charpente pentue dans un décor sympathique aux belles poutres et tables rondes.

L'Aubergade – *78 rte Nationale - 80480 Dury - 6 km au S d'Amiens par N 1 dir. Beauvais -* ☎ *03 22 89 51 41 - fermé vacances de fév., 3 au 17 août, dim. soir et lun. - 115/400F.* Dans cette maison de pierres blanches, en périphérie d'Amiens, une table renommée dans les environs. Salle à manger aux meubles de bois cérusé, dans des tons pastel.

HÉBERGEMENT

● *Valeur sûre*

Chambre d'hôte M. et Mme Saguez – *2 r. Grimaux - 80480 Dury - 6 km au S d'Amiens par N 1 dir. Beauvais -* ☎ *03 22 95 29 52 -* ⌷ *- 4 ch. : 260/320F.* C'est dans un bâtiment annexe de cette massive demeure du 19e s. que vos hôtes ont installé de chambres confortables, non-fumeurs. À 10 mn du centre d'Amiens, vous pourrez vivre la campagne à votre rythme, le temps d'une promenade en calèche par exemple.

Hôtel Carlton – *42 r. Noyon -* ☎ *03 22 97 72 22 - 23 ch. : 500/740F -* ⌷ *65F - restaurant 89/105F.* Ce bel immeuble cache derrière sa façade du 19e s. un décor moderne et agréablement cossu. Toutes ses chambres, aux meubles cirés, sont ornées de fresques murales. Son restaurant « Le Bistrot » plus simplement décoré sert surtout des grillades.

LE TEMPS D'UN VERRE

Café Bissap – *50 r. St-Leu -* ☎ *03 22 92 36 41 - Tlj 11h-3h; juil.-août 11h-3h.* Bar afro-tropical très animé. La superbe décoration de fresques et de tissus africains est à peine visible tant la clientèle est nombreuse. N'espérez pas de soir triste, il n'y en a pas ! Cocktails au rhum et autres spécialités « de là-bas ».

L'Auberge du Vert Galant – *57 r. du Halage -* ☎ *03 22 91 31 66 - Tlj 10h-1h ; en hiver sam., dim.* Avec sa grande terrasse arborée au bord de l'eau, ce café bénéficie d'une situation exceptionnelle au cœur des 300 ha d'hortillonnages. Location de barques et soirées dansantes. Un endroit charmant à toute heure.

Le Squale – *18 r. de la Dodane -* ☎ *03 22 72 20 46 - Lun.-sam. 18h-3h.* Beau bar australien sur deux étages décoré de fresques aborigènes, de surfs et d'une vieille pompe à essence. Derrière, le jardin de 500 m² parsemé de tentes chauffées est un lieu agréable pour siroter les bons cocktails du patron. Soirées à thème.

Texas Café – *13 r. des Francs-Mûriers -* ☎ *03 22 72 19 79 - Lun.-sam 21h-3h.*

Un immense « saloon » karaoké à l'ambiance endiablée tous les soirs. Dans un décor de bois et de brique, la clientèle, lorsqu'elle ne chante pas, danse, joue au billard, aux fléchettes et aux cartes en sirotant des bières flambées ou en cocktails.

Vents et Marées – *48 r. du Don -* ☎ *03 22 92 37 78 - Lun.-sam. 17h-3h.* En descendant l'escalier de fer, on entre dans un univers particulier. Avec ses airs de péniche au ras de l'eau et son exposition permanente de planches de BD, ce café possède une âme véritable. L'accueil chaleureux y contribue beaucoup !

SPECTACLES

Comédie de Picardie – *62 r. des Jacobins -* ☎ *03 22 22 20 20 - Lun.-ven. 13h-19h, sam. 13h-18h.* 400 places pour mille et un spectacles nationaux, régionaux ou simplement amiénois, mais toujours vivants et énergiques.

La Lune des Pirates – *17 quai Bélu -* ☎ *03 22 97 88 01 - www.lalune.net - Selon le calendrier des manifestations.* Anciennement l'un des cafés les plus courus d'Amiens, la Lune n'est à présent ouvert que les soirs de spectacle, mais quels spectacles ! La programmation, résolument moderne, parcourt tous les styles et toutes les cultures. Expositions et manifestations culturelles complètent ce tableau.

Maison de la Culture d'Amiens – *Pl. Léon-Gontier -* ☎ *03 22 97 79 77 - Cinéma : lun.-sam.18h30, 21h ; dim. 17h30.* Deux salles de spectacle (1070 et 300 places), un cinéma d'art et d'essai et deux salles d'exposition, cette maison de toutes les cultures propose chaque année une programmation étonnamment riche et éclectique. Programme à l'accueil.

Théâtre de Marionnettes - Chés Cabotans d'Amiens – *31 r. Édouard-David -* ☎ *03 22 22 30 90 - www.ches-cabotans-damiens.com - Selon le calendrier des manifestations. Accueil : tlj 9h-12h, 14h-18h sf dim. matin. Fermé sept.* L'acteur interprète, la marionnette vit. Chacune a une histoire et un langage propre (mélange de picard et de français) et surtout un visage remarquablement expressif que l'on peut admirer dans l'exposition du rez-de-chaussée. Un spectacle fascinant pour tous, dans un véritable théâtre miniature au décor très soigné.

ACHATS

Atelier de Jean-Pierre Facquier – *67 r. du Don -* ☎ *03 22 93 40 01/ 03 22 92 49 52 - Mar.-ven. 14h-18h30; sam. 10h-12h, 14h-18h. Fermé 1 semaine en été.* Personnages traditionnels ou créations, monsieur Facquier donne vie, devant nous, à des morceaux de bois en jouant parfois avec leurs formes. Habillée par sa femme dans des tissus choisis avec soin, chaque pièce, unique, est un bijou d'artisanat.

Caveau St-Loupien – *55 r. du Hocquet -* ☎ *03 22 72 40 40 - www.caveau-saint-loupien.com - Lun.*

14h30-19h30, mar.-dim. : 10h30-12h30, 14h30-19h30. Chez ce « spécialiste de la gastronomie picarde », vous trouverez, entre autres, 50 variétés de moutarde artisanale, des confits de bière ou de vin, de la confiture de lait, du cidre picard et, bien sûr, les véritables macarons d'Amiens.

Schaetjens – *21 r. des Trois-Cailloux - ☎ 03 22 91 32 73 - Tlj sf mar. 8h30-19h30. Fermé 3 semaines en août.* Le nom de ce pâtissier, chocolatier et traiteur se prononce la bouche pleine de macarons d'Amiens ou de pâté de canard en croûte, une spécialité créée en 1643.

découvrir

LA CATHÉDRALE NOTRE-DAME★★★

Possibilité de visite guidée, renseignements à l'Office du tourisme.

Les plans furent confiés à **Robert de Luzarches** auquel succédèrent Thomas de Cormont puis son fils Renaud. Commencée en 1220, la cathédrale s'éleva avec une rapidité qui explique la remarquable homogénéité de son architecture. Seul le couronnement des tours n'a pu être achevé qu'au 15ᵉ s. Viollet-le-Duc restaura l'édifice.

Extérieur

La **façade** est rythmée par l'étagement que forment les trois **portails**, les deux galeries dont celle des rois aux effigies colossales, la grande rose flamboyante refaite au 16ᵉ s., encadrée de baies géminées ouvertes sur le ciel, la petite galerie des sonneurs surmontée d'une arcature légère entre les tours.

S'avancer dans l'impasse Voron.

Une statue de Charles V (**4**) décore le côté Nord, au contrefort (14ᵉ s.) épaulant la tour. Contournez l'édifice par la droite en passant devant un saint Christophe

> **LECTURE DES PORTAILS**
> Le célèbre Beau Dieu, Christ au visage noble et serein, constitue le point central du portail principal. Le tympan représente le Jugement dernier présidé par un Dieu plus sévère. Le portail de gauche est dédié à saint Firmin avec au soubassement le Calendrier (zodiaque et travaux des mois) tandis que le portail de droite est sous le vocable de la Mère Dieu.

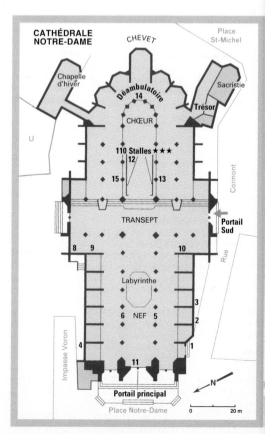

*La cathédrale d'Amiens
mise en lumière et en
couleur par le créateur
Skertzò, en décembre
et de juin à septembre.*

géant (**1**), une Annonciation (**2**) et, entre les 3e et
4e chapelles, un couple de marchands de « waide » avec
leur sac (**3**).

Suivre la rue Cormont jusqu'à la place St-Michel.

De là admirez l'élévation du **chevet** aux arcs-boutants
ajourés, et l'envolée de la flèche en châtaignier,
recouverte de plomb, haute de 112,70 m.

Revenir sur ses pas et entrer par le portail Sud.

Le **portail Sud**, appelé portail de la Vierge dorée à cause
de la statue qui ornait autrefois le trumeau, est consacré
à saint Honoré, évêque de la ville. La montée par la **tour
Sud** permet d'atteindre, en passant par la galerie de la
rose, la **tour Nord** (307 marches) : vue sur les combles,
la flèche, la ville et les environs. *Avr.-sept. : tlj sf mar. et
dim. matin 10h30-11h30, 14h-18h ; oct.-mars et oct. :
lun.-ven. 15h-16h. Fermé 1er janv., 1er mai, 25 déc. 15F.*
☏ *03 22 80 03 41.*

Intérieur

Dès l'entrée, on est saisi par la luminosité et l'ampleur
des proportions. L'élévation de la nef sur trois niveaux
comporte de grandes arcades, d'une hauteur exceptionnelle, surmontées d'un **cordon de feuillage**
très fouillé, un triforium aveugle et des fenêtres
hautes.

Au niveau de la 3ᵉ travée sont disposés les gisants en bronze (13ᵉ s.) des évêques fondateurs de la cathédrale Evrard de Fouilloy (**5**) et Geoffroy d'Eu (**6**) ; ce dernier fait face à la chapelle St-Saulve qui abrite un Christ en longue robe d'or.

Le **transept Nord** est percé d'une rose (14ᵉ s.) à remplage central en forme d'étoile à 5 branches. La cuve baptismale (**8**), à gauche de la porte, est une « pierre à laver les morts » de 1180. Une sculpture polychrome décore le mur Ouest : Jésus et les marchands du temple (**9**) (1520). Le **transept Sud**, à rose flamboyante, porte sur le mur Ouest un relief relatant en quatre scènes (1511) la conversion du magicien Hermogène par saint Jacques le Majeur (1511) (**10**). En tournant le dos au chœur, appréciez l'élégance du vaisseau et la hardiesse de la tribune soutenant le **grand orgue** (**11**) (1442) aux

Vitrail de la cathédrale d'Amiens.

arabesques d'or, que couronne la rose occidentale. Une grille (18ᵉ s.) due à Jean Veyren ferme l'entrée du **chœur**. ◀ Les **110 stalles**★★★ flamboyantes, en chêne, des maîtres huchiers A. Boulin, A. Avernier et A. de Heudebourg, ont été sculptées de 1508 à 1519. Plus de 4 000 figures, ornant les moindres détails, évoquent la Genèse et l'Exode, la Vie de la Vierge, et des scènes inspirées par la vie amiénoise du 16ᵉ s. *15h30-16h30. Fermé 1ᵉʳ janv. et 25 déc. Gratuit.* ☎ *03 22 80 03 41.*

Dans le **déambulatoire** à droite, sur la clôture du chœur, au-dessus de deux gisants, 8 groupes remarquables, taillés dans la pierre et polychromés (1488), sous de fins

Le charme pimpant des maisons du quartier St-Leu n'est pas sans rappeler les constructions des pays nordiques.

dais gothiques, évoquent la **vie de saint Firmin** (**13**), son martyre et son exhumation par saint Saulve, trois siècles plus tard. Les personnages, très expressifs, portent les costumes du 15ᵉ s. : les notables en somptueux atours, les humbles pauvrement mis et le bourreau en curieux haut-de-chausses. Derrière le maître-autel, l'**Ange pleureur** (**14**) de Nicolas Blasset (1628) trône sur le monument du chanoine Lucas. La clôture du chœur Nord est sculptée de scènes relatant la **vie de saint Jean** (**15**) (1531) – à examiner de droite à gauche.

Trésor

S'adresser au comptoir de vente du Centre des Monuments Nationaux.

Aménagé dans le cloître et dans une salle à côté de la sacristie, il a été réuni au cours des 19ᵉ-20ᵉ s. L'ancien trésor a disparu à la Révolution, à l'exception de la « face de saint Jean-Baptiste » dans un plat reliquaire en vermeil.

Parmi les autres richesses, 3 pièces de la proche abbaye du Paraclet : croix ornée de filigranes et de pierres gravées (13ᵉ s.), couronne votive et vase reliquaire (14ᵉ s.), et châsse de saint Firmin, belle œuvre mosane du 13ᵉ s.

L'Ange pleureur doit sa renommée aux soldats alliés qui, pendant la Première Guerre mondiale, envoyèrent à travers le monde des cartes postales à son effigie.

se promener

Garez votre voiture au pied de la cathédrale. Les amateurs de shopping trouveront leur bonheur rue du Hocquet et place du Don. Traversez la Somme pour découvrir les ruelles du quartier St-Leu.

Quartier St-Leu★

Traversé par plusieurs bras de la Somme, ce quartier a fait l'objet d'une importante rénovation qui lui restitue son cachet. Tisserands, teinturiers, tanneurs et meuniers font place aux artisans, antiquaires, cafés et restaurants. Du **pont de la Dodane**, belle vue sur la cathédrale. Il faut flâner le long des rues bordées de petites maisons colorées à colombage ou à ossature de bois.

Le temps de recevoir le salut de Lafleur, place A.-Briand, on se dirige vers **St-Leu**, église du 15ᵉ s., au clocher flamboyant du 16ᵉ s., et bien vite vers le repère des « cabotans », le **théâtre des Marionnettes**. ♿ *Visite guidée sur demande (2 j. av.) tlj sf lun. et mar. 10h-12h, 14h-18h, visite libre dim. 14h-18h (de mi-juil. à fin août : visite libre).* ☎ *03 22 22 30 90.*

AMIENS

AMIENS

0 ——— 300 m

Regagner le parvis de la cathédrale et la contourner par son flanc Sud, que l'on peut admirer avec quelque recul depuis la rue piétonne qui rejoint la place Aguesseau.

À l'angle du palais de justice, un bas-relief de J. Samson (1830) rappelle l'histoire du manteau de saint Martin.

Maison du Sagittaire et Logis du Roi

La façade Renaissance de la **Maison du Sagittaire** (1593) doit son nom au signe zodiacal qui orne les arches. À gauche, le Logis du Roi (1565), dont la porte en accolade s'orne d'une Vierge à la Rose, est le siège des **Rosati picards** ; leur devise est « Tradition, Art et Littérature ».

Ancien théâtre

Cette **façade** de style Louis XVI, œuvre de Rousseau en 1780, abrite une banque. Trois immenses baies sont encadrées d'élégants bas-reliefs : guirlandes, médaillons, muses, etc.

En suivant la rue Delambre, on traverse la ville moderne et commerçante ; en point de mire, la maison de la culture.

Bailliage

Surprise de cette placette derrière l'hôtel de ville, la charmante façade restaurée du bailliage est le seul témoin de l'édifice construit en 1541. Fenêtres à meneaux, gâbles flamboyants et médaillons Renaissance. À droite, remarquez un « fol » affublé d'un chaperon à grelots.

Beffroi

Massif, il montre, sur la place au Fil, une base carrée (15e s.) et un clocher (18e s.) surmonté d'un dôme.
Dans la perspective de la rue Chapeau-des-Violettes, vue sur l'église **St-Germain**, de style gothique flamboyant (15e s.) au clocher penché.

Regagnez la cathédrale en vous arrêtant devant la statue de la *Marie sans Chemise*, la petite sirène amiénoise due à Albert Roze, parfait exemple de l'art pompier du début du siècle. Les plus vaillants trouveront la force de poursuivre la promenade jusqu'aux hortillonnages *(20mn à pied)*.

Hortillonnages★

D'avr. à fin oct. : visite guidée (1h) en barque à partir de 14h. Maison des hortillonnages, 54 bd Beauvillé. 30F (enf. : 15F). ☏ *03 22 92 12 18.*

> **C**es petits jardins maraîchers appelés aires sont cultivés depuis le Moyen Âge par les hortillons (hortus = « jardin ») qui fournissaient aux Amiénois primeurs, fruits et légumes.

Ils s'étendent sur 300 ha dans un lacis de canaux ou **rieux**, alimentés par les bras de la Somme et de l'Arve. Arbres fruitiers et fleurs tendent à remplacer les légumes. Les cabanes des maraîchers deviennent maisons de week-end. Le chemin de halage constitue une promenade agréable pour découvrir l'île au fagots *(aires de pique-nique)*, l'étang de Rivery et les hortillonnages.

Le « marché sur l'eau » où les hortillons viennent en barque pour vendre leurs primeurs, subsiste chaque 3e dimanche de juin au matin.

visiter

Musée de Picardie★★

  Tlj sf lun. 10h-12h30, 14h-18h. Fermé 1ᵉʳ janv., 1ᵉʳ mai, 14 juil., 11 nov., 25 déc. 20F, gratuit 1ᵉʳ dim. du mois. ☎ *03 22 97 14 00.*

Ce bâtiment construit entre 1855 et 1867 à l'initiative de la Société des antiquaires de Picardie est un témoin imposant de l'architecture Napoléon III.

Archéologie – Au sous-sol, toutes les antiquités égyptiennes et grecques sont exposées les collections archéologiques provenant de fouilles régionales. L'antique **Samarobriva**, qui s'étend sur 200 ha et compte près de 20 000 habitants au 2ᵉ s., est évoquée par les vestiges des thermes, du forum, de l'amphithéâtre, et des objets de la vie quotidienne (verrerie, céramiques).

Sculpture – Au rez-de-chaussée, objets d'**art médiéval**. Les sculptures viennent de la cathédrale ou des églises et abbayes détruites dans la région. Outre les œuvres des Amiénois A. Roze *(La Tête de vieille picarde)* et N. Blasset *(Ecce Homo),* la sculpture est surtout représentative du 19ᵉ s.

Peinture – Dans le grand salon sont réunies les grandes toiles historiques des 18ᵉ et 19ᵉ s. (Van Loo, Vernet). Des compositions murales de Puvis de Chavannes ornent l'escalier d'honneur et les galeries du 1ᵉʳ étage. Le salon N.-D. du Puy et une partie de la galerie suivante rassemblent les chefs-d'œuvre de la **confrérie du Puy Notre-Dame d'Amiens**. Certaines de ces peintures sur bois conservent leur cadre sculpté par les artistes des stalles de la cathédrale. Au panneau à dais Renaissance (1518) intitulé *Au juste pois, véritable balance,* on reconnaît François Iᵉʳ ; sous le dais gothique portant le palinod « Terre d'où prit la vérité naissance » (1601) apparaît Henri IV. La *Vierge au palmier* (1520) dans son cadre de bois ajouré est entourée de saints, des donateurs et de leur famille. Dans la galerie de Nieuwerkerke, peinture du 17ᵉ s. : école espagnole avec Ribera et le Greco, école hollandaise avec F. Hals, et école française avec S. Vouet.

Les salles suivantes abritent la peinture française du 18ᵉ s. avec Oudry, Chardin, Fragonard, Quentin de La Tour qui s'est représenté lui-même avec une certaine acuité, ainsi que les neuf Chasses en pays étrangers exécutées par Parrocel, Pater, Boucher, Lancret, Van Loo et De Troy pour les petits appartements de Louis XV à Versailles. Quelques maîtres italiens tels Guardi et Tiepolo témoignent du charme de la peinture vénitienne. La galerie Charles-Dufour est consacrée aux paysagistes français du 19ᵉ s. et en particulier à l'école de Barbizon (Millet, Isabey, Corot, Rousseau). L'art moderne est présent, notamment avec Masson, Dubuffet et Picabia.

Musée d'Art local et d'Histoire régionale

D'oct. à Pâques : dim. 14h-18h ; Pâques-sept. : jeu.-dim. : 14h-18h. Fermé 1ᵉʳ janv., 1ᵉʳ mai, 14 juil., 11 nov., 25 déc. 20F. ☎ *03 22 97 14 00.*

Édifié en 1634 pour abriter les réunions des trésoriers de France, l'**Hôtel de Berny★** est un bel exemple de style Louis XIII avec son appareillage de brique rose à chainage de pierre. Il doit son nom à son dernier propriétaire, Gérard de Berny (1880-1957), qui, après l'avoir acquis, s'appliqua à le décorer, puis le légua à la ville d'Amiens comme musée d'Art local.

Mobilier et boiseries viennent des demeures de la région. La cheminée de la salle à manger est de J. Goujon, comme les boiseries (18ᵉ s.) qui décoraient le vestibule du château de la Grange-Bléneau. À l'étage, chambre dorée Louis XVI et boiseries de la bibliothèque de l'ancienne abbaye de Corbie. Des

---

RENDEZ-VOUS À LA ROTONDE
Un dessin mural réalisé par l'artiste américain Sol Lewitt, selon la technique du lavis d'encre de chine est exposé dans la rotonde du musée.

CONFRÉRIE DU PUY NOTRE-DAME
Cette association, à la fois littéraire et religieuse, vouée à la glorification de la Vierge, fut fondée à Amiens en 1389. Le maître de la confrérie, élu chaque année, récitait son « chant royal » sur un podium, le puy. Le refrain ou « palinod » avait la particularité de former un jeu de mot avec le nom du donateur. À partir de 1450, il devait offrir à la cathédrale un tableau votif sur le thème du palinod.

GALERIE DU VITRAIL
R. Victor-Hugo, à côté du musée d'Art local. Un maître verrier que l'on peut voir au travail présente sa collection de vitraux dont le plus ancien date du 13ᵉ s. *Visite guidée (1h) tlj sf dim. à 15h. Fermé j. fériés. 10F.* ☎ *03 22 91 81 18.*

Le tombeau de Jules Verne (cimetière de la Madeleine) est sans doute l'œuvre la plus saisissante d'Albert Roze (1861-1952).

tableaux montrent Amiens hier et des portraits évoquent les personnalités picardes : Ch. de Laclos, J. Verne, Branly, Parmentier.

Centre de documentation Jules-Verne

 ♿ *Visite guidée (1h, dernière entrée 1h av. fermeture) 9h-12h, 14h-18h, w.-end et j. fériés 14h-18h. Fermé 1er janv., 1er mai, 25 déc. 20F.* ☎ *03 22 45 37 84.*

Jules Verne (1828-1905) naquit à Nantes, mais passa une grande partie de sa vie à Amiens où il écrivit ses *Voyages extraordinaires*. Il fut conseiller municipal de la ville. Sa demeure, dite « maison à la Tour », rassemble plus de 20 000 documents sur l'écrivain et son œuvre. On peut voir également une reconstitution de son bureau, des objets personnels, une maquette du Nautilus, son portrait en hologramme.

Jardin archéologique de St-Acheul

Deux accès : 10 r. R.-Gourdain (entrée principale, parking et parcours « Le fil du temps ») et r. J.-Prévert (qui donne directement sur le jardin). ♿ *Juin-sept. : 9h-13h, 14h-18h ; oct.-mai : 9h-12h, 14h-17h (mars-mai et oct. : 9h-12h30, 14h-17h30). Fermé 1er janv. et 25 déc. 30F.* ☎ *03 22 47 82 57.*

Haut lieu de la préhistoire, St-Acheul prête son nom depuis 1872 à l'une des civilisations du paléolithique inférieur, l'**acheuléen**, caractérisée par l'utilisation de silex taillés ou « **bifaces** », 1er outil digne de ce nom. Le jardin de St-Acheul s'étire sur une ancienne gravière, site agréable dans un cadre champêtre, qui respecte la nature du terrain d'origine.

Un long couloir jalonné de panneaux, qui s'intitule le « **fil du temps** », répertorie les grandes dates de l'évolution humaine et vous entraîne dans un voyage spatio-temporel à rebours : on remonte ainsi de l'an 2000 jusqu'à 450 000 ans avant J.-C. Ce parcours mène à l'entrée du jardin au bout duquel on découvre une **coupe géologique** montrant la succession de dépôts sédimentaires accumulés depuis 450 000 ans. Panneaux descriptifs, table d'orientation et tableau de lecture de la coupe permettent de comprendre l'histoire des lieux.

À SAVOIR

Une passerelle mène à une tour d'observation (19 m) dévoilant un panorama sur le site, la vallée de la Somme et la ville d'Amiens.

Des coupes et diagrammes y présentent les différentes étapes du creusement de la vallée.

alentours

Sains-en-Amiénois *(9 km au Sud par la D 7)*
Dans l'**église**, tombeau du 13e s. et gisants de saint Fuscien et de ses compagnons, Victoric et Gentien, martyrisés au 4e s. Au-dessous, un bas-relief retrace la scène de leur décapitation. *Visite sur demande auprès de Mme Vilain.* ☎ *03 22 09 54 81.*

Boves *(11 km au Sud-Est)*
Les **ruines** d'un château (12e s.) dominent la petite ville, siège, à partir de 1630, d'un marquisat. De la D 167 on accède à la basse cour herbue et de là à la « motte » portant les deux imposants pans de murs d'un fier donjon. Du sommet, **vue** étendue, au Sud sur les étangs de Fouencamps, et au Nord, vers Amiens.

Conty *(22 km au Sud par la D 210 puis à droite la D 920)*
L'**église St-Antoine**, monument de style flamboyant homogène des 15e et 16e s., aligne sur son côté droit une étrange perspective de gargouilles très saillantes. Coiffée d'un comble pyramidal, comme la collégiale de Picquigny, la tour porte des traces d'éclats de boulets datant du siège de Conty par la Ligue (1589). À l'angle, statue de saint Antoine ermite. *Sur demande auprès de la mairie.* ☎ *03 22 41 66 55.*
À gauche de la façade, un escalier mène à la fontaine St-Antoine.

Armentières

D'octobre 1914 à août 1917, Armentières, pivot Sud des lignes britanniques du secteur d'Ypres, eut le statut militaire d'une place de guerre anglaise. La cité où Line Renaud envoûtera les troupes alliées se détache au loin dans la plaine par son beffroi, joyau de la reconstruction d'après-guerre.

La situation

Cartes Michelin n°s 51 pli 15 ou 236 pli 16 – Nord (59). Armentières se situe à 15 km de Lille et à 1 km de la Belgique. L'A 25 rejoint la ville par le Sud.
🚩 *33 r. de Lille, 59280 Armentières,* ☎ *03 20 44 18 19.*

Le nom

Du latin *Armentum, armentarium,* « étable de gros bétail ». La situation de la ville, au milieu des pâturages, confirme cette étymologie et repousse celle qui en fait un dérivé d'*Armanentum,* « dépôt d'armes ».

Les gens

Agglomération 58 706 Armentiérois. À l'entrée de la ville, au pont de Nieppe, se dresse l'un des plus imposants monuments à la Résistance du Nord de la France.

DU PAYS

En 1865, **Joseph Leclercq**, co-fondateur de la revue *Le Mercure de France* ; en 1868, **Paul Pouchain**, inventeur de la 1re voiture électrique ; en 1887, **Auguste Mahieu**, pionnier de l'aviation (record de hauteur avec passagers en 1911) et, plus récemment, l'humoriste **Dany Boon**.

se promener

Grand'Place

Hôtel de ville – Caractéristique de la « Reconstruction » des années 1920 en Flandres. Il symbolise la renaissance de la ville. Ses vitraux évoquent les anciennes industries locales : tissage, filature et brasserie. À l'intérieur, parmi les tableaux, Mozart faisant exécuter son Requiem. Du haut de la terrasse du beffroi, vue sur l'agglomération.

« MLLE FROM ARMENTIÈRES »

Née Jacqueline Ente à Nieppe (1928), Line Renaud s'initie très tôt à la musique. À 6 ans, la fillette chante dans les kermesses. Pendant la guerre, elle se produit pour les soldats alliés dans un estaminet d'Armentières. En 1945, la voilà à Paris, sous le nom de Jacqueline Ray. Elle y rencontre son époux, le guitariste Loulou Gasté et reçoit bientôt le Grand Prix du disque pour *Ma cabane au Canada*. Les succès s'enchaînent : *Étoile des neiges, Le Petit Chien dans la vitrine*... Dès 1950, sa carrière devient internationale. On la réclame à Londres, Rome, New York, Las Vegas, Los Angeles... mais c'est au Moulin rouge et au Casino de Paris qu'elle éblouira le monde. La meneuse de revue touche aussi au théâtre et au 7e Art. Elle tourne avec M. Galabru, P. Noiret, A. Girardot... Elle est aussi la présidente de l'Association des artistes contre le sida, et a été élevée au grade d'officier des Arts et Lettres et décorée de la Légion d'honneur.

---

carnet pratique

HÉBERGEMENT ET RESTAURATION

● **À bon compte**

Station Bac St-Maur – *77 r. de la Gare - 62840 Sailly-sur-la-Lys - 7 km au SO d'Armentières -* ☎ *03 21 02 68 20 - fermé lun. et mer. de nov. à mars et mar. -* **🅿** *- 6 ch. : 180/360F -* 🖵 *40F - repas 95/145F.* Vous rêviez d'un voyage immobile... Rendez-vous dans cette ancienne gare reconvertie en restaurant pour le bonheur des nostalgiques de l'âge d'or du chemin de fer. Dormez dans l'un des six compartiments du wagon 1930 pour prolongez l'illusion. En voiture !

LOISIRS-DÉTENTE

Prés du Hem – 🖻 *7 av. Marc-Sanguier -* ☎ *03 20 44 04 60.* Espace de détente et de loisirs pour petits et grands : plage, plan d'eau pour la voile...

Arras★★

La capitale artésienne a tant à montrer. Sa Grand-Place et sa place des Héros vous transportent en plein 18ᵉ s. Elle ne manque pas de cultiver, également, un certain art de vivre, en témoignent quelques trésors : andouillette, bière de l'Atrébate, fromage « cœur d'Arras », caramels « lions d'Arras ». Autre occasion de se réjouir : les géants Colas et Jacqueline ont eu un « petit » ; il vient de souffler ses cinq bougies.

La situation

Cartes Michelin n°ˢ 53 pli 2 ou 236 pli 15 – Pas-de-Calais (62). La Grand-Place est à l'Est du centre ; le nouveau quartier animé de la gare occupe la pointe Sud-Est. Au Sud-Ouest, la basse-ville s'ordonne autour de la place V.-Hugo et unit le centre à la citadelle. Le Nord-Ouest correspond au cœur médiéval de la ville, où se trouvent la préfecture et l'église St-Nicolas-en-Cité. Depuis l'A 1, prendre la N 39 ou la N 50.

🖪 *Pl. des Héros, hôtel de ville, 62000 Arras, ☎ 03 21 51 26 95.*

Le nom

Conquise par César voici 2000 ans, *Atrebatum,* devenu Arras se rend célèbre au 15ᵉ s. grâce à ses textiles. En Italie, le nom *arazzi,* dérivé d'*Arras,* s'applique à toutes les tapisseries anciennes et témoigne de la renommée de la ville en matière de tapisserie de haute lice.

Les gens

Agglomération 83 322 Arrageois, qui savent s'amuser. En 1790, leur maire, Dubois de Fosseux, propose à l'Assemblée nationale d'instituer une Fête de la Fédération à Paris. L'initiateur du 14 juillet trépigne et succombe à la tentation d'organiser la 1ʳᵉ fête du genre, à Arras, six semaines avant le 14 juillet parisien.

comprendre

Rayonnement médiéval – Ancienne capitale des Atrébates née au pied de la colline Beaudimont. Au Moyen Âge, *Nemecatum* se développe autour de l'abbaye St-Vaast, comme marché de grain et centre de tissage. Sous l'impulsion de banquiers et de riches bourgeois, la « Ville » devient un foyer d'art.

Avec le mécénat des ducs de Bourgogne, dès 1384, la fabrication des tapisseries de haute lice porte loin le renom de la cité. À la Renaissance, cette activité régresse au profit de Beauvais et d'Anvers.

La jeunesse de l'Incorruptible – **Robespierre** naît à Arras en 1758. Orphelin protégé par l'évêque, l'étudiant arrageois obtient une bourse pour un collège parisien. De retour, il devient avocat, entre à l'académie d'Arras et dans le cercle poétique des **Rosati** (anagramme d'Artois). Il fréquente l'oratorien **Joseph Lebon** (1765-1795), maire d'Arras sous la Terreur. Celui-ci fait détruire quantité d'églises et alimente la guillotine en aristocrates ou en « fermiers à grosses bottes ».

Arras et les batailles d'Artois – Proche du front en 1914-18, Arras essuie de sévères bombardements jusqu'en 1917. Les collines stratégiques au Nord de la ville font l'objet de violents combats. Après la bataille de la Marne, l'adversaire s'y accroche et, à l'automne 1914, il en débouche pour attaquer Arras. L'offensive est contenue au terme des combats d'Albain-St-Nazaire, Carency, La Targette. En mai-juin 1915, **Foch** tente une percée. L'avancée des Français permet de reprendre Neuville-St-Vaast et N.-D.-de-Lorette, mais l'attaque échoue devant Vimy, emportée en 1917 par les Canadiens.

carnet pratique

Visite

Visite guidée de la ville – D'une durée de 2h, elle fait découvrir le centre ville (Grand'Place, hôtel de ville, abbaye St-Vaast, cathédrale...). De fin juin à mi-sept : mer., sam. et dim. à 15h. 35F. S'adresser à l'Office de tourisme.

Historama – Au sous-sol du beffroi. Spectacle audiovisuel (20 mn) retraçant l'histoire d'Arras et constituant une très bonne introduction à la visite de la ville. *Mai-sept. : 9h-18h30, dim. et j. fériés 10h-13h, 14h30-18h30 ; oct.-avr. : 9h-12h, 14h-18h, dim. et j. fériés 10h-12h30, 15h-18h30. 15F.* ☎ 03 21 51 26 95.

Restauration

● **À bon compte**

Aux Grandes Arcades – *8, 10, 12 Grand'Place -* ☎ *03 21 23 30 89 - www.ville-arras.fr/resto/arcades - 89/205F.* Sur la prestigieuse Grand'Place, cette maison vous propose deux formules : la brasserie et le restaurant. N'hésitez pas à descendre dans sa magnifique cave voûtée du 15e s. pour une dégustation de vin ! Côté hôtel, quelques chambres déjà très appréciées.

La Taverne de l'Écu – *18-20 r. Wacquez-Glasson -* ☎ *03 21 51 42 05 - 80/180F.* Carte brasserie traditionnelle et spécialités locales pour satisfaire les petites et les grosses faims ! Située dans une rue piétonne du centre-ville, cette taverne a un décor agréable. Goûtez à l'écuflette, une variante maison de la flammenküche.

● **Valeur sûre**

La Faisanderie – *45 Grand'Place -* ☎ *03 21 48 20 76 - fermé 4 au 10 janv., vacances de fév., 1er au 21 août, dim. soir et lun. - 145/315F.* Il faut descendre dans la superbe cave voûtée de cette belle maison arrageoise du 17e s. pour s'attabler dans un décor authentique de brique ancienne aux multiples teintes de rouge. Plats régionaux et plusieurs menus dont un pour les enfants.

Le Régent – *R. A.-France à St-Nicolas - au N d'Arras par la r. Michelet -* ☎ *03 21 71 51 09 - fermé sam. midi, dim. et soirs fériés - 135/290F.* Le temps semble s'être arrêté dans cette maison bourgeoise du 18e s. Son décor suranné ne manque pourtant pas de charme et son jardin au bord de la Scarpe la rend très agréable aux beaux jours. La carte des vins séduira les amateurs. Quelques chambres.

Hébergement

● **À bon compte**

Chambre d'hôte Château de Saulty – *82 r. de la Gare - 62158 Saulty - 19 km au SO d'Arras dir. Doullens par N 25 -* ☎ *03 21 48 24 76 - fermé janv. - 5 ch. : 190/290F.* Ce château de 1835 a fière allure dans son parc de 15 ha à l'entrée du village. Après une nuit douillette dans l'une des grandes chambres de caractère, le petit-déjeuner composé de confitures et de jus maison est une invitation à la promenade dans le verger.

● **Valeur sûre**

Hôtel Diamant – *5 pl. des Héros -* ☎ *03 21 71 23 23 -* 🅿 *- 12 ch. :*

290/310F - 🖵 *38F.* Sur la place des Héros, au pied du beffroi, cet hôtel bénéficie d'un emplacement de choix. L'accueil y est très agréable et les chambres, un peu petites, sont impeccablement tenues.

Hôtel Univers – *3 pl. de la Croix-Rouge -* ☎ *03 21 71 34 01 -* 🅿 *- 37 ch. : 370/620F -* 🖵 *55F - restaurant 120/260F.* De son passé de monastère, cet hôtel au cœur de la ville n'a gardé qu'une sobriété de façade. À l'intérieur, le décor qui mêle mobilier de style et brique ancienne dénudée, pour la touche régionale, est d'un confort cosy... Chambres spacieuses et salle à manger lumineuse.

Spectacles

Théâtre d'Arras – *7 Pl. du Théâtre -* ☎ *03 21 71 66 16 - Ouv. selon le calendrier des représentations. Accueil : mar.-sam.14h-19h. Fermé juil.-août.* C'est un très joli petit théâtre à l'italienne de 400 places classé monument historique. Toutes sortes de spectacles y sont programmés, musique, chansons, pièces... Les grandes manifestations ont lieu au Casino (1 100 places).

Achats

Marché – Marché traditionnel sur la Grand'Place mercredi et samedi matin.

Andouillette d'Arras – *Chez tous les artisans charcutiers de la région.* Elle se prépare uniquement à base de fraise de veau, assaisonnée de persil, échalotes, épices, aromates et genièvre ; il faut la savourer avec une pointe de moutarde et un peu de crème fraîche.

Caudron – *11-15 pl. de la Vacquerie -* ☎ *03 21 71 14 23 - Lun. 14h-19h ; mar.-sam. 9h-12h, 14h-30-19h. Fermé lun. à partir 14 juil. à la fin août.* Bien que cet artisan travaille sur de la porcelaine importée (la manufacture d'Arras fut fermée en 1790), sa cuisson à four très chaud permet à la couleur de se répartir élégamment sur la porcelaine et ainsi de restituer le vrai bleu d'Arras. Vous y trouverez de très belles pièces inspirées des motifs traditionnels tels que le barbeau ou l'arbre de vie.

Pâtisserie Yannick-Delestrez – *50 pl. des Héros -* ☎ *03 21 71 53 20 - Tlj 8h-20h.* Le véritable cœur d'Arras, dit « à l'ancienne », est une délicieuse friandise en pain d'épice qui fut inventée il y a plus de trois siècles. Vous la trouverez aujourd'hui dans cette jolie pâtisserie, avec d'autres spécialités de la ville comme les petits rats d'Arras.

Loisirs-Détente

Stade d'eau vive - Base nautique Robert-Pecqueur – *R. Laurent-Gers - 2 km au NE d'Arras - 62223 St-Laurent-Blangy -* ☎ *03 21 73 74 93 - Lun.-ven. 8h-12h, 14h-17h, sam. et dim. sur réservation.* Conçu à l'origine pour les Jeux olympiques de 2004, ce torrent artificiel de 300 m de long et 12 m de large a été creusé entre l'écluse de la Scarpe et son bras de décharge. Location de kayak, raft et canoë à un prix très modéré.

ARRAS

Adam (R. Paul)	AY	2
Agaches (R. des)	BY	3
Albert-Ier-de-Belgique (R.)	BY	4
Amiens (R. d')	AYZ	
Ancien-Rivage (Pl. de l')	BY	5
Archicourt (R.)	BZ	
Augustines (R. des)	BCY	
Barbot (R. du Gén.)	BY	6
Baudimont (R.)	AY	
Baudimont (Rd-Pt)	AY	7
Besnier (Bd G.)	AY	
Blanc (R. Louis)	BY	
Bodel (R. J.)	CY	
Branly (R. E.)	CZ	
Breton (R. E.)	CZ	
Briand (R. A.)	BZ	
Carabiniers-d'Artois (R. des)	AY	8
Cardinal (R. du)	CZ	9
Carnot (Bd)	BCZ	
Churchill (Av. W.)	AY	
Crespel (Bd)	AZ	
Crinchon (R. du)	BCY	
Croix-de-Grès (R. de la)	AY	
Degeorge (R. F.)	BZ	
Delansorne (R. D.)	BZ	10
Douai (R. de)	CZ	
Doumer (R. P.)	BY	12
Dutilleux (R. C.)	CZ	
Ernestale (R.)	BZ	13
Faidherbe (Bd)	CYZ	
Ferry (R. J.)	AY	15
Foch (Pl. Maréchal)	CZ	16
Fusillés (Av. des)	AZ	
Gambetta (R.)	BCZ	
Gambetta (R.)	BZ	
Gaulle (Bd du Gén.-de)	AZ	
Gouvernance (R. de la)	BY	18
Grand'Place	CY	
Guy-Mollet (Pl.)	CY	19
Hagerue (Carrefour)	BZ	
Halette (R. A.)	AY	
Héros (Pl. des)	BCYZ	
Jeanne-d'Arc (R.)	BZ	
Kennedy (Av. J.)	AZ	24
Leclerc (Av. du Mar.)	BCZ	
Legay (R.)	CY	
Legrelle (R. E.)	BCZ	25
Leroy (R. V.)	CY	
Liberté (Bd de la)	ABY	
Madeleine (Pl. de la)	BY	28
Marché-au-Filé (R. du)	BY	30
Marseille (Pl. de)	BZ	31
Meaulens (R.)	BY	
Mémorial-des-Fusillés (Av. du)	AZ	
Michelet (R.)	BY	
Michonneau (Av. P.)	CY	
Notre-Dame-de-Lorette (Villa)	BY	
Paix (R. de la)	AY	
Pasteur (R.)	CZ	
Pont-de-Cité (Pl. du)	ABY	
Préfecture (Pl. de la)	AY	
Président-Allende (Bd)	AYZ	
Quatre-Crosses (R. des)	BZ	
Rivage (Q. du)	BY	
Robespierre (R.)	BZ	34
Ronville (R.)	CZ	35
Rosati (R. des)	CY	
St-Aubert (R.)	BY	
Ste-Claire (R.)	AZ	37
Ste-Croix (R.)	CY	39
St-Michel (R.)	CYZ	
St-Quentin (R. de)	CZ	
Salengro (R.)	BY	
Schuman (Bd R.)	BCY	

Strasbourg (Bd de)	CZ	42
Taillerie (R. de la)	CY	43
Tchécoslovaquie (Pl. de)	BY	
Teinturiers (R. des)	BY	45
Théâtre (Pl. et R.)	BZ	47
Turenne (R. de)	BY	
Vauban (Bd)	BZ	
Verdun (Cours de)	AZ	49
Victor-Hugo (Pl.)	AZ	51
Wacquez-Glasson (R.)	CZ	52
Wetz-d'Amain (Pl. du)	BY	53
Quatre-Crosses (R. des)	BZ	
29-Juillet (R. du)	BY	54
33e (Pl. du)	BY	55

se promener

ARRAS AU FIL DES PLACES *(env. 2h15)*

Grand'Place et place des Héros★★★

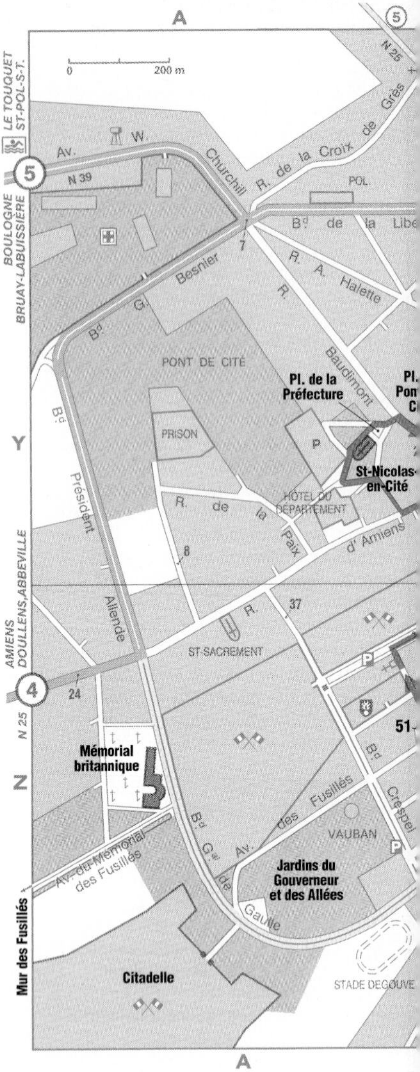

Ayez l'œil !
La maison la plus ancienne de la Grand'Place (15e s.) se trouve au n° 49 : grand pignon à pas de moineaux (Hôtel des 3 Luppars).

Elles sont reliées par la rue de la Taillerie et forment un très bel ensemble souvent remanié depuis le 11e s. Les édifices actuels, de style baroque flamand des 17e et 18e s., donnent l'aspect d'un décor de théâtre. Les arcades protégeaient des intempéries marchands et chalands. L'unité des façades résulte d'un échevinage soucieux d'urbanisme, imposant des constructions « en pierres ou en briques et sans aucune saillie ». La nuit tombée, les lieux redoublent de charme. Quelques enseignes subsistent place des Héros, plus petite et plus animée, bordée de magasins et dominée par le beffroi.

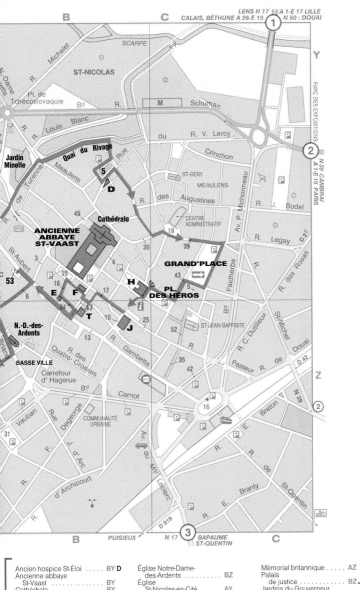

Rejoindre la rue Paul-Doumer par la rue D.-Delansorne située à l'angle gauche de la place des Héros (lorsqu'on fait face à l'hôtel de ville).

Au coin de la rue P.-Doumer, qui se prolonge en rue E.-Legrelle, se trouve le **palais de justice** ; ancien palais des États d'Artois (1710), à pilastres corinthiens, avec entrée latérale ornée de coquilles Régence.

Dans la rue P.-Doumer, prendre la 2ᵉ ou 3ᵉ ruelle à gauche.

Place du Théâtre

Aux heures sombres de la Révolution, la guillotine s'y dressait. Le **théâtre** (1784), érigé à l'emplacement du marché aux poissons, fait face à l'**Ostel des Poissonniers** (1710), étroite maison baroque sculptée de dieux marins et de sirènes.

Rue des Jongleurs, majestueux **hôtel de Guines** (18ᵉ s.). Au **nᵒ 9** de la rue Robespierre, se trouve la demeure du révolutionnaire.

La Grand'Place a été admirablement restaurée après avoir subi les ravages de la Première Guerre mondiale.

Traverser la place et prendre à droite la rue St-Aubert ; la place du Wetz-d'Amain se trouve plus loin sur la gauche.

Place du Wetz-d'Amain

La belle demeure Renaissance, avec son pignon à pas de moineaux et sa tourelle hexagonale, servait de refuge aux moines du mont St-Éloi. Le monument s'est enrichi d'un portail de briques et de pierres d'architecture classique.

Faire demi-tour, prendre la rue du Gén.-Barbot qui croise la rue St-Aubert ; tourner à gauche dans la rue A.-Briand ; l'église N.-D.-des-Ardents se trouve sur la gauche.

L'**église N.-D.-des-Ardents** conserve des parcelles de la Sainte-Chandelle, cierge miraculeux confié au 12e s. par la Vierge à deux ménestrels pour guérir le mal des Ardents. *Sur demande auprès de la paroisse ND des Ardents.* ☎ *03 21 51 48 03.*

Prendre une des rues à droite pour rejoindre la place V.-Hugo et la basse-ville.

PRATIQUE

Le reliquaire se trouve à gauche du maître-autel, dans une niche grillagée. Éclairage en bas, à droite.

Basse-ville

Entre le centre et la citadelle, ce quartier forme un réseau de larges rues. Il s'ordonne autour de la **place V.-Hugo** aménagée sur un marécage en 1756, selon un plan octogonal. Elle accueillait le marché aux bestiaux, comme l'indiquent des plots munis d'anneaux pour attacher les animaux. On peut s'engager dans la rue des Promenades vers les **jardins du Gouverneur** et **des Allées** où se dresse une **stèle** à la gloire des Rosati : un marquis et un homme du 20e s. contemplent un défilé de muses.

De la place V.-Hugo, rejoindre le quartier de la Cité par la rue Victor-Hugo et, à droite, le cours de Verdun, puis sur la gauche, traverser la place du 33e et continuer dans la rue de Châteaudun jusqu'à la rue d'Amiens.

La Cité

La **place de la Préfecture**, sur la hauteur, constituait le cœur de la cité médiévale. La préfecture occupe l'ancien palais épiscopal (1759-1780). En face, l'**église St-Nicolas-en-Cité** (1839) a été bâtie sur le site de l'ancienne cathédrale gothique N.-D.-en-Cité démantelée entre 1798 et 1804.

À 150 m par la r. Baudimont que l'on prend à droite se trouve la **place du Pont-de-Cité**. Elle évoque le pont sur le cours du Crinchon (devenu souterrain à cet endroit) qui reliait la cité à la ville lorsque ces deux entités étaient séparées par leurs enceintes respectives.

De la place, prendre la rue de Turenne qui longe le jardin Minelle (à gauche) et rejoint le quai du Rivage.

Le **jardin Minelle**, né du démantèlement des fortifications, invite à la pause. Derrière l'agréable **quai du Rivage** se trouve la place de l'Ancien-Rivage où se dresse l'Hospice St-Éloi. Cet édifice de briques et de pierres, avec sa tourelle carrée, date de 1635. Jusqu'au 19e s., cette place formait un bassin relié à l'ancien port.

On retrouve la Grand'Place par la rue du Mont-de-Piété, la place G.-Mollet et la rue Ste-Croix.

visiter

HÔTEL DE VILLE ET BEFFROI★

De fin sept. à fin avr. : 9h-12h, 14h-18h, dim. 10h-12h30, 15h-18h30 ; de fin avr. à fin sept. : 9h-18h, dim. 10h-13h, 14h30-18h30. Fermé 1er janv. et 25 déc. 22F. ☎ 03 21 51 26 95.

Détruit en 1914 et reconstruit dans le style flamboyant. Jolie façade aux arches inégales. Au sous-sol, spectacle audiovisuel, « L'histoire d'Arras », et **Circuit des souterrains**. Abri pendant les guerres, ces galeries insolites – ou « boves » – creusées dès le 10e s. conservent admirablement le vin, dit-on. *Mai-sept. : visite guidée (3/4h) 9h-18h30, dim. et j. fériés 10h-13h, 14h30-18h30 ; oct.-avr. : 9h-12h, 14h-18h, dim. et j. fériés 10h-12h30, 15h-18h30. Fermé 1er janv., 25 déc. 22F. ☎ 03 21 51 26 95.*

ANCIENNE ABBAYE ST-VAAST★★

À droite de la cathédrale. 14h15-18h.

Fondée au 7e s. par saint Aubert, elle reçut les reliques de saint Vaast, premier évêque d'Arras. En 1746, le **cardinal de Rohan** la fait reconstruire dans un style d'une sobre beauté. Place de la Madeleine, porche d'entrée surmonté des armes de l'abbaye, belle cour d'honneur. L'ensemble désaffecté à la Révolution est restauré après 1918.

Musée des Beaux-Arts★

Corps central de l'abbaye. Oct.-mars : tlj sf mar. 10h-12h, 14h-17h, jeu. 10h-17h, sam. 10h-12h, 14h-18h, dim. 10h-12h, 15h-18h ; avr.-sept. : tlj sf mar. 10h-12h, 14h-18h, jeu. 10h-18h. Fermé 1er janv., 1er et 8 mai, 14 juil., 1er et 11 nov., 25 déc. 20F, gratuit 1er mer. et dim. du mois. ☎ 03 21 71 26 43.

On y découvre les plus beaux témoignages de l'histoire d'Arras : archéologie, sculptures médiévales, tapisseries du 15e s., trésor de la cathédrale, porcelaines et bel éventail de peintures du 17e s. (française et hollandaise, grands formats religieux) et pré-impressionnistes.

Salon italien (**1**) – Il est décoré du premier **lion du beffroi** d'Arras (1554), suivi de collections archéologiques d'époque gallo-romaine (**2** et **3**). La statue en porphyre d'Attis vient d'un sanctuaire d'Attis et de Cybèle des 2e-3e s. qui marque la diffusion des cultes orientaux par l'entremise de l'armée et des marchands.

> ### PANORAMA
> Le **beffroi** de l'hôtel de ville (haut de 75 m) domine les ailes Renaissance du bâtiment. Il abrite un carillon de 40 cloches. Au sommet, vue sur les places environnantes. *Fermé pour cause de restauration, réouverture en 2001.*

Ce masque funéraire de femme, exposé dans le salon italien, évoque toute la délicatesse de la sculpture du 14e s.

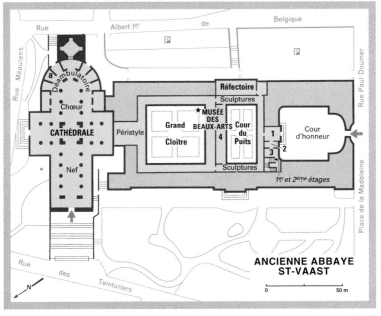

ANCIENNE ABBAYE ST-VAAST

Galeries autour de la cour du Puits (4) – Sculptures et peintures du Moyen Âge et des 14ᵉ-15ᵉ s. **Anges de Saudémont★** aux yeux malicieux, Vierge à l'Enfant de Pépin de Huy, tapisseries d'Arras (saint Vaast et l'Ours), statues. Du 16ᵉ s. : triptyques de **Bellegambe** (Adoration de l'Enfant) et Mise au tombeau de Vermeyen.

Réfectoire – Grande cheminée de marbre surmontée d'une tapisserie aux armes du cardinal de Rohan.

Grand cloître – Très spacieux, on y découvre des chapiteaux à guirlandes et rosaces sculptées.

Cage d'escalier – Toiles de G. Baglioli (1571-1644).

1ᵉʳ étage – Peintures du 16ᵉ au 18ᵉ s. École française : Vignon, de Largillière, Boullongne, Vien, Bouliar, Doncre... Écoles flamande et hollandaise : Brueghel le Jeune, Adriaen Van Utrecht, Barent Fabritius (élève de Rembrandt) et Rubens. Sculptures (17-18ᵉ s.).

Dans la salle des « **Mays de Notre-Dame** » : grandes toiles religieuses (17ᵉ s.) de la Hyre, Sébastien Bourdon, Louis de Boullongne, Philippe de Champaigne, Joseph Barrocel et Jouvenet.

2ᵉ étage – Salles de façade consacrées à la céramique du 16ᵉ au 19ᵉ s. Faïences italiennes, poteries vernissées, porcelaine d'Arras et de Tournai aux fins motifs décoratifs. Le **service aux oiseaux de Buffon** est une commande du duc d'Orléans en 1787. Sur le pourtour du petit cloître, écoles paysagistes françaises du 19ᵉ s. (Barbizon, Lyon, Arras) avec Corot et Dutilleux. Dans une vaste salle, on admire de grands formats (**Delacroix**, **Chassériau**). Juste à côté, salle Louise-Weiss, petits formats du 19ᵉ s. : Monticelli, Ribot, Ravier.

Cathédrale

Entrée r. des Teinturiers. Tlj 14h15-17h.

L'ancienne abbatiale St-Vaast, terminée en 1833, a été érigée en cathédrale pour remplacer N.-D.-de-la-Cité. Un escalier monumental précède sa façade classique. L'intérieur est clair et d'une majesté antique. Des colonnes à chapiteaux corinthiens délimitent nef, transept et chœur. Les statues de saints (19ᵉ s.) viennent du Panthéon de Paris. Transept droit : fresques (saint Vaast apprivoisant l'ours). De part et d'autre de l'autel : *Nativité et Résurrection* (Desvallières).

Ault★

Balayées par le vent, d'impressionnantes falaises tapissées de prairies dominent des plages tentatrices. Ne cherchez pas plus loin : la station balnéaire d'Ault possède ce grand tout et tout ces petits riens qui font qu'on s'y sent vraiment « en vacances ».

La situation

Cartes Michelin nᵒˢ 52 pli 5 ou 236 pli 21 – Somme (80). Ault s'étire au creux d'une **valleuse** (vallée sèche « suspendue » au-dessus du rivage) au terme de laquelle une terrasse dévoile une belle perspective vers Le Tréport, à gauche. Accès par la D 940. 🗗 *Pl. de l'Église, 80460 Ault,* ☎ *03 22 60 57 15.*

Le nom

Il vient du latin *Altus* qui signifie à la fois « en haut » et « en bas ». Lorsqu'on regarde le village du bas, au niveau de la mer, on voit « en haut » et lorsqu'on le regarde du haut, sur la falaise, on voit « en bas ». Ault est surnommé le « Balcon sur la mer ».

Les gens

2 070 Aultois. Dès le 9ᵉ s., la ville est un port de pêche actif au pied de la falaise. En 1066, Guillaume le Conquérant réunit 3 000 navires sur le littoral pour envahir l'Angleterre ; lors d'une tempête, une partie de sa flotte se réfugie dans le port et le Hâble d'Ault.

visiter

Église St-Pierre

Sur la place, l'église gothique (14e-15e s.), à clocher plat, montre un appareil en damier de pierre et silex.

Le phare d'Ault

Sur l'ultime escarpement de la falaise morte se dresse un très beau phare en céramique blanche et rouge. Du sommet, vue sur les bancs sableux de la baie de Somme.

Onival

À la jonction de la falaise de craie et des vastes étendues planes du **Hâble d'Ault**, Onival est une ancienne lagune marine, devenue marais, où se pratiquait la chasse à l'affût à la « hutte ». Ce site protégé par une longue digue de galets est converti en réserve naturelle. Quelque 200 espèces d'oiseaux s'y observent. En juin-juillet, lors de la floraison du chou marin, des lotiers et du serpolet, tout le Hâble se pare de vives couleurs, mauve et jaune.

> **À VOS CANNES !**
> Possibilités de pêche en mer à Ault et Onival, et en étang ou en rivière à **Gamaches**, où se trouvent aussi un plan d'eau équipé et une base nautique complète.

alentours

Le Bois-de-Cise *(4 km au Sud-Ouest)*

De la D 940 se détache la route d'accès au Bois-de-Cise.
Après 500 m, prenez à droite la « Route panoramique » qui suit le versant Nord d'une valleuse aux pentes boisées. L'itinéraire passe près d'une chapelle puis du relais de télévision (jolie **vue** sur la côte) avant de descendre au fond de l'échancrure où se disséminent les villas de cette station. En contrebas, la plage de galets se prolonge par un « platin » (récif) rocheux.

Mers-les-Bains *(9 km au Sud-Ouest)*

Face au Tréport, Mers devient une station balnéaire très en vogue avec l'arrivée du chemin de fer en 1872. Les villas cossues du bord de mer et des rues voisines, construites à la Belle Époque, forment un bel ensemble architectural, déclaré secteur sauvegardé. L'éclectisme y règne, avec une prédominance de l'Art nouveau. Une grande fantaisie s'observe sur les façades : toits en auvents, tourelles et clochetons, bow-windows, loggias, balcons en fer forgé ou en bois, motifs en céramique...

Vallée de l'**Authie**★

Sources, bocages, prairies, peupliers, saules têtards, marécages, coteaux, basses maisons chaulées... l'Authie a modelé une vallée bucolique dans le plateau crayeux. Les jardins de Valloires vous y attendent, de même que le joli moulin de Maintenay, un village de vanniers et quelques bonnes auberges. L'Authie, c'est aussi le paradis de la truite, et donc des pêcheurs.

La situation

Cartes Michelin nos 51 plis 11, 12 et 52 plis 7, 8 ou 236 plis 12, 13, 23, 24 – Somme (80) et Pas-de-Calais (62). Née dans les collines de l'Artois, l'Authie (100 km) rejoint la Manche en baie d'Authie, au Sud de Berck-sur-Mer. De Gennes-Ivergny à la côte (50 km), le fleuve marque la limite entre Somme et Pas-de-Calais.

Les gens

Le meilleur guide du coin, c'est le « bleu picard ». Cet épagneul au poil bleuté, spécialiste du lièvre, du faisan et de la bécasse, servait de chien d'arrêt dans les vallées de la Somme, de l'Authie et de la Canche.

> **HÉBERGEMENT ET RESTAURATION**
> Auberge du Gros Tilleul – Pl. du Château - 80120 Argoules - ☎ 03 22 29 91 00 - fermé janv., lun. sf juil.-août et j. fériés - 16 ch. : 290/550F - ☑ 45F - restaurant 70/195F. Accueillante auberge derrière un tilleul plur015éculaire à proximité des plages, du golf de Nampont et de l'abbaye de Valloires. Les chambres sont confortables et le restaurant agréable. Piscine et fitness.

itinéraire

DE DOULLENS À FORT-MAHON-PLAGE

73 km – 1h1/2. Quitter Doullens par les D 925 puis D 938

Auxi-le-Château

Au creux de la vallée de l'Authie, Auxi conserve quelques vestiges de son château. À mi-côte, imposante **église** gothique flamboyante (16ᵉ s.).

Le Boisle

Village de vanniers. Une grande verrière moderne décore l'intérieur de l'**église**.

Abbaye de Dommartin

Vestiges d'une abbaye de prémontrés fondée au 12ᵉ s. La D 911 passe devant la porte d'entrée monumentale (17ᵉ s.) : pilastres ioniques et fronton triangulaire.

Argoules

Charmant bourg aux maisons rustiques dispersées dans la verdure. Manoir et petite église du 16ᵉ s. Un gros tilleul vieux de 400 ans, se dresse sur la place.

Abbaye et jardins de Valloires★ *(voir ce nom)*

Nampont-St-Martin

La marée montait encore jusque-là au 18ᵉ s. En contre-bas de la D 85, jetez un œil sur la maison forte (15ᵉ-16ᵉ s.) cernée de fossés. De chaque côté de la porte, meurtrières à arquebuses. La propriété est convertie en club de golf.

Fort-Mahon-Plage

Longue plage de sable que domine une digue promenade. *À Fort-Mahon-Plage, dans un site de dunes et de pins.*

Aquaclub Belle dune – ⊡ *De juin à déb. sept. : 10h-19h, sam. 10h-23h ; de déb. avr. à déb. nov. et vac. scol. Noël tlj sf jeu. 14h-18h, sam. 10h-23h, dim., j. fériés et vac. scol. 10h-18h. Fermé de déb. nov. au vac. scol. Noël et de déb. janv. à déb. avr. 75F, 58F hors sais. (enf. : 65F/52F). ☎ 03 22 23 73 00.*

Bassins intérieurs et extérieurs, piscine à vague, toboggan géant, jeux d'eau, sauna, etc. Golf 18 trous. Architecture inspirée du style balnéaire picard début 20ᵉ s.

4 km au Nord de Fort-Mahon, vue sur la baie d'Authie.

À VOIR

Les nervures et les clés des voûtes du chœur de l'église d'Auxi sont particulièrement ouvragées. Près de l'entrée, remarquez le bénitier, ancienne mesure à sel.

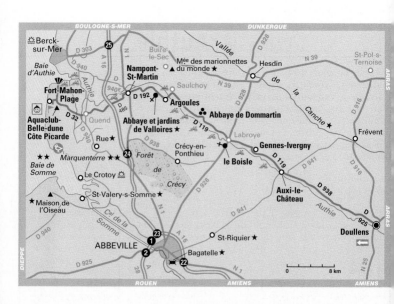

Avesnes-sur-Helpe

Cette paisible petite ville a plus d'un atout. Ses « relais de gueule » et sa « boulette d'Avesnes », fromage au goût accentué, en font une étape alléchante. C'est surtout un point de départ idéal pour musarder dans l'Avesnois, à travers son patchwork bocager et ses hameaux aux toits bleutés.

La situation

Cartes Michelin n°s 53 pli 6 ou 236 pli 29 – Nord (59). Avesnes, qui garde une partie de ses fortifications à la Vauban, se tient sur le flanc escarpé de l'Helpe-Majeure. La N 2 traverse la ville. ⊟ *41 pl. du Gén.-Leclerc, 59440 Avesnes-sur-Helpe,* ☎ *03 27 56 57 20.*

Le nom

Il vient d'*Avenatis castellum* (1104). *Avena* signifie « terre maigre ne produisant que de l'avoine ».

Les gens

5 003 Avesnois. Au 17e s., Jessé de Forest, protestant d'Avesnes, s'exile en Amérique. Il s'installe à Long Island où le quartier de Forest Hill rappelle son nom.

se promener

Grand'Place

Étroite et irrégulière, elle est bordée de maisons anciennes à hauts toits d'ardoises.

Église St-Nicolas – Érigée en collégiale par Louise d'Albret en 1534. Son clocher-porche se termine par un bulbe. Intérieur de type « halle », voûtes à croisées d'ogives (nef) et chœur pourvu d'une abside à trois pans. Retables (Louis XV) décorés de toiles de Watteau. *Visite guidée possible, s'adresser à l'Office de tourisme.*

Hôtel de ville – Classique (18e s.) en pierre bleue de Tournai.

Contourner l'église et prendre la r. d'Albret.

Square de la Madeleine – Il couronne un des bastions des remparts. Vues plongeantes sur la vallée de l'Helpe.

carnet pratique

RESTAURATION

● *Valeur sûre*

Crémaillère – 26 pl. du Gén.-Leclerc - ☎ 03 27 61 02 30 - fermé 2 au 14 janv., le soir sf mer., ven. et sam. - 110/250F. Sa façade discrète de brique rouge et le bois sombre de sa devanture se fondent parmi les maisons de la place de l'église. Salle à manger aux poutres apparentes et murs jaunes lumineux. Le chef inventif vous gâte avec ses créations originales.

HÉBERGEMENT

● *À bon compte*

Chambre d'hôte La Villa Mariani – 5 Grand'Place - 59740 Solre-le-Château - ☎ 03 27 61 65 30 - ⌿ - 3 ch. : 220/290F. Goûtez à la quiétude d'un jardin arboré et au charme des vieilles demeures en posant vos bagages dans l'une des chambres de cette maison du 19e s., située sur la place du village. Des expositions d'art contemporain y sont régulièrement organisées.

Chambre d'hôte Les Prés de la Fagne – 2 r. Principale - 59132 Baives - 1 km à l'E de Wallers-Trelon - ☎ 03 27 57 02 69 - ⌿ - 5 ch. : 240/340F - repas 100F. Du vin nouveau dans une vieille amphore ! Cette grange du 17e s., habilement restaurée, marie avec élégance les styles modernes et anciens. Certaines chambres ont même une baignoire au pied de leur lit ! Promenades à cheval pour les cavaliers confirmés.

alentours

Cartignies *(6 km au Sud-Ouest d'Avesnes par la D 424)*
Le village regroupe une quarantaine d'**oratoires de pierre bleue.**

Pont-de-Sains *(10 km au Sud-Est par la D 951)*
Joli site. Le château appartenait à Talleyrand puis à sa nièce, la duchesse de Dino.

Maroilles *(12 km à l'Ouest par la D 962)*
Célèbre par ses fromages – maroilles et dauphin –, jadis fabriqués à l'abbaye bénédictine dont subsistent quelques bâtiments (17e s.). Joli moulin à eau.

circuit

L'AVESNOIS★★

Au Sud de Maubeuge, s'étend un pays vallonné, cousu de bocages, où alternent prairies, mares et vergers. L'Helpe-Majeure et Mineure serpentent à travers les prés et arrosent des villages aux toits d'ardoises. Ces paysages ont été façonnés depuis le Moyen Âge, à l'époque où les abbayes de Maroilles, Liessies et St-Michel dominaient la région, créant moulins et forges sur chaque cours d'eau. Des industries s'y développent aux 18e et 19e s. : verreries à Sars-Poteries et Trélon ; bois tournés à Felleries, filatures à Fourmies... Organisés en écomusée, ces anciens ateliers évoquent le temps où cette région était très active. L'Avesnois s'inscrit dans les limites du **parc naturel régional de l'Avesnois**.

Quitter Avesnes par la D 133 vers Liessies.

Ramousies

Dans **l'église** (16e s.), deux beaux retables anversois de la Renaissance : la vie de saint Sulpice et la Passion. Christ du 13e s. provenant du plus ancien calvaire du Nord de la France.

De Ramousies, poursuivre sur la D 80 vers Felleries.

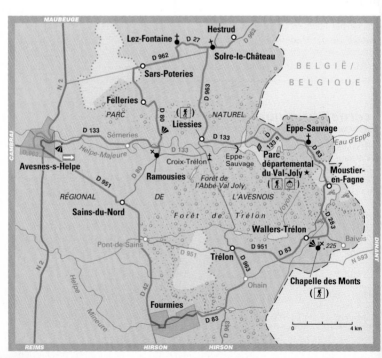

Felleries

Spécialité locale dès le 17e s., l'art du « Bois-Joli » (bois tournés et boissellerie) s'est développé parallèlement à l'industrie textile (fabrication de bobines et de fuseaux). Le **Moulin des Bois-Jolis** (16e s.) regroupe toutes sortes d'objets en bois façonnés à Felleries. *D'avr. à fin oct. : 14h-18h, w.-end et j. fériés : 14h30-18h30. 15F.* ☎ *03 27 59 03 46.*

Sars-Poteries *(voir ce nom)*

Prendre à l'Est la D 952. Après 3 km, tourner à gauche.

Lez-Fontaine

Église (15e s.). Voûte en bois couverte de toiles de 1531.
Prendre la D 27 vers Solre-le-Château.

Solre-le-Château

Petite cité tranquille. Départ d'une excursion dans la vallée de la Thure, fraîche et sinueuse.

Hôtel de ville – De style Renaissance, en pierre et brique rose. Un marché couvert se tenait au rez-de-chaussée dont les clés de voûtes portent des inscriptions gothiques. Elles conseillent la vertu de probité aux marchands.
Franchir la voûte qui donne sur la place Verte.

Église – De style gothique (16e s.) au puissant **clocher★**. Échauguettes en fuseau, flèche mauve et gros bulbe à lucarnes où se tenait le guetteur. Intérieur : double transept et double voûtement ; buffet d'orgues (18e s.), vitraux (16e s.) et boiseries Renaissance.
Sur la place, belles demeures des 17e-18e s.

Non ce n'est pas une illusion !
À Solre-le-Château, le clocher de l'église est bien penché.

Hestrud

Musée de la Douane et des Frontières – Il est installé à l'emplacement de l'ancienne douane qui a subsisté jusqu'en 1989 : histoire des frontières de l'Avesnois depuis 1659, objets de contrebande, tenues de douaniers. ♿ *Tlj sf mar. 9h-19h (mai-sept. : tlj). Fermé 2e et 3e sem. de janv. 10F* ☎ *03 27 59 28 48.*
Revenir à Solre et prendre la D 963 vers Liessies.

Liessies

Le bourg est né d'une abbaye bénédictine fondée au 8e s. Très prospère aux 17e-18e s., le puissant monastère disparaît avec la Révolution.

Église St-Jean-et-Ste-Hiltrude – **Statues anciennes** du 15e au 18e s., **croix romane** ornée d'émaux et de pierreries, toiles du 17e s. (vie de sainte Hiltrude).

Parc de l'abbaye – *(Près de l'église)* Le Conservatoire du patrimoine religieux (expositions) fait partie de l'écomusée de la région de Fourmies-Trélon. Parcours de découverte (étang, faune, flore et bâtiments monastiques). Le village est le point de départ d'une excursion vers le **château de la Motte** (18e s.) aux murs de briques roses, et dans la forêt domaniale de **Bois l'Abbé**. À l'Est du carrefour de la route de Trélon (D 963) et du chemin du château de la Motte se dresse le **calvaire de la Croix-Trélon** (18e s.). Vue sur la vallée de l'Helpe.
De Liessies, suivre la D 133 et le val d'Helpe.
La route devient sinueuse ; les pentes se couvrent de bois.

Parc départemental du Val-Joly★

Barrage d'Eppe-Sauvage sur l'Helpe-Majeure. Magnifique retenue d'eau enchâssée entre les pentes de la vallée de l'Helpe et du Voyon, son affluent. Dans le parc, nombreuses activités possibles : VTT, pêche, voile, barque, pédalo, tennis, mini-golf, équitation, randonnée pédestre... Aquarium (22 bassins).
Location de chalets, camping. Restauration et boutique du terroir.

LES ORATOIRES DE PIERRE BLEUE

Ils jalonnent l'Avesnois et la Thiérache, disséminés au bord des routes et chemins, dans les bois ou encastrés dans des murs. Édifiés pour des raisons diverses : solliciter une grâce, remercier le ciel pour un bienfait, affirmer une position sociale ou par coutume familiale. Leur construction se perpétue depuis 1550. L'oratoire se compose souvent d'un fût étroit surmonté d'une belle niche grillagée et d'un couronnement plus large. Des statues de bois polychromes occupaient autrefois les niches.

Ce bas-relief de style gothique couronne la porte du manoir de Moustier-en-Fagne.

Eppe-Sauvage

Village tout proche de la frontière belge dans un site agréable au creux d'un bassin formé par le confluent de l'Helpe et de l'Eppe. **Église St-Usmar** au chœur et transept du 16ᵉ s., comme ses deux triptyques.

Après Eppe-Sauvage, la vallée s'élargit et devient moins boisée. Les fonds sont souvent occupés par des marais ou « **fagnes** ». On aperçoit un beau manoir-ferme.

Moustier-en-Fagne

D'accueillantes bénédictines olivétaines occupent l'édifice où elles se livrent à la peinture d'icônes. L'**église** voisine est dédiée à saint Dodon. Cet ermite qui vécut à Moustier est invoqué pour soulager les maux de dos. À l'entrée du village, sur la gauche, beau **manoir** (1520) avec pignons à pas de moineaux.

Après 2 km, prendre à gauche (D 283) puis à droite.

Au sommet du mont (alt. 225 m), **vue** sur la haute vallée de l'Helpe et la **forêt de Trélon**.

Chapelle des Monts

1/4 h à pied AR dans une lande sauvage.

Chapelle du 18ᵉ s. au centre d'une esplanade, parmi les tilleuls centenaires. Carrières et four à chaux du 19ᵉ s.

Wallers-Trélon

Proche des carrières, ce village est entièrement construit en pierre bleue. Sentiers-découverte des **Monts de Baive** et de leur flore originale, due aux affleurements calcaires.

Prendre la D 83 puis à droite la D 951 vers Trélon.

Trélon

Reconnue hier pour son industrie verrière, c'est aujourd'hui le siège de l'**Atelier-musée du verre**, antenne de l'écomusée de la région de Fourmies-Trélon. Dans une verrerie du 19ᵉ s. avec ses deux fours, exposition et démonstrations des techniques de fabrication. ⅋ *D'avr. à fin oct. : 14h-18h, w.-end, j. fériés 14h30-18h30. 30F.* ☎ *03 27 59 71 02.*

Quelques étangs jalonnent le parcours. À partir d'Ohain, on suit la vallée de l'Helpe-Mineure.

Prendre la D 963 puis la D 83 vers Fourmies.

Fourmies *(voir ce nom)*

Prendre la D 42 puis la D 951 vers Sains-du-Nord.

Sains-du-Nord

La **Maison du Bocage**, antenne de l'écomusée de la région Fourmies-Trélon, est installée dans une ferme (19ᵉ s.). Elle décrit la vie et les activités dans le bocage avesnois.

Village de l'Avesnois.

De l'étable à la laiterie, en passant par le sabotier, le menuisier et l'apiculteur. Machines d'hier, animaux de la ferme et forge en activité. *D'avr. à fin oct. : 14h-18h, w.-end et j. fériés 14h30-18h30. 20F.* ☎ *03 27 59 82 24.*

Passer par la D 133. On retrouve Avesnes par la D 951.

Azincourt

Au cœur des collines de l'Artois, ce tout petit village fleuri évoque l'une des plus terribles batailles de la guerre de Cent Ans.

La situation

Cartes Michelin n°s 51 pli 13 ou 236 pli 13 – Pas-de-Calais (62). 35 km de Montreuil, 17 km de St-Pol-sur-Ternoise, 12 km d'Hesdin. Accès : D 928 puis D 71. **🛈** *2 r. Charles-VI, 62310 Azincourt,* ☎ *03 21 04 41 12.*

Le nom

Il tire son origine du roman *Askion Curtis*, « ferme d'Askio », nom d'un personnage germanique. Le lieu maudit porta le nom de Carogne jusqu'en 1734.

Arbalétrier en train de tendre la corde de son arme.

BATAILLE D'AZINCOURT

Le 25 octobre 1415 marque l'une des plus sanglantes défaites de la noblesse française. Malgré sa supériorité numérique, elle perdra 10 000 des siens et aura 1 500 prisonniers. Les malheurs s'enchaînent. Le terrain détrempé fait s'enliser les chevaux, immobilisant les chevaliers, contraints de lutter à pied, dans leur lourde armure. Ils sont ainsi livrés aux archers anglais abrités derrière une palissade, puis à leur infanterie, armée de haches et de massues plombées. Cet échec devait favoriser les prétentions de Henri V d'Angleterre à la couronne de France.

visiter

Un **calvaire** élevé en 1963 rappelle cette page de l'Histoire, comme l'inscription au pied d'un menhir bordé de sapins *(au croisement de la D 104 et du chemin d'accès à Maisoncelle).*

Musée des Traditions populaires et d'Histoire

♿ *Avr.-oct. : 9h-18h ; nov.-mars : 10h-17h. Fermé 1er janv. et 25 déc. 10F (40F à compter de juin 2001).* ☎ *03 21 04 41 12.*
Présentation de l'armement du 15e s. (documents, photos, copies d'armes et d'armures, figurines). Maquette du champ de bataille et vidéo retraçant le combat. Circuit de découverte du site (plan fourni) avec table d'orientation.

alentours

Verchin *(7 km au Nord-Est)*
Dans les paysages vallonnés de l'Artois, Verchin se distingue par la flèche tordue de son église, torsion due à l'utilisation d'un bois trop vert.

Église St-Omer – Cette église du début du 17e s. présente pourtant les traits du gothique flamboyant : voûtes à liernes et tiercerons, clefs pendantes. Dans un enfeu une mise au tombeau du 17e s. montre les personnages à mi-corps. *W.-end, vac. scol., j. fériés 8h-20h. M. De L'encquesaing.* ☎ *03 21 04 43 42.*

Château – Le corps principal (18e s.) en brique et pierre, couvert d'un toit à la Mansart, a été nanti au 19e s. d'un pavillon couvert d'un haut toit à la française. L'ensemble se mire dans une pièce d'eau alimentée par la Lys.

RESTAURATION
Le Charles VI – 12 r. Charles-VI - ☎ 03 21 41 53 00 - fermé 15 j. en janv., lun. soir de mi-nov. à mi-avr. et dim. soir - 82/130F. Après la visite du champ de bataille, passez à table dans cette salle joliment colorée et agrémentée d'un plafond lambrissé de bois. En cuisine, le chef nous démontre que la fraîcheur des produits n'est pas incompatible avec des prix très raisonnables. Terrasse.

Bailleul

Cette ville des monts de Flandre a souffert en 1918, lors de la dernière offensive allemande dans la région. Elle a été reconstruite dans le plus pur style flamand. Le carnaval du Mardi gras, présidé par le géant Gargantua, est l'occasion pour le docteur Picolissimo de lancer des tripes à la foule. Les « Sommets du Nord » démontreront aux derniers sceptiques que la Flandre n'est pas aussi plate qu'on le dit.

La situation
Cartes Michelin n°s 51 pli 5 ou 236 pli 5 – Nord (59). Accès par l'A 25 ou la N 42 puis la D 944.
🚩 *3 Grand'Place, 59270 Bailleul,* ☎ *03 28 43 81 00.*

L'emblème
Perchée au sommet de la flèche du beffroi, une élégante sirène dorée se coiffe en se regardant dans un miroir.

Les gens
14 146 Bailleulois. Citadins attachés à leur campagne, ils célèbrent chaque année un vieux culte agraire : la Fête des épouvantails (dernier sam. de juil.). Au terme du défilé, les créatures sont brûlées et le bal est ouvert.

se promener

Grand'Place
Huit fois détruites, Bailleul et sa Grand-Place ont toujours retrouvé leur charme typiquement flamand. Avant de choisir son estaminet et d'y déguster une bière « 3 Monts », admirez l'hôtel de ville et son beffroi, de style néo-flamand. La façade de briques aux encoignures de pierres porte un balcon de proclamations (bretèche).

Briques ocres, façades à pignon à redans, fenêtres gothiques, telle est la maison flamande.

Église St-Vaast – Derrière l'hôtel de ville. Édifice de style romano-byzantin. Belle collection de vitraux.

Rue du Musée – Jolies façades, en particulier celle du n° 3 (centre culturel : salle Marguerite-Yourcenar).

Présidial – Ancien palais de justice, cet édifice harmonieux (1776) est le plus ancien de la ville.

visiter

Beffroi
Juil.-août : visite guidée (1h) mar., mer. et ven. à 16h30, sam. à 15h, dim. à 11h ; avr.-juin et sept. : sam. à 15h, dim. à 11h. 16F. ☎ *03 28 43 81 00.*
L'hôtel de ville qu'il domine abritait au Moyen Âge la halle aux draps. À sa base, salle gothique du 13e s. Au sommet, depuis le chemin de ronde, **panorama★** sur la plaine et les monts de Flandre au Nord, sur les terrils du bassin minier au Sud. Par temps clair, on distingue Lille. Le carillon égrène de vieux airs de Flandre.

Musée Benoît-de-Puydt

Tlj sf mar. 14h-17h30. Fermé pdt carnaval en fév., 1ᵉʳ mai, entre Noël et Jour de l'an. 17F, gratuit 1ᵉʳ dim. du mois. ☎ *03 28 49 12 70.*

Fondée en 1859, cette grande maison bourgeoise présente faïences (Delft et Nord de la France), porcelaines (Chine et Japon), meubles et bois sculptés (16ᵉ-18ᵉ s.). Peinture : écoles flamande, française et hollandaise. Grande tapisserie des États de Flandre (18ᵉ s.) et portraits du 19ᵉ s.

Maison de la dentelle

6 r. du Collège. Tlj sf dim. et j. fériés 14h-17h. Fermé entre Noël et Jour de l'an. 10F. ☎ *03 28 43 81 00.*

L'école est installée dans une maison de style flamand, sur le fronton, une dentellière et un rouet. Une centaine d'élèves y apprend la technique de la dentelle au fuseau dite « torchon ».

LA DENTELLE EN 2001

Tradition locale dès le 17ᵉ s., elle atteint son apogée au 19ᵉ s. On comptait alors 800 dentellières dans la région. La 1ʳᵉ école naît en 1664. Le déclin s'amorce en 1900, avec l'arrivée des machines. Aujourd'hui, ce savoir-faire se perpétue. Tous les 3 ans se déroule le **week-end international de la dentelle** *(3ᵉ w.-end de juil. – le prochain en 2001).* Des dentellières de tous pays y montrent leurs techniques.

À VOIR

Vierge allaitant, par Gérard David, *L'extraction de la pierre de folie,* par Henri de Blès, *L'adoration des Mages,* par Pierre Brueghel.

circuit

LES « SOMMETS » DU NORD

Cet itinéraire *(1/2 journée)* chemine dans la campagne flamande et se termine en Belgique. Au programme : côtes, moulins, jeux d'estaminets, « bières spéciales », fromages moelleux, ... un concentré de l'âme du Nord.

Prendre la D 23 puis à gauche la D 223.

Couronné par son hostellerie, le mont Kemmel, sur la droite (en Belgique), a servi de décor à une scène du *Grand Troupeau,* un roman de Jean Giono. Du même côté plus près, le mont Rouge (Rodeberg).

Tourner de nouveau à gauche dans la D 318.

Mont Noir

Le mont Noir (alt. : 301 m), recouvert d'un sombre manteau de bois, fait partie de la chaîne des monts de Flandre. **Marguerite Yourcenar** (anagramme de Crayencour) y passa les six premiers étés de son enfance qu'elle évoque dans *Archives du Nord,* second volume de son autobiographie familiale, *Le Labyrinthe du monde.*

Villa Mont-Noir★ – Au cœur du parc départemental du Mont-Noir. Culture et littérature sont à l'honneur dans cette propriété des années 1920. La villa, convertie en Centre départemental de résidence d'écrivains européens, accueille des auteurs qui trouvent là un lieu propice à l'écriture. Un circuit pédestre balisé, *Sur les pas de Marguerite Yourcenar,* évoque son enfance. Parc à l'anglaise, échappées vers Ypres, le mont Rouge et le mont des Cats surmonté de son abbaye. Par temps clair, on distingue la mer et les collines d'Artois.

Suivre la D 318 et prendre à droite au croisement de la D 10 (St-Jan-Cappel). Après 2 km, tourner à gauche.

Mont des Cats

Ce chaînon des monts de Flandre (alt. : 158 m) est connu pour son fromage d'une grande douceur. Agréable paysage ondulé où champs de houblon, peupliers, toits rouges forment la « campagne humanisée ».

Abbaye – ♿ *Mars-sept. : 9h45-11h45, 14h-18h, lun. 14h-17h, jeu. 9h45-11h45, 14h-17h, dim. 14h-18h ; oct.-fév. : 9h45-11h45, 14h15-17h, lun. et dim. 14h15-17h. Gratuit.* ☎ *03 28 42 52 50.*

Cette abbaye de trappistes au style néogothique fut fondée en 1826.

PRATIQUE

Chaque mois : soirée Mont-Noir à la **Villa**, en rapport avec l'œuvre de l'écrivain invité.

L'été, animations littéraires et spectacles vivants.

Kermesse littéraire en mai.

Dim. ap.-midi consacrés aux contes (juil.-août).

Fête de la cornemuse déb. sept.

☎ *03 28 43 83 00.*

Dans l'**église paroissiale St-Bernard** *(à droite de l'entrée du monastère)* : Vitraux intéressants de Michel Gigon (1965) : *Feu et ténèbres, Mort et résurrection.*

Le **centre d'accueil C. Grimminck** regroupe salle d'expositions, magasin de produits monastiques et espace audiovisuel sur la vie des moines. *Tlj sf mar. 10h-12h, 14h30-18h, dim. et lun. 14h30-18h. Gratuit. ☎ 03 28 43 83 70.*

Faire demi-tour et reprendre la D 10 vers Boeschepe.

Boeschepe
On y admire un superbe moulin restauré, sur pivot : l'**Ondankmeulen** (moulin de l'ingratitude). *D'avr. à oct. : visite guidée (3/4h) dim. et j. fériés 13h-18h. Fermé oct.-mars. 10F. ☎ 03 28 42 50 24.*
À côté, l'estaminet *De Vierpot*, « pot à braise », propose une cinquantaine de sortes de bières. Jean, le patron, vous initiera au tir à la grenouille. *(Fermé lun. sf juil.-août).*

Prendre la D139, après la frontière belge, poursuivre vers Poperingue.

Poperingue
Ses habitants portent le surnom de « Keikoppen », les Têtes dures. Une pierre de 1 650 kg, sur la Grand'Place, en est le symbole. La cathédrale St-Bertinus, église-halle flamande, illustre la transition romano-gothique.

Quitter Poperingue par la N 308 vers Dunkerque et prendre à gauche vers Watou, toujours en Belgique.

Watou
Ce village permet de s'initier aux jeux d'estaminets. Le bon choix : le *Nouveau St-Éloi (4, Gemenestraat)* . On y joue entre autres à trou-madame, à la grenouille et au javelot, en savourant les bières locales.

Bailleul se rejoint par la D 10.

ADRESSE
Brasserie Van Eecke
Douvieweg, 2, 8970 Watou (Belgique),
☎ *int. : 32 (0)57 38 80 30.* Arnoldus, le patron des brasseurs, serait fier de cet établissement.
Possibilités de visite et dégustation
(6 sortes de bière).

Bavay★

Cette petite ville aux maisons basses est très connue pour ses vestiges gallo-romains. Elle l'est aussi pour ses « chiques », délicieuse friandise à base de sucre candi et d'arôme naturel de menthe, dont chacun se régale depuis 1875.

La situation
Cartes Michelin n°s 53 pli 5 ou 236 plis 18, 19 – Nord (59). Accès par la N 49.
🛈 *Maison du Patrimoine, r. Saint-Maur, 59570 Bavay, ☎ 03 27 39 81 65.*

Le nom
Au temps d'Auguste, *Bagacum* était une cité de la Belgique romaine, à la fois centre administratif et judiciaire, place militaire et pôle de ravitaillement.

ADRESSE
« Chiques de Bavay »,
La Romaine,30 pl. Charles-de-Gaulle,
59570 Bavay
☎ 03 27 63 10 06.

se promener

Grand'Place
Son beffroi (17e s.) à appareillage de briques contraste avec le granit de l'hôtel de ville (18e s.). Sur la place se dresse la statue de Brunehaut, reine d'Austrasie (511-751), qui s'intéressa aux voies de communication.

visiter

Vestiges de la cité romaine
Ensemble monumental mis au jour par un chanoine en 1942 sur un terrain dégagé par les bombardements de 1940. D'Est en Ouest : basilique civile, forum, crypto-portique (galerie souterraine) en fer à cheval et salle sur cave profonde. Sud de l'enceinte (3e s.) : habitations.

Musée archéologique

Pour les horaires et tarifs, téléphoner au ☎ 03 27 63 13 95.

Vaste édifice moderne. Spectacle audiovisuel sur la vie au temps de *Bagacum*, qui comptait parmi les plus importants centres de fabrication de poteries. Vaisselle, vases à bustes de divinités,... y sont exposés. Une vitrine est consacrée à la cachette d'un artisan bavaisien : jolies figurines de bronze.

Statue de Jupiter (Musée archéologique de Bavay).

CROISEMENT DES SEPT « CHAUSSÉES »

Au début de l'ère chrétienne, *Bagacum* constituait le nœud de 7 « chaussées » : vers Utrecht, Boulogne, Cambrai, Soissons, Reims, Trèves et Cologne. Leur tracé rectiligne se reconnaît encore dans le réseau routier. Des traces d'ornières creusées par le passage des charrois subsistent sur le forum. Ravagée à la fin du 3e s., la ville ne retrouva jamais son lustre antique.

---

alentours

Bellignies *(3 km au Nord par la D 24)*
Dans la vallée de l'Hogneau. Du 19e s. à 1940, Bellignies a vécu de l'industrie marbrière. Les hommes découpaient et les femmes polissaient.

Musée du Marbre et de la Pierre bleue – Outils traditionnels pour le travail du marbre et objets représentatifs de la production des ateliers. *De mi-fév. à mi-déc. : 14h-18h. 12F. ☎ 03 27 66 89 90.*

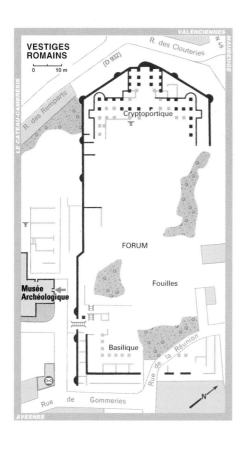

VESTIGES ROMAINS

0   10 m

Cryptoportique

FORUM

Fouilles

Musée Archéologique

Basilique

R. des Clouteries

(D 932)

VALENCIENNES

MAUBEUGE

R. des Remparts

LE CATEAU-CAMBRÉSIS

Rue de la Réunion

Rue   de   Gommeries

AVESNES

Beauvais ★★

Cette cité attachante est une pépinière de talents. Des destins hors normes s'y croisent : le couturier Givenchy, l'avionneur et député Marcel Dassault, Jean-Claude Decaux et ses abribus... La cathédrale, chef-d'œuvre du gothique, continue de défier les lois de la pesanteur. La capitale de l'Oise mène une série de grands travaux dont le terme est prévu en 2001.

La situation

Cartes Michelin n°s 55 plis 9, 10 ou 236 pli 33 – Oise (60) Accès par l'A16 ou la N31-E46. Sa ceinture de boulevards longe le cours du Thérain au Sud et à l'Ouest. Nombreux parkings.

🛈 *1 r. Beauregard, 60000 Beauvais, ☎ 03 44 15 30 30.*

Le nom

Il vient de la peuplade des *Bellovaques,* installée dans un oppidum celtique, *Caesaromagus.* Au 3e s., la capitale gallo-romaine s'entoure d'une enceinte de 1 370 m.

Les gens

Agglomération 59 003 Beauvaisiens. Ils célèbrent chaque année *(fin juin)* leur héroïne Jeanne Hachette.

comprendre

Évêques et bourgeois – Très tôt, la cité devient un important siège épiscopal. Dès le 11e s., elle a pour seigneur un évêque souvent en conflit avec les bourgeois jaloux de leurs franchises.

Les tapisseries de Beauvais – Louis XIV fonde la manufacture royale de tapisserie en 1664, sur le conseil de Colbert. On y produit sur métiers horizontaux des œuvres très fines, en laine et soie. Elle devient manufacture d'État en 1804. Les ateliers, transférés à Aubusson en 1939, n'ont pu rejoindre Beauvais à cause de la destruction des bâtiments en 1940. Après un long séjour à Paris, les voici de retour au pays.

carnet pratique

RESTAURATION

• *Valeur sûre*

Petite France – *7 rte de Gisors - 60112 Crillon - 15 km au NO de Beauvais par D 149, D 901 puis D 133 -* ☎ *03 44 81 01 13 - fermé 13 août au 5 sept., dim. soir, lun. soir et mar. - 135/170F.* Une petite auberge avenante sur la route de Gisors. Derrière le bar, poutres et mobilier en bois simple décorent chaleureusement la salle intime aux tables serrées. Ses menus à prix sages séduiront les gourmands de passage.

HÉBERGEMENT

• *À bon compte*

Chambre d'hôte La Ferme du Colombier – *14 r. du Four-Jean-Legros - 60650 Savignies - 10 km au NO de Beauvais dir. Rouen puis D 1 -* ☎ *03 44 82 18 49 -* ✍ *- 4 ch. : 190/240F - repas 80F.* Un séjour à la ferme ! Ici, vos voisins seront les moutons de l'élevage des propriétaires. Les chambres, confortables et spacieuses, sont installées dans un bâtiment annexe. Cuisines à disposition. Renseignez-vous sur les circuits de randonnées organisées par vos hôtes.

LE TEMPS D'UN VERRE

Au Bureau – *8 r. des Jacobins -* ☎ *03 44 45 04 42 - Tlj 11h-1h.* Pas une ville du Nord sans son « Bureau ». Ces pubs chics de couleur vert et or se ressemblent tous mais il est vrai que la décoration est séduisante. Large bar en bois noir, banquettes hautes en velours et moquette, des établissements élégants et bien agencés.

Les P'Tits Trucs – *6 r. Philippe-de-Dreux -* ☎ *03 44 48 31 31 - Lun.-sam. 12h-22h.* Ce petit salon de thé occupe une charmante maison de grand-mère aux murs recouverts de glaces et de rideaux de perles blanches ou roses. Dans la salle, un abat-jour en dentelle un peu désuet et une forêt de plantes vertes. L'endroit bénéficie d'un très joli jardin fleuri.

SORTIES

Théâtre de Beauvais – *Pl. Georges-Brassens -* ☎ *03 44 06 08 20 - www.theatre-beauvais.com - Selon le calendrier des manifestations. Accueil : lun.-sam. 13h-19h. Fermé juil.-août.* Pièces de théâtre classiques et modernes, danse, one-man-show, musique, humour, expositions... Programmation annuelle disponible à l'office du tourisme.

Céramiques et vitraux – La poterie se rencontre au pays de Bray depuis l'époque gallo-romaine. D'abord utilitaire (récipients), elle devient un produit de qualité. Les terres vernissées et les grès fabriqués dès le 15ᵉ s. ont fait de la région l'un des grands centres céramiques français. Vers 1850, les potiers de Lhéraule, Lachapelle-aux-Pots, Savignies disparaissent au profit des faïenceries puis des tuileries. Des potiers d'art s'installent près de ces usines. Les vitraux beauvaisiens du 16ᵉ s. sont aussi célèbres.

découvrir

L'ENSEMBLE ÉPISCOPAL ET SES ALENTOURS
(env. 3/4h)
Se garer dans le centre (pl. J.-Hachette, pl. des Halles...).

Place Jeanne-Hachette
Jolie statue de l'illustre Beauvaisienne, en face de l'hôtel de ville dont la façade (18ᵉ s.) restaurée est mise en valeur, la nuit tombée, par un bel éclairage.
Prendre la courte rue de la Frette puis, à droite, la rue Beauregard. Tourner à gauche dans la rue Saint-Pierre.

C'est son maniement de la hachette qui valut à Jeanne Lainé, vaillante Beauvaisienne, le nom sous lequel elle est entrée dans l'Histoire.

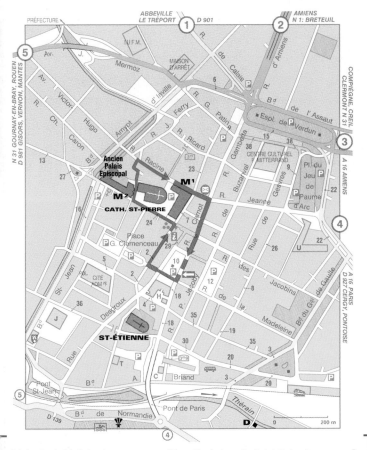

Vestiges

Au coin, quelques restes de la **collégiale St-Barthélemy** et en face, derrière la galerie nationale de la Tapisserie subsistent les ruines de **remparts gallo-romains**.

Dans la rue Saint-Pierre qui longe la cathédrale, prendre à droite la rue du Musée puis celle de l'Abbé-Gelée.

Ancien palais épiscopal

La porte fortifiée (14ᵉ s.) est flanquée de deux grosses tours à toits en poivrière. Au fond de la cour se dresse le corps central du palais. Incendié en 1472 par les Bourguignons, il est reconstruit vers 1500 et conserve sa façade Renaissance. Les bâtiments abritent le Musée départemental de l'Oise.

Maisons anciennes

La plus vieille maison de Beauvais, nommée **Maison François Iᵉʳ** (15ᵉ s.), a été démontée de la rue Oudry et reconstruite rue de l'Abbé-Gelée.

Prendre à droite la rue J.-Racine et encore à droite la rue Carnot pour rejoindre la pl. J.-Hachette.

FINANCEMENT
La porterie a été construite grâce aux 8000 livres d'amende que la ville paya suite à l'émeute de 1306 et au sac de l'évêché.

---

visiter

Cathédrale St-Pierre★★★

De la cathédrale originelle ou **Basse-Œuvre**, ne restent que trois travées de la nef. En 949, une autre cathédrale est construite. Deux incendies la détruisent. L'évêque et le chapitre décident alors d'ériger la plus vaste église de l'époque, un **Nouvel-Œuvre** dédié à saint Pierre.

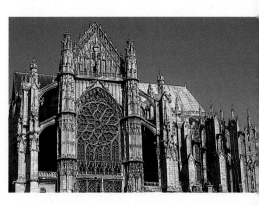

La physionomie particulière de la cathédrale tient autant au drame technique de sa construction qu'au manque de fonds nécessaires à son achèvement.

Dès le commencement du chœur, en 1238, l'ambition consiste à défier les architectes. La hauteur sous clé de voûte sera de 48 m, ce qui donne aux combles une élévation de 68 m, celle des tours de N.-D. de Paris à un mètre près. Mais les architectes ont préjugé de leur habileté : piliers trop espacés, culées des contreforts trop légères. Un éboulement se produit en 1284. Le chœur sera sauvé au prix de 40 ans de labeur. On renforce les culées et les grandes arcades des travées droites du chœur, on multiplie les arcs-boutants. Arrive alors la guerre de Cent Ans. Le chantier s'arrête. Le travail reprend en 1500, les fonds viennent en partie du commerce des indulgences.

Le transept est achevé en 1550. Mais au lieu d'ériger la nef, on élève une tour à la croisée du transept, surmontée d'une flèche. Sa croix, posée en 1569, se dresse à 153 m. Comme la nef fait défaut pour contrebuter les poussées, les piliers cèdent en 1573, le jour de l'Ascension, la procession vient de quitter l'église. Dès lors, les efforts et sacrifices du clergé et des habitants ne permettent que la restauration du chœur et du transept. La cathédrale inachevée fait une croix sur sa flèche et sa nef !

Chevet★ – Chœur (13ᵉ s.) contrebuté, comme les croisillons flamboyants, par des arcs-boutants portant sur de hautes culées qui s'élèvent jusqu'aux combles.

Façade du croisillon Sud – Riche décor. **Portail de St-Pierre**, orné de niches aux dais ajourés, flanqué de deux hautes tourelles et surmonté d'une belle rose.

Intérieur★★★ – Le vertige vous gagne en pénétrant sous ces voûtes prodigieuses (48 m). Le transept aux amples proportions mesure 58 m de long. Chœur très élégant, triforium à claire-voie, fenêtres de 18 m de haut. Sept chapelles s'ouvrent sur le déambulatoire.

L'horloge astronomique★, construite de 1865 à 1868 par l'ingénieur Louis-Auguste Vérité, compte 90 000 pièces. Sa base ressemble à une forteresse aux multiples fenêtres. 52 cadrans indiquent la longueur des jours et des nuits, les saisons... À droite, le carillon de l'ancienne horloge du 14ᵉ s. joue des cantiques. *Son et lumière (1/2h) à 10h40, 11h40, 14h40, 15h40, 16h40 (juil-août : spectacles supp. à 12h40 et 17h40). Fermé 1ʳᵉ sem. de janv. et 1ʳᵉ sem. de fév. 22F (enf. : 5F).* ☎ 03 44 48 11 60.

Basse-Œuvre – Vestige de la cathédrale du 10ᵉ s. bâtie en petits moellons gallo-romains de récupération. Elle servit d'église paroissiale jusqu'en 1789.

À VOIR

Les **vitraux★★** éclairent magnifiquement le transept. Le Père éternel préside le médaillon central de la rose Sud. En dessous et en deux registres, dix prophètes et dix apôtres. En face (croisillon sud), dix sibylles répondent aux prophètes.

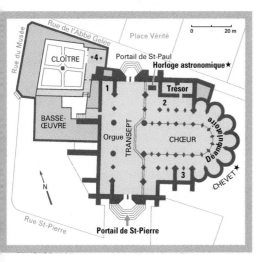

1. Vitrail de « Roncherolles » (1522)
2. Horloge du 14 s.
3. Retable du 16 s.
4. Salle du chapitre

Détail de l'**Arbre de Jessé★★★**, chef-d'œuvre d'Engrand.

Église St-Étienne★

Nef et transept romans, corniches à modillons dites « beauvaisiennes ». Chœur du début du 16ᵉ s., style flamboyant épuré. La tour qui flanque la façade servait de beffroi municipal. Bas-côté gauche : portail roman au tympan et voussures finement ciselés. Une roue de fortune symbolise l'instabilité des choses humaines (façade croisillon Nord). Magnifiques **vitraux★★** Renaissance.

Musée départemental de l'Oise★

De juil. à mi-oct. : tlj sf mar. 10h-18h ; de mi-oct. à fin juin : tlj sf mar. 10h-12h, 14h-18h. Fermé 1ᵉʳ janv., Pâques, Pentecôte, 1ᵉʳ mai, 1ᵉʳ nov., 25 déc. 10F, gratuit mer. ☎ 03 44 11 43 83. Les collections se déploient sur 4 niveaux.

Cours d'entrée. Collections du Moyen Âge : sculptures sur bois provenant d'églises et d'abbayes, fragments sculptés de maisons à pans de bois, fresques.

Caves (12ᵉ et 16ᵉ s.) : archéologie régionale. Parmi les collections, beau guerrier gaulois de St-Maur, statuette en tôle de laiton (1ᵉʳ s.) et la stèle du Mercure barbu (3ᵉ s.).

Étages : Beaux-Arts du 16ᵉ au 20ᵉ s., peintures surtout. École française du 16ᵉ s., écoles française et italienne des 17ᵉ et 18ᵉ s. Paysagistes français du 19ᵉ s., dont **Corot** et **Huet**. Mobilier Art nouveau, tapisseries de Beauvais, ambiance Belle Époque et Années folles. Céramiques du Beauvaisis sous la belle **charpente** du 16ᵉ s.

À NE PAS MANQUER

Paris le vieux pont St-Michel et *La vasque de l'Académie de France à Rome,* par Camille Corot.

Galerie nationale de la Tapisserie

Avr.-sept. : tlj sf lun. 9h30-12h, 14h-18h30 (dernière entrée 1/2h av. fermeture) ; oct.-mars : tlj sf lun. 10h-12h, 14h30-17h. Fermé 1ᵉʳ janv., 1ᵉʳ mai, 25 déc. 25F. ☎ 03 44 05 14 28.

Dans un bâtiment bas au chevet de la cathédrale. Expositions renouvelées, panorama de la tapisserie française du 15ᵉ s. à nos jours.

Manufacture nationale de la Tapisserie

♿ *Visite guidée (3/4h) mar., mer., jeu. à 14h15 et 15h30. Fermé j. fériés. 21F. ☎ 03 44 05 14 28.*

Aménagée depuis 1989 dans les anciens abattoirs. Une dizaine de métiers horizontaux. Les lissiers œuvrent à la lumière naturelle d'après le carton de l'artiste, sur l'envers de la tapisserie, surveillant leur ouvrage au moyen d'un miroir. Toute la production est réservée à l'État.

Église de Marissel *(1,5 km à l'Est)*

R. de Clermont et r. de Marissel, en biais, à droite. Visite possible sur demande. ☎ 03 44 05 46 43.

L'église de ce village devenu faubourg de Beauvais s'élève sur un terre-plein d'où la masse de la cathédrale apparaît à 2 km. Façade du 16ᵉ s. au portail de style flamboyant. Le chevet a une absidiole romane coincée entre le chœur et le transept gothiques.

> **SUJET D'INSPIRATION**
> Corot immortalisa l'église de Marissel en 1866. La toile est aujourd'hui exposée au Louvre.

alentours

Château de Troissereux *(8 km au Nord-Ouest)*

Visite guidée (1h) 14h-18h (visite-conférence de l'horloge médiévale : 14h15). Fermé 25 déc. 45F (supp. horloge 15F). ☎ 03 44 79 00 00.

Ce château (16ᵉ-17ᵉ s.) Renaissance se pare de briques rouges, de pierres et d'ardoises. L'intérieur garde son décor et son mobilier du 18ᵉ s. Pavillon de la cour d'honneur : ancien mouvement d'horloge. Parc à l'anglaise agrémenté de pièces d'eau et d'un « grand canal ».

Gerberoy★★ *(voir ce nom)*

Forêt de Hez *(16 km à l'Est de Beauvais par la N 31)*

Elle occupe un massif accidenté retombant au Nord sur la plaine de Picardie et au Sud sur la vallée du Thérain. Essences variées et belles futaies (hêtres et chênes).

Agnetz *(20 km à l'Est ; à droite, avant Clermont)*

L'**église** dépendait d'un prieuré de l'abbaye de St-Germer-de-Fly, d'où ses dimensions. Puissant clocher (14ᵉ s.) allégé sur chaque face par trois baies gothiques géminées de style rayonnant. L'abside flamboyante est du 16ᵉ s. *Dim. ap.-midi.*

Clermont *(22 km à l'Est par N 31, après Agnetz)*

Comté rattaché à la couronne de France par Philippe Auguste en 1218. Le sixième fils de Saint Louis, Robert le reçoit en apanage et épouse Béatrice de Bourbon, héritière de l'ancienne famille. Leur descendance prend alors le nom de Bourbon.

Laisser la voiture rue du Châtellier et redescendre en ville par la rue de la Porte-de-Nointel passant sous un arc.

Ancien hôtel de ville – Un beffroi fluet surmonte le pignon. Trois statues (Saint Louis, Robert de Clermont, Charles IV le Bel) évoquent les attaches de la ville.

Écomusée des Pays de l'Oise

Sa mission : promouvoir le patrimoine régional à travers plusieurs antennes qui font revivre les activités rurales.

Auchy-la-Montagne : Maison des savoir-faire – *17 km au Nord par D 149 puis D 11.* Au centre du village, dans les bâtiments restaurés d'une ancienne forge. Un forgeron reproduit les gestes ancestraux. ♿ *Avr.-oct. : les trois 1ᵉʳ dim. du mois 14h-18h. 15F. ☎ 03 44 45 88 10.*

> **DYNASTIE**
> La lignée des Bourbons s'interrompt lorsque Suzanne de Bourbon et Charles III meurent sans héritier. Une branche cadette de la dynastie se perpétue cependant, avec Charles de Bourbon. Son fils Antoine reçoit la couronne de Navarre qu'il transmet à son fils Henri, futur Henri IV.

Hétomesnil : Conservatoire de la vie agricole et rurale – *25 km au Nord par D 149 puis D 151.* Dans le cadre d'une imposante ferme (1852) qui servit de ferme-école au 19e s., découverte du monde agricole : machines-outils, cabane mobile de berger, anciens métiers du bois... *Mai-août : tlj sf lun. et mar. 14h-17h30 ; avr. et sept.-oct : w.-end et j. fériés 14h-17h30. 25F.* ☎ *03 44 46 32 20.*

St-Félix : Moulin-musée de la brosserie – *18 km au Sud-Est.* À l'intérieur du moulin de l'ancienne brosserie dont l'activité a cessé depuis 1979, on suit la fabrication d'une brosse de toilette, qui nécessite plus de 40 opérations. ⚲ *Avr.-oct. : visite guidée (1h1/2, dernier dép. : 17h) tlj sf mar. 14h30-18h30. 30F.* ☎ *03 44 45 88 10.*

Méru : Musée de la Nacre et de la Tabletterie – *25 km au Sud par la D 927.* Le bouton et le domino de A à Z (reconstitution d'ateliers de fabrication). Exposition ludique des objets de tabletteries dont une belle collection d'éventails. *Tlj sf mar. 14h30-18h30. 30F (enf. : 15F).* ☎ *03 44 45 88 10.*

circuit

LE PAYS DE BRAY *(58 km – env. 2h)*

Incisés comme une boutonnière dans la craie du Bassin parisien, le pays de Bray et ses hautes côtes séduisent par leurs larges panoramas. Bocages plantés de pommiers, vallons aux courbes légères.

Quitter Beauvais par l'av. J.-Mermoz, tourner à gauche vers Gisors. Au carrefour central d'Auneuil, à droite. Au carrefour de Troussures, à gauche. Traverser Le Vauroux. À Lalandelle, suivre « Table d'orientation ».

Table d'orientation des Neuf-Frênes

Panorama sur la dépression du Bray.

Prendre à gauche, au début de la descente pour rester sur le plateau.

On traverse le long « village-rue » du Coudray-St-Germer puis on descend vers le fond du Bray. **Vue** étendue sur Gournay. L'église St-Germer-de-Fly se dresse au 1er plan.

St-Germer-de-Fly

Ce bourg possède une immense **église**★ érigée au 12e s., écrasant de sa masse les demeures groupées à ses pieds. Saint Germer y fonda une abbaye au 7e s. Dans une chapelle rayonnante, autel roman orné d'arcatures. Un couloir voûté conduit à une élégante Ste-Chapelle (13e s.), sur le modèle du célèbre sanctuaire parisien.

Faire demi-tour. À la bifurcation de Fla, prendre la D 109 vers Cuigy-en-Bray et Espaubourg. La petite route longe le pied de l'abrupt du Bray. À St-Aubin-en-Bray, tourner à gauche. Traverser la nationale aux Fontainettes.

> **LE SAVIEZ-VOUS ?**
> Le pays de Bray a vu naître le célèbre « petit-suisse » de Charles Gervais.

> **C**ette ancienne abbatiale, construite entre 1150 et 1175, est un des types les plus remarquables du style gothique primitif. Le chœur est la partie la plus intéressante de l'église, avec ses tribunes à baies en plein cintre et son triforium à baies rectangulaires.

Construite au 12 s., l'ancienne abbatiale de St-Germer-de-Fly compte parmi les plus beaux exemples de style gothique primitif.

Les Fontainettes

Fabrication de poteries de jardin et de tuyaux de grès. Cette région très accidentée et boisée est l'ancien pays de la céramique et de la poterie beauvaisiennes.

Lachapelle-aux-Pots

Ancien village de potiers.

Musée de la Poterie – Exposition de grès. Œuvres de potiers locaux : Delaherche et Klingsor. 👍 *Avr.-oct. : t[i] sf lun. 14h-18h, w.-end et j. fériés 14h30-18h30. Ferm[é] Pâques et Pentecôte. 10F. ☎ 03 44 04 50 70.*

Savignies

Ce charmant village était le berceau de la poterie, supplanté au 19e s. par Lachapelle, favorisé par s[a] ligne ferroviaire. L'habitat porte encore les traces d[e] cette industrie et quelques artistes perpétuent l[a] tradition.

Forêt du Parc St-Quentin

Belles futaies de chênes. À la sortie de la forêt apparaî[t] la masse de la cathédrale de Beauvais.

Berck-sur-Mer ♨

Sur l'écusson de la ville, on voit une couronne e[t] des poissons. Cette station de la Côte d'Opale, balnéaire, familiale et climatique, déploie so[n] immense plage de sable jusqu'à l'embouchure de l[a] Canche. L'enfant y est roi, et l'air le plus iodé d[u] Pas-de-Calais.

La situation

Cartes Michelin n°s 51 pli 11 ou 236 pli 11 – Pas-de-Calai[s] (62). Accès par la D 940 ou par l'A 16 puis la D 303. 🛈 *5 av. F.-Tattegrain, 62600 Berck-sur-Mer, ☎ 03 21 0[9] 50 00.*

Le nom

Le dégoût n'y est pour rien! Ce nom vient de *barquett[e]* (petite barque), de *birk*, « petit chêne », de *bergue* « marais » en flamand ou du teuton *berg*, « grande dune ».

Les gens

14 378 Berckois. Savent-ils que leur plage sert de déco[r] aux aventures désopilantes de Jean-Claude Tergal, héro[s] d'une BD de Tronchet ?

carnet pratique

Séjourner

La station est réputée pour le traitement des maladies osseuses et des séquelles d'accidents de la route. Son centre de cure est né du dévouement de **Marianne Brillard**, dite Marianne « toute seule » parce qu'elle avait perdu son mari et ses 4 enfants ; elle recevait, vers 1850, les petits « souffreteux, scrofuleux, malingres ». Devant son succès, l'Assistance publique s'intéressa à Berck et créa le 1er hôpital maritime, inauguré par l'impératrice Eugénie.

Phare – Au-delà de l'hôpital maritime, le phare, reconstruit après la guerre, culmine à 40 m de hauteur.

Musée – Œuvres d'artistes locaux, reconstitution d'un intérieur berckois traditionnel, maquettes de bateaux évoquant l'époque où Berck était un port de pêche. Résultat des fouilles subaquatiques réalisées dans le Nord. *60 r. de l'Impératrice. Fermé pour travaux.*

Parc d'attractions de Bagatelle★

5 km par la D940 vers Le Touquet. & Avr.-sept. : 10h-19h. 102F (3-7 ans : 82F). ☎ 03 21 89 09 99.

16 ha de plaisir en famille. Zoo, spectacles et attractions : petit train, mini-golf, grande roue,... plus spectaculaires : la Mine d'or engloutie et le Ciné Dynamik.

Bergues★★

Ses rues sinueuses, ses vastes places et ses quais silencieux rappellent Bruges. Ses briques ocre-jaune se reflètent dans les douves et les canaux. Ancienne rivale de Dunkerque, Bergues fut très endommagée en 1940. Brillamment reconstruite, elle conserve son caractère ancien, sobre et harmonieux.

La situation

Cartes Michelin n°s 51 pli 4 ou 236 pli 4 – Nord (59). La ville est à 40 km du tunnel sous la Manche. Entourée de remparts et de canaux. Accès par l'A16 ou l'A25. **🅱** *Pl. de la République, 59380 Bergues, ☎ 03 28 68 71 06.*

Le nom

Il vient de *Groenberg*, allusion au « Mont vert », foyer de peuplement initial. Évangélisée par saint Winoc, la ville prend le nom de *Bergues-Saint-Winoc* jusqu'en 1789.

Les gens

4 209 Berguois. En 1833, **Lamartine** devient député de Bergues. Se doute-t-il alors qu'il inspirera la création du géant de la ville ? Il séjournera à l'hôtel de la Tête d'or, place de la République. Son buste trône en façade de l'hôtel de ville.

La cuvée de printemps est très attendue de tous les amateurs de bière.

carnet pratique

découvrir

Du sommet du beffroi, vous dominerez toute la plaine de Flandre.

LA VILLE FORTIFIÉE *(6 km, env. 2h30)*

L'enceinte fortifiée, percée de 4 portes, est cernée de fossés en eau. Certains éléments remontent au Moyen Âge ; d'autres sont du 17ᵉ s., aménagés par Vauban.

Au départ du beffroi, pl. de la République.

Beffroi

9h30-12h30, 14h-18h, w.-end et j. fériés 9h30-12h30, 14h-18h30 (hors sais. : 9h30-12h, 14h-18h, w.-end et j. fériés 10h-12h, 14h-17h30). 10F. ☎ 03 28 68 71 06.

Commencé au 14ᵉ s., refait au 16ᵉ s., il fut dynamité par les Allemands en 1944. P. Gélis dirige sa reconstruction en 1961 et conserve ses grandes lignes initiales en simplifiant le décor extérieur. Appareillage de briques jaunes (« briques de sable »). Le lion de Flandre culmine à 47 m et le **carillon** compte 50 cloches. *Concert de carillon lun. à 11h, veilles de fêtes à 17h. Renseignements auprès de l'Office de tourisme.*

Rejoindre la porte de Cassel par la rue M.-Cornette.

Porte de Cassel

Édifice du 17ᵉ s. avec **pont-levis**. Son fronton triangulaire porte un soleil sculpté, emblème de Louis XIV. Du côté extérieur, perspective à droite sur la **courtine médiévale** montant en direction des tours St-Winoc.

S'engager sur le rempart Ouest.

Rempart Ouest

Dressé en 1635. Après la **poudrière du moulin**, on accède à la **tour Nekestor**, héritage des ducs de Bourgogne. Le rempart se prolonge ensuite vers la **porte de Bierne** (16ᵉ s.) avec pont-levis. Vues sur les **ruines d'une tour médiévale** et sur d'**anciennes écluses**.

Monter sur le rempart Nord par l'escalier à droite de la porte du Quai.

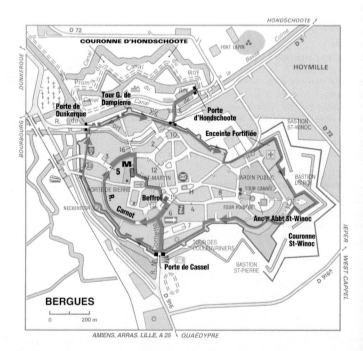

BERGUES

0   200 m

AMIENS, ARRAS, LILLE, A 25 \ QUAÉDYPRE

Rempart Nord

Il relie la **porte de Dunkerque** qui domine l'entrée du canal intérieur, la **tour Guy-de-Dampierre** (1286), 22e comte de Flandre et la première **porte d'Hondschoote**.

Quitter l'enceinte par la porte d'Hondschoote et l'avenue Vauban.

Couronne d'Hondschoote★

Vauban s'est servi des bras de la Colme pour créer ce système de bastions et de demi-lunes. Le dispositif tient son nom de son plan en couronne. À partir de la deuxième **porte d'Hondschoote**, promenade à l'intérieur de la couronne, le long du **canal du Roy**.

Revenir sur ses pas et remonter sur le rempart.

Couronne et abbaye de saint Winoc

La couronne de St-Winoc protégeait l'abbaye du même nom. Elle comprend trois puissants **bastions** (1672-1692) : celui de saint Winoc, celui du roi *(pl. C.-de-Crocq)* et celui de saint Pierre (casematé). De la couronne, on rejoint le site de l'**abbaye** en traversant l'avenue du Gén.-de-Gaulle. Quelques vestiges subsistent de cet établissement bénédictin. L'ensemble a été détruit en 1789, sauf la porte d'entrée en marbre (18e s.), la Tour Pointue (refaite en 1815) marquant l'emplacement de la façade de l'abbatiale, et la tour carrée (12e-13e s.) de croisée de transept.

Reprendre la promenade des remparts au niveau du 3e bastion (saint-Pierre) de la couronne de St-Winoc.

Rempart Sud

Trois petites tours rondes du 13e s. précèdent celle des Faux-Monnayeurs puis celle des Couleuvriniers. On retrouve la porte de Cassel.

Remonter la rue M.-Cornette et prendre à gauche la rue Carnot qui se prolonge en rue Faidherbe.

Rues Carnot et Faidherbe

Succession de jolies façades (18e s.). Beaux hôtels particuliers, dont celui **de Hau de Staplande**, rue Carnot.

Dans la rue Faidherbe, prendre à droite la rue du-Mont-de-piété.

Mont-de-piété

Élégant bâtiment de briques et pierres blanches. Son pignon baroque présente une ingénieuse composition d'éléments décoratifs : pilastres, niches, cartouches, frontons. Le mont-de-piété de Bergues est inauguré en 1633 et son activité se poursuit jusqu'en 1848. Il abrite le musée municipal depuis 1953.

On retrouve le beffroi en contournant l'église face au mont-de-piété et en prenant la rue de la Gare.

> **À SAVOIR**
> Les deux demi-lunes entourées de profonds fossés en eau peuplés de poissons et de crevettes servent aujourd'hui de réserve ornithologique.

> **LE MAÎTRE-D'ŒUVRE**
> Wenceslas Coebergher (1561-1634), peintre, architecte, économiste et ingénieur, érigea également les monts-de-piété d'Arras, de Cambrai, de Douai, de Valenciennes...

Les monts-de-piété devaient réprimer les abus commis dans les établissements de prêts tenus par les Lombards.

Bergues devint française par le traité d'Aix-la-Chapelle en 1668.

visiter

Musée municipal

Tlj sf mar. 10h-12h, 14h-17h. Fermé en janv. 15F. ☎ *03 28 68 13 30.*

> **À voir**
> À l'étage, le *Joueur de vielle,* vaste toile de **Georges de la Tour** (1593-1652), période diurne de l'artiste.

◀ Écoles flamande (16e-17e s.), hollandaise, française et italienne. Esquisse de Rubens, portraits de Van Dyck, Cossiers et Simon de Vos. Section d'histoire naturelle au 2e étage (oiseaux et papillons). Collection de dessins du 15e au 19e s. exposés par roulement (Poussin, Lebrun, Tiepolo, etc.).

alentours

Quaëdypre

5 km au Sud-Est par la D 916 puis la D 37.
Village sur une légère éminence. **Église-halle** à trois nefs égales. Boiseries sculptées (17e s.) : maître-autel orné d'une toile anversoise de Goubau, maître de Largillière. Table de communion, chaire et confessionnaux de l'église des dominicains de Bergues. Buffet d'orgues et stalles de St-Winoc de Bergues. *Possibilité de visite guidée sur demande auprès de la mairie.* ☎ *03 28 68 66 03.*

West-Cappel

10 km au Sud-Est par la D 110 puis D 4.
Église St-Sylvestre – Reconstruite au 16e s. en « brique de sable ». *Visite guidée 9h-12h, 14h-18h. S'adresser à M. Degrand, 122 r. du Sénateur-Vandaele.*

Moulin « Den Leeuw »

8 km au Sud par la D 916, puis à droite la D 110. De fin avr. à fin sept. : visite guidée (1/2h) 3e dim. du mois 15h-19h. 10F. ☎ *03 28 62 10 90.*
Sur la commune de **Pitgam**, ce moulin à farine, sur pivot, en bois, de 1776 a été récemment restauré.

Esquelbecq

8 km au Sud, par D 916 et D 417 à droite.
Bourg typiquement flamand sur l'Yser, avec sa **Grand-Place★**, sa vaste église et ses maisons en brique. On y brasse la blonde et l'ambrée d'Esquelbecq.

> **ORIGINAL**
> Tableau en céramique de St-Omer illustrant la Crucifixion (17e s.).

◀ **Église-halle** – Cet édifice (16e s.) arbore une façade de briques dessinant des losanges sous trois pignons pointus correspondant aux nefs. Au pinacle central, statue de saint Folquin, évêque de Thérouanne.

Château – *On ne visite pas.* Les pignons à redans et les tours coiffées de toits en poivrière se reflètent dans les douves alimentées par l'Yser. L'édifice d'aspect féodal n'a pas changé depuis le temps où Sanderus le croquait dans une estampe de sa *Flandria illustrata* (1641).

Château de **Bertangles**

Sur la route des invasions, Bertangles sera incendié et détruit à maintes reprises. Heureusement, les temps changent, et le château actuel, qui remonte au 18ᵉ s., a complètement renoncé à sa fonction défensive.

La situation

Cartes Michelin nᵒˢ 52 pli 8 ou 236 pli 24 – Somme (80). À 10 km au Nord d'Amiens. Accès par la N 25.

Les gens

L'édifice actuel a été érigé à l'initiative de Louis-Joseph de Clermont-Tonnerre, comte de Thoury. Il demeure aujourd'hui la propriété de la famille.

visiter

De juil. à fin août : visite guidée (3/4h) à 17h30. 25F. ☎ 03 22 93 68 36.

L'édifice en pierre de taille et aux ailes saillantes forme un ensemble harmonieux, de style Régence. Façades décorées de sculptures qui symbolisent la paix : les Trois Grâces, les Quatre Saisons, les masques de la comédie italienne, les instruments de musique...

Intérieur – Escalier : bel exemple de stéréotomie et jolie rampe en fer forgé. Salons revêtus de boiseries en chêne. Une tapisserie d'Aubusson (salle à manger) montre le triomphe d'Alexandre à Babylone.

La grille d'honneur, ode à la chasse, est un chef-d'œuvre de Jean Veyren, dit « Le Vivarais », serrurier à Corbie.

Cour de ferme attenante – On peut y voir un grand pigeonnier (1 800 nids) et un curieux tourniquet à eau, réplique d'une noria espagnole, qui permettait de puiser l'eau située à 70 m de profondeur.

alentours

Villers-Bocage

4 km au Nord par la D 97 et la N 25.
Dans l'**église** (13ᵉ-16ᵉ s.), *Mise au tombeau* du 16ᵉ s. Personnages expressifs et vêtements féminins, aux riches ajustements, typiques de la Renaissance.

Béthune

Gambrinus, le Roi de la Bière, tel est le nom et la réputation du géant de Béthune. Cette ancienne place forte à la Vauban située dans une plaine fertile du pays minier est également un important port fluvial, relié à la Lys et à la Deule par le canal d'Aire.

La situation

Cartes Michelin n°s 51 pli 14 ou 236 pli 15 – Pas-de-Calais (62). Par l'A 26, accès par le Sud de la ville. De Lille, suivre la N 41.

🛈 *Le Beffroi, Grand'Place, 62400 Béthune,* ☎ *03 21 5. 25 47.*

Le nom

Béthune viendrait de la conjonction de deux mots celtes *bey*, signifiant « près de... », et *thune* ou *thun*, qui désigne une « haie », un « buisson », voire une « maison », une « ferme » ou un « village ».

◀ ## Les gens

Agglomération 259 198 Béthunois. Leurs ancêtres étaient à moitié sauvages. Retirés en forêt, ils vivaient de la chasse. Mieux valait ne pas les provoquer : leurs massues ne les quittaient jamais. Les deux gaillards barbus et armés de leur gourdin qui figurent sur les armes de la ville symbolisent cet état primitif des premiers occupants.

CHARITABLES BÉTHUNOIS

Au 12e s., alors que la peste dévaste la région et que les fossoyeurs manquent, deux maréchaux-ferrants de Béthune et Beuvry fondent une confrérie de « Charitables » pour se charger des sépultures. Ses membres assurent encore le transport des cercueils vers l'église et le cimetière. À la chapelle St-Éloi de Quinty *(1 km à l'Est de Béthune, sur la N 41)* se déroule chaque année la « procession à Naviaux », où se rencontrent les prévôts de Béthune et Beuvry, plus 38 autres confréries.

se promener

Grand'Place et beffroi

Entourés de jolies maisons, ils témoignent d'un style purement flamand. Au centre, imposant **beffroi** de grès (30 m), élevé au 14e s. Échauguettes d'angle et campanile surmonté d'une loge de guetteur. Il comporte trois étages et abrite un joli carillon. La tour de briques de l'église St-Vaast complète le décor.

La tour de l'église St-Vaast domine les maisons de la Grand'Place.

carnet pratique

RESTAURATION

• **Valeur sûre**

La Ripaille – *20 Grand-Place* - ☎ *03 21 56 22 33 - fermé 24 déc. au 7 janv., lun. soir et dim. - réserv. le w.-end - 140/190F.* Dans une vieille maison flamande de la Grand'Place, ce restaurant tout en longueur est au pied du beffroi. Ici, la carte change au rythme des saisons mais les spécialités régionales gardent la vedette. La bonne adresse pour faire ripaille !

HÉBERGEMENT

• **Valeur sûre**

Hôtel La Chartreuse du Val St-Esprit – *62199 Gosnay - 5 km au SO de Béthune par N 41 puis D 181 -* ☎ *03 21 62 80 00 -* 🅿 *- 65 ch. : 430/900F -* ⏝ *65F - restaurant 185/365F.* Derrière ce majestueux portail, vous serez accueilli dans un petit château construit au 18ᵉ s. sur le site d'une ancienne chartreuse. Séjour paisible garanti dans ses chambres personnalisées qui donnent sur un beau parc ombragé.

alentours

Hesdigneul-lès-Béthune *(4 km au Sud-Ouest)*
L'église, avec son clocher-porche, possède une belle voûte de chœur (15ᵉ s.) en étoile, décorative et originale. *14h-17h. Mairie.* ☎ *03 21 53 62 82.*

Blérancourt

Quelques parties subsistent de l'ancien fief du duc de Gesvres, secrétaire d'État d'Henri IV. Représentatif de l'architecture française de la première moitié du 17ᵉ s., ce château a été construit par Salomon de Brosse et achevé par François Mansart. Abandonné en 1789, il trouve une seconde vie en 1917 sous l'impulsion d'une certaine Miss Morgan.

La situation

Cartes Michelin nᵒˢ 56 pli 3 ou 236 plis 36, 37 – Aisne (02). Accès par l'A 1. Venant de Paris, direction Soissons. De Lille-Valenciennes, la D 934, direction Noyon.

Les gens

1 193 Blérancourtois. Entre 1776 et 1792, ils voient arriver le conventionnel St-Just. La Grande Guerre marqua l'arrivée de Miss Ann Morgan et d'un groupe d'Américaines venues aider les populations meurtries.

« *Coiffure à l'Indépendance ou le Triomphe de la liberté* ».

visiter

Musée national de la Coopération franco-américaine

& *Tlj sf mar. 10h-12h30, 14h-17h30. Fermé 1ᵉʳ janv., 1ᵉʳ mai, 25 déc. 16F, gratuit 1ᵉʳ dim. du mois.* ☎ *03 23 39 60 16.* Deux portes monumentales donnent sur la cour d'honneur cernée de douves. Pavillons droit et gauche : bibliothèque et salle consacrée à Miss Morgan. Ailes du musée : souvenirs de la guerre d'Indépendance. Peintures et sculptures exécutées entre 1800 et 1945 par des artistes français installés aux États-Unis et par des artistes américains en France. Présentation de l'aide humanitaire américaine pendant la Grande Guerre. Jardins d'essences américaines et arboretum.

> **À VOIR**
>
> Portrait de *Peggy Guggenheim* par Alfred Courmes (1926). *Nature morte* dépouillée de J. F. Peto (vers 1900).

Maison de Saint-Just

Tlj mar., mer., jeu. 9h-12h, 14h-17h, lun., sam. 14h-17h, ven. 9h-12h. Fermé dim. (sf juin.-sept. : 14h-30-17h30) et j. fériés. Gratuit.
Louis-Antoine de Saint-Just arrive à Blérancourt en 1776 et occupe cette demeure avec sa famille. Il ne quittera le bourg que pour siéger à la Convention après son élection en 1792. À la Révolution, il rejoint le groupe des Montagnards fondé par Robespierre et se positionne en faveur du régicide. Membre du Comité de salut public en 1793, il devient le théoricien de la Terreur et sera lui-même guillotiné en 1794. Sa maison restaurée abrite une exposition permanente évoquant sa vie.

Boulogne-sur-Mer ★★

Ville rude mais attachante. Ses embruns iodés, ses rues festives et sa criée matinale s'apprécient en toute saison. L'ancienne cité romaine, puis napoléonienne, est aujourd'hui le plus grand centre européen de transformation et d'échange des produits de la mer. Une escale obligée : Nausicaa. Une escapade improvisée : Folkestone et Canterbury.

La situation

Cartes Michelin nos 51 plis 1, 2 ou 236 plis 1, 2 – Pas-de-Calais (62). Au débouché de la vallée de la Liane, la cité s'entoure de hautes collines. Prendre l'A 16. **⮱** *Quai de la Poste, Forum Jean-Noël, 62200 Boulogne-sur-Mer,* ☎ *03 21 31 68 38.*

Le nom

Il dériverait de *Bononia*, oppidum celtique voisin du port primitif.

Les gens

Agglomération 92 704 Boulonnais. Parmi les plus illustres, **Frédéric Sauvage** (1786-1857) qui applique l'hélice à la navigation à vapeur, **Sainte-Beuve** (1804-1869) et **Auguste Mariette** (1821-1881).

> **LE CRAQUELIN DE BOULOGNE**
> Cette pâtisserie riche en beurre dessine un 8 et se consomme traditionnellement à Noël, après la messe de minuit, en buvant une tasse de « roustintin » (chocolat parfumé au kirsch).

---

comprendre

Le miracle Notre-Dame – En 636, un vaisseau sans voilure ni équipage accoste sur la grève. À son bord, une statue de la Vierge. Au même instant, dans la chapelle située à l'emplacement de la basilique, des fidèles sont avertis de l'événement par une apparition de Notre-Dame. Ce miracle est à l'origine du **pèlerinage** qu'accompliront 14 rois de France et 5 rois d'Angleterre.

Cité impériale – En 1803, Bonaparte rassemble son armée au **camp de Boulogne** pour envahir l'Angleterre. Le 26 août 1805, il renonce à ce projet et lance la Grande Armée contre l'Autriche. En 1840, le futur Napoléon III tente de soulever le port contre Louis-Philippe. C'est un échec : le voilà enfermé au fort de Ham.

Mariette, père de l'égyptologie – En 1850, le jeune Boulonnais attaché au Louvre part au Caire en quête de manuscrits coptes. À défaut de manuscrits, il découvre le Serapeum de Memphis, ancienne capitale des pharaons. Pendant 30 ans, il sillonne et fouille l'Égypte. Il crée le musée de Boulaq, ancêtre de l'actuel Musée égyptien du Caire et institue le service des Antiquités de l'Égypte. Les Égyptiens l'élèvent au rang de « pacha » en 1879.

> **RÉCUPÉRATION POLITIQUE**
> Louis XI utilisa le prestige de N.-D. de Boulogne pour s'emparer du comté, alors propriété des ducs de Bourgogne. Se proclamant vassal de la Madone boulonnaise, il justifiait sa mainmise sur la ville.

---

se promener

LA VILLE BASSE

Les installations portuaires

Port extérieur – Protégé par deux digues, dont l'une, la digue Carnot, atteint 3 250 m de long.

Port intérieur – Avant-port avec bassin de marée réservé aux voyageurs, petits chalutiers et plaisanciers. Bassins Napoléon et Loubet réservés aux grandes unités de pêche.

carnet pratique

RESTAURATION

• À bon compte

Ferme auberge du Blaisel – *Chemin de la Lombarderie - 62240 Wirwignes - 12 km au SE de Boulogne par D 341 dir. Desvres - ☎ 03 21 32 91 98 - fermé 23 déc. au 5 janv. et mer. - réserv. le w.-end - 90/130F.* Vous pourrez redécouvrir le bon goût des produits frais et de saison le temps d'une halte à la ferme du Blaisel. Et si une légère torpeur vous envahit au terme du repas, réservez l'une des chambres d'hôte de la maison.

• Valeur sûre

Liégeoise et Atlantic Hôtel – *Digue de mer - 62930 Wimereux - 6 km au N de Boulogne par D 940 - ☎ 03 21 32 41 01 - fermé fév. et dim. soir - 130/230F.* Ici, vous pourrez déguster des fruits de mer en vous installant au grand bar, sur la promenade du front de mer, ou vous attabler tranquillement dans la salle panoramique, au 1er étage. Côté hôtel, préférez les chambres qui ouvrent sur la mer.

Restaurant de Nausicaa – *Bd Ste-Beuve - ☎ 03 21 33 24 24 - 105/172F.* De ce vaste restaurant sur deux niveaux, implanté dans le Centre national de la Mer, vous pourrez admirer la vue panoramique sur la plage et l'entrée du port. Coquillages et poissons foisonneront aussi dans votre assiette.

HÉBERGEMENT

• À bon compte

Chambre d'hôte Le Clos d'Esch – *126 r. de l'Église - 62360 Échinghen - 4 km de Boulogne par D 234 dir. Échingen - ☎ 03 21 91 14 34 - fermé 23 déc. au 3 janv. - ⌷ - 4 ch. : 200/250F.* Si vous préférez la quiétude de la campagne aux bruits de la ville, voilà l'adresse qu'il vous faut. Au cœur d'un petit village, cette ferme rénovée vous accueillera dans un cadre bucolique. Les chambres à l'étage sont charmantes !

• Valeur sûre

Hôtel Métropole - *51 r. Thiers - ☎ 03 21 31 54 30 - fermé 22 déc. au 2 janv. - 🅿 - 25 ch. : 360/480F - ⌷ 46F.* Cet hôtel est pratique car situé au centre-ville. Son petit jardin offre une vue agréable pour la coquette salle de petit-déjeuner. Quant aux chambres, modernes ou plus classiques, certaines sont climatisées mais toutes confortables et bien insonorisées.

Hôtel de la Ferme du Vert – *62720 Wierre-Effroy - 10 km au NE de Boulogne par N 42 et D 234 - ☎ 03 21 87 67 00 - fermé 15 déc. au 15 janv. - 🅿 - 16 ch. : 320/680F - ⌷ 52F - restaurant 130/230F.* Tout en ce lieu appelle au calme et à la détente ! Toutes différentes, les chambres ont pourtant un dénominateur commun : la simplicité et le goût dans l'agencement et la décoration. Le restaurant et la fromagerie raviront les gourmands !

Hôtel Cléry – *Au village - 62360 Hesdin-l'Abbé - 9 km au SE de Boulogne par N 1 - ☎ 03 21 83 19 83 - fermé 15 déc. au 27 janv. - 🅿 - 22 ch. : 453/847F - ⌷ 60F - restaurant 145/210F.* Propice au repos et à la flânerie, cette maison de maître du 18e s. a planté son décor dans un parc aux arbres centenaires. Les chambres sont décorées d'étoffes fleuries et de meubles chinés au hasard des brocantes. Petite salle à manger réservée aux résidents le soir.

SORTIES

L'Out-Back – *10 r. Monsigny - ☎ 03 21 30 25 82 - loutback@yahoo.com - Lun.-jeu. 11h-1h, ven.-sam. 11h-2h.* Ce grand bar australien en bois clair peut se prévaloir d'une très belle terrasse arborée. L'immense pirogue au-dessus de l'entrée et le crocodile du bar ont été rapportés d'Australie, ainsi que les autres objets insolites qui décorent la salle.

Cabaret Sam – *24 r. Alexander-Fleming - ☎ 03 21 87 32 69 - Selon le calendrier des représentations à partir de 20h.* La volonté des propriétaires est de rendre la culture accessible à tous. Le message a été reçu ! Bondée tous les soirs de spectacle, la petite salle de 200 places vibre au rythme d'une programmation éclectique qui fait la part belle aux jeunes talents.

LOISIRS-DÉTENTE

Club de la Côte d'Opale – *272 bd Ste-Beuve - ☎ 03 21 83 25 48 - Tlj 8h30-12h, 14h-18h.* Location de chars à voile et speed-sails pour petits (initiation dès 6 ans) et grands.

Gare maritime – Dans les halles réfrigérées, le long du bassin Loubet, le tri de la pêche industrielle et artisanale se pratique sur place.

Quai Gambetta – Très animé lorsque les chalutiers débarquent leur pêche, en partie vendue sur place.

Plage – Plage de sable fin en vogue dès le Second Empire. Sur la digue-promenade, statue équestre du général San Martin qui mourut à Boulogne.

Détruites par la guerre, les installations portuaires reconstruites s'étirent jusqu'au Portel où se situe le **port de commerce**.

LA VILLE HAUTE★★

Ceinte de remparts, dominée par la basilique Notre-Dame, la ville haute occupe le site d'un ancien castrum romain. Très animée en été, elle incite à la flânerie, sur ses remparts aménagés pour la promenade.

Boulogne-sur-Mer se hisse au premier rang des ports de pêche français.

WALL STREET EUROPÉEN DU POISSON

Les chalutiers industriels débarquent leur poisson vers minuit. Celui des pêcheurs artisanaux et côtiers arrive au petit matin. Triée par espèces et par tailles, la production est présentée aux mareyeurs puis réfrigérée durant la **criée** qui débute entre 6 h et 7 h. Les lots partent ensuite vers les ateliers de préparation et transformation. Le conditionnement s'achève vers 11 h. Les colis prennent alors le chemin de la gare de marée (112 sas de déchargement, 24 entreprises de transport frigorifique) pour diverses destinations : Paris/Rungis, Strasbourg, Lyon, Marseille, Bordeaux... et l'étranger. Ils arriveront à destination le soir même ou le lendemain matin, en parfait état de fraîcheur.

Les remparts

Édifiés au 13ᵉ s. sur les bases d'une muraille gallo-romaine par le comte de Boulogne, Philippe le Hurepel (Le Hérissé), ils sont consolidés aux 16ᵉ-17ᵉ s. Ce rectangle, renforcé à l'Est par le **château**, est percé de quatre portes flanquées de tours : les portes Gayole, des Dunes, de Calais, et des **Degrés**, seulement ouvertes aux piétons. Du chemin de ronde, accessible par chaque porte, **perspectives★** sur la ville et le port.

Au coin Ouest, la **tour Gayette** : ancienne geôle, témoin en 1785 de l'envol en ballon de **Pilâtre de Rozier** et **Romain** qui tentaient la traversée de la Manche. Ils devaient hélas s'écraser près de Wimille.

À l'intérieur des murs *(env. 2 h)*

Accéder à la ville haute par la porte des Dunes qui s'ouvre à l'Ouest sur les places de la Résistance et Godefroy-de-Bouillon.

Juché sur une pyramide, le « pacha », en tenue égyptienne, contemple la ville qui l'a vu naître.

Bibliothèque

Ancien couvent des annonciades. Parties du 17ᵉ s. et cloître transformés en salles d'études et d'expositions. Dans la chapelle du 18ᵉ s., grande salle de lecture et beau plafond à caissons.

Palais de justice

Façade néo-classique (1852) ornée des statues de Charlemagne et de Napoléon Iᵉʳ.

On accède au beffroi par l'hôtel de ville.

Beffroi

Tlj sf dim. 8h-18h, sam. 8h-12h. Fermé j. fériés. Gratuit.
☎ *03 21 87 80 80.*

Ancien donjon du château des comtes de Boulogne. Ouvrage gothique dont la base date du 12ᵉ s., et la partie octogonale, au sommet, du 18ᵉ s. Statues gallo-romaines, mobilier ancien et beau vitrail de Godefroy de Bouillon (le chef de la 1ʳᵉ croisade appartenait à la maison de Boulogne). Du haut du beffroi *(183 marches)*, **vue★** sur Boulogne et ses environs.

BOULOGNE-SUR-MER

B

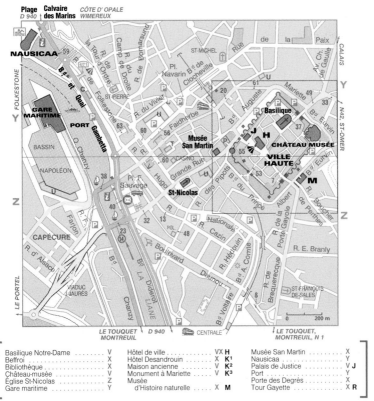

Plage D 940 / Calvaire des Marins / CÔTE D'OPALE WIMEREUX

La place de la Résistance donne sur la place Godefroy-de-Bouillon, à la croisée des quatre rues principales.

Hôtel de ville

Sa façade en briques roses à parements de pierre (18ᵉ s.) contraste avec le rude beffroi gothique.

Sur la droite en sortant de la mairie.

Hôtel Desandrouin

L'édifice de style Louis XVI abrita plusieurs fois Napoléon, entre 1803 et 1811.

Prendre la rue du Puits-d'Amour, le long de l'hôtel Desandrouin, et tourner à droite.

Rue Guyale

Ancienne halle de la guilde des marchands, bien restaurée. Partie arrière du couvent des annonciades. Vieilles façades en pierres nues.

De la place G.-de-Bouillon, prendre la rue de Lille.

Au nº 58, la plus vieille **maison** de la ville (12ᵉ s.). La basilique Notre-Dame se dresse à gauche. À droite, la rue du Château mène à l'ex-demeure des comtes de Boulogne.

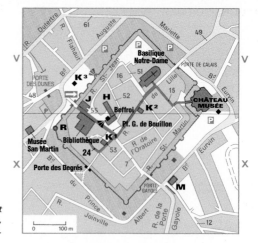

Répertoire des rues et sites de la Ville Haute, voir page précédente.

Basilique Notre-Dame

Accès par le transept Sud. Siège du pèlerinage de la Vierge Construite de 1827 à 1866 sur le site de la cathédrale détruite après 1789.

Intérieur – Puissante colonnade corinthienne. Derrière le chœur, **coupole★** avec sa ronde de grandes statues. Dans la chapelle centrale de la rotonde, statuette en bois de N.-D. de Boulogne, couronnée de gemmes et portée en procession chaque année. Dans le cortège on voit encore des Boulonnaises portant la coiffe en « soleil » et les Porteloises à strict bonnet et grand châle des Indes.

La crypte et le trésor★ – Un réseau de souterrains reliant 14 salles se déploie sous la basilique. L'une abrite le trésor : statues et objets cultuels dont la relique du Saint Sang offerte par Philippe le Bel à N.-D. de Boulogne. Plus loin, remarquable **crypte aux piliers peints** (11ᵉ s.), découverte lors de la construction de la basilique. *De sept. à fin avr. : 14h30-17h ; de mai à fin juin : 14h-18h, dim. et j. fériés 14h30-18h ; juil.-août 14h-19h, dim. et j. fériés 14h30-19h. 10F. ☎ 03 21 99 75 98.*
Prendre en face la rue du Château.

Château-musée★

Tlj sf mar. 10h-12h30, 14h-17h (dim. 17h30). Fermé 1ᵉʳ janv., 1ᵉʳ mai, 25 déc. 20F. ☎ 03 21 10 02 20.
Il est isolé des remparts par un fossé qu'un pont-levis enjambait autrefois. L'ancienne résidence des comtes de Boulogne protégeait la partie sensible des remparts, vers le plateau. Un bastion « en pas de cheval » est adjoint au 16ᵉ s.

Flanqué de tours rondes, le château-musée de Boulogne est le premier édifice d'Europe occidentale à renoncer au donjon traditionnel.

Musée – Archéologie du Bassin méditerranéen, section l'égyptologie et **vases grecs★★**. Faïences françaises et étrangères. Jolies porcelaines. Évocations de Napoléon et du camp de Boulogne. Sélection des peintres de la Côte d'Opale (19ᵉ s.). Collections ethnographiques. Trois salles se consacrent à la peinture des 17ᵉ, 18ᵉ et 19ᵉ s. (Corot, Boudin et Fantin-Latour). Quelques sculptures de Rodin, Pompon, Carpeaux. Dans la grande salle des gardes, collections médiévales et de la Renaissance : dinanderie, sculptures, mobilier et boiseries gothiques, épi de faîtage, peintures, monnaies... Collections archéologiques dans les salles souterraines.

visiter

DANS LA VILLE BASSE

Nausicaa★★★ *(visite : 3h 1/2)*
En bordure de la plage, face à la gare maritime. ♿ *9h30-18h30 (juil.-août : 20h, dernière entrée 1h av. fermeture). Fermé les 3 premières sem. de janv., 25 déc. 68F (3-12 ans : 48F).* ☎ *03 21 30 98 98.*

Le **Centre national de la mer** est le plus grand complexe européen consacré à la connaissance de la mer. Son but : sensibiliser le public à une meilleure gestion des océans. Sa recette : un voyage initiatique au centre de la mer, dans une pénombre bleutée, environné de musiques aquatiques. 36 aquariums et grands bassins, avec plus de 10 000 animaux marins de toutes les mers du monde.

Mis en situation dans des décors grandioses, le visiteur découvre l'action de l'homme sur le milieu marin.

Mondes de la Mer – Dès l'entrée, confrontation avec le monde du plancton. De jolies méduses évoluent dans une éprouvette géante. Les espèces suivantes proviennent des mers tropicales et méditerranéennes. Parmi leurs spécialités : mimétisme, organisation en banc, territorialité... Des bornes interactives renseignent sur leurs sens. Découverte de la faune des abysses. Rencontre avec le « **diamant des thons** », impressionnant aquarium en pyramide inversée où nage un banc de sérioles.

Mer des Hommes – Un long couloir circulaire illustre les rapports qu'entretiennent l'homme et la mer depuis des milliers d'années. Sous la **coupole céleste**, on découvre toutes les formes d'exploitations des ressources marines et les menaces qui pèsent sur le littoral.

Tropical Lagoon Village – Île paradisiaque baignée par ses eaux turquoises. Du ponton, parmi la mangrove et les coraux, on observe des poissons de formes et de couleurs variées. Pour les admirer du dessous, comme en plongée, prendre l'escalier s'ouvrant sur une immense baie vitrée.

Le mérou se croise le long des côtes de Provence, d'Espagne, d'Afrique et d'Amérique du Sud, mais aussi à Nausicaa.

Gérer la diversité de la vie – Spectacle audiovisuel *(film en relief - emprunter les lunettes spéciales)* sur la gestion des ressources marines.

Observatoire sous-marin – Face à face avec de facétieux lions de mer mis en captivité. Affalés sur les rochers, on les retrouve dans l'**observatoire aérien** au décor californien. Un escalator mène ensuite au « **bassin tactile** » où des raies câlines cherchent des caresses.

On entre ensuite dans une mini-ferme aquacole puis dans une section consacrée aux techniques de pêche. Une projection à bord d'une cabine de chalutier montre les manœuvres nocturnes du chalut en mer du Nord. Le voyage s'achève par « **l'anneau des sélaciens** », bassin panoramique où évoluent une dizaine de fauves de la mer.

Église St-Nicolas

Pl. Dalton. La plus ancienne église de Boulogne, élevée de 1220 à 1250. Remaniée aux 16e et 18e s. Façade classique ; maître-autel à colonnes torses (17e s.), toile de Lehmann (élève d'Ingres) : *La Flagellation.*

Musée San Martin

Visite guidée (1/2h) tlj sf mer. et jeu. 10h-12h, 14h-18h. Fermé en janv. et j. fériés. Gratuit. ☎ *03 21 31 54 65.*
Maison occupée de 1848 à 1850 par le général argentin San Martin qui libéra son pays (1816), le Chili (1817) et le Pérou (1821) de la domination espagnole. Il mourut dans sa chambre au 2e étage. Souvenirs de l'illustre soldat.

Musée d'Histoire naturelle

& *10h-11h45, 14h-17h45, w.-end sur demande 14h-17h45. Fermé 1er janv., 1er mai et 25 déc. Gratuit.* ☎ *03 21 80 09 80.*
Il abrite une collection de paléontologie, dont une reconstitution de la faune terrestre (dinosaures) et du milieu marin (reptiles et oiseaux) du jurassique supérieur boulonnais. Salles d'anatomie comparée et de zoologie. Dioramas présentant le milieu forestier et celui des falaises côtières. Coquillages et minéraux.

Calvaire des marins *(de Nausicaa, prendre la rue de la Baraque-de-l'Empereur, puis de la Tour-d'Odre)*
Sur le plateau où s'élevait la tour d'Odre, célèbre phare romain effondré au 17e s. à cause du recul de la falaise. Dernièrement le calvaire et la chapelle des marins ont subi le même sort. Le calvaire a été reconstruit un peu plus loin à côté d'une nouvelle chapelle (1996) en forme de navire. De la terrasse du calvaire ou de la plate-forme du blockhaus voisin, belle **vue**★ plongeante sur la ville basse et la plage. Par temps clair, on distingue les côtes anglaises. Suivre la falaise pour voir l'emplacement d'où l'Empereur surveillait les côtes britanniques ainsi que la poudrière napoléonienne.

alentours

Colonne de la Grande Armée★ *(3 km au Nord)*

Avr.-sept. : 9h-12h, 14h-18h ; oct.-mars : tlj sf mar. 9h-12h, 14h-17h. Fermé 1er janv., 1er mai, 1er et 11 nov., 25 déc. 15F. ☎ *03 21 80 43 69.*
En marbre de Marquise. 54 m de haut et 4 m de diamètre. Élevée en commémoration du camp de Boulogne par l'architecte **Éloi Labarre** (1764-1833). Sur le socle, un des bas-reliefs en bronze montre le maréchal Soult offrant à l'Empereur les plans de la colonne. Un escalier de 263 marches mène à la plate-forme carrée (190 m au-dessus du niveau de la mer).

Monument de la Légion d'honneur

2 km par D 940 et un chemin à droite. L'obélisque marque l'emplacement du trône de **Napoléon Ier**, le 16 août 1804, lors de la seconde distribution des décorations de la Légion d'honneur (la première se déroula le 14 juillet

1804 aux Invalides, à Paris). Déployés en arc de cercle, 2 000 hommes y reçurent leurs croix, disposées dans les boucliers et les casques de Du Guesclin et Bayard.

Château de Pont-de-Briques *(5 km au Sud par N 1)*
Ce modeste château du 18e s. doit sa célébrité aux séjours de Napoléon lors du camp de Boulogne (1803-1805). Dans le salon, il dicta d'un trait à Daru le plan génial de campagne contre l'Autriche qui aboutira à Austerlitz.

Point de vue de St-Étienne-au-Mont★ *(5 km par D 52)*
Du cimetière près de l'église, **vue★** sur la vallée de la Liane. En aval, Boulogne et la coupole de la basilique Notre-Dame. La forêt se détache vers l'intérieur des terres.

Le Portel *(5 km au Sud-Ouest)*
La commune fait face à l'îlot du **fort de l'Heurt** (1804), construit par Napoléon. **Plage** de sable entrecoupée de rochers. Digue-promenade. Une statue de N.-D. de Boulogne domine la jetée de l'Épi. Au Sud à la **pointe de l'Alprech**, se dresse le **phare**.

Forêt de Boulogne *(10 km à l'Est)*
La route gravit le **mont Lambert** (189 m). Forêt (2 000 ha) aménagée pour le tourisme : routes forestières, parking, piste cavalière, aires de pique-nique. La vallée de la Liane la limite à l'Est et au Sud. Le village de **Questrecques** est particulièrement attrayant.

circuit

LE BOULONNAIS★ *(75 km – env. 3h)*
Il doit son relief complexe à la juxtaposition de terrains divers : marbre de Marquise, grès d'Outreau, craie de Desvres ou de Neufchâtel recouverte d'argile et dépassant parfois 200 m d'altitude. Entre Guînes et l'Aa, le plateau dénudé ou parsemé de bouquets d'arbres s'ouvre sur des horizons immenses. De grandes fermes y cultivent céréales et betteraves.

Les vallées du Wimereux, de la Liane, de la Hem et de la Slack sont tapissées de vergers (pommes à cidre) et de prairies. De petits villages d'éleveurs aux maisons basses à murs de pierres chaulées s'égrènent autour d'anciens manoirs, repaires de royalistes sous la Révolution.

Quitter Boulogne par la N 42 vers l'Est, et à 3 km de la sortie de la ville, prendre à l'échangeur la D 232.

La route bordée d'arbres descend vers le **vallon de Wimereux**, couvert de prairies et de bosquets.

Souverain-Moulin
Le château, ses communs et surtout son cadre de frondaisons sont particulièrement agréables.

> **RACES LOCALES**
>
> Vaches : bleue du Nord et rouge flamande. Mouton et cheval boulonnais. Ce dernier, puissant animal de trait, à robe grise, peut atteindre le poids d'une tonne.

Le Boulonnais fait partie du parc naturel régional des Caps et Marais d'Opale (regroupement des parcs du Boulonnais et de l'Audomarois).

Prendre la D 233 jusqu'à Belle, tourner à gauche dans la D 238 ; à droite dans la D 251 enfin à droite dans la D 127.

Le Wast

Charmant village boulonnais. L'**église** est un édifice roman au portail orné de festons à la mode orientale. Intérieur : arcades en plein cintre retombant sur des chapiteaux à feuilles d'eau recourbées en volutes. Sainte Ide, mère de Godefroy de Bouillon et fondatrice du prieuré, y fut ensevelie au 12ᵉ s. *Juil.-août : sam. ap.-midi sur demande auprès Mme Bourdon,* ☎ *03 21 33 32 05.*

Maison du Parc naturel régional des Caps et Marais d'Opale – Installée dans le **manoir du Huisbois**, belle demeure du 17ᵉ s. Documentation, bibliothèque, vidéothèque et expositions sur la région. Circuit-découverte du bocage. *Mai-sept. : dim. et j. fériés 15h-19h. Gratuit.* ☎ *03 21 83 38 79.*

De la N 42 vers St-Omer, prendre à gauche la D 224 vers Licques.

Licques

De l'ancienne abbaye (12ᵉ s.) de prémontrés reconstruite au 18ᵉ s. subsistent la haute nef et quelques bâtiments de la même époque (presbytère, mairie et école).

Par la route d'Ardres (D 224) au Nord, on atteint à 2 km un beau **point de vue** sur Licques et le bassin de la Hem.

Suivre la D 191 vers Sanghem et Hermelinghen.

Après le lieu-dit Le Ventu, la route s'élève, dominant toute la région. Belles **vues**★ sur les paysages vallonnés et verdoyants du Boulonnais.

À Hardinghen, prendre la D 127 et la D 127ᴱ vers Rety.

Rety

Petite **église** flamboyante (fin 15ᵉ s. ; tour du 12ᵉ s.). Extérieur : appareil décoratif dessinant des motifs en chaînages et damiers. Intérieur : chœur à clé de voûte sculptée au centre d'une couronne de pierre.

À la sortie de Rety, prendre à gauche la D 232 et après la traversée de la D 127ᴱ, à droite vers Hydrequent.

Hydrequent

Maison du marbre et de la géologie – Collections de minéraux et description des processus de formation du marbre et du charbon. À l'époque primaire, le Boulonnais se couvrait d'une forêt luxuriante. Extraction du marbre dans le **bassin carrier de Marquise**. Moulage du squelette d'un pliosaure (animal préhistorique) découvert à Uzelot. Audiovisuel sur l'extraction dans les carrières. ♿ *Juil.-août : 10h-12h30, 14h-18h30, w.-end 14h30-18h30 ; avr.-juin et sept.-oct. : tlj sf sam. 9h-12h30, 13h30-18h, dim. et j. fériés 14h30-18h30. 25F.* ☎ *03 21 83 19 10.*

Revenir sur ses pas pour reprendre la D 232.

Presque aussitôt, à gauche, joli moulin sur la Slack.

À Wierre-Effroy, prendre la D 234 jusqu'à Conteville-lès-Boulogne, puis la D 233 qui suit le Wimereux.

Wimille

Le vieux cimetière abrite les tombes des aéronautes Pilâtre de Rozier et Romain.

Rejoindre Boulogne.

escapade dans le Kent

Pour organiser votre escapade dans le Kent, reportez-vous au chapitre Informations pratiques.

Folkestone *(voir Calais)*

Douvres *(voir Calais)*

Canterbury★★★ *(voir Calais)*

ADRESSE
Les volailles de Licques, don des moines, sont réputées dans toute la France. *Licques Volailles, M. Saint-Maxent, 62850 Licques,* ☎ *03 21 35 80 03.*

LE MARBRE DE MARQUISE
Utilisé pour de nombreux édifices dont la cathédrale de Canterbury et les voussoirs du tunnel sous la Manche.

Calais

La proximité des côtes anglaises a présidé à la destinée de Calais. Située sur le « pas » (détroit) auquel elle a donné son nom, la ville est le premier port de France et le deuxième mondial pour le trafic voyageurs. C'est le point de départ idéal pour rayonner sur la Côte d'Opale, jusqu'au Touquet, ou pour s'offrir une petite escapade à Canterbury, via Folkestone ou Douvres.

La situation

Cartes Michelin n°s 51 pli 2 ou 236 pli 2 – Pas-de-Calais (62). Accès par la D 940 ou l'A 26 et l'A 16. Les TGV et Eurostar mettent Calais à 1 h 30 de Londres et Paris et 1 h de Bruxelles. Cité divisée en deux : Calais Sud, ville administrative et industrielle, et Calais Nord, ville maritime. À l'entrée du port, plage et digue-promenade. **3** *12 bd Clemenceau, 62100 Calais,* ☎ *03 21 96 62 40. Internet : www.ot-calais.fr*

DENTELLE DE CALAIS

Le nom

La plus ancienne trace du nom de *Calais* figure dans une charte de 1181. La ville sera surnommée « l'auberge des rois » et la « clé de France ». Ses symboles : le tunnel sous la Manche et le puissant beffroi de l'hôtel de ville.

Les gens

Agglomération 104 852 Calaisiens. Ils voient chaque année défiler quelque vingt millions de voyageurs entre l'Angleterre, les Îles Anglo-Normandes et le continent.

> ### Nés à Calais
> L'ancienne première dame de France, **Mme de Gaulle**, le chanteur de variétés **Pierre Bachelet** et le jazzman **Didier Lockwood** ont fait leurs premiers pas dans la ville.

comprendre

Le tunnel sous la Manche

De l'utopie à la réalité – En deux siècles, 27 projets sont nés, dont le plus ancien remonte à 1750. Le géologue Nicolas Desmarets voulait rétablir le lien préexistant (le pas de Calais se traversait autrefois à pied sec) par un pont ou une digue. Dès 1834, Aimé Thomé de Gamond, le « père du tunnel », propose des solutions crédibles : tunnel immergé, voûte sous-marine bétonnée.

> ### Le tunnel en chiffres
> À 40 m sous la mer, d'énormes tunneliers ont taillé 1 km de roche par mois. Le lien transmanche comporte deux tunnels ferroviaires de 7,60 m de diamètre, reliés tous les 375 m à une galerie centrale destinée à la ventilation, la sécurité et la maintenance. Les tunnels, à une seule voie et à sens unique, courent sur 50 km de long (dont 38 sous la Manche).

Tunnelier à Coquelles, petite commune où se trouve le terminal d'Eurotunnel.

Les premières tentatives – Côté français, 1 840 m de galeries sont creusés en 1880 sur le site du « puits des Anciens » et 2 000 m côté anglais mais les travaux sont arrêtés. De nouveaux essais sont réalisés en 1922 à Folkestone avec la machine Whitaker. Les progrès techniques des années 1960 donnent un nouvel élan aux projets de lien fixe transmanche. Le forage d'un nouveau tunnel commence mais ne dépassera pas 400 m.

Naissance d'Eurotunnel – Le sommet franco-britannique de 1981 (Thatcher-Mitterrand) relance l'idée du tunnel. Suite à un concours international, quatre propositions sont sélectionnées. Le projet Eurotunnel l'emporte en 1986. Un traité franco-britannique sur sa construction est signé dans la cathédrale de Canterbury. Le 1er décembre 1990 voit la première jonction entre la France et l'Angleterre (galerie de service). L'inauguration officielle du tunnel et des services de navette (Shuttle) se déroule le 6 mai 1994.

Calais et les Anglais

La dentelle de Calais – Introduit en contrebande (1816) par trois tullistes de Nottingham, le métier à tulle se perfectionne vers 1830 grâce au Lyonnais Jacquard et aux Anglais Martyn et Fergusson. 350 métiers occupent encore 2 000 salariés.

Le cœur de Marie Tudor – En 1558, après 210 ans de domination britannique, Calais est reconquis par le duc de Guise. C'est un coup mortel pour la reine d'Angleterre, **Marie Tudor**, qui disait : « Si l'on ouvrait mon cœur, on y trouverait gravé le nom de Calais. »

> ### LES BOURGEOIS DE CALAIS
>
> Après Crécy, **Édouard III d'Angleterre**, qui veut s'assurer une base puissante, entame le siège de la place de Calais (1346). Huit mois plus tard, le gouverneur résiste toujours avec archarnement. Affamés, les assiégés sont néanmoins obligés de capituler. Se déroule alors l'épisode des six Bourgeois menés au bourreau par **Eustache de Saint-Pierre**. Leur sacrifice devait éviter aux Calaisiens le fil de l'épée. En chemise, « les chefs nus, les pieds déchaux, la hart (corde) au col, les clefs de la ville en leurs mains », ils se présentent devant le roi. La reine pâlit : « Ha, gentil sire, depuis que j'ay passé la mer en grand péril, (...) je ne vous ay rien demandé ; si vous prye et requier à jointes mains, que pour l'amour du filz de Nostre Dame vous veuilliez avoir merci d'eulx. » Les voilà épargnés.

se promener

Depuis le Théâtre. Remonter le boulevard Jacquard, voie commerçante et animée, jusqu'à la place du Soldat-Inconnu, entre l'hôtel de ville et le parc St-Pierre.

Monument des Bourgeois de Calais★★
Œuvre de Rodin (1895). Examinez-les attentivement, dans leur ensemble, puis séparément, ces six effigies de bronze grandeur nature, frémissantes de vie et d'émotion, hautaines et tendues, veines et muscles gonflés. Juste expression de la noblesse héroïque de ces hommes contraints à s'humilier devant le roi d'Angleterre.

Hôtel de ville
Bel ensemble (début 20e s.) en briques rouges et pierres, dans le style du 15e s. flamand. Son puissant **beffroi** culmine à 75 m. Le **vitrail** qui éclaire l'escalier d'honneur évoque le départ des Anglais.

Reprendre le boulevard. Après le pont, continuer dans la même direction. Le boulevard Clemenceau longe l'Office de tourisme et le parc Richelieu où il faut tourner à droite.

Église Notre-Dame
Achevée fin 14e s. sous l'occupation anglaise. Le mariage du capitaine de Gaulle avec une Calaisienne y est célébré en 1921. Tour, chœur et transept de style original, proche du gothique perpendiculaire anglais.

Le beffroi de l'hôtel de ville abrite un joli carillon.

Les Bourgeois de Calais
*est la seule œuvre de
Rodin qui fut exposée de
son vivant.*

*Prendre la rue de la Paix. Sur la droite : l'ancienne tour du
Guet et la place d'Armes.*

Place d'Armes

Elle se situe au cœur du Calais médiéval, détruit par la
guerre. La **tour du Guet** (13e s.) surveillait les menaces
ennemies ; en temps de paix, elle guettait les incendies
et servait de phare au 19e s.

*Prendre le boulevard Clemenceau et la rue Royale. Franchir
les ponts H.-Hénon et continuer tout droit jusqu'à la plage.*

À gauche, le bassin Ouest ; à droite, le bassin du Paradis
et l'arrière-port servent à la navigation de plaisance.

Plage et jetée Ouest

Une digue-promenade longe la belle plage de sable fin.
De la jetée Ouest, vues sur le port. Le trafic n'a pas faibli
depuis l'ouverture du tunnel sous la Manche. Au loin :
le cap Blanc-Nez *(côté droit)* et les falaises anglaises.

*De la jetée, rejoindre l'arrière-port par le chemin de ronde qui
longe le bassin et contourne le Fort Risban.*

Construit au 16e s. à l'emplacement d'une ancienne tour
anglaise, le **fort Risban** défendait l'accès au port.

*Franchir à nouveau les ponts H.-Hénon puis tourner à
gauche et longer le quai de la Colonne-Louis-XVIII puis
continuer vers le quartier du Courgain.*

Arrière-port

Sur le quai de la **Colonne-Louis-XVIII**, qui évoque le
débarquement du roi après la chute de Napoléon (1814),
un monument célèbre l'héroïsme des sauveteurs calaisiens. Plus en avant, le **Courgain**, charmant quartier
peuplé de marins, a été reconstruit après-guerre. En
retrait du quartier, **phare** *(64 m ; 271 marches)* érigé en
1848 pour remplacer l'ancienne lanterne de la tour du
Guet. *Juin-sept. : 14h-18h30, w.-end et j. fériés 10h-12h,
14h-18h30 ; oct.-mai : mer. 14h-17h30, w.-end 10h-12h,
14h-17h30. 14F (enf. : 7F).* ☎ 03 21 34 33 34.

> **À VOIR**
> Au sommet du phare,
> **panorama★★** sur le
> Calaisis, le port, la
> citadelle, la place d'Armes
> et l'église Notre-Dame.

visiter

Musée des Beaux-Arts et de la Dentelle

&. *Tlj sf mar. 10h-12h, 14h-17h30, sam. 10h-12h, 14h-18h30,
dim. 14h-18h30. Fermé j. fériés. 20F, gratuit mer.* ☎ 03 21
46 48 40.

Sculpture du 19e s. Parmi les œuvres de **Rodin**, des
maquettes préparatoires pour le monument des
Bourgeois. La modernité s'y exprime avec force, comme
chez ses maîtres, ses prédécesseurs (Carrière-Belleuse,
Carpeaux, Barye) et ses élèves (Bourdelle, Maillol).

Peinture du 17e au 20e s. Écoles flamande et d'Europe
du Nord. Art contemporain : Jean Dubuffet (*Paysage du*

CALAIS

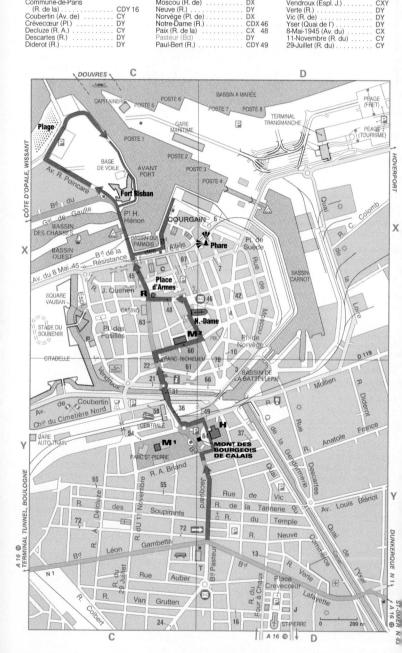

Cette évocation de la traversée de la Manche par Blériot est exposée au Musée des Beaux-Arts et de la Dentelle, à Calais.

Pas-de-Calais II, Site aléatoire avec quatre personnages), Félix Del Marle *(Construction-couleur),* Picasso *(Le vieil homme, Visage de femme),* Fautrier, Lipchitz, Arp...

Une importante section est consacrée à la **dentelle** mécanique de Calais ainsi qu'à la dentelle à la main. Histoire des techniques de la dentelle de Calais. Robes de haute couture, dentelles et lingeries du 17ᵉ s. à nos jours. 400 000 échantillons de dentelles mécaniques.

Musée de la Guerre

Au milieu du parc St-Pierre situé face à l'hôtel de ville. ♿ *De fév. à fin nov. : (dernière entrée 3/4h av. fermeture) tlj sf mar. 11h-17h (avr.-sept. : tlj 10h-18h). 25F.* ☎ *03 21 34 21 57.*
Dans un blockhaus qui servit de central téléphonique aux Allemands en 1940-45. Affiches, souvenirs, lettres évoquent l'occupation de Calais, la bataille d'Angleterre et la Résistance.

escapade dans le Kent

Pour organiser votre escapade dans le Kent, reportez-vous au chapitre Informations pratiques.

Folkestone *(13 km à l'Ouest de Douvres par l'A 20)*
Station balnéaire au pied des North Downs, Folkestone a conservé sa vocation culturelle et commerçante. C. Dickens, O. Wilde, H.G. Wells et Turner y vécurent. La **ville** a été longtemps le deuxième port de traversée de la Manche, après Douvres.
Le sommet de la falaise vers l'Ouest, entre la plage et la ville, a été aménagé au 19ᵉ s. en une charmante promenade dans la verdure, le long d'une esplanade fleurie, **The Leas**★ (les grasses pâtures). Un **ascenseur** ▶ **hydraulique victorien** permet de rejoindre la plage et le parc côtier.

> **THE LEAS**
> Par temps clair, le superbe panorama qui s'ouvre sur la mer s'étend jusqu'aux côtes françaises.

Il faut flâner dans le port de pêche avec ses étals de fruits de mer et ses pubs, sans oublier de s'offrir une portion de *« fish and chips »*. Pour rejoindre le quartier commerçant, s'engager dans la **Old High Street**. Cette ancienne ruelle pavée longe le quartier historique, **The Bayle**, site d'un château antique que jouxtent les églises de St Mary et St Eeanswyth, du 12ᵉ s.

L'accès au tunnel sous la Manche et le complexe composant le terminal d'Eurotunnel se trouvent à la sortie Nord de la ville, au pied des North Downs. Au Nord-Ouest, l'**Eurotunnel Exhibition Center** permet d'évaluer l'importance des travaux réalisés.
La bataille d'Angleterre qui fit rage pendant l'été 1940 dans le ciel du Kent est commémorée par le **Battle of**

> **SHOPPING**
> Antiquités et galeries d'art : Sandgate Road. Marchés : Guildhall Street les jeu. et sam., et sur la plage le dim.

PROMENADE DU FRONT DE MER

Sculptures modernes et statues de Charles Ross, pionnier de l'aviation, ainsi que du capitaine Mathew Webb qui réalise la deuxième traversée de la Manche à la nage (1875).

◀ **Britain Memorial** (*à Capel, sortir de l'A 20 entre Folkestone et Douvres*), la statue de pierre d'un pilote assis regardant la mer depuis le sommet de la falaise, ainsi que par le **Kent Battle of Britain Museum** (*à Hawkinge, 5 km au Nord de Folkestone par l'A 260*).

Douvres (*13 km à l'Est de Folkestone par l'A 20*)

Flanquée des célèbres falaises blanches, Douvres est la porte de l'Angleterre depuis l'époque des Romains. Elle accueille des bateaux à voile, à vapeur et des aéroglisseurs, mais la plupart subissent la concurrence du tunnel sous la Manche près de Folkestone.

Douvres a été endommagée entre 1940 et 1945 par les bombes allemandes tirées des côtes françaises. Des deux églises romanes, il ne reste que celle de **St Mary**. La **Maison-Dieu** (14e s.) et la **demeure de la Maison-Dieu** (17e s.) subsistent dans Biggin Street, et **Waterloo Crescent**, de style fin de Régence. Ces édifices confèrent à Douvres un charme rare pour un port en activité.

Les efforts de reconstruction d'après-guerre ont révélé l'importance archéologique de ce port antique. La **Roman Painted House** possède les plus beaux décors muraux, visibles dans un intérieur au Nord des Alpes. Le **musée** présente des vestiges couvrant toutes les périodes de l'histoire de la ville dont certains épisodes sont évoqués dans un son et lumière *The White Cliffs Expérience*.

Château★★ (*Castle Hill Road*) – C'est de cette forteresse surnommée « la clé de l'Angleterre » que Churchill surveilla le déroulement de la bataille d'Angleterre. Dès l'âge de fer on édifia des fortifications sur les hautes terres qui, à l'Est, dominent la ville et le port.

Les Romains ont érigé un phare qui se dresse toujours dans l'enceinte du château, et les Saxons une église. Les fortifications ont été renforcées par Guillaume le Conquérant puis Henri II qui ajoute le donjon. La tour du Connétable (Constable's Tower) date du début du 13e s.

ILS ONT TOUT PRÉVU

Ces souterrains ont été choisis pour devenir le siège du gouvernement national en cas de conflit nucléaire.

Un labyrinthe de tunnels et des chambres secrètes aménagés sous le château servirent de quartier général lors de l'évacuation des troupes britanniques depuis Dunkerque (1940).

Une visite guidée vous entraîne dans les chambres et les passages ténébreux des **Secret Wartime Tunnels** où effets sonores et accessoires recréent l'atmosphère de cet univers digne de George Orwell.

À deux pas, le **mémorial Blériot** marque l'endroit précis où s'est posé l'aviateur lors de la 1re traversée aérienne de la Manche (1909). Un sentier longe les **falaises de Langdon** jusqu'au **phare de South Foreland** où Marconi réalisa la 1re transmission radio internationale.

Western Heights – Sur cette partie des côtes anglaises, de nombreux témoignages prouvent que la menace d'une invasion par les troupes de Napoléon avait été prise au sérieux : 73 solides « **Martello Towers** », fortins circulaires en briques, jalonnent l'axe Folkestone-Eastbourne ; une voie d'eau, le **canal militaire royal**, a été creusée pour relier Hythe et Rye.

Canterbury★★★

Depuis Folkestone, prendre l'A 20 jusqu'à Douvres d'où l'on rejoint Canterbury par l'A 2.

CENTRE VILLE

Longtemps ouverte aux influences du continent, la ville s'est développée le long de **Walting Street**, grande voie romaine reliant Londres au port de Douvres.

Capitale ecclésiastique de l'Angleterre, dominée par sa cathédrale, Canterbury entretient une atmosphère médiévale. La cité exerce le même ascendant sur les touristes que sur les pèlerins du Moyen Âge. Son histoire commence avec les conquêtes de l'empereur Claude (43 après J.-C.). En 597, la ville reçoit la visite de saint Augustin dépêché par Rome pour convertir les païens. L'impact de sa mission sera tel que la ville deviendra le centre de l'Église d'Angleterre et Augustin lui-même sera consacré premier archevêque.

LE MARTYRE DU « GÊNEUR EN SOUTANE »

En 1170, un autre archevêque, **Thomas Becket**, est assassiné dans le transept Nord par quatre chevaliers d'Henri II Plantagenêt qui avaient interprété au pied de la lettre le désir de leur souverain de se débarrasser de « ce gêneur en soutane ». Thomas sera canonisé deux ans plus tard. Sa tombe attirera aussitôt une foule de pèlerins dont nombre d'histoires sont relatées dans les *Contes de Canterbury* de **Chaucer**.

La **ville** est ceinte de remparts médiévaux (City Walls, Dane John Fortification), dont on peut faire le tour par le chemin de ronde et d'où se dégage une belle vue. Le monticule Dane John faisait probablement partie d'un ancien système défensif ; la légende populaire associe son nom au « donjon » français. Du sommet, beau coup d'œil sur le monument à la mémoire de **Christopher Marlowe**, le célèbre dramaturge de Canterbury.

Côté Est, le long de la rivière Stour, un ensemble de demeures de l'époque Tudor forme le quartier des **Canterbury Weavers**, du nom des tisserands huguenots qui s'y étaient établis.

Cathédrale★★★ – L'église d'origine a été détruite par un incendie en 1067 et remplacée par un vaste édifice grâce à **Lanfranc**, premier archevêque normand. Les travaux sont terminés en sept ans. L'archevêque Anselme remplaça le chœur de son prédécesseur, beaucoup plus ambitieux, plus long que la nef. L'édifice sera consacré en 1130.

> **SHOPPING ET FESTIVAL**
> Nombreux magasins ouverts le dim.
> Marchés : St-Georges Street, les mer. et ven.
> Festival de Canterbury à la mi-octobre.

carnet pratique

RESTAURATION

• À bon compte

La Boudinière – 2691 rte de Waldam - 62215 Oye-Plage - 14 km à l'E de Calais par D 119 - ☎ 03 21 85 93 14 - fermé 29 janv. au 11 fév. et mer. d'oct. à fin mars - 76/190F. Perdu dans la campagne calaisienne, ce petit restaurant vous permettra de vous rassasier en savourant une cuisine traditionnelle de qualité. Ici, la viande est délicieuse grâce au choix judicieux du patron qui débite lui-même les morceaux. Accueil souriant et salle au calme.

• Valeur sûre

Aquar'aile – 255 r. J.-Moulin - ☎ 03 21 34 00 00 - fermé 15 au 29 fév., 16 au 31 août, dim. soir et lun. - 130/230F. À vos pieds, la mer, la plage, le port et son ballet de ferries. Tel est le paysage qui vous attend dans ce restaurant panoramique. Vous y verrez la vie en bleu sous son plafond aux multiples reflets. Menus variés à tous les prix, avec fruits de mer pour les amateurs.

Le 1900 – 4 r. Royale - ☎ 03 21 97 58 41 - fermé lun. soir - 160/240F. Assis sur une des banquettes arrondies en velours rouge de ce restaurant au décor résolument 1900, vous passerez votre commande à un serveur en long tablier blanc. En attendant votre plat, la « mise en bouche » de la maison vous mettra en appétit !

HÉBERGEMENT

• À bon compte

Métropol Hôtel – 43 quai du Rhin - ☎ 03 21 97 54 00 - fermé 16 déc. au 1er janv. - **P** - 40 ch. : 250/380F - ☖ 49F. Cet hôtel est proche de la gare, de la rue commerçante mais aussi de la fameuse statue des Bourgeois de Calais de Rodin. Salon-bar de style anglais. Les chambres meublées de bois clair sont bien insonorisées.

• Valeur sûre

Chambre d'hôte Le Manoir du Meldick – 2528 av. du Gén.-de-Gaulle Le Fort Vert - 62730 Marck - 6 km à l'E de Calais par D 119 - ☎ 03 21 85 74 34 - ☖ - 5 ch. : 265/315F. À quelques minutes du port de Calais et pourtant si loin de ses bruits, le manoir du Meldick est une adresse comme on les aime ! Subtil mélange de raffinement et d'élégance, les chambres sont spacieuses et confortables. Accueil charmant.

LE TEMPS D'UN VERRE

Fahrenheit – 59 pl. d'Armes - ☎ 03 21 96 86 88 - Tlj 10h-1h. Avec son faux grenier et ses banquettes confortables, sa terrasse et son jardin, ce nouvel établissement est l'endroit original qui manquait à Calais.

ACHATS

Le Bar à Vins – 52 pl. d'Armes - ☎ 03 21 96 96 31 - Tlj sf mer. 9h-19h30, dim. 9h30-16h30. Une cave exceptionnelle. Vous y trouverez des vins rares et bon marché sélectionnés sur place par un maître ès dégustation dont la devise est : « Ne buvez pas des étiquettes ! ». Un marchand sympathique et loquace qui n'a pas de clients mais seulement des amis !

La cathédrale subit à nouveau un incendie en 1174, mais la crypte et la nef sont sauvées. Elle est devenue le centre de pèlerinage le plus important en Europe du Nord lorsqu'on saisit l'opportunité de la rebâtir en rendant hommage au martyr Thomas Becket.

Le style gothique primitif anglais caractérise la reconstruction. La nef et le cloître sont refaits au 14e s., tandis que le 15e s. voit l'achèvement du transept et la réfection des tours. La Bell Harry Tower, couronnant l'ensemble du bâtiment, est terminée à la fin du 15e s.

À remarquer particulièrement.

1. La nef, construite entre 1391 et 1404.
2. Fonts baptismaux en marbre de style classique (17e s.).
3. Emplacement du martyre de Becket.
4. Chapelle Notre-Dame de la Crypte.
5 et 6. Autels de saint Nicolas et sainte Marie-Madeleine.
7. Endroit où reposa le corps de saint Thomas Becket jusqu'en 1220.
8. Jesus chapel.
9. Chapelle funéraire du Prince Noir.
10. Croisée du transept : voûte en éventail de la Bell Harry Tower.
11. Jubé orné de statues de rois (milieu du 15e s.).
12. Siège en marbre dit de saint Augustin.
13. Chapelle de la Trinité.
14. Tombe du Prince Noir.
15. Tombe d'Henri IV, en albâtre, seul roi anglais à être enterré dans la cathédrale.
16. Couronne de Becket : chapelle circulaire (le crâne de saint Thomas y aurait été déposé).
17. Vitraux de Rédemption (début 13e s.).
18. Chapelle Saint-Anselme, de style roman.
19. Chapelle Saint-Michel.

Derrière le chevet, à 250 m, St Augustine's Abbey

St Augustine's Abbey★★ – Cette abbaye fondée en 597 contient les restes de l'église abbatiale qui remplaça les bâtiments saxons. Côté Est, l'église **St-Pancras** était un ancien temple païen, converti par les chrétiens (7e s.). Le monastère est dissous en 1538 et l'église démolie. On peut approcher les ruines par le côté Sud *(Longport)*. Descendre dans la crypte de l'abbé saxon, Wulfric, et sa chapelle, avant de gagner St-Pancras *(Church Street)* dont les vestiges des murs sont en briques romaines.

Cambrai★

Dominé par les tours du beffroi, de la cathédrale et de l'église St-Géry, Cambrai s'habille de calcaire blanc. Cité militaire et archiépiscopale, elle apparaît paisible à l'intérieur de ses boulevards qui se sont peu à peu substitués aux remparts. Ses andouillettes, ses tripes et ses friandises à la menthe, les célèbres « bêtises », en font aussi le rendez-vous des gourmands.

La situation

Cartes Michelin nos 53 plis 3, 4 ou 236 pli 27 – Nord (59). Cambrai est au centre d'une riche région céréalière et betteravière. Accès par l'A26 ou l'A1/A2. **8** *4 r. de Noyon, 59400 Cambrai,* ☎ *03 27 78 36 15.*

Le nom

Il dériverait de *Camaracum*, l'oppidum des Nerviens qui se transforme en une ville importante à l'époque romaine.

Une des mille et une façons de faire des bêtises à Cambrai.

LA BÊTISE DE CAMBRAI

Un bonbon parfumé à la menthe, rectangulaire, avec une rayure jaune de chaque côté. D'après la petite histoire située au 19e s., un apprenti-confiseur se trompa en réalisant une recette de bonbons. Sa mère lui dit alors : « tu es bon à rien, tu as encore fait des bêtises ». Mais les bonbons ratés furent appréciés pour leurs qualités digestive et rafraîchissante. La bêtise de Cambrai était née. Une autre vieille légende raconte que les hommes se rendaient à un grand marché de Cambrai le 24 de chaque mois. Ils s'y attardaient pour y commettre quelques « bêtises », parmi lesquelles des dépenses superflues comme l'achat de bonbons fabriqués sous leurs regards.

L'emblème

33 738 Cambrésiens. Leur emblème : Martin et Martine, leurs géants. D'après la légende, ces forgerons auraient assommé le tyran de la région. Les jaquemarts en bronze de l'hôtel de ville datent de 1512. Hauts de 2 m, vêtus comme des Maures, ils frappent la cloche communale.

comprendre

Le « **Cygne de Cambrai** » – En 1695, François de Salignac de La Mothe-Fénelon (1651-1715), grand seigneur, homme d'église et écrivain célèbre, est investi de l'archevêché de Cambrai. Vénéré par ses ouailles pour sa douceur et sa charité, **Fénelon** reçoit à Cambrai la nouvelle de la condamnation par Rome de ses *Maximes des saints*, ouvrage défendant le quiétisme, doctrine exaltant le « Pur Amour de Dieu ». L'ancien précepteur du duc de Bourgogne monta alors en chaire, prêchant l'obéissance aux décisions de l'Église, puis se soumit par un mandement d'une admirable humilité.

FÉNELON LE CHARITABLE

Lors de la guerre de Succession d'Espagne, de nombreux paysans affamés affluent à l'archevêché où Fénelon les accueille. L'un d'eux a égaré sa vache et Fénelon part la rechercher à pied, dans la nuit. Il retrouve l'animal et le restitue au pauvre homme.

se promener

LA VIEILLE VILLE *(env. 2h)*

Porte de Paris

Monumentale, encadrée de deux tours circulaires (1390). *Emprunter l'avenue de la Victoire montant vers l'hôtel de ville qu'on aperçoit au fond. On arrive à la place du St-Sépulcre.*

Cathédrale Notre-Dame

L'ancienne abbatiale du St-Sépulcre a été érigée en cathédrale après la Révolution. Édifice du 18e s., plusieurs fois remanié ; sa tour date de 1876. À droite, bâtiment conventuel du 18e s. ; à gauche, statue de Fénelon par Auricoste. *Visite guidée possible, s'adresser à l'Office de tourisme.*

Intérieur – Dans les chapelles arrondies qui terminent les bras du transept, grandes **grisailles** en trompe-l'œil (1760) de l'Anversois Martin Geeraerts. Dans la chapelle absidiale, tombeau de Fénelon, sculpté par David d'Angers (1826). Le prélat, à demi étendu, se tourne vers les cieux dans un élan romantique ; admirable traitement des mains.

Chapelle du Grand Séminaire

En retrait d'un square. Ancienne chapelle (1692) du collège des jésuites. Façade baroque, théâtrale et mouvementée. L'ordonnance des baies, pilastres, ailerons à volutes, pots à feu, etc., reste pourtant symétrique. Beau décor sculpté ; haut-relief montrant l'Assomption.

Maison espagnole

Siège de l'Office de tourisme. Belle maison de bois à pignon couvert d'ardoises (fin 16e s.). Caves médiévales, et au 1er étage, sculptures en chêne qui ornaient la façade.

LES BÉGUINAGES

C'étaient de petites maisons, accolées les unes aux autres, formant un enclos. Des femmes, célibataires ou veuves, s'y rassemblaient pour mener une vie de dévotion et de charité. On comptait 11 béguinages à Cambrai. Celui de St-Vaast (1354) a été transféré au 24, rue des Anglaises en 1545 ; cette cour est la dernière qui subsiste en France.

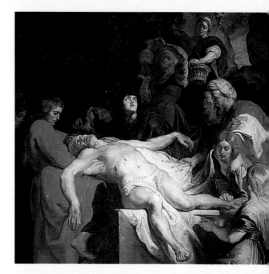

Le bras gauche du transept de l'église St-Géry abrite cette magnifique Mise au Tombeau** par Rubens (détail)

Remarquez le contraste des marbres rouges et noirs et le décor mouvementé : putti voletant, hauts-reliefs relatant les miracles du Christ, statues d'albâtre. Chaire monumentale (1850), œuvre d'artisans cambrésiens. Un mobilier du 18ᵉ s. orne le chœur : autel et boiseries à médaillons contant l'histoire de saint Augustin et de saint Aubert. Transept droit : **statue** d'évêque (14ᵉ s.) découverte en 1982 dans la crypte.

Le long des rues du Grand-Séminaire, de l'Épée et de Vaucelette, hôtels des 17ᵉ et 18ᵉ s. Celui qui abrite le musée des Beaux-Arts, complètement restauré, a été construit pour le comte de Francqueville vers 1720.

En traversant la place Jean-Moulin, remarquer le chevet arrondi de la chapelle de l'ancien hôpital St-Julien.

Place Fénelon

Elle s'étend à l'emplacement de l'ancienne cathédrale gothique démolie après la Révolution. Remarquer le portique d'entrée (17ᵉ s.) du **palais archiépiscopal** où vécut Fénelon.

Église St-Géry

Visite en sem.

Ancienne abbatiale St-Aubert. Dominée par sa tour, St-Géry occupe le site d'un temple dédié à Jupiter Capitolin. L'édifice sobre et classique a été construit de 1698 à 1745.

◀ **Intérieur** – Chœur à déambulatoire et chapelles rayonnantes, précédé d'un baldaquin posé sur de puissantes colonnes baroques. Également baroque, le **jubé** (1632) en bas de la nef, sculpté par Gaspard Marsy.

Traverser la place du 9-Octobre et gagner la place A.-Briand.

carnet pratique

Place Aristide-Briand

Dans le quartier commerçant, la place a été entièrement reconstruite après la guerre 1914-1918.

Hôtel de ville – Refait au 19ᵉ s., incendié en 1914-1918, il domine la place de ses lignes majestueuses et froides. Dans les années 1920, sa restauration et l'aménagement de la place ont respecté sa façade à péristyle de style Louis XVI, due à l'architecte Antoine.

De l'angle Sud-Ouest de la place se détache le **mail St-Martin**, longue esplanade avec une belle perspective sur le **beffroi**, ancienne tour St-Martin (15ᵉ-18ᵉ s.) haute de 70 m, seul vestige de l'église du même nom.

> **À OBSERVER**
> Les deux jaquemarts, Martin et Martine, encadrent le campanile à colonnes qui surmonte l'hôtel de ville.

Cette Vierge Marie, fragment d'une Annonciation, a échappé à la destruction de l'église qui l'abritait. Elle est aujourd'hui exposée au Musée des Beaux-Arts de Cambrai.

Porte Notre-Dame

Vestige des anciennes fortifications (17e s.) ; appareil de pierres en pointes de diamant et colonnes cannelées décoratives. Au fronton rayonne le soleil de Louis XIV ajouté après la conquête. Une statue de la Vierge vous dévisage avec bienveillance sur la face extérieure.

visiter

Musée des Beaux-Arts

  Tlj sf lun. et mar. 10h-12h, 14h-18h. Fermé 1er janv., 1er mai, 15 août, 25 déc. 20F, gratuit 1er w.-end du mois ☎ *03 27 82 27 90.*

Archéologie – Collections présentées dans les caves voûtées (18e s.). Pour l'époque gallo-romaine : céramique, habitat et inhumation. Mérovingiens : objets funéraires provenant des environs de Cambrai, des Rues-des-Vignes et de Busigny. Section d'ostéoarchéologie pour mieux cerner la condition de l'homme du Haut Moyen Âge.

Patrimoine de Cambrai – Les nombreuses sculptures sont les vestiges de monuments religieux détruits. Ensemble de l'abbaye St-Géry au Monts-des-Bœufs (12e s.). **Clôture de chœur★** de la chapelle de l'hôpital St-Julien, **char de procession des chanoinesses de Ste-Aldegonde de Maubeuge★**. Statues en albâtre de l'ancienne cathédrale. Une toile de Van der Meulen dépeint avec précision la prise de Cambrai par Louis XIV en 1677.

◀ **Département des Beaux-Arts** – Peintures des Pays-Bas (16e - 17e s.), dont quelques natures mortes de Van Veerendael. École française du 18e s. (Berthelemy et Jacques de Lajoue). Les portraits, paysages et thèmes religieux prédominent pour les 19e et 20e s., avec Boudin, Utrillo, Marquet, Ingres... Sculptures : Rodin, C. Claudel, Bourdelle, Zadkine et Jeanclos.

À VOIR

Une toile de Rombout, les *Joueurs de cartes*, et la sculpture contemporaine d'Ossip Zadkine, *Il penseroso* (1951).

Vallée de la **Canche**★

RESTAURATION, ACHAT
Crêperie et boutique La Maison du Perlé – *50 r. Principale - 62990 Loison-sur-Créquoise - ☎ 03 21 81 30 85 - ouv. juil.-août - 45/65.* Le « perlé », vieille recette régionale à base de groseilles fermentées, est un apéritif à découvrir chez ce producteur. En été, la crêperie est installée dans une petite cabane posée sur le gazon pour une halte en toute simplicité. Boutique de produits régionaux.

La Canche est une rivière dont le cours paresseux entraîne difficilement les eaux qui sourdent des flancs de sa vallée et s'épanchent en marais. C'est un vrai jardin sauvage où, l'été venu, toutes les couleurs de la nature se déclinent.

La situation

Cartes Michelin n°s 51 plis 11, 12, 13 ou 236 plis 11, 12, 13, 14 – Pas-de-Calais (62). La vallée verdoyante s'évase en pentes molles, parsemées de maisonnettes aux murs chaulés. Les prés alternent avec les bois, sur les pentes.

Le nom

Canche provient du bas latin *quantia* qui signifie « caillouteuse ». La rivière, longue de 97 km, naît à St-Pol-sur-Ternoise et se jette au Nord du Touquet.

Les habitants

Peupliers des zones marécageuses et « saules têtards » des bocages abritent une faune variée : pic-verts, mésanges boréales, bleues ou charbonnières, chouettes, hiboux...

itinéraires

DU TOUQUET-PARIS-PLAGE À HESDIN

54 km – environ 2h1/2.
Quitter Le Touquet-Paris-Plage au Sud par la N 39.
Maisonnettes blanches à toits de tuiles, manoirs sous les frondaisons ou au bord de l'eau. Avant d'atteindre La Madelaine, échappées sur les remparts de Montreuil.

Montreuil★ *(voir ce nom)*
Quitter Montreuil au Nord-Est par la D 439, franchir la Canche et, à Neuville, prendre à droite la D 113.

Chartreuse N.-D.-des-Prés
Fondée au 14e s. et ruinée après 1789 ; elle fut reconstruite en 1872 par les chartreux puis convertie en hospice (1903).
Entre Neuville et Marles, jolies vues sur les remparts de Montreuil, roses avec un liséré blanc.
Franchir la Canche.
La route longe des étangs poissonneux.

Brimeux
Centre de pêche et de chasse à proximité d'un vaste étang. L'**église** possède un élégant chœur flamboyant et un clocher à la silhouette étrange.
Suivre la D 439 jusqu'à Aubin-St-Vaast, puis tourner à droite dans la D 136E, en montée.
Au sommet de la côte, **vue** étendue vers la vallée que surmonte la masse sombre de la forêt d'Hesdin, interrompue à gauche par le vallon de la Planquette.
Suivre la D 138 qui offre des vues sur la forêt et Hesdin.

DE HESDIN À FRÉVENT
33 km – environ 1h.
Quitter Hesdin à l'Est par la D 110.

Vieil-Hesdin
Il rappelle le souvenir de l'ancienne cité d'Hesdin rasée ▶ par les troupes de Charles Quint, en 1553.
L'itinéraire emprunte la rive gauche de la Canche et suit la D 340, « **Route des Villages Fleuris** ». Jolies perspectives sur les prairies.
À Conchy-sur-Canche prendre à gauche la D 102.

Château de Flers
Il avoisine l'église dans un site reposant. Château Louis XVI à courtes ailes en retour, en brique avec parement de pierre selon la formule locale.
Sur le côté droit de l'église, fait saillie la **chapelle seigneuriale** (15e s.) à clés et consoles sculptées. *On ne visite pas.*
Revenir à la D 340 qui rejoint, après Boubers-s-Canche, la D 941 conduisant à Frévent.

Frévent
Petite ville active sur les bords de la Canche, avec un agréable jardin public.
Église St-Hilaire – Elle date du 16e s. Un clocher-porche puissant la précède. À l'intérieur, une peinture du 16e s. représente la Sainte Famille. *W.-end 9h-12h, 14h-18h. Mairie. ☎ 03 21 03 60 21.*
1 km au Sud-Est de Frévent par la D 339.

Château de Cercamp
Il abrite des vestiges d'un monastère cistercien du 12e s. bâti par les comtes de St-Pol et détruit en 1789. Le château actuel a été édifié au 18e s. par R. Coigniard qui fit aussi les plans de l'abbaye de Valloires. Il comporte un seul corps de bâtiment. Avant-corps central et pavillons latéraux en légère saillie. *On ne visite pas.*

LES MERVEILLES D'HESDIN
Le château d'Hesdin était au Moyen Âge la résidence favorite des comtes d'Artois. À la fin du 13e s., Robert d'Artois fit aménager un jardin contenant toutes sortes de divertissements extraordinaires, « les merveilles d'Hesdin » (pièges hydrauliques, mannequins animés, pavillons truqués...).

AGENDA
Lors de la fête de Cercamp, tous les ans, à la fin juillet, Nanard, le géant de Frévent, est de sortie dans les rues de la ville.

La Capelle

La Capelle reçut les plénipotentiaires allemand
venus de Spa pour demander l'armistice le
7 novembre 1918. Ce gros bourg est aussi connu pour
son hippodrome et son industrie du pinceau.

La situation

Cartes Michelin n°s 53 pli 16 ou 236 pli 29 – Aisne (02). Ville
de Thiérache, au Nord-Est de l'Aisne. Accès par la N 43,
la N 2 ou la N 29.

🄱 *Mairie, 02260 La Capelle,* ☎ 03 23 97 35 55.

Les gens

2 007 Capellois. On y croise des jockeys et des passionnés
de chevaux. Le champ de courses, créé en 1874, possède
un des plus long anneaux de vitesse d'Europe (1609 m).

comprendre

Prélude à l'Armistice – 7 nov. 1918 ; 21h. Un brouillard
tapisse la campagne. La délégation de plénipotentiaires
allemands, emmenée par le général von Winterfeldt et
le secrétaire d'État Erzberger, franchit les avant-
postes français à Haudroy. Elle arrive à la Villa Pasques
(17 rue de l'Armistice) où elle est reçue par le
commandant de Bourbon-Busset, membre de l'état-
major de Foch. Le convoi se dirige au QG de Debeney,
commandant la 1re Armée, près de St-Quentin. Enfin ce
sera Rethondes.

visiter

Église Ste-Grimonie

Elle est due à **Charles Garnier**, mais on ne peut dire que
l'architecte de l'Opéra de Paris ait réalisé ici un chef-
d'œuvre.

alentours

Pierre d'Haudroy *(3 km au Nord-Est par la D 285)*
Au bord de la route, sur une légère éminence, le
monument de l'Armistice, nommé « Pierre d'Haudroy », marque l'endroit où les plénipotentiaires
allemands se présentèrent devant nos lignes et où le
clairon **Sellier**, un Comtois du 171e RI, sonna le cessez-
le-feu.

> ### VIE ET MORT D'UN PRÉTENDANT AU TRÔNE
>
> C'est au Nouvion que naît, en 1908, **Henri d'Orléans**, fils du duc
> de Guise. Il devient en 1926 chef de la famille de France. Cette
> succession, qui vaut au jeune prince le titre de **comte de Paris**,
> contraint les siens à l'exil. Belgique, Maroc et Portugal verront naître
> et grandir ses 11 enfants. Un court passage dans la Légion étrangère
> (1940), une tentative pour obtenir un poste à Alger (1942), le retour
> en France (1950) après l'abrogation de la loi d'exil n'apporteront pas
> à l'héritier du trône de Louis-Philippe le rôle de premier plan dont il
> rêvait, illusion dans laquelle l'avait entretenu le général de Gaulle,
> auquel il s'était rallié (1958) en approuvant l'instauration de la
> Ve République. Le comte de Paris est décédé le 19 juin 1999 dans
> l'Eure-et-Loir.

Cassel★

Charmante petite ville flamande, avec sa belle Grand'Place aux pavés inégaux, ses rues étroites et tortueuses et ses maisons basses chaulées. Les pentes verdoyantes du « mont » Cassel, jadis couvertes de moulins, dominent le plat pays de Flandre.

La situation

Cartes Michelin n°s 51 pli 4 ou 236 pli 4 – Nord (59). Accès : A 25 ou D 916 et D 933. Ça grimpe, vers le centre. 🚩 *Grand'Place, 59670 Cassel, ☎ 03 28 40 52 55.*

Le nom

Le mont fut fortifié à l'époque des Morins, avant l'ère chrétienne, et nommé *Castel* ou *Quastel*, signifiant « forteresse ». Les Romains occupent le *Castellum* pendant 5 siècles et en font le nœud de 7 chaussées.

Les gens

2 290 Casselois. Pour rien au monde ils ne dérogeraient à leurs traditions : ducasse, tir à l'arc, carnaval, cortège des géants dits *Reuzes*, et discussions sans fin à l'estaminet, entre amis, autour d'une bonne bière ambrée.

La famille des Reuzes, géants de Cassel, serait originaire de Scandinavie.

comprendre

Les deux guerres mondiales – D'octobre 1914 à juin 1915, le **général Foch** établit son QG à Cassel. De là, il suit la bataille des Flandres. Il loge à l'hôtel de Schœbecque, au n° 32 de l'actuelle rue du Maréchal-Foch.

En mai 1940, une partie du corps expéditionnaire britannique, en retraite vers l'Yser et Dunkerque, soutient un farouche combat de retardement à Cassel.

se promener

Jardin public

Au sommet de la butte, un jardin a été dessiné à l'emplacement du château féodal qui englobait une collégiale dont on a retrouvé la crypte. Au centre se dressent la statue équestre de Foch et un **moulin** du 18e s., en bois, provenant d'Arneke et remonté en lieu et place du Castel Meulen, moulin du château. *Avr.-sept. : visite guidée (1/2h) 10h-12h, 14h-18h ; oct.-mars : w.-end et j. fériés 10h-12h, 14h-17h30 (vac. scol. : tlj). Fermé 1er janv. et 25 déc. 17F.* ☎ *03 28 40 52 55.*

Beau **panorama★** en parcourant l'esplanade de l'extérieur : les vieux toits de Cassel ; au-delà, les monts de Flandre, la Manche et le beffroi de Bruges. ▶

> **LES 5 ROYAUMES**
> « De Cassel », affirme le dicton, « on voit cinq royaumes, la France, la Belgique, la Hollande, l'Angleterre et, au-dessus des nuées, le royaume de Dieu. »

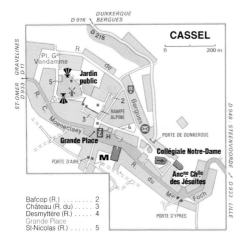

CASSEL

0   200 m

DUNKERQUE
BERGUES

Pl. Gal Vandamme

Jardin public

RAMPE ALPINE

Grande Place

PORTE D'AIRE

PORTE DE DUNKERQUE

Collégiale Notre-Dame

Anc^{ne} Ch^{lle} des Jésuites

PORTE D'YPRES

ST-OMER GRAVELINES D 933 ↓ D 11

D 948 STEENVOORDE ↘ D 933 LILLE

Bafcop (R.)	2
Château (R. du)	3
Desmyttère (R.)	4
Grande Place	
St-Nicolas (R.)	5

carnet pratique

Grand'Place

Bossuée de pavés, elle étire son plan sur le flanc du mont,
près de la collégiale. Côté Sud, bel ensemble de logis
anciens (du 16e au 18e s.).

Hôtel de la Noble Cour – Haute toiture parsemée de
lucarnes aveugles ; façade en pierre (rare dans le Nord),
percée de baies à frontons alternativement triangulaires
et curvilignes. Portail Renaissance, encadré de colonnes
de marbre gris et décoré de Renommées dans les
écoinçons, de sirènes et de rinceaux à la frise.

À l'intérieur, la visite du **musée** permet de voir : boiseries
Louis XV, mobilier flamand et Louis XVI, faïences et
porcelaines du Nord, etc. Le bureau de Foch est conservé
dans l'état où il se trouvait en 1915. *Fermé pour rénovation
jusqu'en 2001.*

Collégiale Notre-Dame

Église gothique flamande à trois pignons, trois nefs, trois
absides, un clocher carré à la croisée du transept. Foch
venait souvent y prier et méditer.

Ancienne chapelle des Jésuites

Harmonieuse façade du 17e s., en brique et pierre.

**LE GÉANT DE
STEENVOORDE**

Yan den Houtkapper, bû-
cheron de son état, créa
des chaussures inusables
pour Charlemagne. Recon-
naissant, celui-ci lui offrit la
cuirasse qu'il porte tou-
jours lors des défilés dont il
est le héros.

alentours

Steenvoorde *(8 km par la D 948)*

Petite ville flamande avec ses maisons peintes et ses toits
de tuiles rouges. Steenvoorde, autrefois célèbre pour ses
draps, possède l'une des plus grandes laiteries du pays.

Les moulins

En périphérie de Steenvoorde, on peut voir trois moulins
à vent bien conservés dont le **Steenmeulen**, moulin
tronconique en briques situé à **Terdeghem** au sud sur la
D 947. *De mi-avr. à fin sept. : visite guidée sur demande de
préférence. 10F. ☎ 03 28 48 16 10.*

Wormhout *(10 km au Nord par les D 218 et 916)*

Moulin Deschodt – À mi-chemin se dresse ce moulin sur
pivot, en bois, seul survivant des 11 moulins à vent que
comptait la commune en 1780. *De juin à fin août : 1er et
3e dim. de juin ; 2e dim. de juil. ; 1er et 2e dim. d'août. 11F.
☎ 03 28 62 81 23.*

Musée Jeanne-Devos – Jolie maison flamande flanquée
d'un pigeonnier. La photographe J. Devos vécut dans cet
ancien presbytère (18e s.). Exposition d'objets et
témoignages de la vie quotidienne dans les villages. *Tlj
sf mer. 10h-12h, 14h-17h, deux 1er dim. du mois 15h-18h.
Fermé j. fériés. 11F. ☎ 03 28 62 81 23.*

*Les moulins sur pivot sont
les plus répandus. Ils
reposent et tournent
autour d'un axe vertical.*

Le Cateau-Cambrésis

Au contact du Cambrésis fertile en cultures et de la Thiérache herbagère, le Cateau est une petite ville avenante étagée sur la rive droite de la Selle. L'héritage de Matisse en fait un pôle culturel.

La situation

Cartes Michelin n°s 53 plis 4, 5, 14 et 15 ou 236 pli 28 – Nord (59). Accès par la N 43/E 44 ou la D 932. 🛈 *Hôtel de ville, pl. du Gén.-de-Gaulle, 59360 Le Cateau-Cambrésis,* ☎ *03 27 84 10 94.*

Le nom

Il vient de *Chastel-en-Cambrésis*, entité née de la fusion de deux vieux villages : Péronne-sur-Seine et Vendelgies.

Les gens

7 460 Catésiens. **Henri Matisse** (1869-1954), fils d'un commerçant en grains de Bohain, est né au Cateau-Cambrésis où il a passé une grande partie de son enfance.

comprendre

Le traité du Cateau-Cambrésis – Au Cateau a été signé le 3 avril 1559, entre la France et l'Espagne, le traité mettant fin aux guerres d'Italie. Henri II restituait le Piémont, le Milanais, le Montferrat et la Corse, mais conservait Calais et les Trois Évêchés, Metz, Toul et Verdun. Le souverain meurt trois mois plus tard à Paris, au château des Tourterelles. Ses médecins n'ont rien pu faire. Catherine de Médicis adopte alors le deuil qu'elle ne quitte que pour le mariage de ses enfants.

> **UN MORTIER SAUVE LE ROI**
> Le Catésien **Adolphe Mortier** (1768-1835), l'un des maréchaux favoris de Napoléon, périt victime de la machine infernale de Fieschi en couvrant le roi Louis-Philippe de sa stature gigantesque.

se promener

Place Anatole-France

Statufié par le sculpteur douaisien Bra, le maréchal Mortier inspecte la Grande-Place, longue et déclive, terminée par l'**hôtel de ville** (17ᵉ s.) et son **beffroi**.

Ancien palais des archevêques

Sous l'Ancien Régime, il appartenait aux princes-archevêques de Cambrai, suzerains du Cateau. Dans le jardin classique, bordé par la Selle, jolie perspective : verdure encadrée de mails. Il s'achève en un « vertuga-din » (sorte d'amphithéâtre), transformé en jardin ornemental.

> **ANCIEN PALAIS**
> Dit « Palais Fénelon », bien que construit après le passage du célèbre prélat. Fénelon connut néanmoins le jardin où il aimait à se promener et à méditer.

Église St-Martin

Ancienne abbatiale bénédictine de St-André, édifiée en 1635 sur les plans du frère jésuite du Blocq avec la collaboration du sculpteur cambraisien G. Marsy. Clocher bulbeux et belle façade, d'un baroque mesuré. La rigueur symétrique de l'élévation contraste avec l'exubérance du décor sculpté : volutes, pots à feu, niches, cartouches, séraphins, guirlandes,... L'intérieur comprend un chœur des moines très développé et un déambulatoire.

> **À OBSERVER**
> Les emblèmes bourguignons (croix de St-André, briquets) rappellent qu'à l'époque, les Espagnols tenaient leurs possessions du Nord de l'héritage bourguignon.

carnet pratique

visiter

Musée Matisse

Fermé pour travaux de rénovation jusqu'en 2002. ☎ 03 27 84 13 15.

À VOIR

Parmi les peintures de **Matisse**, un *Autoportrait* (1918), *Fenêtre à Tahiti* (1936) et parmi ses sculptures, le *Grand Nu assis* et les quatre bas-reliefs *Nu de dos*.

◄ Dans le « Palais-Fénelon », musée créé par **Matisse**. Le cabinet des dessins présente une sélection de ses œuvres rassemblées par l'artiste : études à l'encre de Chine *(Le Fiacre)*, portraits de femmes *(Odalisque au fauteuil)*, dessins au trait des années 1930 et 1940. Rez-de-chaussée consacré au peintre Auguste Herbin (1882-1960), un des maîtres de l'abstraction géométrique, et à son élève Geneviève Claisse, originaires de Quiévy, près du Cateau.

Océanie, la Mer par Henri Matisse (1946).

alentours

Caudry-en-Cambrésis *(8 km au Nord-Ouest)*

Le métier à tulle apparaît à Caudry en 1823 ; 35 ans plus tard, un autre métier, de type mécanique, est mis au point dans le Cambrésis. Un empire tullier se développe alors à Caudry, jusqu'en 1914. La ville reste, avec Calais le 1er pôle dentellier français. Elle produit surtout des dentelles pour les maisons de couture françaises et étrangères.

Musée de la Dentelle de Caudry – Dans une ancienne tullerie, il retrace l'histoire de la dentelle mécanique. Collection d'échantillons, d'accessoires de mode, de robes et de parures. Pour comprendre la technique dentellière, un atelier reconstitué s'active sous vos yeux. *Tlj sf mar. 10h-12h, 14h-17h, w.-end 14h30-18h. Atelier pédagogique sur rendez-vous. Fermé 1er janv., 1er mai, 24-25 et 31 déc. 20F* ☎ 03 27 76 29 77.

Le Chemin des Dames

Théâtre de combats très meurtriers au cours de la Première Guerre mondiale, le Chemin des Dames conserve les traces émouvantes du désespoir des « Poilus ». Le site est à jamais gravé dans l'Histoire.

La situation

Cartes Michelin nos 56 plis 4, 5 ou 236 plis 37, 38, 39 – Aisne 02). L'itinéraire suit d'Ouest en Est la crête d'une falaise séparant la vallée de l'Aisne de celle de l'Ailette. Les versants abrupts sont percés de galeries qui donnent sur les carrières souterraines.

Le nom

Ce chemin tient son nom des filles de Louis XV, *Mesdames*, qui l'empruntaient pour gagner le château de la Bove, propriété de leur amie, la duchesse de Narbonne.

Les gens

Sur certaines parois souterraines, quelques bas-reliefs et graffitis poignants laissés par des Poilus de toutes nationalités traduisent l'angoisse de ces hommes mais aussi leurs rêves et leurs espoirs.

comprendre

L'offensive Nivelle – Après la bataille de la Marne, les Allemands en retraite s'étaient arrêtés sur cette position défensive qu'ils fortifièrent en utilisant les carrières, « boves » ou « creuttes », creusées dans la falaise. Le général **Nivelle**, ayant pris le commandement des armées françaises en décembre 1916, cherche la rupture du front sur le Chemin des Dames. Malgré la nature difficile du terrain, il lance, le 16 avril 1917, l'armée Mangin à l'assaut des positions allemandes. Les troupes françaises occupent les crêtes dans un premier élan, mais les Allemands s'accrochent sur le versant de l'Ailette.

Le désespoir des Poilus – Fin avril, un climat insurrectionnel gagne une grande partie de l'armée. Les généraux Nivelle et Mangin sont limogés. Le général **Pétain** prenant le commandement mate ces tentatives de révolte. Des voix s'élèvent aujourd'hui pour accorder le pardon à ces « mutins » qui n'étaient en fait que des soldats désespérés devant l'horreur des combats passés.

> **DÉMORALISATION**
> Des pertes terribles et l'échec de l'entreprise engendrent dans le secteur une crise morale qui provoque bientôt des mutineries.

carnet pratique

RESTAURATION

• À bon compte

L'Auberge du Moulin Bertrand – *02860 Martigny-Courpierre - 4 km de Cerny-en-Laonnois par D 967 et D 88 - ☎ 03 23 24 71 73 - fermé fév., dim. soir et lun. - réserv. obligatoire - 90/240F.* Avec sa cuisine savoureuse à base de produits frais, ce restaurant saura satisfaire vos envies gourmandes. Après le repas, laissez-vous tenter par une promenade sur les bords verdoyants des étangs ou par une partie de pêche au kilo... En hiver, profitez de la cheminée.

HÉBERGEMENT

• À bon compte

Chambre d'hôte Le Clos – *02860 Chéret - 8 km au S de Laon par D 967 - ☎ 03 23 24 80 64 - fermé 15 oct. au 15 mars - ✉ - 5 ch. : 200/280F - repas 100F.* Ce vendangeoir, dont l'origine remonte au 16e s., est une invitation au repos et à la détente. Il a le charme suranné des vieilles maisons et vous pourrez y poser votre sac pour souffler un peu. Ses chambres spacieuses sont décorées de jolis meubles anciens. Petit musée à visiter.

itinéraire

DE SOISSONS À BERRY-AU-BAC *(57 km – env. 3h30*
Quitter Soissons au Nord et prendre la N 2 vers Laon.

Carrefour du Moulin de Laffaux
Sur cette butte (169 m) qui marque l'extrémité Ouest de
hauteurs du Chemin des Dames se dresse le Monumen
aux Morts des Crapouillots *(derrière le restaurant)*. L
moulin de Laffaux s'élevait autrefois à cet emplacemen
Traverser la D 14, 1 km plus loin, tourner à droite dans l
D 18.

Fort de la Malmaison
Enlevé par les coloniaux de la 38e DI sur la Gard
prussienne, en 1917. Cimetière de la Malmaison : tombe
allemandes (1939-1945).

Cerny-en-Laonnois
Près du carrefour de la D 967, mémorial du Chemin de
Dames, chapelle et cimetière militaire français jouxtan
un cimetière allemand, fraternellement unis.

Caverne du Dragon
&. *Juil.-août : visite guidée (dernier dép. à 16h30) 10h-19h*
sept.-juin : tlj sf lun. 10h-18h (visite guidée à 16h), w.-end
j. fériés, vac. scol. visite guidée toutes les 1/2h. Fermé en jan
30F. ☎ *03 23 25 14 18.*
Baptisée caverne du Dragon par les Allemands, cette an
cienne galerie a été creusée au Moyen Âge par les carrier
pour extraire la pierre qui servit à bâtir l'abbaye de Vau
clair. En 1915, les unités allemandes la transforment er
caserne. Convertie en **musée du Souvenir**, elle retrace le
quotidien des soldats (mises en scène efficaces, objets
visuels). Un film et une maquette animée montrent le
épisodes marquants du conflit et l'importance stratégiqu
du site. Panorama sur la vallée de l'Aisne.
La D 18 suit l'« isthme d'Hurtebise », qui s'épanouit at
Nord-Est sur le plateau de Craonne formé des plateaux d
Vauclair et de Californie.

La Caverne du Dragon a
été réaménagée en
musée du Souvenir.

Visites

À vélo : 2 circuits balisés
« Mémoires » et
« Forteresse naturelle »
empruntent les petites
routes de campagne :
À pied : circuit
« St-Victor » de 11 km
(3h) au départ de
l'abbaye de Vauclair.

Monument des « Marie-Louise »
En mars 1814, la ferme d'Hurtebise a été l'enjeu de la
bataille de Craonne que Napoléon, venu de Corbeny
remporta sur Blücher. Face à la ferme, ce mémoria
associe les jeunes fantassins de l'Empereur, appelés le
Marie-Louise, aux Poilus de la Grande Guerre.
La D 886, à gauche, descend dans la vallée de l'Ailette.

Abbaye de Vauclair
&. *Tlj 8h-20h. Gratuit.* ☎ *03 23 22 40 87.*
Vestiges d'un monastère cistercien, fondé en 1134 pa
saint Bernard. Les parties les mieux conservées sont le
cellier, le réfectoire des frères convers, la salle capitulaire
et la salle des moines. On distingue les bases de
l'abbatiale et de l'hostellerie. Une galerie d'exposition se
trouve à côté du jardin de plantes médicinales.
Autour, la **forêt** monastique de Vauclair couvre 1 000 ha

Route historique
Cet itinéraire balisé relie 8 sites historiques aménagés (panneaux
thématiques, aires de repos) :
1. Fort de la Malmaison : fortifications du début du 20e s. ;
2. Panorama de la Royère : troupes coloniales ;
3. Cerny-en-Laonnois : nécropole et mémoire ;
4. Caverne du Dragon : musée (voir ci-dessus) ;
5. Monument des Basques : la France combattante ;
6. Plateau de Californie : vie quotidienne des soldats ;
7. Arboretum et village de Craonne : mutineries et
reconstruction ;
8. Monument national des chars d'assaut à Berry-au-Bac :
engagement des blindés.

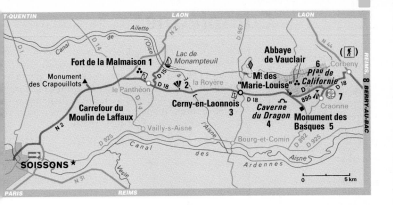

Revenir au Chemin des Dames et suivre la D 18 sur 2 km.

Monument des Basques

Cent ans après Craonne (1814), la ferme d'Hurtebise est à nouveau l'objet de furieux combats, où s'illustrent les Basques de la 36e DI. Monument commémoratif.

Revenir sur ses pas et prendre à droite la D 895.

À droite, on longe l'observatoire d'où Napoléon dirigea la bataille de Craonne (statue de l'Empereur).

Plateau de Californie

À partir du parking, promenade pédestre montante en ► lisière de forêt *(3/4h)* jalonnée de panneaux sur la vie quotidienne du soldat. Vue sur la vallée.

Arboretum de Craonne

Là où l'on rejoint la D 18, un arboretum a remplacé ► l'ancien village de Craonne ; le nouveau village a été reconstruit en contrebas.

Rejoindre la N 44 par Ville-aux-Bois et tourner à droite.

Berry-au-Bac

Avant l'arrivée à Berry, à l'intersection de la N 44 et de la D 925, monument des chars d'assaut.

> **U**ne étrange sculpture contemporaine évoque la dureté des combats. Figés dans le bronze, les visages des Poilus rejaillissent « de la terre à la lumière », enchevêtrés dans une structure qui rappelle un amas de fils barbelés ou une toile d'araignée.

> **Y**ves Gibeau (1916-1994), auteur de romans dont *Allons z'enfants* adapté au cinéma par Yves Boisset, est enterré dans le cimetière du Vieux Craonne.

Compiègne★★★

Visite

Visite guidée de la ville – Parcours (1h1/2) à travers les rues de Compiègne et à la découverte des monuments. De mi-mai à mi-juil. et de mi-août à mi-oct. : w.-end et j. fériés RV à 15h30 à l'Office de tourisme. 30F.

Compiègne a été résidence royale avant d'être le témoin des réceptions fastueuses du Second Empire. Les uns aimeront revivre ce passé en visitant le château, tandis que les amoureux de la nature suivront l'un des nombreux itinéraires de sa célèbre forêt où ont été signés les deux armistices (11 novembre 1918 et 22 juin 1940).

La situation

Cartes Michelin n°s 56 pli 2, 106 pli 10 (cartouche), 4060 H4, 236 pli 35 ou 237 plis 7 ou 8 – Oise (60). De Paris, accès par l'A 1. Du Nord, par l'A 1/A 2. 🛈 *Pl. de l'Hôtel-de-Ville, 6020 Compiègne,* ☏ *03 44 40 01 00.*

Le nom

Compiègne dérive de *Compiendium*, « raccourci ». Le nom ferait allusion à un ancien gué sur l'Oise, qui permettait d'éviter Senlis entre Soissons et Reims. À la Révolution Compiègne devient *Marat-sur-Oise*.

Les gens

Agglomération 69 903 Compiégnois. La forêt domaniale peuplée de cervidés, est le paradis des randonneurs. Trois équipages de chasse à courre animent encore l'ancienne terre de chasse des rois francs.

comprendre

Origines – Charles le Chauve fait bâtir un palais sur le modèle de celui de Charlemagne à Aix-la-Chapelle. Il revient à son frère Louis, lors du partage de l'Empire carolingien, au traité de Verdun (843). Il fonde aussi une abbaye qui conserve, à partir du 10e s., les reliques de saint Corneille. La ville grandit autour de cette abbaye royale (seul son cloître du 14e s. subsiste) qui précède St-Denis comme nécropole royale et foyer de culture. La cité s'entoure de remparts au 13e s. Charles V les renforce et leur ajoute, en 1374, un château à l'origine du palais.

Jeanne

La capture de la Pucelle s'est déroulée vers l'actuelle place du 54e-Régiment-d'Infanterie, sur laquelle a été érigée sa statue équestre, par Frémiet.

Jeanne d'Arc prisonnière – Mai 1430, Anglais et Bourguignons campent sous les murs de Compiègne. Jeanne d'Arc les épie. Elle franchit la rivière et chasse les avant-gardes bourguignonnes mais des renforts accourent. Les Anglais prennent les Français à revers, obligés de se replier. La Pucelle couvre la retraite avec quelques hommes. Ils arrivent devant les fossés. Trop tard ! Le pont-levis est redressé par le gouverneur craignant de voir les ennemis se glisser dans la place avec les derniers combattants. Une mêlée s'engage. Un archer picard désarçonne Jeanne, mise hors de combat et capturée.

Louis XIV mécontent

« À Versailles, je suis logé en roi, à Fontainebleau en prince, à Compiègne en paysan. »

Le château de Louis XV – Tous les rois se plaisent à Compiègne. Et pourtant, avec ses quatre corps de logis entourant, de guingois, une cour centrale, le château d'origine n'a rien d'une demeure de plaisance. Louis XIV fait donc construire de nouveaux appartements face à la forêt. Ses 75 séjours s'accompagnent de fêtes fastueuses et de grands camps militaires, comme celui de 1698, lors de sa dernière visite à Compiègne. Quand Louis XV ordonne, en 1738, la reconstruction totale du palais, il veut surtout disposer d'un logis pour résider avec sa cour et ses ministres. Son « grand plan », établi en 1751, est arrêté par la guerre de Sept Ans. Louis XVI le reprend et fait exécuter de grands travaux, bien qu'incomplets. En 1785, il occupe le nouvel appartement royal, qui reviendra à Napoléon Ier. Devant la façade du palais donnant sur le parc, une grande terrasse est aménagée, reliée aux jardins par un perron central. Elle remplace le fossé de l'enceinte de Charles V. En 1795, le mobilier se disperse lors de ventes aux enchères.

ménagements divers – Après la Révolution, le palais
st affecté à un prytanée militaire, puis à une école d'Arts
t Métiers. En 1806, il devient maison impériale et Napo-
on Ier le fait restaurer par l'architecte Berthaut, les frères
ubois et Redouté, décorateurs, et le peintre Girodet.

e château des mariages – Le 14 mai 1770, c'est en forêt
e Compiègne que le futur Louis XVI rencontre Marie-
ntoinette d'Autriche. Le 27 mars 1810, la petite-nièce de
larie-Antoinette, Marie-Louise, qui a épousé Napo-
on Ier par procuration, doit arriver à Compiègne. Les
érémonies nuptiales de St-Cloud et Paris consacrent
union imposée à Vienne et acceptée à Compiègne. En
832, Louis-Philippe, qui a converti le jeu de paume en
néâtre, marie sa fille Louise-Marie au 1er roi des Belges,
éopold I.

es « séries » du Second Empire – Compiègne est la
ésidence préférée de Napoléon III et de l'impératrice
ugénie. Ils y viennent pour les chasses d'automne et y
eçoivent les rois et princes d'Europe et les célébrités de
époque. Le logement des invités pose problème ;
ertains doivent se contenter de chambres dans les
ombles. Chasses, bals, soirées théâtrales se succèdent et
es intrigues amoureuses et politiques se mêlent. Un luxe
t une légèreté sans limite grisent les courtisans. 1870
nterrompt cette vie joyeuse et les travaux du nouveau
néâtre. Conséquence de ces séjours : le mobilier du
'remier Empire est en grande partie renouvelé.

es deux guerres mondiales – En 1917-1918, le palais
st le QG de Nivelle, puis de Pétain. Un incendie ravage
ne partie des appartements royaux en 1919. Les
rmistices du 11 novembre 1918 et du 22 juin 1940 sont
ignés dans la forêt. Au cours de la Seconde Guerre
nondiale, Compiègne est très éprouvée par les
ombardements. **Royallieu**, faubourg Sud, servit entre
941 et 1944 de centre de triage vers les camps de
oncentration nazis (monument commémoratif devant
'entrée du camp militaire et en gare de Compiègne).

> **LA DICTÉE DE MÉRIMÉE**
> Un après-midi pluvieux,
> pour distraire le couple
> impérial et ses invités,
> Mérimée compose 'sa
> fameuse dictée où il
> accumule les difficultés.
> L'impératrice commet le
> maximum de fautes, 62,
> Pauline Sandoz, belle-fille
> de Metternich, n'en fait
> que 3.

carnet pratique

RESTAURATION
● **À bon compte**
La Ciboulette – 87 r. de Paris - ☎ 03 44
20 29 03 - fermé 15 juil. au 13 août, dim.
soir et lun. - 98/195F. Ambiance familiale et
conviviale dans ce petit restaurant situé à
l'écart du centre-ville. Dès l'arrivée des
beaux jours, une agréable terrasse est
installée à l'arrière du bâtiment. Bien connu
des habitués qui s'y attablent avec bonheur,
il vaut mieux réserver.

● **Valeur sûre**
Le Bistrot des Arts – 35 cours Guynemer
- ☎ 03 44 20 10 10 - fermé sam. midi,
dim. et j. fériés - 115/130F. Au
rez-de-chaussée de l'hôtel des Beaux-Arts,
vous trouverez ici le charme d'un vrai
bistrot, décoré d'objets variés et de
gravures. Le chef aux fourneaux concocte
une bonne petite cuisine du marché.

À La Bonne Idée – 3 r. des Meuniers
- 60350 St-Jean-aux-Bois - 8 km au SE de
Compiègne par D 332 puis D 185 - ☎ 03 44
42 84 09 - www.a-la-bonne-idee.fr - fermé
8 janv. au 9 fév. - réserv. le w.-end
- 130/380F. Après l'effort d'une longue
promenade en forêt, le réconfort d'un bon
repas. Dans cette auberge forestière au
charme suranné, qui est aussi un hôtel, vous
pourrez faire une halte gourmande. N'est-ce
pas là une bonne idée !

Auberge du Buissonnet – 825 r.
Vineux - 60750 Choisy-au-Bac - 5 km
au NE de Compiègne par N 31 et D 66
- ☎ 03 44 40 17 41 - fermé dim. soir,
mar. soir et lun. - 149/220F. Derrière
l'auberge, il y a un étang où canards et
cygnes glissent paisiblement, s'ébrouent puis
gambadent dans le jardin. Choisissez une
table près des fenêtres de la salle à manger
ou sur la terrasse en saison.

HÉBERGEMENT
● **À bon compte**
Camping Municipal de Batigny – 60350
Pierrefonds - 15 km au SE de Compiègne
par D 973 - ☎ 03 44 42 80 83 - ouv.
31 mars à Toussaint - ✉ - réserv. conseillée
- 60 empl. : 34F. Vous trouverez ce
camping en bordure de la route de
Compiègne dans un site agréable et soigné.
Emplacements délimités par des haies
d'arbustes et de fleurs, installations
modestes mais de bonne tenue.

● **Valeur sûre**
Hôtel des Beaux Arts – 33 cours
Guynemer - ☎ 03 44 92 26 26 - **P**
- 37 ch. : 350/460F - ☖ 55F. Sur les quais
de l'Oise, cet hôtel est de construction
récente. Les chambres modernes sont
meublées en teck ou en bois plaqué et bien
insonorisées. Quelques-unes sont plus
spacieuses, avec cuisinette.

découvrir

LE PALAIS★★★ *(visite : 2h)*

Vu de la place, c'est, paradoxalement, « un châtea Louis XV presque totalement élevé de 1751 à 1789 ». Le palais, qui couvre un vaste triangle de plus de 2 ha est d'une sévérité classique, d'ordonnance régulière Mais la décoration intérieure (collection de tapisseries ameublement du 18ᵉ s. et du Iᵉʳ Empire) mérite une visit approfondie. À signaler, parmi les détails décoratif donnant une certaine unité aux appartements : le trompe-l'œil de Sauvage (1744-1818), en dessus-de-porte

Les appartements historiques★★

Visite guidée (1h, dernière entrée 3/4h av. fermeture) tlj s mar. 10h-16h30 (mars-oct. : 18h). Fermé 1ᵉʳ janv., 1ᵉʳ ma 1ᵉʳ nov., 25 déc. 35F, dim. : 23F, gratuit 1ᵉʳ dim. du mois ☎ 03 44 38 47 00 ou ☎ 03 44 38 47 02.

Après les salles d'attente, on passe au pied du grand degr de la Reine ou escalier d'Apollon pour gagner la galeri des Colonnes. Elle précède l'escalier d'honneur **(1)** ave sa belle rampe en fer forgé (18ᵉ s.). Palier : sarcophag gallo-romain qui servit de cuve baptismale dans l'églis abbatiale St-Corneille. 1ᵉʳ étage : grande salle des Garde (1785) **(2)**. L'antichambre ou salon des Huissiers **(3)** qu fait suite commandait l'accès de l'appartement du Roi (gauche) et de la Reine (à droite).

Appartement du Roi et des Empereurs

Salle à manger de l'Empereur (4) – Décor et mobilie Premier Empire. Murs en faux onyx rosé ; porte surmontées de grisailles peintes par Sauvage, comme l trompe l'œil du grand tableau représentant Anacréon. L 1ᵉʳ mai 1814, Louis XVIII reçut ici le tsar Alexandre qu hésitait à replacer les Bourbons sur le trône de France Sous le Second Empire, le théâtre intime y était dress et les familiers de l'Impératrice y jouaient revues e charades.

Salon des Cartes (5) – Antichambre des Nobles sou Louis XVI, puis salon des Grands Officiers sou Napoléon Iᵉʳ, cette pièce fut désignée comme salo des Aides de camp ou salon des Cartes sous Napoléon III Le mobilier mêle des éléments du Premier Empire (chaises couvertes en tapisseries de Beauvais) et d Second Empire. Remarquez les jeux : palet, billar japonais.

Salon de Famille (6) – Ancienne chambre à coucher de Louis XVI. **Vue★** sur le parc, tout au long de la perspective des Beaux Monts. Le mobilier rappelle le penchant de l'impératrice Eugénie pour les mélanges de styles : fauteuils Louis XV, petits sièges de fantaisie à 2 places (« confidents ») et à 3 places (« indiscrets »)...

Salle du Conseil (7) – Elle a perdu son mobilier, sauf la table. Avec Versailles et Fontainebleau, Compiègne étai le troisième château où le Roi tenait conseil. Une tapisserie montre le passage du Rhin par Louis XIV.

Chambre de l'Empereur (8) – Frise représentant des aigles et mobilier de Jacob Desmalter.

Bibliothèque de l'Empereur (9) – Autrefois grand cabinet du Roi, cette pièce a été aménagée en bibliothèque sous le Premier Empire. Corps de bibliothèque et mobilie de l'atelier de Jacob Desmalter ; plafond peint par Giro det.

Appartement de l'Impératrice

Le premier appartement de la Reine est le seul dans lequel Marie-Antoinette séjourna.

Salon du Déjeun (10) – Ravissant salon installé pour Marie-Louise, tendu de soieries bleu clair et jonquille.

La chambre de l'Empereur a été restituée telle qu'elle était sous le Premier Empire.

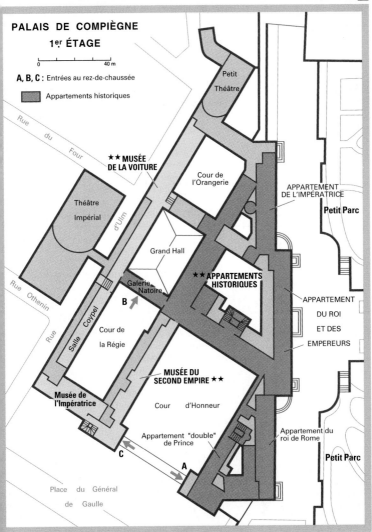

Salon de Musique (11) – L'une des pièces préférées de l'impératrice Eugénie. Mobilier de l'appartement de Marie-Antoinette à St-Cloud. Eugénie, la dernière souveraine de France, entretenait en effet le souvenir de l'infortunée reine.

Chambre de l'Impératrice (12) – Lit à baldaquin, rideaux de soie blanche et de mousseline brodée d'or. Peintures de Girodet (*Les Saisons* et *L'Étoile du matin*). Le boudoir rond, ouvert sur la chambre, servait de salle d'atours et de bains.

Les trois derniers salons composent un ensemble décoratif du Premier Empire. Dans le **Grand Salon (13)**, on a disposé les sièges « à l'étiquette » autour d'un canapé. Le **salon des Fleurs (14)** doit son nom à 8 panneaux peints de liliacées, d'après Redouté. Dans le **Salon bleu (15)**, contraste entre le bleu des murs et des sièges et les marbres rouges de la cheminée et des consoles. À la fin du Second Empire, c'est le domaine du prince impérial.

Salle à manger de l'Impératrice (16) – Dimensions modestes, murs revêtus de stuc-marbre, « jaune antique ». Ici se déroula le premier repas de l'archiduchesse Marie-Louise en compagnie de l'Empereur.

Galerie des chasses de Louis XV – Tapisseries tissées aux Gobelins dès 1735 d'après les cartons d'Oudry. La série continue dans la **galerie des Cerfs (17)**, salle des gardes de la Reine, puis de l'Impératrice.

Galerie du Bal – Construite pour l'arrivée de Marie-Louise en éventrant 2 étages de petits appartements. Les peintures du plafond glorifient les victoires de l'Empereur. En bout de salle, scènes mythologiques dues à Girodet. Sous le Second Empire la galerie servit de salle à manger lors des « séries ».

Galerie Natoire et salle Coypel – Édifiées par Napoléon III pour mener au grand théâtre de la Cour (inachevé). Leur décoration évoque l'histoire de Don Quichotte, **peintures★** de Natoire (1700-1777).

Chapelle – Étonnamment petite pour un si vaste château – la grande chapelle prévue n'ayant jamais été construite –, elle est l'œuvre du Premier Empire. Là eut lieu le 9 août 1832, dans l'émotion d'une famille très unie, le mariage de la princesse Louise-Marie, fille aînée de Louis-Philippe, avec Léopold Ier, roi des Belges. La princesse Marie d'Orléans, deuxième fille du roi des Français, donna le dessin du vitrail.

Appartement double de Prince et appartement du roi de Rome

Appartement double de Prince – Destiné par Napoléon Ier à loger un couple de souverains étrangers. Bel exemple d'ameublement Empire : une salle à manger, quatre salons, et une grande chambre à coucher.

Appartement du roi de Rome – Appartement du fils de Napoléon Ier qui y passa un mois en 1811. Restitué tel qu'il se trouvait à l'époque, avec son mobilier d'origine : salon-boudoir, salle de bains, boudoir, chambre à coucher, premier salon. Au milieu de l'appartement, le salon de jeux de la reine Marie-Antoinette **(18)**.

Musée du Second Empire★★

Tlj sf mar. 10h-18h (dernière entrée : 17h15). Fermé 1er janv., 1er mai, 1er nov., 25 déc. 35F, dim. : 23F, gratuit 1er dim. du mois.

Dans l'ambiance feutrée d'une suite de petits salons, le musée donne de nombreuses images de la Cour, de la vie mondaine et des arts sous le Second Empire.

À la suite de la première salle, consacrée aux dessins humoristiques d'Honoré Daumier, les collections font place aux « beautés » de l'époque. La princesse Mathilde (1820-1904), l'une des grandes figures du règne, y est à l'honneur. Cette cousine proche de Louis-Napoléon lui avait été un moment fiancée. Après son mariage espagnol, elle se consacra à son salon de la rue de Courcelles, fréquenté par de nombreux écrivains et artistes – même hostiles au pouvoir – et à son château de St-Gratien.

Musée de l'Impératrice – Collection léguée par M. et Mme Ferrand. Outre les souvenirs de la vie officielle et de l'exil et les bibelots populaires, des vitrines rassemblent les objets les plus émouvants de l'impératrice Eugénie et de son fils, le prince impérial, massacré par les Zoulous.

Musée de la Voiture★★

Visite guidée (1h, dernière entrée 17h15) tlj sf mar. 10h-18h. Fermé 1er janv., 1er mai, 1er nov., 25 déc. 25F, dim. : 17F, gratuit 1er dim. du mois.

Créé en 1927 sur l'initiative du Touring Club de France. La collection de voitures anciennes comprend des berlines (voitures montées sur train à deux brancards, plus sûres que l'attelage à flèche unique) de voyage ou d'apparat.

Grand Hall – L'ancienne cour des cuisines couverte accueille une berline de voyage des rois d'Espagne (vers 1740) ; une berline papale et celle où Bonaparte fit son entrée dans la ville en 1796. Voitures et coupés de voyage (18e - 19e s.), mail-coach, char à bancs, omnibus Madeleine-Bastille, coupés d'Orsay et berlines de gala.

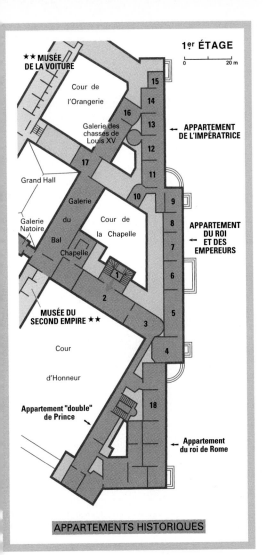

1er ÉTAGE

0 ____ 20 m

★★ MUSÉE
DE LA VOITURE

Cour de
l'Orangerie

15
14
16
13 ← APPARTEMENT
DE L'IMPÉRATRICE
12

Galerie des
chasses de
Louis XV

17
11

Grand Hall

Galerie
10 9

Galerie
Natoire

du

Cour de
la Chapelle

8 APPARTEMENT
DU ROI
ET DES
EMPEREURS

Bal

7

Chapelle

1

6

2

MUSÉE DU
SECOND EMPIRE ★★

5

3

Cour

4

d'Honneur

Appartement "double"
de Prince

18

Appartement
du roi de Rome

APPARTEMENTS HISTORIQUES

PRATIQUE
Pour savoir à quoi
correspondent les
numéros en gras,
reportez-vous à la
description p. 164-166.

« PREMIERS PAS » DE L'AUTOMOBILE

La Panhard n° 2, première voiture équipée d'un moteur Daimler 4 temps, le vis-à-vis de Bollée fils (1895) de la course Paris-Marseille (en Beauvaisis), la série des De Dion-Bouton, le break automobile (1897) de la duchesse d'Uzès, première conductrice, la 4 CV Renault de 1900, première conduite intérieure. Moteurs à vapeur, à explosion, électriques sont témoins de l'opiniâtreté des créateurs de l'industrie automobile.

La Jamais contente
*(1899), automobile
électrique montée sur
pneus Michelin. Elle
atteignit, la première, la
vitesse de 100 km/h.*

COMPIÈGNE

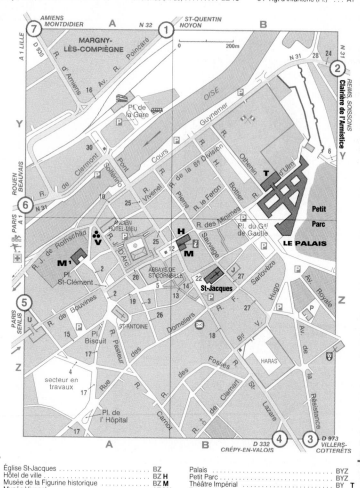

Cuisines et dépendances – Évolution des « deux-roues » depuis les pesantes draisiennes (1817) lancées à force de coups de pied. Les pédales apparaissent avec le vélocipède Michaux (1863). Le grand bi, en tubes de fer, grandit démesurément la roue avant pour accroître la vitesse. Avec la transmission à chaîne, qui équipe le tricycle anglais, le « développement » rend inutile cette disproportion. La bicyclette est devenue possible (1890). L'Armée met alors au point le vélocipède pliant (1914).

1ᵉʳ étage – Voitures étrangères : cabriolets hollandais et italiens, charrette sicilienne, palanquin, traîneaux, etc.

Le petit parc

L'Empereur avait donné la consigne « de lier, le plus tôt possible, le château avec la forêt, qui est le véritable jardin et qui constitue tout l'agrément de cette résidence ». Le mur de clôture qui fermait la perspective fut donc abattu et remplacé par une grille. Au-delà, la trouée de l'avenue des Beaux-Monts trace une

erspective de 4 km, qu'une « gloriette » aurait pu clore.
fin d'accéder à la forêt sans passer par la ville,
Napoléon fait aménager une rampe entre la terrasse et
e parc, au prix de la destruction du perron de Gabriel.
Dès lors le Petit Parc, replanté à l'anglaise, perd de son
mportance. Sa physionomie actuelle date du Second
Empire.

visiter

Hôtel de ville

Édifice de style gothique finissant, bâti sous Louis XII
et restauré au 19ᵉ s. En façade, de part et d'autre de la
statue équestre de Louis XII *(de gauche à droite)* : saint
Denis, Saint Louis, Charles le Chauve, Jeanne d'Arc, le
cardinal Pierre d'Ailly, né à Compiègne, et Charlemagne. Le beffroi, à deux étages, abrite la « Bancloque »,
une cloche de 1303. Flèche d'ardoises flanquée de quatre
clochetons.

*Les Trois Picantins du
beffroi de l'hôtel de ville
sonnent les heures et les
quarts.*

Musée de la Figurine historique★

*Tlj sf lun. 9h-12h, 14h-17h, dim. et j. fériés 14h-17h
(mars-oct. : 18h). Fermé 1ᵉʳ janv., 1ᵉʳ mai, 14 juil., 1ᵉʳ nov.,
25 déc. 12F.* ☎ *03 44 40 72 55.*
Dans l'hôtel de la Cloche, à droite de l'hôtel de ville. Plus
de 100 000 figurines en étain, plomb, bois, plastique et
carton. Rétrospective de l'évolution du costume,
évocation des faits historiques.

> ### À VOIR
> *La revue des troupes
> françaises à Bétheny*
> (1901) devant le tsar de
> Russie et le président
> Loubet (12 000 pièces) et
> *La bataille de Waterloo.*

Église St-Jacques

Sa tour (15ᵉ s.) est la plus haute de la ville. Ancienne
paroisse du roi et de la cour, d'où les dépenses faites au
18ᵉ s. pour rhabiller le chœur de marbre et gainer de
boiseries les bases des piliers de la nef. Déambulatoire du 16ᵉ s. Chœur et transept (13ᵉ s.) gardent
l'harmonie du gothique au temps de Saint Louis. Dans
le croisillon gauche une Vierge à l'Enfant en pierre

*Retour des cendres de
l'Empereur escortées par
les vétérans des guerres
napoléoniennes.*

Les vases grecs du musée Vivenel ont été mis au jour en Étrurie et en Italie du Sud.

(13e s.), *N.-D.-aux-pieds-d'argent*, fait l'objet d'une grand vénération. Chapelle du bas-côté gauche : statues en boi polychrome (15e s.).

De la place St-Jacques, traverser la rue Magenta pour gagne sur la droite, la rue des Lombards. Jolies maisons dont ur du 15e s., à pans de bois : la **Vieille Cassine**, où vivaier les Maîtres du Pont, pilotes de batellerie.

Tour de Beauregard

L'ancien donjon royal ou « tour du Gouverneur » effondré, sur l'emplacement du palais de Charles 1 Chauve, est un témoin de la funeste sortie de Jeann d'Arc par le vieux pont St-Louis, le 23 mai 1430.

Musée Vivenel

Tlj sf lun. 9h-12h, 14h-17h, dim. 14h-17h (mars-oct. : 18h, Fermé 1er janv., 1er mai, 14 juil., 1er nov., 25 déc. 12F ☎ *03 44 20 26 04.*

Dans l'hôtel de Songeons (début 19e s.), agréabl demeure dont le jardin est devenu parc public.

Antiquité : marbres et bronzes grecs et romains céramiques dont un ensemble de **vases grecs★★** Outillages, armes et objets divers évoquent le civilisation de la préhistoire à l'époque gallo-romaine Trois casques en tôle de bronze (600 avant J.-C.).

Dans les salons et cabinets (1er étage), qui conserven leurs lambris Directoire, peintures (grand retable d la Passion, par Wolgemut, maître de Dürer), céra miques (pichets en « grès des Flandres », ivoires émaux).

circuits en forêt

La forêt domaniale de Compiègne (14 500 ha), vestige de l'immense forêt de Cuise qui s'étendait des lisières du Pays de France à l'Ardenne, séduit par ses hautes futaies ses vallons, ses étangs et ses villages.

① **LES BEAUX MONTS★★** *(18 km – env. 1h)*

Quitter Compiègne par l'av. Royale. Au carrefour Royal, prendre à gauche la Route Tournante. Au carrefour du Renard, prendre à droite la route Eugénie.

Carrefour d'Eugénie

Aux abords du carrefour, quelques **chênes★**, doyens de la forêt. Les plus vieux dateraient de François Ier.

Prendre à gauche la route grimpant aux Beaux Monts.

Les Beaux Monts★★

Au sommet de la côte, près du « poteau du point de vue des Beaux Monts », terme de la **perspective** aména gée à travers bois depuis le château, qu'on devine à 4 km.

Au carrefour suivant, prendre à droite (point de vue).

PRATIQUE

Piste cyclable entre Compiègne (départ du carrefour Royal, sur la Route Tournante, à l'Est de la ville) et Pierrefonds.

LA FORÊT DOMANIALE DE COMPIÈGNE

Le massif occupe une sorte de cuvette ouverte sur les vallées de l'Oise et de l'Aisne. Au Nord, à l'Est et au Sud, une série de buttes et de promontoires dessine un croissant aux pentes abruptes. Ces hauteurs dominent de 80 m en moyenne les fonds où courent de nombreux rus. Le ru de Berne, le plus important, traverse un chapelet d'étangs. 1 500 km de routes et de chemins, carrossables ou non, sillonnent la forêt. François Ier, qui fit ouvrir les premières grandes percées, Louis XIV et Louis XV ont contribué à la création de ce réseau, permettant de suivre aisément les chasses. **Essences** : hêtre, chêne et charme. Le hêtre, surtout, dresse ses futaies sur le plateau Sud et son glacis, ainsi qu'au voisinage immédiat de Compiègne. Le chêne, très anciennement planté, prospère sur les sols argileux bien drainés et sur les Beaux Monts. Le pin sylvestre, à partir de 1830, et d'autres résineux s'accommodent des zones de sable pauvres.

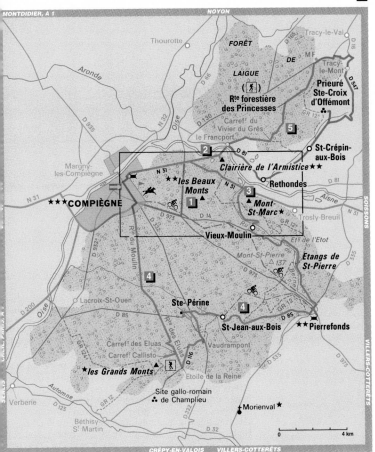

Point de vue du Précipice

Vue★ sur les étendues forestières de la vallée du ru de Berne et du mont St-Marc.

Revenir au carrefour du Précipice et redescendre des Beaux Monts, à droite.

La route s'abaisse dans une jolie futaie (chênes, hêtres) et rejoint une route rectiligne que l'on prend à droite.

Couper la route Eugénie et prendre la 1re route à droite.

Chapelle St-Corneille-aux-Bois

Fondée en 1164, la chapelle échut à l'abbaye St-Corneille de Compiègne. François Ier y adjoint un pavillon de chasse dont l'aspect actuel date de Viollet-le-Duc. La construction gothique de la chapelle (13e s.) subsiste, intacte.

Retour par la D 14 (Vieux Moulin-Compiègne).

② CLAIRIÈRE DE L'ARMISTICE★★ *(6 km – 1h)*

Quitter Compiègne par la N 1. Au carrefour d'Aumont, continuer tout droit. Du carrefour du Francport, gagner les parkings de la clairière.

Clairière aménagée sur l'épi de voies (construit pour l'évolution de pièces d'artillerie de gros calibre) qu'avaient emprunté le train du maréchal Foch, commandant en chef des Forces alliées, et celui des plénipotentiaires allemands. Les voies étaient greffées sur la ligne Compiègne-Soissons à partir de la gare de **Rethondes**. Des rails et des dalles marquent l'emplacement des rames.

Le château de Compiègne se dessine au terme de la perspective des Beaux-Monts.

LE WAGON-BUREAU DE FOCH

La voiture historique reprend du service après l'Armistice. Elle sera exposée dans la cour de l'hôtel des Invalides de 1921 à 1927, puis placée dans un abri construit dans la clairière en 1927. Transportée à Berlin comme trophée en 1940, elle est détruite en forêt de Thuringe en avril 1945. Elle est remplacée, en 1950, par une voiture d'une série voisine.

À VOIR

Quelques stéréoscopes montrent en trois dimensions de saisissants clichés (authentiques) de la Grande Guerre.

Le train particulier du maréchal Foch arrive l[e] 7 novembre 1918 et celui des négociateurs allemands partis de Tergnier, le lendemain matin. À 9 h, ils son[t] reçus dans le wagon-bureau de Foch. Les Allemand[s] prennent place ; le général Weygand, chef d'état-majo[r] va chercher le maréchal, qui arrive et salue.

Weygand donne alors lecture des conditions, une heur[e] durant. Tous l'écoutent sans mot dire. Trois jours son[t] accordés pour l'examen des propositions. Le général vo[n] Winterfeldt, le seul militaire de la délégation allemande sollicite une suspension des hostilités pendant le déla[i] consacré à l'étude du projet d'armistice. Foch la refuse. L[e] 10 au soir, un message radiophonique allemand autoris[e] les plénipotentiaires à signer l'armistice. Vers 2 h d[u] matin, les Allemands reprennent place dans le wagon. [À] 5 h1/4, la convention est signée ; elle prend effet à 11h[.] 22 ans plus tard, le 14 juin 1940, l'armée allemande entr[e] dans Paris. La clairière est bientôt le théâtre d'un autr[e] armistice, celui du 21 juin, triste parodie du précédent[.] Hitler reçoit la délégation française dans ce même wagon[,] replacé dans sa position de 1918. Les représentants d[u] haut commandement allemand transmettent à leur[s] interlocuteurs le document arrêté par le vainqueur de l[a] bataille. La convention d'armistice est signée le 22 juin.

◄ **Wagon du maréchal Foch**– À l'intérieur est indiqué l'em[-] placement des plénipotentiaires. Des objets, utilisés pa[r] les délégués en 1918, sont exposés. Une salle est consa[-] crée aux deux armistices : journaux et documents d'épo[-] que, vestiges du wagon. *D'avr. à mi-oct. : tlj sf mar. 9h[-] 12h30, 14h-18h30 ; de mi-oct. à fin mars : tlj sf mar. 9h-12h[,] 14h-17h30. Fermé 1ᵉʳ janv. et 25 déc. 12F.* ☎ *03 44 85 14 18[.]*

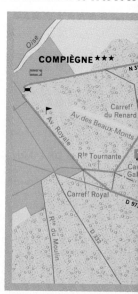

L'ENTREVUE HISTORIQUE

– À qui ai-je l'honneur de parler ?, demande Foch.

– Aux plénipotentiaires envoyés par le gouvernement germanique, répond Erzberger, chef de la mission. Il tend au commandant en chef les lettres de crédit de la délégation. Foch se retire pour les examiner puis revient et questionne :

– Quel est l'objet de votre visite ?

– Nous venons recevoir les propositions des Puissances alliées pour arriver à un armistice sur terre, sur mer et dans les airs, répond Erzberger.

– Je n'ai pas de propositions à faire, réplique Foch.

Oberndorff, le diplomate, intervient :

– Si Monsieur le Maréchal le préfère, nous pourrons dire que nous venons demander les conditions auxquelles les Alliés consentiraient un armistice.

– Je n'ai pas de conditions ! Erzberger lit alors le texte de la note du président Wilson disant que le maréchal Foch est autorisé à faire connaître les conditions de l'armistice.

– Demandez-vous l'armistice ?, reprend alors le maréchal. Si vous le demandez, je puis vous faire connaître à quelles conditions il pourrait être obtenu.

Oberndorff et Erzberger déclarent qu'ils demandent l'armistice.

Weygand donne alors lecture des conditions, une heure durant (il faut faire traduire le document). Tous l'écoutent sans mot dire. Trois jours sont accordés pour l'examen des propositions.

3 LE MONT ST-MARC ET LES ÉTANGS★ *(26 km – env. 1h1/2)*

Quitter Compiègne par l'Est (N 31).

Pont de Berne

C'est là que se déroula la présentation du dauphin, futur Louis XVI, à Marie-Antoinette, arrivant de Vienne.

Tourner à droite vers Pierrefonds. Au hameau de Vivier-Frère-Robert prendre à gauche la route du Geai.

Mont St-Marc★

Ses pentes sont couvertes de superbes hêtres. Au plateau, tournez à gauche dans la route forestière qui en longe le bord : vues sur les vallées du ru de Berne et de l'Aisne, sur Rethondes et la forêt de Laigue. La route contourne le promontoire Nord du mont. 2,5 km plus loin, halte au **carrefour Lambin : vue** agréable sur la vallée de l'Aisne.

Revenir en arrière et bifurquer dans la 1ʳᵉ route à gauche, prendre la route du Geai et continuer vers Pierrefonds. Prendre à droite et suivre la rue principale de Vieux-Moulin.

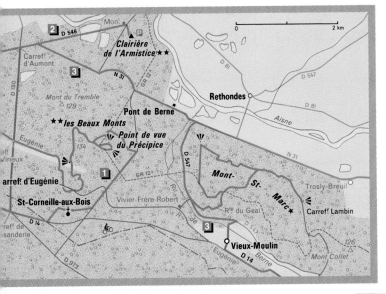

Vieux-Moulin

Ancien village de bûcherons, naguère villégiature cossue. La petite église au clocher en chapeau chinois a été reconstruite en 1860 aux frais de Napoléon III.

Tourner à gauche au carrefour du monument aux Morts et rejoindre la route Eugénie avant l'étang de l'Étot.

Étangs de St-Pierre

Étangs creusés, comme viviers, par les religieux célestins du prieuré du Mont-St-Pierre, à l'Ouest. L'ancien chalet de l'impératrice Eugénie est converti en maison forestière.

1 km après le dernier étang, prendre à gauche la route secondaire vers les quartiers hauts de Pierrefonds.

④ LES GRANDS MONTS★ *(27 km – env. 1h1/2)*

Château de Pierrefonds★★ *(voir ce nom)*
Sortir de Pierrefonds par l'Ouest, D 85.

La route s'élève sur un plateau boisé puis redescend dans la clairière de St-Jean-aux-Bois.

St-Jean-aux-Bois

Village surnommé « La Solitude » en 1794. Son noyau, une cité monastique du 12e s., apparaît sur la moitié de son périmètre, cerné par un fossé en eau. La forêt n'étant plus sûre, les bénédictines quittent l'abbaye en 1634 pour Royallieu, laissant la place à des chanoines augustins. Au 18e s., la vie conventuelle cesse à St-Jean.

Par l'ancienne porte fortifiée, gagner l'esplanade où se dresse l'église, seul vestige de l'abbaye, avec la salle capitulaire et la porte de la « petite Cour ».

Église★ (13e s.) – Remarquable par sa pureté architecturale. Les grisailles rappellent l'ambiance lumineuse du vaisseau, au 13e s. Au côté Sud, la **salle capitulaire**, partie la plus ancienne (vers 1150), sert de chapelle annexe (ouverte pour le culte).

Ste-Périne

L'étang cerné de platanes et peupliers et l'ancien prieuré (maison forestière) forment un site poétique. Les religieuses de Ste-Périne (déformation de Pétronille) occupent l'ermitage de 1285 à 1626. L'insécurité les ramène à Compiègne puis à Paris.

Faire demi-tour ; tourner à droite dans la grand-route de Crépy-en-Valois que l'on quitte à la bifurcation de Vaudrampont pour gagner, à droite, l'Étoile de la Reine.

Tourner en arrière à droite dans la route des Éluas, puis, au carrefour des Éluas, dans la route, non revêtue, à gauche, aboutissant au carrefour Callisto. Se garer.

Les Grands Monts★

Ce secteur Sud de la forêt est partagé entre le plateau et les bas-fonds. Courte promenade *(1/2h à pied AR)* le long d'un chemin en balcon, sous la futaie de hêtres : descendez à pied la « route des Princesses » ; juste après la barrière, tournez à gauche dans le chemin contournant un promontoire, jalonné de traits jaunes. Faites demi-tour lorsque le chemin, moins frayé, atteint le fond du ravin.

Faire demi-tour ; suivre la descente de la route des Éluas, en lacet. Retour à Compiègne par la route du Moulin.

⑤ FORÊT DE LAIGUE *(31 km – env. 1h1/2)*

Quitter Compiègne par la route de la Clairière de l'Armistice. Poursuivre, en traversant l'Aisne, jusqu'au carrefour du Francport. Prendre à droite.

Rethondes

Commune liée au souvenir de l'Armistice de 1918. Le dimanche 10 novembre, Foch et Weygand assistèrent à la messe dans la modeste **église**. À l'extérieur, plaque commémorative, à l'intérieur, portrait des deux chefs *(vitrail central de l'abside).* 9h-17h.

t-Crépin-aux-Bois

'**église** paroissiale illustre, par sa majesté, la faveur des ►
rieurs de Ste-Croix et des seigneurs du château d'Offé-
1ont. L'édifice marque la transition entre le gothique,
our l'architecture, et la Renaissance, pour la décoration.
u-dessus d'un bénitier, au revers de la façade, bas-relief
n marbre représentant les armes des célestins. Le S et
a croix entrelacés ont trait au lieu de la fondation :
ulmona, en Italie.

*. 2 km de St-Crépin, prendre à gauche ; dépassant la grille
'entrée du domaine d'Offémont, tourner à droite dans un
hemin, qui longe le mur de clôture du prieuré.*

À voir
Mobilier★ : vestiges du
prieuré Ste-Croix : retable
du chœur, 2 Vierges dont
une polychrome, à gauche
(17ᵉ s.). Sur le mur de
droite, épitaphe dédiée à
Madeleine de Thou
(17ᵉ s.) par son mari.

rieuré Ste-Croix d'Offémont

isite sur demande préalable. ☎ *03 44 85 98 83.*
)es religieux célestins s'y installent en 1331. Les ruines ►
e Ste-Croix d'Offémont (16ᵉ s.) sont intéressantes par
a finesse du décor subsistant dans le fragment du cloître.
'oûte, caissonnée dans le goût de la Renaissance,
apissée de rosaces et de blasons : armes de l'ordre des
`élestins, les trois fleurs de lys de Louis d'Orléans...

*eprendre la D 547 qui mène à Tracy-le-Mont. À Tracy-le-
'al, tourner à gauche vers Ollencourt ; suivre la D 130,
)énétrant en forêt de Laigue. Après la maison forestière
'Ollencourt, prendre à gauche la route des Princesses.*

À voir
L'ancienne grange du
monastère est un bel
exemple de construction
ancienne du Soissonnais à
pignon à redans appelé
aussi « à
pas-de-moineaux ».

Route forestière des Princesses

Axe touristique du massif de Laigue. Départ de circuits
)édestres dans la « zone de silence du Mont des Singes ».
*Retour à Compiègne par le carrefour du Vivier du Grès
tourner à droite), l'étang du même nom et le Francport.*

Corbie

Entre Somme et Ancre, entre falaises et étangs,
Corbie a grandi près de son abbaye bénédictine dont
les tours se repèrent depuis les crêtes des deux
vallées. La cité a vu défiler six saints ; ses puissants
abbés portaient le titre de comte et battaient
monnaie.

La situation

Cartes Michelin nᵒˢ 52 pli 9 ou 236 pli 24 – Somme (80). Au
cœur des 3 vallées (Ancre, Somme et Hallue). Accès par
la vallée de la Somme, la D1 (d'Amiens ou Péronne) ; ou
par la vallée de l'Ancre, la D 52 ou la D 120 (d'Albert).
❿ *Pl. de la République, 80800 Corbie,* ☎ *03 22 96 95 76.*

Le nom

Corbie dérive de *Corbe* ou *Corbée,* ancien nom de la
rivière Ancre qui arrose la ville.

Les gens

6 317 Corbéens. Parmi les célébrités locales, le 1ᵉʳ pilote
de l'aviation civile, **Eugène Lefebvre**, qui périt lors d'un
essai à bord de l'appareil des frères Wright en 1909.

RESTAURATION
L'Abbatiale – *Pl.
Jean-Catelas* - ☎ *03 22
48 40 48 - fermé dim.
- 60/80F.* Face à l'église
St-Pierre, cette maison
familiale sans prétention
accueille ses hôtes avec
gentillesse et simplicité.
Pour passer à table
choisissez entre la petite
carte brasserie ou le
restaurant plus classique.
Quelques chambres pour
la nuit. Une adresse à
prix modeste.

comprendre

Une pépinière de saints – Fondé en 657 par **sainte
Bathilde**, épouse de Clovis II, le monastère de Corbie
devient un foyer de civilisation chrétienne sous **saint
Adalard**, cousin de Charlemagne. Plus de 300 moines y
assurent la louange perpétuelle au Seigneur. L'activité
apostolique se développe et sous l'impulsion de **saint
Anschaire**, né à Corbie en 801, l'abbaye essaime à
Corvey (Westphalie), centre d'évangélisation de l'Europe

du Nord. Au 11ᵉ s., **saint Gérard**, moine de Corbie, s
retire, fondant le monastère de la Sauve Majeure. **Sain
Colette** (1381-1447), fille d'un charpentier corbéen, v
en recluse et a des visions. Elle sort de sa retraite et fonc
plusieurs monastères de clarisses.

visiter

Musée

Tlj sf lun. 15h-17h30, dim. et j. fériés sur demande. Gratu
☎ *03 22 96 43 37.*

Histoire de l'abbaye : poteries carolingiennes, monnaie
(16ᵉ s.), plan en relief du siège de Corbie (1636).

De la place de la République, franchir la **port
monumentale** (18ᵉ s.) de l'abbaye dont le cloître et le
bâtiments conventuels ont été rasés sous la Révolutio

Église St-Pierre

S'adresser à l'Office de tourisme.

L'ancienne abbatiale (16ᵉ-18ᵉ s.) a perdu son transept e
son chœur en 1815. Les architectes ont continué
employer le style gothique dans un édifice bâti lors de
périodes Renaissance et classique : trois vaisseaux
voûtes d'ogives et une façade à trois portails en arc brisé
rosace et tours jumelles percées de baies géminées. Un
partie du décor est de style classique (cartouches sur le
voussures des porches).

L'intérieur ne compte que 36 m de long, contre 11
auparavant. Le trésor de l'abbatiale comprenait jadis 11
reliquaires, fréquemment vénérés par les rois de Franc
et dont certains sont conservés.

Chapelle Ste-Colette

Achevée en 1959, sur l'emplacement de la maison natale
de sainte Colette. Sa statue (16ᵉ s.) trône à l'intérieur.

À VOIR

Statue de N.-D. de la Porte (15ᵉ s.) *(pilier du bas-côté droit).*
Statue de **sainte Bathilde** (14ᵉ s.) *(à droite de l'autel, bas-côté droit).*
Tête de saint Pierre (13ᵉ s.) *(sur un pilier du bas-côté gauche).*
Tombe (15ᵉ s.) de l'abbé **Raoul de Roye**, tuteur de sainte Colette *(fond du bas-côté gauche).*

alentours

À SCRUTER

Détails naïfs : spectateurs perchés dans les arbres ; à l'arrière-plan, meunier à la fenêtre de son moulin...

La Neuville *(2 km, sur la rive droite de l'Ancre)*
Au-dessus du portail de l'église (16ᵉ s.), un **haut-relief**
montre l'Entrée du Christ à Jérusalem le jour de
Rameaux.

Mémorial australien *(3 km par la D 1 puis la D 23)*
Lors de l'offensive allemande de Picardie (1918)
Allemands et Australiens se disputent les collines de
Villers-Bretonneux. Mémorial et cimetière militaire
rappellent le sacrifice de 10 000 Australiens. **Vue**
étendue sur la Somme et Amiens.

L'ÉNIGME DES « PUITS TOURNANTS »

Autour de Corbie, dans certaines zones aquatiques comme à Daours,
Pont-Noyelles et Fréchencourt, on observe d'étranges « Puits
Tournants » : le jaillissement de sources a creusé le sol de puits profonds
où l'eau semble traversée d'une lumière bleue. Des légendes farfelues
se rattachent à ce mystérieux phénomène qui trouve une explication
rationnelle, liée aux caractéristiques des couches liquides supérieures,
dont le pouvoir d'absorption de la lumière bleue est très fort.

La Côte d'Opale★

Depuis la baie de Somme jusqu'à la frontière belge s'étend un paysage étonnant et encore sauvage. La Côte d'Opale dessine un chapelet de dunes, de vallées serrantées et de falaises escarpées qui dominent le célèbre *pas* de Calais. La partie la plus spectaculaire, entre ciel et mer, c'est la Corniche de la Côte d'Opale, qui forme le rebord des collines du Boulonnais.

La situation

Cartes Michelin n°s 51 plis 1, 2 ou 236 plis 1, 2 – Pas-de-Calais (62). La Côte d'Opale se caractérise par ses promontoires séparés de « **crans** », vallées sèches. Un courant marin Sud-Nord mine la base des promontoires, provoquant des éboulements. On estime que la falaise recule de 25 m par siècle. La D 940 longe toute la côte.

Le nom

Le terme *Côte d'Opale*, allusion aux couleurs irisées de la *pierre d'opale*, est utilisé pour la première fois en 1911 par le peintre touquettois Édouard Lévêque.

Les gens

Victor Hugo a souvent célébré ces paysages qui ont aussi inspiré les peintres Camille Corot, Adrien Demont et Jules Breton.

> **PSEUDO**
> La Corniche de la Côte d'Opale a été déclarée grand site national sous le nom de « **site des deux Caps** ».

Itinéraire

DE BOULOGNE-SUR-MER À CALAIS

49 km – env. 2h1/2.
Sortir de Boulogne-sur-Mer par la D 940.

La D 940 traverse des paysages dénudés ou couverts de prairies. Échappées sur la mer, les ports et les plages. Au Nord du « cran » d'Escalles, on franchit un col, d'aspect montagnard. Parkings pour accéder à la mer.

Wimereux⬡⬡
Station balnéaire familiale au débouché du vallon du Wimereux. De la **digue-promenade** qui borde la plage, vues sur le pas de Calais, la colonne de la Grande Armée et le port de Boulogne. ▶
Entre Wimereux et Ambleteuse, on longe de hautes dunes et le paysage devient plus accidenté.

> **DÉTOUR**
> Dans le prolongement de la digue-promenade s'amorce un sentier vers la **pointe aux Oies**. Le futur Napoléon III y débarque le 6 août 1840 et tente de soulever la garnison de Boulogne.

carnet pratique

RESTAURATION
● *Valeur sûre*
La Sirène – *62179 Audinghen - ☎ 03 21 32 95 97 - fermé 21 déc. au 31 janv., le soir sf sam. de sept. à Pâques, dim. soir et lun. - 113/205F.* Sur la plage du cap Gris-Nez, ce restaurant offre une magnifique vue sur la mer. Dans l'une de ses deux salles ouvertes par de grandes baies vitrées, vous pourrez déguster des homards grillés, la spécialité de la maison, ou d'autres produits de la mer.

HÉBERGEMENT
● *À bon compte*
Chambre d'hôte La Grand'Maison – *Hameau de la Haute Escalles - 62179 Escalles - 2 km à l'E de Cap-Blanc-Nez par D 243 - ☎ 03 21 85 27 75 - ⊄ - 6 ch. : 200/300F.* Entre les deux caps, à une encablure de l'Angleterre, arrêtez-vous dans cette ferme fleurie du 18e s. Randonneur, cavalier ou véliplanchiste, vous vous sentirez bien ici, entre mer et campagne. Les chambres « prestige », avec télé, sont plus confortables. Trois gîtes disponibles.

● *Valeur sûre*
Hôtel Les Mauves – *62179 Audinghen - 3 km au SE de Cap-Gris-Nez par D 191 - ☎ 03 21 32 96 06 - fermé 16 nov. au 31 mars - ⊞ - 16 ch. : 320/520F - ⊊ 46F - restaurant 120/235F.* À 500 m de la plage, cette maison de brique tenue par deux sœurs est simple mais fort bien soignée et sa salle à manger avec sa collection d'assiettes, ses chaises de bois et son parquet est charmante. Préférez les chambres rénovées, plus agréables.

Entre Wissant et Ambleteuse, le cap Gris-Nez surplombe l'océan de 45 m.

Ambleteuse

Village à flanc de coteau, au-dessus de l'embouchure d la rivière Slack, qui forme port d'échouage. C'était un po militaire protégé par le **fort d'Ambleteuse**, construit a 17ᵉ s. par Vauban. En 1689, le port, déjà ensablé, vo débarquer le roi d'Angleterre Jacques II Stuart, chass par ses sujets. Lors du camp de Boulogne, Napoléon basera sa flottille de débarquement. De la plage, vues su l'entrée du port de Boulogne et, par temps clair, sur le falaises anglaises. *Juil.-août : w.-end 15h-19h (dernièr entrée : 18h30) ; avr.-juin et sept.-oct. : dim. 15h-19h. 20F ☎ 03 20 54 61 54.*

À la sortie d'Ambleteuse.

Musée historique de la Seconde Guerre mondiale – retrace le conflit, depuis la conquête de la Pologn jusqu'à la Libération. Uniformes et équipements porté ou utilisés par les armées en présence. & *D'avr. à fin sept 9h30-18h, w.-end et j. fériés 10h-18h (juin-sept. : fermetur 19h) ; fév.-mars et oct.-nov. : dim. et j. fériés 10h-18h. Ferm déc.-janv. 33F. ☎ 03 21 87 33 01.*

3 km après Audresselles, emprunter à gauche la D 191.

LE BANC DES ÉPAULARDS
Au pied de la falaise, les éboulis se prolongent par le banc rocheux dit des « Épaulards » Vu du large, ces rochers semblent faire le gros dos et souffler de l'écume comme les cétacés en question.

À VOIR
Canon d'artillerie de marine sur voie ferrée (cal. 280, fabrication Krupp, 1943). Il mesure 35 m de long et pouvait tirer 15 coups/h, avec une portée de 62 à 86 km.

Cap Gris-Nez★★

Au sommet de la falaise du cap Gris-Nez, **vue** su les côtes anglaises. On aperçoit également le ca Blanc-Nez *(à droite)* et le port de Boulogne *(à gauche).* A bout de la presqu'île parsemée de blockhaus allemand se dresse un phare (haut de 28 m ; 45 km de portée reconstruit après 1945. Une base souterraine abrite l Centre Régional d'Opération de Surveillance et de Sauvetage, organisme chargé de surveiller ce détroi où le trafic maritime est très dense. Une stèle commémorative rappelle le sacrifice du capitaine de corvette Ducuing et de ses marins tombés le 25 mai 1940, en défendant le sémaphore contre les blindés de Guderian.

◀ **Musée du Mur de l'Atlantique** – Installé dans la **batterie Todt** (blockhaus de la Seconde Guerre mondiale) qui servait de base de lancement aux Allemands. Ceux-ci tiraient des obus de 2 m sur l'Angleterre. À l'intérieur, collections d'armes et d'uniformes. *De fév. à fin mai : 9h-12h, 14h-18h ; juin-sept. 9h-19h ; oct.-nov. : 9h-12h, 14h-17h. 30F. ☎ 03 21 32 97 33.*

Wissant⌂

Cette plage de sable fin, protégée des courants et des vents, forme une courbe entre les caps Gris-Nez et Blanc-Nez. Des villas étagées dans les dunes dominent le rivage.

Musée du Moulin – Minoterie actionnée par la force hydraulique, en bon état de conservation. Machines en bois de pin, roues en fonte, monte-charge par courroie à godets. *14h-18h. 14F.* ☎ *03 21 35 91 87.*

Cap Blanc-Nez★★

Un spectacle vertigineux. La masse verticale de la falaise, à 134 m d'altitude, surplombe le fameux *pas* et son trafic incessant de navires. **Vue★** étendue sur les falaises anglaises et la côte, de Calais au cap Gris-Nez. Belles promenades pédestres balisées.

Revenir sur ses pas et s'arrêter au mont d'Hubert.

> **À GUETTER**
> Quelque 300 espèces d'oiseaux peuvent être observées.

Musée national du Transmanche – Il retrace l'histoire mouvementée du détroit. *D'avr. à fin sept. : tlj sf lun. 13h30-17h30, w.-end et j. fériés 13h30-18h30 (juil.-août : tlj 11h-19h). 20F.* ☎ *03 21 85 57 42.*

En contrebas, près de la D 940, monument à **Latham** (1883-1912), aviateur qui tenta, sans succès, la traversée de la Manche en même temps que Blériot.

Entre **Sangatte** et Blériot-Plage, les bungalows se disséminent sur la dune. L'Eurotunnel passe à cet endroit.

Blériot-Plage

Sa belle plage s'étend jusqu'au cap Blanc-Nez. Aux Baraques, près de la D 940, un monument commémore la traversée de la Manche par **Blériot** (1872-1936) qui, le 25 juillet 1909, posa son avion dans une échancrure des falaises de Douvres, au terme d'un vol d'une demi-heure.

Le mot flobart signifierait « apte à flotter » en vieux saxon.

Coucy-le-Château-Auffrique ★

« Roy ne suis, ne Prince, ne Duc, ne Comte aussi. Je suis le Sire de Coucy », telle était la fière devise du constructeur de cette imposante forteresse. Coucy-le-Château vous plonge en plein Moyen Âge.

La situation

Cartes Michelin n°s 56 pli 4 ou 236 pli 37 – Aisne (02). Dans son enceinte médiévale, Coucy s'allonge sur un promontoire dominant la vallée de l'Ailette, dans un **site★** défensif impressionnant. Accès par la D 1, la D 934 ou la D 13.

🛈 *8 r. des Vivants, 02380 Coucy-le-Château,* ☎ *03 23 52 44 55.*

Le nom

Il dériverait de *Cuise*, ancien massif forestier ; de *cociacus* ou encore de *cotia*, clairière ou éclaircie pratiquée dans un bois. *Auffrique* était le nom du village au pied de Coucy, avec lequel il fusionne en 1921.

Les gens

995 Coucysiens. Après un combat à Bouvines, Enguerrand III (1192-1242), **« Sire de Coucy »**, convoite le trône de France sous la régence de Blanche de Castille.

visiter

Château

Mai-sept. : 10h30-12h30, 14h30-18h ; oct.-avr. : 14h30-17h30, w.-end et j. fériés 14h30-18h. Fermé entre Noël et Jour de l'an. Gratuit. ☎ *03 23 52 44 55.*
La basse-cour, ou « baille », précède le château. À droite, une salle des gardes renferme une maquette et des documents sur Coucy. En s'avançant vers le château, on voit les bases d'une chapelle romane. Ses grosses tours, coiffées de hourds, dépassaient 30 m de haut et étaient plus puissantes que les donjons royaux, détruits par les Allemands en 1917.

Les bâtiments d'habitation ont été reconstruits à la fin du 14e s. par Enguerrand VII, puis complétés au début du 15e s. par Louis d'Orléans, qui avait racheté Coucy à la fille d'Enguerrand VII. Il subsiste des vestiges de la salle des Preuses et de celle des Preux sous laquelle s'étend un cellier.

Porte de Soissons

Du 13e s. Elle est renforcée par la tour de Coucy et abrite le **Musée historique** : maquette de la ville et du château, gravures et photos, figurines. De la plate-forme, vue sur la vallée de l'Ailette. *Mai-août : 10h-12h, 14h-18h, sam. 10h-12h, 14h-18h30, dim. 10h-18h30 ; mars-avr. et sept.-oct. : 10h-12h, 14h-17h30, sam. 10h-12h, 14h-18h, dim. 10h-18h ; nov.-fév. : 10h-12h, 14h-16h, sam. 10h-12h, 14h-16h30, dim. 10h-16h30. Fermé 1er janv., 1er mai, 1er et 11 nov., 25 déc. 25F.* ☎ *03 23 52 71 28.*

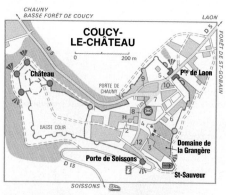

CHAUNY
BASSE FORÊT DE COUCY
COUCY-LE-CHÂTEAU
LAON
FORÊT DE ST-GOBAIN
0   200 m
Château
Pte de Laon
PORTE DE CHAUNY
BASSE COUR
Domaine de la Grangère
Porte de Soissons
St-Sauveur
SOISSONS

Château (R. du)	2	Marché (Pl. du)	7
Gouverneur (R. du)	3	Pot-d'Étain (R. du)	8
Hôtel-de-Ville (Pl. de)	4	Traversière (R.)	9
Laon (R. de)	5	Truande (R.)	10
Longue-Paume (R. de la)	6	Vivants (R. des)	12

Église St-Sauveur

Ouv. certains dim.

Au bord des remparts, cet édifice à façade romane et nefs gothiques (12ᵉ et 14ᵉ s.) a été presque totalement reconstruit après 1914-1918.

Porte de Laon

Du 13ᵉ s. À la base du promontoire et d'accès facile, son rôle défensif était capital. Deux grosses tours rondes aux murs épais l'encadraient.

Domaine de la Grangère

Ce jardin dépendait de la maison du Gouverneur, où naquit, en 1594, César, duc de Vendôme, bâtard de Henri IV et de Gabrielle d'Estrées, duchesse de Beaufort.

alentours

BASSE FORÊT DE COUCY

Quitter Coucy par la porte de Chauny ; au carrefour situé au pied du promontoire, prendre à gauche, vers Noyon, la D 934 traversant le Bois du Montoir.

Bois du Montoir

Dans ce bois était camouflé un obusier de 380 mm qui, en 1915, a plusieurs fois tiré sur Compiègne.

Folembray

Chenil du Rallye-Nomade, équipage de chasse à courre le cerf. François Iᵉʳ aimait à séjourner au château avec sa favorite Françoise de Châteaubriand.

> **À QUELQUES ENCABLURES**
> Le circuit d'essai de Folembray, géré par Henri Pescarolo, vétéran de la course automobile.

Crécy-en-Ponthieu

Ce bourg paisible du beau pays du Ponthieu campe à deux pas de la forêt de Crécy. La cité crécéenne a été le théâtre d'une terrible bataille de la guerre de Cent Ans. Son issue tragique pour la noblesse française serait due à une étourderie des arbalétriers génois... Voilà qui fait bien l'affaire des plus chauvins !

La situation

Cartes Michelin nᵒˢ 52 pli 7 ou 236 pli 12 – Somme (80). Crécy s'étage sur les bords d'un bassin cultivé. Accès par la D 928. À Bambou, prendre la D 938. 🛈 *32 r. du Mar.-Leclercq-de-Hauteclocque, 80150 Crécy-en-Ponthieu,* ☎ *03 22 23 93 84.*

Le nom

Crécy, usité depuis les Mérovingiens, trouve son origine dans le mot « croissant ». Les armes crécéennes sont d'ailleurs 3 croissants d'or entrelacés, sur champ d'azur.

comprendre

La bataille de Crécy – Crécy évoque la sévère défaite que subit le 26 août 1346, au début de la guerre de Cent Ans, Philippe VI de France devant Édouard III d'Angleterre. Ce dernier débarqua en Normandie et se retrancha près de Crécy. C'est alors qu'il est attaqué par Philippe VI et la chevalerie française. L'assaut se brise sur les lignes d'archers anglais.

L'erreur fatale des Génois – Méticuleux et prévoyants, les archers anglais avaient protégé leurs arcs de la pluie, ce que ne firent pas les Génois. Édouard III fait

RESTAURATION
Ferme-auberge La Table de Ferme – *Hameau d'Estruval - 80150 Ponches-Estruval - 8 km au N de Crécy par D 12, D 212 et rte secondaire -* ☎ *03 22 23 54 02 - tabledeferme @nordnet.fr - ouv. sam. soir et dim. midi de sept. à juin, de jeu. midi à dim. midi en juil.-août -* ⌨ *- réserv. obligatoire - 89/107F.* Bâtie de torchis, de pierre blanche et de brique, cette ferme date de 1750. Dans la basse-cour, les oies, les canards, les poules se promènent gaiement et au potager les beaux légumes poussent doucement. Alors plus d'hésitation, ils sont à déguster dans une ambiance très nature.

alors tirer les canons ; les coutiliers gallois poignardent les chevaux français puis leurs cavaliers désarçonnés. Atteignant le château de la Broye, Philippe VI hèle ces mots aux sentinelles : « Ouvrez, c'est l'infortuné roi de France ! ».

visiter

Église
À l'intérieur, 4 grands formats (vie de Moïse) de l'atelier de Poussin, venant de l'abbaye de Dommartin.

« Croix du Bourg »
Dressée au bas de la place vers le 12e s., son origine reste un mystère. La partie supérieure ne peut remonter au-delà du 17e s.

« Moulin Édouard III »
1 km au Nord par la D 111.
Le tertre marque l'emplacement du moulin d'où le roi d'Angleterre aurait assisté à la célèbre bataille. Du sommet, **vue** sur la plaine ondulée et table d'orientation.

« Croix de Bohême »
Sur la D 56, au Sud-Est.
Érigée là où tomba Jean l'Aveugle, roi de Bohême.

circuit

FORÊT DE CRÉCY
29 km – env. 1h.
Le massif forestier (4 300 ha) couvre le plateau situé au Sud de la Maye. Composé de chênes et de hêtres blancs, il abrite chevreuils, sangliers et faisans. 14 arbres sont classés et baptisés. Le chêne des Ramolleux aurait été planté après la bataille de Crécy.
De Crécy, suivre la D 111 jusqu'au carrefour du Monument puis, à droite, la route de Forest-Montiers.
La route de Forest-Montiers longe de belles futaies de hêtres et de chênes.

Continuer jusqu'au Poteau de Nouvion, là prendre à droite la route forestière du Chevreuil jusqu'au carrefour de la Hutte de chasse des Grands-Hêtres.

Hutte des Grands-Hêtres
La futaie est ici remarquable. On peut emprunter à pied le sentier des deux Huttes.
Revenir au Poteau de Nouvion et prendre à droite vers la N 1 et Forest-Montiers.

Forest-Montiers
Saint Riquier y établit son ermitage, et le fils de François Ier, Charles, y meurt de la peste, à 23 ans.
Prendre la N 1 vers le Nord.

Bernay-en-Ponthieu
6 km à l'Est par la D 938.
Sur le versant de la vallée de la Maye, Bernay conserve sa vieille **maison de poste**, face à l'église. La façade sur rue du **relais-auberge** date du 15e s. : un étage en encorbellement a pour base une poutre sculptée de guirlandes et de têtes grotesques.
Autour de Bernay, la Maye s'épand en étangs.
Prendre à droite la D 938 qui rejoint Crécy-en-Ponthieu.
On surplombe la **vallée de la Maye** où alternent cultures, prairies et bosquets. La forêt couronne le versant Sud.

Desvres

Petite ville industrielle connue dès le 18e s. pour ses faïences, Desvres s'est spécialisée dans la copie de décors anciens : Delft, Strasbourg, Nevers, Rouen. Plusieurs fabriques perpétuent la tradition. Autre trésor du coin : la tarte « au Papin ».

La situation

Cartes Michelin n°s 51 pli 12 ou 236 pli 12 – Pas-de-Calais (62). La ville s'étend d'Est en Ouest dans un paysage vallonné et verdoyant ; la maison de la Faïence se trouve à l'entrée d'un parc. Accès par la D 341 ou la D 127.
🛈 *Hall de la Maison de la Faïence, r. J.-Macé, 62240 Desvres,* ☏ *03 21 83 23 23.*

Le nom

Il apparaît vers le 12e s. et proviendrait de *Divernia* qui remonte à l'époque romaine. Depuis le 19e s., *Desvres* désigne aussi la production des faïenceries locales.

L'emblème

6 413 Desvrois. Ils ont offert à leur ville un beau logo : sur fond bleu, se détache son nom en caractères stylisés blancs. La lettre *D* suggère une demi soucoupe de faïence ; le premier *S* est évanescent et le dernier est strict. Le feuillage du *R* symbolise la forêt, toute proche.

visiter

Maison de la Faïence

R. J.-Macé. ♿ *Avr.-oct. : tlj sf lun. 10h-13h, 14h-18h30 (juil.-août : tlj) ; nov.-mars : tlj sf lun. 14h-18h30. Fermé 1er janv. et 25 déc. 25F.* ☏ *03 21 83 23 23.*
Dans une étonnante construction, formée de panneaux de carreaux de faïence bleus et blancs. Histoire et développement industriel des productions céramiques. Découverte des procédés de fabrication à partir de simples éléments : eau, terre, feu.

Place Léon-Blum

Quelques façades sont recouvertes de faïences du 19e s. Jolies décorations intérieures aux cafés de l'Agriculture et Le Parisiana.

alentours

Forêt de Desvres

🗻 Au Nord de la ville s'étend une forêt domaniale vallonnée et plantée d'essences variées. On peut la sillonner par les D 253, D 254, D 238 et D 341 ; jolies vues sur le massif et la vallée de la Liane. Parcours sportif et pêche : **étang de Menneville** (accès par la route de Menneville et la rue Monsigny). À l'Ouest, **Crémarest** est un charmant village ; église des 15e-16e s.

La maison de la Faïence expose de remarquables pièces, dont cette jardinière (fin du 19e s.).

Douai★

Pôle culturel et touristique, mais aussi industriel et judiciaire, Douai conserve ses maisons du 18ᵉ s. et cette allure aristocratique qu'évoqua Balzac dans la *Recherche de l'Absolu*. Les quais silencieux de la Scarpe invitent à la promenade, comme les rues pavées et pentues des vieux quartiers. Gayant, le célèbre géant, les anime début juillet.

La situation

Cartes Michelin nᵒˢ 51 pli 16 ou 236 plis 16, 17 – Nord (59). Un périphérique dessert Douai, que l'on peut rejoindre par l'A 2/E 19, puis la N 455 ou par l'A 1/E 17. 🚪 *70 pl. d'Armes, 59500 Douai,* ☎ *03 27 88 26 79.*

Le nom

Il vient de *Duacum* et *Duagium*. Le préfixe *Du* pourrait venir d'un nom propre, *Dodo* ou *Dotto* et le suffixe *acum* serait d'origine pré-carolingienne.

Les gens

137 607 Douaisiens, dont 5 géants. Gayant père (7,50 m pour 370 kg), le plus vieux (1530) et le plus populaire du Nord ; sa femme Marie Cagenon (6,50 m) et leurs enfants, Jacquot, Fillion et Binbin. Les Douaisiens se disent eux-mêmes « enfants de Gayant ».

comprendre

Un centre industriel, judiciaire et intellectuel – L'agglomération regroupe d'importantes industries métallurgiques, chimiques, alimentaires, un établissement de l'Imprimerie nationale et une bourse d'affrètement fluvial. La cour d'appel de Douai est l'héritière du Parlement de Flandre qui siégea ici de 1713 à la Révolution. Une réputation intellectuelle entoure la ville, grâce aux nombreux établissements qui ont succédé à son université, fondée en 1562 et transférée à Lille en 1887.

Une ville de géants – Le 16 juin 1479, Douai, aux mains du comte de Flandres, manque d'être prise par les Français. Les Douaisiens voient cet échec comme un bienfait de saint Maurand, patron de la ville. En remerciement, on institue une procession annuelle en son honneur. 60 ans plus tard, la paix signée avec la France, Douai organise une procession plus solennelle. Chaque corporation fournit un char garni de personnages symboliques.

Les avatars de Gayant – En 1770 l'évêque d'Arras interdit la procession, qui fêtait une défaite française, et la remplace par une autre, le 6 juillet, qui célèbre l'entrée des Français à Douai (1667). Les géants ressuscitent en 1778 mais la Révolution les balaye à nouveau. Ils réapparaissent en 1801 et reçoivent vingt ans plus tard leurs costumes actuels. Détruits en 1918 et en 1944, ils sont à chaque fois reconstruits avec le même soin.

DING DONG !

La ville possède 2 carillons ; l'un au beffroi et l'autre ambulant (50 cloches) qui sillonne les routes de France. Une école française de carillon est installée à Douai, fondée et animée par Jacques Lannoy.

GAYANT, CHEF DE FILE DES GÉANTS

Les manneliers, fabricants d'objets d'osier, offrent un Gayant (*géant*, en picard). L'année suivante, les fruitiers lui donnent une épouse ; les enfants suivront.

JEAN BELLEGAMBE (1470-1534)

Cet artiste, qui semble avoir passé sa vie à Douai, révèle une personnalité attachante d'homme en lequel se fondent plusieurs tendances. Son œuvre relie la tradition gothique (sujets religieux traités avec souci du détail vrai et du coloris harmonieux) et l'italianisme de la Renaissance (décor de colonnes, pilastres, coquilles et guirlandes) tout en associant le réalisme flamand, objectif et familier, à l'intellectualisme de l'école française. Bellegambe peignit pour les abbayes de la vallée de la Scarpe. On reconnaît dans ses œuvres les sites et monuments du Douaisis : beffroi, portes de Douai, tours de l'abbatiale d'Anchin, bois de Flines, paysages de la Scarpe et de la Sensée.

carnet pratique

VISITE

Visite guidée de la ville – Douai a reçu le label « Ville d'Art » ; les visites guidées, organisées par l'Office de tourisme, sont commentées par des guides agréés par le ministère de la Culture. Mai-oct. : dim. à 15h30. 20F.

Promenade en barque sur la Scarpe – *Juil.-août : jeu.-dim. 14h-20h. RV à l'embarcadère du Palais de Justice. 20F (enf. : 10F).* Agréable promenade sur la Scarpe (1/2h) que les « bélandres » (péniches) ont délaissée, le long des quais bordés de demeures anciennes.

RESTAURATION

● *Valeur sûre*

Le Storez – *116 r. Storez -* ☎ *03 27 98 88 80 - fermé août, sam. midi et dim. - 139F.* Face à la Porte d'Arras, vestige des anciennes fortifications de la ville, cette maison de brique tient commerce depuis 1896. Aujourd'hui, on y sert une cuisine aux accents marins dans un décor tendance rétro.

Le Chat Botté – *Château de Bernicourt - 59286 Roost-Warendin - 10 km au NE de Douai par D 917 et D 8 -* ☎ *03 27 80 24 44 - fermé 1er au 15 août, dim. soir et lun. sf j. fériés - 160/390F.* Pour savourer des moments de quiétude au milieu d'un parc ombragé, le château de Bernicourt sera parfait. Le restaurant est installé dans ses dépendances. Salle à manger aux chaises de rotin de couleur avec tableaux d'un artiste de la famille.

HÉBERGEMENT

● *Valeur sûre*

Hôtel de la Terrasse – *36 terrasse St-Pierre -* ☎ *03 27 88 70 04 -* 🅿 *- 26 ch. : 295/600F -* ⌑ *45F - restaurant 135/395F.* Pour une flânerie matinale sur les rives de la Scarpe toute proche. Les chambres fonctionnelles sont réparties dans les trois bâtiments et bien insonorisées. Dans l'une des salles de son restaurant, admirez la collection personnelle de tableaux du patron.

LE TEMPS D'UN VERRE

Aux Grès – *2 pl. St-Amé -* ☎ *03 27 88 61 08 - Mar.-jeu. 17h-1h, ven. 17h-2h, sam. 10h-14h, 17h-3h, dim. 17h-1h.* « Un vrai café » comme le souligne le patron en évoquant sa première rencontre avec ce lieu.

Cet Anglais, qui s'est installé ici il y a dix ans, a su entretenir le charme particulier de ce superbe pub pavé, tout en brique et chêne noir. Un auvent en tuile au-dessus du bar, des troncs sciés pour tables et une vieille cheminée sont toute la décoration de cette antre magique où le patron joue aux fléchettes et aux échecs avec ses clients.

La Miroiterie – *66 bis r. de Lens -* ☎ *03 27 99 30 30 - Lun.-ven. 11h45-14h30, 17h30-0h; sam. 17h30-0h.* Établi dans une ancienne miroiterie, cet immense pub à la décoration impressionnante occupe trois étages en mezzanine. Le bar, éclairé par des lampes d'aéroport, est surmonté d'un superbe vaisselier d'Écosse à fronton. Parmi les nombreuses soirées à thème, ne manquez pas les défilés de mode qui ont lieu... sur le bar.

Le Minck – *61 pl. du Marché-aux-Poissons -* ☎ *03 27 97 77 91 - Lun.-jeu. 10h-1h, ven. 10h-2h, sam. 16h-3h, dim. 17h-1h.* Grand café clair et confortable divisé en petits espaces intimes. Le patron, musicien de jazz, organise des concerts le dimanche, mais l'atmosphère jazzy flotte tous les jours entre les toiles des artistes régionaux accrochés aux murs.

SORTIES

L'Hippodrome – *Pl. du Barlet -* ☎ *03 27 99 66 60 - hippo@etnet.fr - Selon le calendrier des représentations. Location: lun. 13h-19h, mar.-sam. 15h-19h. Fermé vac. scol.* Cette scène nationale de forme dodécagonale se module selon les spectacles. Des pièces classiques aux nuits technos, la programmation audacieuse de ce théâtre en fait un lieu vivant fréquenté par tous. C'est aussi un cinéma d'art et essai.

ACHATS

Aux Délices – *68 r. de la Mairie -* ☎ *03 27 88 69 19 - Lun.14h-19h30, mar.-sam. 9h-12h30, 14h-19h30. Fermé 1er au 20 août.* Les amateurs de caramel trouveront ici l'une des plus anciennes spécialités de Douai : les Gayantines. C'est une confiserie dont le cœur est en pâte de caramel au beurre parfumée à la vanille ou à la chicorée et recouverte de caramel au lait.

se promener

Partez de la place d'Armes, en partie piétonnière, avec terrasses de cafés et jeux d'eau. L'**hôtel du Dauphin**, seule maison subsistant du 18e s., abrite l'Office de tourisme. Sa façade est ornée de trophées.

Prendre la rue de la Mairie.

Le beffroi★

Juil.-août : visite guidée (1h) à 10h, 11h, 14h, 15h, 16h, 17h ; sept.-juin : 14h, 15h, 16h, 17h, dim. et j. fériés à 10h, 11h, 15h, 16h, 17h. Fermé 1er janv. et 25 déc. 11F. ☎ *03 27 88 26 79.*
Sombre, il se présente comme une tour carrée gothique (1387-1410) mesurant 64 m de hauteur totale et 40 m au

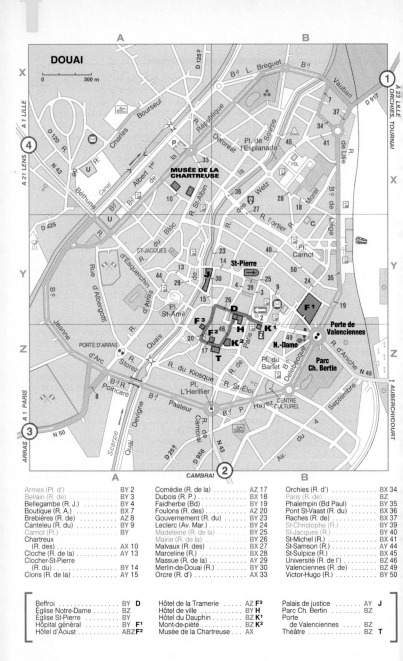

DOUAI

0 ___ 300 m

MUSÉE DE LA CHARTREUSE

St-Pierre

Porte de Valenciennes

PORTE D'ARRAS

N.-Dame

Parc Ch. Bertin

CENTRE CULTUREL

CAMBRAI

Le beffroi de Douai immortalisé par Corot (Musée du Louvre).

niveau de la plate-forme. Son couronnement, hérissé de tourelles, de lucarnes, de pinacles, de girouettes, s'achève par un lion des Flandres.

L'actuel **carillon** (62 cloches), au 4ᵉ étage, remplace celui détruit par les Allemands en 1917. Aux heures, il joue l'air des Puritains d'Écosse, aux demi-heures une barcarolle, aux quarts et trois quarts quelques mesures de l'air de Gayant. *Sam. 10h45-11h45, j. de fêtes à 11h30, juil.-août : récitals d'été lun. à 21h.*

Du sommet de la tour *(192 marches)*, à travers les abat-sons, vues sur Douai et sa banlieue industrielle.

Hôtel de ville – Salle gothique du Conseil (15ᵉ s.), ancienne chapelle devenue vestibule d'honneur, Salon Blanc vêtu de boiseries (18ᵉ s.), salle des fêtes.

Par le passage voûté et la cour de l'hôtel de ville, gagner la rue de l'Université.

Cette rue longe le **mont-de-piété** du 17e s., et conduit au **théâtre** (18e s.) à la façade Louis XVI.

Rue de la Comédie, à droite, l'**hôtel d'Aoust**, bel édifice Louis XV : porte à décor rocaille et façade sur cour ornée de statues allégoriques (les quatre saisons). Ancien siège de la direction des Houillères du Nord.

Suivre la rue de la Comédie et à droite, celle des Foulons.

Le nom de cette rue rappelle l'activité des drapiers au Moyen Âge. Sur la gauche, alignement de maisons du 18e s. Au n° 132, l'**hôtel de la Tramerie**, style Louis XIII.

À droite, la rue de la Mairie rejoint l'hôtel de ville.

découvrir

MUSÉE DE LA CHARTREUSE★ *(visite : 1h)*

Tlj sf mar. 10h-12h, 14h-17h, sam. 10h-12h, 14h-18h, dim. 10h-12h, 15h-18h. Fermé j. fériés. 20F, gratuit 1er dim. du mois. ☎ 03 27 71 38 80.

L'ancienne chartreuse forme un ensemble du 16e au 18e s. À gauche, l'hôtel d'Abancourt, et à droite, dominé par une tour carrée, le bâtiment édifié par les Montmorency (style Renaissance flamande). Les chartreux s'y installent au 17e s. et construisent le petit cloître, le réfectoire, la salle capitulaire et l'église, terminée en 1722. Le grand cloître et les cellules des moines furent détruits au 19e s.

Section Beaux-Arts

Salles 1 à 3 – Primitifs flamands, hollandais (le Maître de la Manne et le Maître de Flemalle) et italiens. Grands retables du 16e s. provenant des abbayes de Marchiennes, d'Anchin et de Flines. Le polyptyque de Marchiennes par Van Scorel (école d'Utrecht, 16e s.) est dédié à saint Jacques et saint Étienne. Une statue de bronze, la *Vénus de Castello,* évoque Jean de Bologne, sculpteur et architecte né à Douai en 1529, qui fit l'essentiel de sa carrière à Rome et à Florence.

Salles 4 à 10 – Plan en relief de Douai (1709). Maniérismes flamand et hollandais (16e s.) : œuvres de Roland Savery, des Anversois Jean Matsys, fils de Quentin, et Frans Floris, des Hollandais Van Hemessen, Van Reymerswaele, Goltzius, Cornelis Van Haarlem, etc. *Par l'escalier de la salle 4, on monte au 1er étage.*

MUSÉE DE LA CHARTREUSE
REZ-DE-CHAUSSÉE

0   20 m

★ Polyptyque d'Anchin

Salle capitulaire

Expositions temporaires

CHAPELLE

2

Réfectoire   CLOÎTRE

1er étage   Passage

Réception

5   4   3   1

6

SECTION D'ARCHÉOLOGIE ET DE SCIENCES NATURELLES

Rue des Chartreux

Œuvres de Rubens *(Cérès et Pan)* et Jordaens *(Tête d'étude)* ; paysages de Momper et Govaerts ; scène de sorcellerie de David Téniers. Intéressante série de petits maîtres hollandais du 17ᵉ s.

Salles 11-12 – École française du 17ᵉ au 19ᵉ s., surtout des portraitistes : Le Brun *(Portrait équestre de Louis XIV)*, Vivien, Largillière, Boilly, David *(Mme Tallien)*, etc. Quelques impressionnistes – Renoir, Sisley, Pissarro, etc. – et post-impressionnistes.

Redescendre au rez-de-chaussée.

Cloître – Construit en plein classicisme (1663) mais voûté d'ogives. Harmonieux contraste de l'appareil de briques roses avec la pierre blanche. Nervures et encadrements sculptés de motifs baroques.

Salle capitulaire – De la même année et du même style que le cloître. Elle accueille des expositions temporaires.

Section Archéologie et Sciences naturelles

Prendre à gauche en sortant de la Chartreuse, puis tourner à gauche dans la rue St-Albin.

Évolution de l'homme du paléolithique à 400 après J.-C. Crâne de l'homme de Biache découvert à Biache-St-Vaast (250 000 ans avant J.-C.). Période gallo-romaine : matériel découvert à Bavay et Lewarde. Maquettes du village mérovingien de Brébières et de la nécropole de Hordain. Aquarium. Papillons exotiques et oiseaux naturalisés.

visiter

Les arcs brisés de la façade de briques donnant sur la Scarpe témoignent des origines gothiques du Palais de justice.

Palais de justice

De mai à fin oct. : possibilité de visites guidées (juil.-août : w.-end et j. fériés). Visite des cellules dans le cadre des promenades en barque. Se renseigner auprès de l'Office de tourisme. Gratuit.

Refuge de l'abbaye de Marchiennes puis siège du Parlement de Flandre, il date du début du 16ᵉ s. mais a été refait au 18ᵉ s. La façade d'entrée et son sévère portail sont remaniés sous Louis XVI par le Lillois Lequeux.

Au 1ᵉʳ étage, voir la **grande salle du Parlement** (1762), décorée d'une grande cheminée de marbre, de boiseries sculptées Louis XV, du portrait de Louis XIV et de toiles allégoriques par Nicolas Brenet (1769). **Salles d'exposition** (histoire de la ville et du palais) dans les anciennes prisons d'où s'échappa Vidocq *(accès par le quai)*. Balzac s'est inspiré de lui pour créer Vautrin.

Église St-Pierre

Tlj sf lun. 9h-11h30, 14h-17h, dim. et j. fériés 14h-18h. Possibilité de visite guidée. S'adresser à l'Office du tourisme.

Cette ancienne collégiale est la plus imposante des églises douaisiennes. Placez-vous sur le côté gauche pour en discerner les parties principales : clocher de pierre (16ᵉ-17ᵉ s.), nef et chœur en briques à parements de pierre (18ᵉ s.), chapelle absidiale coiffée d'un bulbe (18ᵉ s.).

Intérieur – Le chœur, aussi long que la nef, était réservé aux chanoines et aux membres du Parlement. Buffet d'orgues (18ᵉ s.) de l'abbaye d'Anchin et trois toiles (18ᵉ s.) dues à Deshayes et à Ménageot *(bras droit du transept)*.

À droite en sortant, rue Bellegambe, devanture de boutique Modern Style ornée de tournesols. Maison natale du peintre H.-E. Cross (1856-1910) au n° 5.

Porte de Valenciennes

◄ Aujourd'hui isolée, elle est gothique sur une face (15ᵉ s.) et classique sur l'autre (fin 17ᵉ s.).

Juste à côté de la Porte de Valenciennes, se dresse l'Hôpital général (18ᵉ s.), bâti sous Louis XV. Un de ses quatre réfectoires accueille des expositions.

Église Notre-Dame

Tlj sf lun.

Autrefois adossée au rempart, elle a été mêlée à toute l'histoire de Douai. Nef en grès et briques (13e s.), chœur gothique (14e s.) couvert de cinq travées de voûtes d'ogives à nervures de pierre et voutains de brique ; abside à cinq pans percée de hautes baies à lancettes.

Au chevet, statue de la poétesse élégiaque douaisienne, **Marceline Desbordes-Valmore** (1786-1859), par le sculpteur douaisien, A. Bouquillon.

alentours

Flines-lez-Ranches

11 km au Nord de la D 917 et la D 938.

Curieuse **église** dans laquelle on pénètre par un clocher-porche en grès et briques très ancien. Sur la nef étroite donnent des chapelles de différentes époques. Les deux premières à droite ont des poutres de charpente ornées de corbeaux historiés portant les armoiries de Philippine Torck, abbesse de Flines de 1561 à 1571.

Étangs de la Sensée *(12 km au Sud par la N 43)*

La Sensée, affluent de l'Escaut, sépare le Cambrésis et la Flandre. Elle a donné son nom au canal, empruntant une partie de son cours, qui joint le bassin de l'Escaut à celui de la Scarpe et reçoit, près d'Arleux, le canal du Nord.

De Lécluse à Wasnes-au-Bac, la rivière forme un chapelet de jolis étangs entourés de hautes herbes et de peupliers.

Les **localités** les plus fréquentées sont **Lécluse** (étang), **Hamel** (centre équestre), **Féchain, Arleux,** (culture d'aulx), **Brunémont** (belle vue sur le lac depuis la D 247, base de voile), et surtout **Aubigny-au-Bac**, où a été aménagée une plage avec distractions variées.

PRATIQUE

Aires de pique-nique, pêche, chasse au gibier d'eau, randonnées pédestres, équestres et VTT (huit sentiers balisés au départ de chaque commune).

VESTIGES DE CULTES PAGANISTES ?

La vallée de la Sensée, à un jet de pierre de Douai, est connue pour sa forte concentration de mystérieux menhirs et dolmens : pierres de Lécluse ou d'Aubigny-au-Bac, gros caillou d'Oisy-le-Verger... La plupart de ces monolithes témoignent d'une religion primitive, ensevelie par le travail méthodique des moines au Moyen Âge. Aujourd'hui, les légendes ressurgissent, les langues se délient et les mythes ont encore de beaux jours devant eux. Interrogez donc les villageois ; chacun ira de sa version personnelle, plus piquante, que celle du voisin : fées, géants, moulin maudit, farfadets facétieux, pactes avec le diable...

Centre historique minier de Lewarde★★ *(voir ce nom)*

Marchiennes *(voir ce nom)*

Asile de verdure, les étangs de la Sensée sont autant d'invitations à la détente.

Doullens

Doullens a su préserver son caractère picard, notamment dans les maisons de briques et de pierres, à lucarnes saillantes. Devenue prison d'État, sa citadelle abritera quelques personnages célèbres : Blanqui, Raspail et Albertine Sarrazin.

La situation
Cartes Michelin n°s 52 pli 8 ou 236 plis 14 et 24 – Somme (80). Doullens dominé par sa citadelle, se trouve au Nord du département de la Somme. On peut y accéder par la N 25 ; la D 905 ou la D 925 (d'Abbeville). 🛈 *Le Beffroi, 80600 Doullens,* ☎ *03 22 32 54 52.*

Le nom
C'est une déformation de *Dourlans*, d'origine germanique, appellation médiévale de la ville. Le nom désigne aussi une spécialité locale, sorte de millefeuille.

UNE SIMPLE PETITE PHRASE

Fin mars 1918... l'offensive de Ludendorff vers la mer menace de faire sauter la charnière entre les armées française et anglaise. Des problèmes de commandement aggravent la situation. Le 26 mars, à l'hôtel de ville de Doullens, une conférence réunit, dans la salle du Conseil, Lord Milner, le maréchal Douglas Haig et le général Wilson d'une part, Poincaré, Clemenceau, Foch et Pétain d'autre part. Au cours des débats, Douglas Haig déclare : « Si le général Foch consentait à me donner ses avis, je les écouterais bien volontiers. » Le principe du commandement unique est adopté ; Foch conduit les armées alliées à la victoire.

---

visiter

Hôtel de ville
Tlj sf dim. 8h-12h, 14h-18h, sam. 10h-12h. Fermé j. fériés Gratuit. ☎ *03 22 32 40 05.*
C'est dans la salle dite du « commandement unique » que le général Foch fut désigné, le 26 mars 1918, pour commander les forces françaises et étrangères. Photographies documents, bustes et vitrail rappellent cet événement.

Église Notre-Dame
De juil. à fin août : tlj sf w.-end 14h30-17h30.

◀ Du 13e s. mais presque entièrement reconstruite aux 15e et 16e s. Le chœur à chevet plat et le transept sont voûtés d'ogives.

Musée Lombart
En cours de restauration.
Dans l'ancien couvent des Dames de Louvencourt Collections : Antiquité, archéologie, folklore et peinture

Citadelle
De mai à fin sept. : visite guidée (1h) w.-end et j. fériés à 15h et 16h30 (juil.-août : tlj). 10F. ☎ *03 22 77 34 93.*
Principal ouvrage fortifié d'une cité longtemps disputée entre la France et l'Espagne, cette citadelle à bastions et demi-lunes comprend des éléments du 16e s., en pierre et du 17e s., en brique. Une promenade dans les fossés permet de découvrir 5 demi-lunes intactes.

alentours

Lucheux *(6 km au Nord-Est par la D 5)*
Petit village agréablement situé dans un vallon boisé.
Château – À l'orée de la forêt de Lucheux, les vestiges (12e au 16e s.) de cette forteresse dominent le bourg Accès par la porte du Bourg encadrée de deux tours rondes coiffées de poivrières. La façade du corps de logis à gauche, serait due à un Bullant, frère aîné de

l'architecte des Tuileries. Vestiges du 13ᵉ s. : grande salle avec baies géminées s'ouvrant sous des arcatures en tiers-point, curieuse console à trois têtes ; donjon roman de plan carré, muni de tourelles d'angle cylindriques. *De juin à fin sept. : visite guidée w.-end à 14h30 et 16h30 (juil.-août : tlj). 20F.* ☎ *03 22 32 31 00.*

Église – Du 12ᵉ s. Croisée du transept et chœur intéressants pour leurs chapiteaux romans historiés. Ceux du chœur évoquent les péchés capitaux : l'avarice symbolisée par un Judas ; la colère par un Goliath à qui deux hommes tirent les moustaches. Le chœur conserve ses voûtes d'ogives primitives et ses motifs décoratifs sculptés. *Juil.-août : ap.-midi ; juin et sept. : w.-end ap.-midi. Possibilité de visite guidée s'adresser à la mairie.* ☎ *03 22 77 07 03.*

Beffroi – Ancienne porte de ville datant des 12ᵉ et 14ᵉ s.

St-Amand *(18 km à l'Est par la N 25 puis la D 23)*
Aux confins de l'Artois et de la Picardie, St-Amand abrite, dans la **chapelle** de son cimetière (belle voûte en carène), une grande **Vierge à l'Enfant**★, en pierre, de la fin du 13ᵉ s. Remarquez ses yeux en amande, malicieux, sous les sourcils épilés suivant la mode de l'époque. *Sur demande auprès de la mairie.* ☎ *03 21 48 25 66.*

> **À COMPARER**
> La Vierge à l'Enfant de St-Amand affiche une grande noblesse dans son attitude. L'élégance du drapé de sa tunique et la finesse de ses traits ne sont pas sans rappeler la célèbre Vierge Dorée de la cathédrale d'Amiens.

Dunkerque

« Ville héroïque », mais aussi « ville de joyeux drilles », avec son célèbre carnaval, Dunkerque a été détruite à 80 % entre 1940 et 1945. Reconstruite, elle connaît une rapide expansion commerciale et industrielle, due au prodigieux développement de son port. Le projet Neptune a récemment donné un visage neuf et une nette extension au centre ville. Trois beaux musées vous y attendent, et pourquoi pas une initiation au char à voile sur la côte des Dunes ?

La situation

Cartes Michelin nᵒˢ 51 plis 3, 4, ou 236 pli 4 – Nord (59). Dunkerque se trouve à 50 km de la sortie du tunnel sous la Manche et 13 km de la Belgique. La ville est traversée par deux voies d'eau qui se croisent (l'exutoire des Warteringues et le canal de Furnes) et délimitent le centre. Accès par l'A 16/E 40 ; par l'A 25 (de Lille) ou par la route côtière D 940. **🛈** *Centre-ville : le Beffroi, r. de l'Am.-Ronarc'h, 59140 Dunkerque,* ☎ *03 28 66 79 21 ou 03 28 26 27 28.* **🛈** *Station balnéaire : 48 bis digue de mer, 59240 Dunkerque,* ☎ *03 28 58 85 11.* **🛈** *(Siège) : 4 pl. C.-Valentin, 59140 Dunkerque,* ☎ *03 28 26 27 27.*

Le nom

D'origine flamande, il signifie *église des dunes* et apparaît en 1067 pour désigner le port primitif, fondé vers 800.

Les gens

Agglomération 191 173 Dunkerquois, marathoniens de la fête. Spontanés, assoiffés, fantaisistes à souhait, il faut les voir à l'œuvre de la fin janvier à la mi-mars. Pour se mêler aux bandes de carnavaleux en délire, prévoyez un accoutrement loufoque et, comme accessoire, une longue canne surmontée d'un parapluie bariolé.

comprendre

Jean Bart, « pirate officiel du roi » – Durant les guerres de Louis XIV, les corsaires dunkerquois détruisent ou capturent 3 000 navires, faisant 30 000 prisonniers et néantissant le commerce hollandais. J. Bart fut un virtuose de la guerre de course en mer du Nord. Par

Jean Bart (1650-1702) fut le plus intrépide des corsaires dunkerquois.

CARNAVAL DE DUNKERQUE

Il remonte à la fin du 19e s. Avant de partir pour de longs mois de pêche à la morue vers les mers glacées d'Islande, les « *visscherbende* » (« bandes de pêcheurs », en flamand) s'offraient une fête de tous les diables aux frais des armateurs. Venaient ensuite les adieux pathétiques, puis le départ des hommes. C'est aujourd'hui l'un des carnavals les plus populaires du Nord. Cinq semaines de folie collective : cortèges surexcités serpentant au rythme des fifres et des tambours, danses au coude à coude et longue succession de bals (Bal des Corsaires, Nuit des Acharnés, ...), arrosés comme il se doit.

opposition au pirate, hors-la-loi attaquant tous les navires et massacrant l'équipage, le corsaire recevait du roi les « lettres de course » lui permettant de traquer les navires de guerre ou marchands. En 1694, Bart sauve le royaume de la famine en capturant 130 navires de blé. Il multiplie les exploits, ce qui lui vaut d'être élevé au grade de chef d'escadre en 1697. On raconte que Louis XIV en personne lui annonça sa nomination : « Jean Bart, je vous ai fait chef d'escadre » ; à quoi le marin répondit : « Sire, vous avez bien fait. » L'année suivante, chargé de conduire le prince de Conti en Pologne, il échappe à 9 vaisseaux. Le danger passé, le prince lui dit : « Attaqués, nous étions pris. » « Jamais, répond-il, nous aurions tous sauté, car mon fils était dans la soute à munitions avec ordre de mettre le feu à un tonneau de poudre, au premier signal. »

Un port convoité – Jusqu'à la fin du 17e s., ce gros bourg de pêcheurs, défendu par une mauvaise enceinte, attire les convoitises des Espagnols, Français, Anglais et Hollandais. Turenne s'en empare en 1658 après la bataille des Dunes et Vauban fortifie la place peu après.

L'enfer de Dunkerque (mai-juin 1940) – Du 25 mai au 4 juin, Dunkerque est l'enjeu d'une sanglante bataille lors du rembarquement d'une partie des forces alliées, coupées de leurs bases après la percée allemande de Sedan en direction de la mer. Le port de Dunkerque et les plages de Malo-les-Bains à Bray-Dunes accueillent alors des bateaux-navette entre la côte française et l'Angleterre.

TOUS À BORD!
Malgré les mines magnétiques, les torpilles, les bombardements et le pilonnage de l'artillerie lourde allemande, près de 350 000 hommes, dont 2/3 d'Anglais, seront embarqués.

découvrir

LE PORT★★

Les Ateliers et Chantiers de France, qui ont cessé leur activité en 1987, ont produit ici plus de 300 navires.

L'activité portuaire de Dunkerque est liée en grande partie à l'importance du complexe industriel installé ici, basé sur la sidérurgie, le pétrole et la pétrochimie. Les ports Est et Ouest sont reliés, depuis 1987, par un **canal à grand gabarit** avec le Nord-Pas-de-Calais, prolongé vers la Belgique et le Bassin parisien. L'ensemble des installations portuaires s'étend sur 15 km.

Le port Est

Desservi par un avant-port (80 ha) et trois écluses dont la plus grande, l'écluse Ch.-de-Gaulle (365 m sur 50 m), accueille des navires de 115 000 t. Le **bassin maritime** (6 km de long) se divise en six darses et en bassins industriels spécialisés auxquels s'ajoutent les installations de stockage. Équipé pour la réparation navale, il compte quatre formes de radoub et un dock flottant. Du Nord de la darse 6 à l'entrée du canal à grand gabarit s'étendent des quais équipés pour le trafic pondéreux.

1 Visite à pied *(environ 1h)*

Départ place du Minck entre le bassin du Commerce et la « cale aux pêcheurs ». Traverser le quartier de l'ancienne citadelle. À droite se trouve le chenal avec le port de plaisance. Franchir l'écluse Trystram, et prendre à droite la direction du phare.

carnet pratique

RESTAURATION

• À bon compte

Le Tormore – *11 pl. Charles-Valentin - ☎ 03 28 63 15 95 - 69/119F. Au rez-de-chaussée un pub, au premier étage un restaurant au décor simple.* Dans une ambiance conviviale et enfumée, formule brasserie et cuisine flamande font bon ménage. Laissez-vous tenter par « le Welsh », le croque-monsieur régional.

Soubise – *49 rte de Bergues - 59210 Coudekerque-Branche - 4 km au S de Dunkerque par D 916 - ☎ 03 28 64 66 00 - fermé 22 avr. au 3 mai, 28 juil. au 23 août, sam. midi et dim. soir - 95/218F.* Ancien relais de poste du 18e s. en brique du pays, ce restaurant borde le canal. Sa salle à manger aux murs de lambris et tendus de tissu clair est ornée de tableaux. Cuisine du terroir à prix très sages.

HÉBERGEMENT

• À bon compte

Chambre d'hôte Le Withof – *Chemin du Château - 59630 Bourbourg - 14 km au SO de Dunkerque par A 16 dir. Calais (sortie 23) - ☎ 03 28 62 32 50 - 5 ch. : 250/300F - repas 100F.* Loin des bruits de la ville, cette ferme fortifiée du 16e s. qui semble flotter sur les douves, invite au calme et à la détente. Vous profiterez de sa quiétude dans l'une de ses chambres non-fumeurs et si le cœur vous en dit, vous pourrez taquiner le poisson dans les douves.

• Valeur sûre

Hôtel Borel – *6 r. L'Hermite - ☎ 03 28 66 51 80 - 48 ch. : 380/440F - ☐ 57F.* Si vous venez en bateau, vous pourrez l'amarrer et rejoindre à pied votre chambre dans cet hôtel sur le port. Quelques touches de loupe de bois réchauffent le décor des chambres bien insonorisées. Bar-tabac appartenant à l'hôtel.

SORTIES

Au Cabaret – *55 r. de l'Amiral-Ronarch (rue de la Soif) - ☎ 03 28 21 07 78 - Mer.-lun. 17h-2h.* C'est dans l'ancienne rue de la soif que la propriétaire a ouvert cet élégant bar à vins décoré de vieux vitraux et autres objets anciens. On y déguste aussi de la bière dans une ambiance jazzy et chaleureuse.

L'Estaminet – *6 r. des Fusiliers-Marins - ☎ 03 28 66 98 35 - Mar.-ven. 11h-15h, 18h-0h ; dim. 18h-2h.* Un véritable estaminet flamand superbement décoré de sorcières et de vieux objets insolites dénichés dans les brocantes. Tout en dégustant l'une des nombreuses bières flamandes, nature ou flambée, près du vieux poêle ou dans le jardin, vous découvrirez des jeux de société originaux comme la Grenouille ou le Billard Nicolas (qui se joue avec des soufflets). De quoi passer un excellent moment dans une ambiance familiale et sous le traditionnel « God ziet » (œil de Dieu).

Le Bateau Feu-Scène Nationale – *Pl. du Gén.-de-Gaulle - ☎ 03 28 51 40 40 - lebateaufeu@nordnet.fr - Selon le calendrier des représentations. Location : mar.-sam. 14h-19h. Fermé août.* Cette scène nationale accueille du théâtre, de la danse, de la musique, des opéras : toutes les formes du spectacle vivant. Juste proportion de plaisir et de culture dont le succès va croissant. Deux salles de 764 et 158 places.

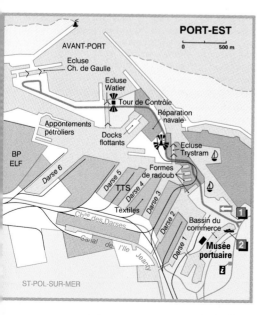

LOISIRS

Dunkerque Yachting Club – *Base de la Licorne - ☎ 03 28 26 27 55 - Dyc@nordnet.fr - Juin-sept. : w.-end. et j. fériés; tlj pdt vac. scol. (zone B) de printemps, d'été et de Toussaint.* Le Dunkerque Yachting Club, DYC pour les intimes, forme une équipe énergique qui propose toutes sortes d'activités nautiques : planche à voile, dériveur, catamaran, kayak, speed sail... Il organise également des manifestations étonnantes telles que le flysurf (surf tiré par un cerf-volant).

Phare

De mi-juin à mi-sept. : sam. 15h-19h, dim. et j. fériés 10h30-12h30, 15h-19h. 10F. ☎ 03 28 63 33 39.

Construit entre 1838 et 1843. Haut de 63 m, d'une puissance de 6 000 W, il porte à 48 km. Du sommet, **panorama** sur le port, Malo-les-Bains et l'arrière-pays.

Après les docks flottants on atteint l'écluse Watier. À l'entrée et à droite sur le blockhaus : tour de contrôle du port Est ; du sommet de la terrasse, **vue** sur le port et l'avant-port, que borde à l'Est la longue jetée où les troupes françaises s'embarquèrent en 1940.

② Visite en bateau

À bord de La Bazenne. De mars à déc. (tlj de mi-juin à août). ☎ 03 28 59 11 14 (embarcadère) ou ☎ 03 28 66 79 21 (Office de tourisme).

Partant du bassin du Commerce, le plus grand des trois anciens bassins, la vedette parcourt tout le port. On longe les remorqueurs, les ateliers, les écluses, darses et zones de stockage, le transterminal sucrier, la raffinerie BP et les appontements pétroliers, la centrale EDF, etc.

Le port Ouest

Il bénéficie de la profondeur (20,50 m) de son avant-port, doté à l'entrée d'un appontement pour pétroliers. L'arrière-port sert au transit rapide ; accessible sans écluse, pourvu de 2 km de quais et d'un puissant matériel de levage, il peut accueillir les plus gros navires porte-containers.

se promener

Beffroi

De juil. à fin août : visite guidée (1/2h) tlj sf dim. et j. fériés à 9h30, 10h30, 11h30, 14h00, 15h30, 16h30 et 17h30. 15F. ☎ 03 28 66 79 21.

Du 13e s., surélevé en 1440. Il a servi de clocher à l'église St-Éloi, incendiée en 1558. Haut de 58 m, il abrite un carillon (48 cloches) jouant la « Cantate de Jean Bart » aux heures et d'autres airs populaires aux quarts. Sous l'arche devant l'église St-Éloi, monument aux morts.

Église St-Éloi

À voir

Les fenestrages en ogive, restaurés, valorisent les vitraux dus au maître verrier Gaudin. Sur le côté Nord du chœur, une dalle en marbre blanc indique le tombeau de **Jean Bart**.

Construite au 16e s., remaniée aux 18e et 19e s. Façade néo-gothique, toiture en pyramides alignées sur les bas-côtés et l'abside. Proportions curieuses (68 m sur 53 m) depuis la suppression du transept. Remarquez l'ampleur des cinq nefs aux voûtes croisées d'ogives soutenues par d'élégants piliers, et l'abside à chapelles rayonnantes.

Place Jean-Bart

Sur cette place commerçante, au cœur de la cité, s'élève la statue du corsaire, œuvre de David d'Angers (1848).

Hôtel de ville

Construit en 1900 par Louis Cordonnier, auteur du palais de la Paix à La Haye. Beffroi (75 m) ; vitrail de Félix Gaudin (retour de Jean Bart après sa victoire du Texel).

Leughenaer

Vestige de la muraille bourguignonne aux 28 tours qui entourait la cité au 14e s., la tour du Menteur doit son nom à la méprise d'un guetteur.

Chapelle N.-D.-des-Dunes

Lun.-sam. 10h-12h, 14h30-16h30.

Reconstruite au 19e s., elle abrite une statue en bois de N.-D.-des-Dunes, vénérée par les marins depuis 1405. Ex-voto.

DUNKERQUE

visiter

Musée portuaire★

10h-12h45, 13h30-18h (juil.-août : 10h-18h). Fermé 1ᵉʳ janv., veille Mardi gras, 1ᵉʳ mai, 25 déc. 25F. ☎ 03 28 63 33 39.
Histoire, évolution et fonctionnement du port, autrefois consacré à la pêche et au commerce, devenu à partir des années 1960 un grand port industriel. Dioramas, plans, peintures, gravures et outils de dockers. Évocations du corsaire J. Bart : *La bataille de Texel,* gravures d'Ozanne et maquettes de bateaux. Galerie navale : des maquettes montrent la diversité des navires et leur évolution. Expos temporaires. Découverte, sur le quai, des deux bateaux-feux, le *Sandettie* (1949) et le *Dyck* (1912), et du trois-mâts navire-école **Duchesse Anne** (1901) et de la péniche **Guilde** (1929).

Le musée portuaire de Dunkerque occupe un ancien entrepôt des Tabacs du 19ᵉ s.

Musée des Beaux-Arts★

Tlj sf mar. 10h-12h15, 13h45-18h. Fermé 1ᵉʳ janv., 1ᵉʳ mai, 15 août, 1ᵉʳ nov., 25 déc. 20F, gratuit 1ᵉʳ dim. du mois. ☎ 03 28 59 21 65.
Collections de peintures du 16ᵉ au 20ᵉ s. et documents retraçant le passé de Dunkerque. Une salle est dédiée à J. Bart. Le tronc du 17ᵉ s., en forme de captif enchaîné, vient de l'église St-Éloi ; les offrandes permettaient le rachat des prisonniers.

HISTOIRE
Dans le hall d'entrée, un panneau de 540 carreaux de Delft représente le bombardement du port en 1695.

Art moderne (1950-1970) – Œuvres de César, Arman, Hartung, Mathieu, Pignon, Vasarely, Soulages, Appel...
École flamande (16 ᵉ et 17ᵉ s.) – Œuvres de Snyders, Jean de Reyn (portraits), Van der Hoecke, Van Dyck, etc.
Écoles hollandaise et italienne – Portraits de femmes par Morelse, Aert de Gelder et Bylert, natures mortes par Van der Poel, Claez. Peintres italiens (18ᵉ s.), dont Magnasco
École française (du 17ᵉ au 20ᵉ s.) – Œuvres de Largillière, Vignon, Rigaud, Lesueur, de La Fosse, Hubert Robert, Vernet, Corot, Boudin, Carrier-Belleuse.
Section d'histoire naturelle *(au sous-sol).*

Musée d'Art contemporain★

Fermé au public jusqu'en 2001.
L'architecte J. Willerval a respecté le jardin initial pour y inscrire son bâtiment moderne, couvert de grès céramique blanc, très sobre, précédé d'un beau portique en azobé (bois d'Afrique). Depuis 1994, le musée a changé de vocation. (peintures et sculptures transférées au musée des Beaux-Arts). Il se consacre désormais aux arts du feu contemporains, terre ou verre, sous le titre « **dialogues céramiques** ».

Jardin des Sculptures★ – Suite de croupes et de vallons qu'escaladent ou dégringolent des sentiers laissant apparaître les grandes pierres du sculpteur Dodeigne, les structures métalliques de Féraud ou les compositions de Viseux, d'Arman et de Zvenijorovsky, avec pour toile de fond la mer du Nord.

Le jardin des Sculptures du musée d'Art contemporain a été dessiné par le paysagiste Gilbert Samel.

MALO-LES-BAINS ⚐

Fondée avant 1870 par un armateur dunkerquois nommé Malo, cette station balnéaire est devenue le quartier résidentiel de Dunkerque. La vaste **plage** de sable fin, en pente douce, s'étend à l'Est du port ; elle est longée par une digue-promenade où se trouve le casino.

Musée aquariophile

&. *Tlj sf mar. 10h-12h, 14h-18h. 12F, gratuit dim. (enf. : gratuit).* ☎ *03 28 59 19 18.*
21 aquariums et 150 espèces, dont une partie vient de la mer du Nord.

Église St-Jean-Baptiste

Église de briques (1962), en forme de proue de navire, isolée de son clocher en bois qui se dresse tel un mât.

LA CÔTE DES DUNES

13 km au Nord-Est.

Zuydcoote

Zuydcoote a connu la renommée littéraire avec le roman de R. Merle *Week-end à Zuydcoote,* dont fut tiré un film, évoquant les durs épisodes du rembarquement de 1940. Le grand sanatorium accueillit quelque 7 000 blessés.

Bray-Dunes

Terrain favori des chars à voile. Une digue-promenade borde la plage de sable qui court jusqu'à La Panne, en Belgique. Sur la digue, une stèle commémore le sacrifice des soldats de la 12e division d'infanterie marocaine qui combattirent « pour l'honneur » jusqu'au 4 juin 1940.

Les amateurs de chars à voile cèdent parfois la plage aux gardes à cheval.

Blockhaus d'**Éperlecques**★

Montagne de béton émergeant de la jolie forêt d'Éperlecques, ce blockhaus de 22 m était prévu pour le lancement des V2 destinés à détruire Londres. À quelques encablures, rendez-vous avec une machine plus sympathique : le moulin de Watten, qui produit encore de la farine en été, si le vent est de la partie.

La situation
Cartes Michelin n°s 51 pli 3 ou 236 plis 3, 4 et 5 - Pas-de-Calais (62). Le blockhaus se trouve à 15 km au Nord-Ouest de St-Omer, par la N 43 puis la D 207 et la D 205. Venant de l'A 26, prendre la N 43 puis la D 207 et la D 205. ⊟ *4 r. de la Mairie, 62910 Éperlecques,* ☎ *03 21 95 66 25.*

Le nom
La ville tient son nom de sa topographie. Il provient de *Sperleka*, qui signifierait *« spacieux vallon ».*

Les gens
Entre 1943 et 1944, plus de 35 000 prisonniers participèrent à la construction du blockhaus.

visiter

LE 27 AOÛT 1943
185 « forteresses volantes » venues d'Angleterre déversent des tonnes de bombes sur le blockhaus, le mettant hors d'usage... au prix de la vie de nombreux déportés qui y travaillaient. Après cet épisode, le blockhaus fut agrandi pour devenir une usine d'oxygène liquide.

Le blockhaus
Juin.-août : 10h-19h (dernière entrée 18h) ; sept. : 10h-12h, 14h15-19h, dim. 10h-19h ; mai : 10h-12h, 14h15-18h, dim. 10h-19h ; avr. : 14h15-18h ; oct.-nov. : 14h15-17h ; mars dim. 14h15-17h. Fermé déc.-fév. 41F (enf. : 26F). ☎ *03 21 88 44 22.*

La dalle supérieure épaisse de 5 m a été montée au fur et à mesure de la construction par un système de vérins, méthode qui permettait de protéger des bombardements ceux qui y travaillaient. Un circuit avec points sonorisés donne un aperçu des terrifiantes « armes secrètes » du IIIe Reich. Sur la courtine Sud on remarque la partie inférieure de la tour de contrôle. De la plate-forme au sommet du mur Nord inachevé on constate l'impact de la bombe « Tallboy » lancée le 25 juillet 1944. On entre dans le blockhaus par une porte blindée (2 m d'épaisseur !). L'immensité des halls et les structures déchiquetées créent une atmosphère oppressante.

AGENDA
Soyez au rendez-vous ! Chaque dimanche de Pentecôte, Gilles Dindin, le géant de Watten, sort de son antre et défile dans les rues du village.

alentours

Mont de Watten *(3 km au Nord-Est, D 205)*
Il termine la chaîne des monts de Flandre à l'Ouest dominant (72 m) la vallée de l'Aa et la plaine flamande. Le maréchal Turenne utilisera cet observatoire avant la bataille des Dunes, et bien plus tard, le général allemand Guderian, tacticien de la « guerre éclair » (1940).
Le **moulin-tour** qui domine Watten a été construit au 18e s. à l'emplacement d'un ancien bastion. Restauré, ses ailes tournent à nouveau, l'été venu. Toujours sur le mont, on peut s'approcher des vestiges d'une abbaye *(propriété privée)* à tour carrée gothique. De l'esplanade en face de l'entrée de l'abbaye, **vue** sur la coupure formée par l'Aa (canal, voie ferrée) et sur la **forêt domaniale d'Éperlecques**. Depuis Watten, on rejoint les écluses de Wattendam en suivant les berges de l'Aa.

JULES-VERNE LE TERRIBLE
En mai 1940, l'hydravion *Jules-Verne* venait chaque nuit lâcher une bombe de 1 t sur la forêt d'Éperlecques puis regagnait sa base en Charente-Maritime. Ce même appareil bombarda Berlin en juin.

Millam et le point de vue de Merckeghem *(12 km au Nord-Est)*
De la D 226 qui longe la crête, vues sur les monts de Flandre *(à droite)* et sur la Flandre maritime *(à gauche)*. On franchit un vallon où se cache la **chapelle Ste-Mildrède** (commune de **Millam**). À l'intérieur, six toiles du Dunkerquois Pieters retracent la vie de la sainte. *Visite guidée sur demande auprès du gardien, maison attenante à la chapelle ou auprès de la société civile Ste-Mildrède,* ☎ *03 28 68 01 39.*
Millam séduit par son habitat traditionnel : maisons avec pignons en briques jaunes et toits couverts de « pannes » rouges. Avant Merckeghem, **vue** sur la plaine flamande jusqu'à la mer. À l'horizon, on distingue Dunkerque.

Étaples

Relié à la mer par un chenal difficile, Étaples est un port de pêche côtière et hauturière actif, dont les gros chalutiers opèrent surtout à partir de Boulogne-sur-Mer. Prenez le temps de flâner le long des quais et dans le quartier des marins.

La situation
Cartes Michelin n°s 51 pli 11 ou 236 pli 12 – Pas-de-Calais (62). Accès par l'A 16/E 402 ; la N 39 ou la D 940. **🛈** *Bd Bigot-Descelers, 62630 Étaples,* ☎ *03 21 09 56 94.*

La tradition
La plus vivace est celle liée au hareng. Il se consomme sous toutes ses formes : salé, saur, bouffi, gendarme, mariné au vinaigre...

Les gens
11 177 Étaplois. Les mouettes de l'estacade ne manqueraient pour rien au monde l'arrivée des pêcheurs, qu'elles guettent du haut du « roulev », portique mobile, qui sert à mettre à sec des bateaux de 30 t.

SORTIE EN MER
Promenade (50mn) et pêche (12h) en mer à bord du bateau *Ville d'Étaples,* bd Bigot-Descelers, BP 102, 62630 Étaples, ☎ 03 21 09 56 94.

comprendre

Quelques faits marquants – Étaples, d'origine gallo-romaine, mais ruinée par les Normands au 9e s., connaît la prospérité au Moyen Âge. L'humaniste et théologien **Lefèvre d'Étaples**, un « bonnet carré » précurseur de la Réforme, y naît en 1445. Lors du **traité d'Étaples**, le 3 nov. 1492, l'Angleterre, qui assiégeait Boulogne, accepte de se retirer, contre 745 000 écus, payables en 10 ans.

Sur l'estuaire de la Canche, Étaples n'est qu'à quelques encâblures du Touquet-Paris-Plage.

visiter

Musée Quentovic

De déb. janv. à mi-déc. : tlj sf lun. et mar. 10h-12h, 14h-18h
dim. et j. fériés 14h30-18h. Fermé 1ᵉʳ mai et 15 août. 12,50F
☎ 03 21 94 02 47.

Dans deux hôtels du 17ᵉ s., il donne sur la place du Gᵃˡ-de
Gaulle, animée les jours de marché. Fossiles, outillage
paléolithique et néolithique, fibules, monnaies gallo-romaines. Résultat de fouilles locales. Évocation de l'ossuaire du port mérovingien et carolingien de Quentovic.

Musée de la Marine

De mi-juin à mi-sept. : tlj sf lun. 10h-12h, 15h-19h, dim.
15h-19h ; de mi-sept. à mi-juin : tlj sf lun. : 10h-12h, 15h-18h
dim. 15h-18h. Fermé en janv. 12F. ☎ 03 21 09 77 21.

Dans une ancienne halle, musée consacré à la pêche
artisanale. Des navires y sont exposés. Détail de la construction du navire, tannage des filets et des voiles. Évocation de la sécurité en mer. Évolution du navire de
pêche. Surprises remontées dans les filets : dent de mammouth, vertèbre de bison. Reconstitution de l'intérieur
d'une famille de marins vers 1960. « **Balouettes** » : signes
de reconnaissance placés en tête de mât des navires
d'Étaples.

> **LES FILETS**
> Le **chalut** est un filet traîné
> par deux bateaux. Des
> diabolos (poids) main-
> tiennent le chalut au fond.
> Le **filet fixe** s'installe sur le
> sable à marée basse et se
> lève à la marée montante.
> Les **filets dérivants**
> s'utilisent pour le hareng
> d'octobre à décembre.

La Fère

Avec un nom pareil, cette petite ville ne peut être
que la capitale du calembour. La Fère reste pourtant
une cité militaire sévère, amputée de son enceinte.
la belle affaire... elle n'a rien perdu de son caractère

La situation

Cartes Michelin nᵒˢ 56 pli 4 ou 236 pli 37 – Aisne (02). La
ville est sillonnée de Nord au Sud par les bras et les
marécages que forme l'Oise. Accès par la N 44, la N 3
*ou la D 1. **2** Hôtel de ville, 02800 La Fère, ☎ 03 23 5*
62 00/03 23 56 23 47.

Le nom

La Fère vient de *Fara* (437) qui désignerait une tribu
mérovingienne, mais aussi une ancienne ferme fortifiée
sur le site primitif de la petite ville sortie des marécages.

Les gens

2 817 Laférois. Sur la place se dresse la statue d'un
Laférois d'adoption : l'artilleur qui ornait autrefois une
pile du pont de l'Alma à Paris.

visiter

Musée Jeanne-d'Aboville★

Avr.-oct. : tlj sf mar. 14h-18h ; nov.-mars : mer. et w.-en
14h-17h. Fermé 1ᵉʳ janv., 1ᵉʳ mai, 14 juil., 1ᵉʳ nov., 25 dé
9F. ☎ 03 23 56 71 91.

Peintures anciennes de la collection léguée à la ville en
1860 par la comtesse d'Héricourt. Maîtres des écoles du
Nord, dont les maniéristes du 16ᵉ s., Jean Massys, Simo
et Martin De Vos ; les Hollandais du 17ᵉ s., Emmanuel
de Witte, spécialiste des intérieurs d'églises, Heer
(natures mortes), Peeters (marines). De l'école française
pour le 17ᵉ s., *Combat de Cavalerie et des Amazones* pa
Deruet ; pour le 18ᵉ s., le *Déjeuner de campagne* pa
Étienne Jeaurat ; paysages par Lallemand, Joseph Ve
net. Archéologie : résultats de fouilles gallo-romaines
(Versigny) et de découvertes locales.

> **À VOIR**
> *Panier de prunes* par
> Pierre Dupuis (17ᵉ s.).
> *Portrait de Madame*
> *Adélaïde* par Élisabeth
> Vigée-Lebrun (18ᵉ s.).

Fère-en-Tardenois

Fère, capitale du Tardenois, est rafraîchie par l'Ourcq qui prend sa source à quelques kilomètres. Elle fut très disputée en 1918 au cours de la 2e bataille de la Marne ; le grand cimetière américain en témoigne. Le château et son impressionnant pont-galerie constituent un moment fort de la visite.

La situation

Cartes Michelin n°s 56 Nord-Ouest du pli 15 ou 237 pli 9 – Aisne (02). Aux confins des régions Île-de-France et Champagne-Ardenne, Fère est proche de Soissons, Reims, Épernay, Château-Thierry. De Paris (100 km) ou Reims (50 km), Fère s'atteint par l'A 4. **B** *18 r. Moreau-Nélaton, 02130 Fère-en-Tardenois,* ☎ *03 23 82 31 57.*

Les gens

1356 Férois. Ville natale du sculpteur **Camille Claudel** (1864-1943), compagne et inspiratrice de Rodin.

se promener

Halles

Construites vers 1550 sous le règne du connétable Anne de Montmorency, elles abritaient le marché au blé. Belle charpente en châtaignier ; de gros piliers cylindriques en pierre la soutiennent.

Église Ste-Macre

Visite guidée possible, s'adresser au presbytère. ☎ *03 23 82 23 54.*

Élevée au 16e s., elle a été très restaurée. Portail Nord en tiers-point. À l'intérieur, l'abside est éclairée par des vitraux modernes de Simon, évoquant le sacrifice dans l'Ancien et le Nouveau Testament. Dans le collatéral gauche, une châsse abrite une relique de sainte Macre, vierge martyrisée lors de la conquête romaine.

circuits

L'EST DU TARDENOIS

Quitter Fère-en-Tardenois au Nord par la D 967. La route traverse les bois de Saponay.

Château de Fère★

Un château fort, élevé au début du 13e s. sur une terre appartenant à une branche cadette de la famille royale, est l'origine de ce château. Anne de Montmorency, qui en 1528 l'a reçu de François I er, le transforme en demeure de plaisance et fait jeter sur le fossé un pont monumental, surmonté d'une galerie d'époque Renaissance. Après la mort de Henri II de Montmorency, le château, confisqué par Louis XIII, passe au prince de Condé et revient à Philippe Égalité, qui le démolit en partie.

En dominant le fossé, face à la motte du château, atteignez la sépulture de Raymond de la Tramerie, propriétaire du château de 1971 à 1984, date à laquelle

DÉTENTE

Au Nord de la ville un parc boisé de 110 ha permet le repos et les loisirs autour de deux plans d'eau (sentiers pédestres, équestres, VTT, pêche, planche à voile, pique-nique...).

MUSIQUE

Les orgues reconstruites depuis 1990 offrent l'occasion de concerts chaque année et ont fait l'objet d'enregistrements discographiques.

il en fit don au conseil général du département, apr
avoir entrepris des travaux de restauration. Gagnez la p
Est du pont monumental. Montez l'escalier aménagé da
cette pile.

Pont-galerie★★ – Édifié, selon la tradition, par Je
Bullant, sur les ordres du Grand Connétable, il repose s
cinq arches en plein cintre. Le pont donnant accès
château n'était ouvert qu'aux piétons. Une galer
d'agrément, en partie démolie, le surmonte.

Ruines – Une porte encadrée de deux petites tours à b
ouvre sur l'ancienne cour. Observez les sept tou
rondes, soigneusement appareillées, dont les assis
présentent un curieux dispositif en dents d'engrenag

Poursuivre la D 967 jusqu'à Mareuil-en-Dôle puis tourner
droite dans la D 79.

Château de Nesles

10h-12h, 15h-18h. 15F. ☎ *03 23 82 24 53.*

Édifiée au 13ᵉ s., cette forteresse de plaine a conservé
base de ses courtines et de ses huit tours, et dans u
angle, à l'extérieur de l'enceinte, un donjon cylindriq
de 55 m de périmètre. Le corps du logis date du 15ᵉ

Prendre la D 2.

Cimetière américain « Oise-Aisne »

De mi-avr. à fin sept. : 9h-18h ; d'oct. à mi-avr. : 9h-17
Gratuit. ☎ *03 23 82 21 81.*

C'est le deuxième en importance des cimetièr
américains de la Première Guerre mondiale en Euro
(plus de 6 000 tombes). Il marque l'un des terrains les pl
disputés, lors de la grande offensive franco-américaine
juillet 1918. La colonnade du mémorial est calée sur de
piles abritant une chapelle et un musée.

Revenir à Fère-en-Tardenois par la D 2.

À L'OUEST DE FÈRE-EN-TARDENOIS *(25 km)*

Quitter Fère, au Sud, par la D 967 vers Beuvardes.
Villemoyenne prendre à droite la D 79 vers Villeneuve.

Villeneuve-sur-Fère

C'est dans le presbytère au chevet de l'église St-Georg
qu'est né Paul Claudel (1868-1955), diplomate et écriva
français. La maison familiale encore habitée par d
descendants se trouve à droite de l'église.

Prendre à gauche la D 310 vers Coincy.

La Hottée du Diable

Dans la forêt de Coincy, un sentier sablonneux mène à u
énorme chaos gréseux aux rochers sculptés par l'érosio

La route ondule sur les plateaux labourés, mélancolique
du Tardenois. À Coincy, traversez le ruisseau pittoresqu
dénommé l'**Ordrimouille** et tournez tout de suite à droi
dans la D 80 en direction d'Armentières.

Château d'Armentières-sur-Ourcq

Les ruines de cet ensemble fortifié du 13ᵉ s. so
complétées par une tour-poterne du 15ᵉ s., et quelqu
éléments architecturaux de la Renaissance. Il a subi
lourds dommages lors de la bataille de la Marne en 191

Prendre la route d'Oulchy, la D 80 puis à droite la D 473 ve
Cugny et à l'entrée de Wallée la D 22 à gauche.

Monument de la butte Chalmont

Au flanc de cette butte, dominant toute la plaine
Tardenois, s'élève un monument en granit, en de
parties, dû au ciseau de Landowski, érigé en 1934 e
commémoration de la seconde bataille de la Marne.

Au premier plan, en bordure de la route reliant Beugneu
à Wallée, une statue de femme, haute de 8 m, symbolis
la France, tournée vers l'Est. En arrière, à environ 200 m
le groupe **« Les Fantômes »,** que l'on atteint par quatr
paliers successifs, symbolisant les quatre années d
guerre, représente huit soldats de différentes armes, le
yeux clos, sur deux rangées. Ce sobre monume
impressionne par sa puissance et son **site**★ solitaire.

evenir à Wallée et prendre à gauche.

.nciens abris troglodytiques habités dès la préhistoire.
ourner à droite vers Trugny. La route traverse l'Ourcq.
rendre ensuite la D 796, tourner à gauche, puis encore à
auche dans la D 310.

250 m sur la droite, au bout d'une allée, en plein
hamp, on aperçoit la **ferme de Bellefontaine,** ancienne
ropriété de la famille Claudel. C'est à la **ferme de
ombernon** *(800 m sur la droite)* que se déroule une
rande partie de *l'Annonce faite à Marie* de P. Claudel.

La Ferté-Milon⋆

gréable petite « ville à la campagne », surmontée
'une puissante forteresse, La Ferté-Milon vous
ropose de partir à la rencontre de Racine, l'enfant
u pays.

a situation
'artes Michelin n°s 56 pli 13 ou 237 plis 8, 20 – Aisne (02).
n lisière de l'Oise et de la Seine-et-Marne, à 35 km de
oissons et Compiègne. La ville s'étage sur une colline
ominant l'Ourcq et le canal.
▌ 31 r. de la Chaussée, 02460 La Ferté-Milon, ☎ 03 23 96
7 42.

e nom
'erté fait allusion aux « fortifications » qui se dressent ici
epuis le 8e s., c'était alors le fief d'un certain *Milon*.

es gens
109 Fertois. Ils ont eu le plaisir de voir leur petite ville
lustrer les anciens billets de cinquante francs. La
onsécration ! Les Fertois restent candidats pour l'euro.

CONSEIL

Une paire de jumelles
viendra bien à point
pour la visite du château
riche en détails d'intérêt.

omprendre

e Milon à Louis d'Orléans – Il y eut ici la forteresse de
un des premiers seigneurs. Au 14e s., Charles VI donne
ette seigneurie à son frère, Louis d'Orléans. Ce grand
âtisseur, qui a fait reconstruire le château de Pierre-
onds, ordonne de rebâtir celui de La Ferté-Milon. Quand
e roi devient fou, le duc est le maître du royaume. En
407, il est assassiné par les hommes de Jean sans Peur.
.'édifice ne sera jamais terminé. Les Ligueurs le prennent
n 1588 et y résistent six ans devant l'armée royale.
lenri IV le reprend et fait démanteler ses remparts. Les
bits du château sont démontés et les murs intérieurs,
émolis, comme la tour carrée qui dominait la vallée.

RESTAURATION

Les Ruines – *14 r. du
Vieux-Château*
- ☎ 03 23 96 71 56
- *fermé août, le soir sf
sam. et lun.* - ✉
- *95/165F.* Cette petite
maison de caractère
jouxte le château. Pour
vous restaurer trois
possibilités : au
rez-de-chaussée, un
décor simple avec ses
banquettes en skaï, à
l'étage, une salle plus
chaleureuse avec ses
poutres et, en été, une
jolie terrasse. En saison,
glacier l'après-midi.

écouvrir

RACINE ET LA FONTAINE *(visite : 2h)*
'artir du parking aménagé dans l'île de l'Ourcq.
'raversez le bras du moulin (il conserve sa grande roue)
ers la ville ancienne sur le coteau autour de l'église
Notre-Dame.
'rendre après le pont, la rue de Reims.

Musée Jean-Racine
▐, *D'avr. à fin nov. : w.-end et j. fériés 10h-12h30, 15h-17h30.
!5F.* ☎ 03 23 96 77 77.
nstallé dans la maison de sa grand-mère paternelle, où
▐ passa son enfance. Documents sur le dramaturge, son
euvre et l'histoire de la ville. Statue à l'antique de Racine
ar David d'Angers (1822).

Racine, par *Mignard*.

L'ENFANCE DE RACINE

Né à La Ferté-Milon, le 21 décembre 1639 d'une famille fraîchement anoblie, Racine est orphelin de mère à deux ans, de père à quatre. Il est alors recueilli par sa grand-mère paternelle, dont une fille et deux sœurs sont religieuses à Port-Royal. Devenue veuve en 1649, elle les rejoint à l'abbaye et envoie alors son petit-fils, pour ses « humanités », au collège de Beauvais. Le futur poète y reste jusqu'à l'âge de 16 ans, puis rentre aux « Petites Écoles » des Granges. Il y découvre sa vocation de poète que désapprouvent ses maîtres. Après l'année de philosophie au collège d'Harcourt, l'actuel lycée St-Louis, Racine fait son entrée dans le monde où il connaît vite le succès. C'est entre 1667 et 1677 que le dramaturge écrit la plupart de ses chefs-d'œuvre : *Andromaque, Les Plaideurs, Britannicus, Bérénice, Bajazet, Mithridate, Iphigénie* et *Phèdre*.

Tourner à droite dans la rue Racine, vieille rue pavée.
Au nº 1, belle maison où vécut Marie Rivière, sœur de Racine. La rue monte au chevet de l'église et au château.

Église Notre-Dame
La clé est à demander à la mairie.
C'est ici que Jean de La Fontaine épousa sa dulcinée. Cette église souvent remaniée possède un chevet demi-circulaire édifié et décoré par Philippe de l'Orme à la demande de Catherine de Médicis. Vitraux du 16e s.

Château★
L'esplanade rectangulaire était l'ancienne cour intérieure du fort. Elle se termine en terrasse au-dessus de la vallée. Découvrez de l'intérieur la « coque » du château. Les arrachements du démantèlement de 1594 ne sont qu'un peu de chose, comparés aux pierres d'attente appelant une extension, jamais réalisée.
Passez la porte de Bourneville, découronnée, et prenez du recul sur la prairie pour admirer la façade. Percée de trois étages de fenêtres, défendue par des mâchicoulis et trois grosses tours à bec, la forteresse se termine par le donjon rectangulaire éventré en 1594. Au sommet des tours, **bas-reliefs★** (15e s.) inscrits dans des niches en anse de panier. Effigies décapitées de « preuses ».
Revenir par la rue des Bouchers et la rue de Reims, et gagner la place du Port-au-Blé. Traverser la passerelle.

Bords de l'Ourcq
Jolie vue. En aval : tour d'enceinte et jardin de l'ancienne propriété Héricart, où La Fontaine courtisa sa fiancée Marie Héricart. En amont, le petit « grenier sur l'eau » le bâti en avancée abritait les poulies de la grue qui descendait les sacs de blé dans les « flûtes » de l'Ourcq.

À VOIR
Un des bas-reliefs montre le **Couronnement de la Vierge★** *(entre les 2 tours centrales de l'entrée).* Sous cette scène, 3 anges soutiennent les armes de France, sommées du lambel (« brisure » héraldique) désignant une branche cadette : les Orléans.

La section de base des tours de la forteresse a été dessinée en amande.

Église St-Nicolas
R. de la Chaussée. Édifice du 15e s. Très bel ensemble de **vitraux** du 16e s. : vision de l'Apocalypse et scènes de la Vie du Christ.

Folleville

Folleville est l'ancien fief d'un grand seigneur, comme l'attestent une tour de guet et les vestiges d'un château. Son église au décor finement sculpté est une pure merveille.

La situation

Cartes Michelin n°s 52 pli 13 ou 236 pli 34 – Somme (80). Le village, sur une butte en retrait de la vallée de la Noye, se trouve à 24 km au Sud d'Amiens, par la D 116 ou la D 7 puis la D 193 et la D 14 depuis Paillart.

Les gens

42 Follevillois habitent ce bourg, ancien siège de la seigneurie des familles de Lannoy et de Gondi.

comprendre

Un preux – **Raoul de Lannoy** fut chambellan et conseiller de Louis XI, Charles VIII et Louis XII. Il se couvrit de gloire au siège du Quesnoy (1477). Louis XI lui passa au cou une **chaîne d'or** en disant : « Pasques Dieu, mon amy, vous estes trop furieux en un combat, il vous faut enchaîner pour modérer votre ardeur, car je ne veux ceux point perdre... ». Durant les guerres d'Italie, Lannoy fut nommé par Louis XII gouverneur de Gênes et mourut en cette ville, en l'an 1513.

La première « mission » de Monsieur Vincent – Janvier 1617. Un humble prêtre parcourt les terres de Françoise de Gondi, héritière par sa mère, Marie de Lannoy, du fief de Folleville. Les campagnes sont dans un état avancé de déchristianisation. Bouleversé, Vincent de Paul monte en chaire et parle au peuple de façon si éloquente qu'une confession générale s'ensuit. Vincent fonde, en 1625, la congrégation des Prêtres de la Mission, dits Lazaristes.

> **À SAVOIR**
> La chaîne d'or que Louis XI passa au cou de Raoul de Lannoy est représentée sur une vasque dans la nef de l'église de Folleville et dans le chœur, sur le gisant de celui-ci.

visiter

L'église

Visite : 1h1/2. Tlj sf lun. et mar. 10h-12h, 14h-17h, dim. 14h-17h (de mai à mi-oct. : fermeture à 19h). Fermé de mi-déc. à fin janv. 15F. ☎ 03 22 41 49 52.

À l'extérieur, statues (16e s.) de saint Jacques *(angle de la façade)* et de la Vierge à l'Enfant *(contrefort)*.

Nef – Près de l'entrée, fonts baptismaux Renaissance. Vasque de marbre blanc de Carrare, sculptée de la chaîne symbolique aux armes des Lannoy. Dans la nef à droite, la chaire est celle où Vincent de Paul prêcha.

Chœur★ – Architecture flamboyante et décoration Renaissance. Voûtes aux nervures finement découpées. Le premier **tombeau★★** à gauche est celui de Raoul de Lannoy et de sa femme Jeanne de Poix. Le sarcophage de marbre blanc a été réalisé par le Milanais Antonio Della Porta. Sur la base du tombeau, les armes des familles et l'épitaphe, flanquées d'enfants pleureurs. L'enfeu est un pur chef-d'œuvre.

Le second **tombeau★** montre l'évolution de l'art funéraire, passant en 50 ans des gisants aux priants de pierre. Ceux-ci figurent François de Lannoy, fils de Raoul, mort en 1548, et sa femme Marie de Hangest. Encadrement de marbre blanc orné d'effigies des vertus cardinales.

> **À REMARQUER**
> Le fond est semé de guirlandes de fleurs de pois. Une double accolade couronne l'enfeu, encadrant une gracieuse Vierge à l'Enfant sortie d'une fleur de lys.

Enfeu et piscine – Derrière l'autel s'ouvre un grand enfeu à arc découpé en festons, surmonté d'une accolade. Le Christ y apparaît à Madeleine. Sur les côtés, des anges portent les attributs de la Passion. À droite, jolie piscine ornée de statuettes : saint François et saint Jean-Baptiste, patrons de François de Lannoy et Jeanne de Poix.

Fourmies

Petite ville cernée par de vastes forêts et un chapel d'étangs dus aux moines de Liessies, d'où le nom d trois principaux, les étangs des Moines. Toujou active, la cité fourmille surtout au 19ᵉ s., lorsque s développe une puissante industrie textile.

La situation

Cartes Michelin nᵒˢ 53 pli 16 ou 236 pli 29 – Nord (5 Fourmies se trouve à 15 km au Sud-Est d'Avesnes par D 951 puis la D 42 ; à 10 km au Nord d'Hirson par la D 9 puis la D 964 et à 20 km à l'Ouest de Chimay par la N 5 puis la D 95 et la D 83. 🛈 *Chalet Accueil, pl. Verte, 596 Fourmies,* ☎ *03 27 60 40 97.*

Le nom

Il dérive du latin *fourmiæ*, « fosse d'eau » ou « rade allusion aux vallées sillonnées de rivières et parsemé d'étangs en bordure desquels la ville s'est développée

Les gens

13 867 Fourmisiens. Des générations d'hommes, femmes et d'enfants ont fait de Fourmies une capitale la filature de laine peignée.

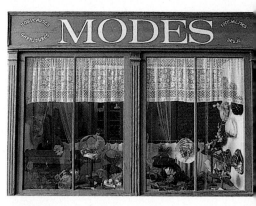

Reconstitution d'une boutique à l'Écomusée de Fourmies.

visiter

Écomusée

Il regroupe une série d'antennes et de musées associé créés avec le concours des habitants pour faire découvr les activités de ce pays de bocage et d'usine. Son but promouvoir les différents aspects économiques culturels de la région. *Circuits balisés au dép. de la salle de fêtes. Dépliant disponible à l'écomusée,* ☎ *03 27 60 66 11.*

Musée du Textile et de la Vie sociale★★

&. *Juil.-août : visite guidée (1h1/2) 9h-18h, w.-end et j. féri 14h30-18h30 ; sept.-juin : 9h-12h, 14h-18h, w.-end et j. féri 14h30-18h30. Fermé en janv. et 25 déc. 30F.* ☎ *03 27 6 66 11.*

Installé dans une ancienne filature. Intéressante colle tion de machines textiles du 19ᵉ s. à nos jours, en état d marche. Photographies et reconstitutions, dont un atelie de bonneterie, un intérieur ouvrier, une salle de class une rue avec ses boutiques et son estaminet...

alentours

LES ÉTANGS

Les étangs des Moines *(au Sud-Est)*

Situés en bordure de la forêt de Fourmies peuplée surtou de chênes, ils servaient de réservoir d'eau pour aliment des moulins. Pêche, canotage et baignade.

Étang de la Galoperie★ *(9 km à l'Est)*

Alimenté par le ruisseau des Anorelles, qui arrose Anor et se jette dans l'Oise à Hirson, ce vaste étang s'allonge au creux de la forêt, à quelques pas de la Belgique.
◼ Suivre *(3/4h à pied AR)* le sentier de la rive Nord-Ouest. Après de belles échappées sur l'étang, il aboutit à une casemate en béton (1938), élément du système défensif dit de la Trouée de Trélon, pouvant recevoir une mitrailleuse et un canon antichar.

Gerberoy★★

Toutes les couleurs se sont donné rendez-vous dans cette minuscule place forte médiévale. Membre du cercle des « plus beaux villages de France », Gerberoy était tombé dans l'oubli depuis le 17ᵉ s. Le peintre Le Sidaner (1862-1939) succombe alors à son charme et s'y fixe.

La situation

Cartes Michelin nᵒˢ 55 pli 9 ou 236 pli 32 – Oise (60). Village fortifié sur une « motte » naturelle à 20 km au Nord-Ouest de Beauvais. Accès par la D 901 puis la D 133 après Troissereux. ◻ *Mairie, hôtel de ville, 60380 Gerberoy,* ☎ *03 44 82 33 63.*

> **RENDEZ-VOUS**
> Le dernier dimanche de novembre a lieu le **marché au foie gras.**

Les gens

111 Gerboréens et très fiers de l'être. Il faut les voir entretenir leurs belles demeures à colombages (du 16ᵉ au 18ᵉ s.) et fleurir leurs vieilles ruelles pavées.

carnet pratique

RESTAURATION
● *Valeur sûre*
Hostellerie du Vieux Logis – 25 r. du Logis-du-Roy – ☎ 03 44 82 71 66 - fermé 20 déc. au 3 janv., vacances de fév., lun. soir et jeu. soir de nov. à mars, dim. soir, mar. soir et mer. - 122/255F. Cette maison à colombage cadre bien avec le décor de ce pittoresque village de Gerberoy. Salle à manger à charpente avec son imposante cheminée en brique. Essayez le menu sucré ou le « barbecue médiéval ». Salon de thé l'après-midi, en terrasse l'été.

HÉBERGEMENT
● *À bon compte*
Chambre d'hôte M. et Mme Bruandet – 13 hameau de Bellefontaine - 60650 Hannaches - 5 km au SO de Gerberoy par D 930 puis D 104 dir. Bellefontaine - ☎ 03 44 82 46 63 - http://bellefontaine.free.fr - fermé janv. - ✉ - 3 ch. : 200/250F - repas 85F. L'originalité de cette ferme picarde réside dans le mobilier contemporain des chambres et les sculptures de la cour carrée. Tout est le fruit de l'imagination et du talent du propriétaire, sculpteur de son état. Renseignez-vous sur les circuits de randonnées.

se promener

Musée

D'avr. à fin sept. : w.-end et j. fériés 14h30-18h (juil.-août tlj sf mar.). Gratuit. ☎ *03 44 82 26 17.*

Un petit **musée**, au 1er étage de l'hôtel de ville (18e s.) retrace le passé de la commune ; toiles de H. Le Sidaner

Des remparts, à la hauteur du château d'eau, admirez le **jardins en terrasses** aménagés par le peintre sur le ruines de la forteresse. Par la porte qui desservait l château, montez à la collégiale en longeant d'ancienne maisons de chanoines.

Collégiale

Cette église du 15e s. possède des stalles ornées d miséricordes sculptées (15e s.) et des tapisseries d'Aubus son (17e s.).

Derrière l'édifice, dans la rue du Château, jolie vue sur l maison bleue, au coin ; une poterne surplomb des murs colonisés par la verdure. Agréable prome nade bordée d'arbres à l'emplacement des ancien fossés.

Gravelines

Parée de toits rouges, tracée au sabre, Graveline se protège derrière son enceinte de briques e de pierres. Quatre bastions et deux demi-lune restent intacts, la verdure y a pris ses aises. Le por formé par l'Aa canalisée abrite des voiliers d plaisance.

La situation

Cartes Michelin n°s 51 pli 3 ou 236 pli 3 – Nord (59) Gravelines se trouve à 40 km du tunnel sous la Manch et à 30 km de la Belgique. La station sert d'avant-port d St-Omer. Accès par l'A 16/E 40 ou par la D 940. ◘ *11 r de la République, 59820 Gravelines,* ☎ *03 28 51 94 00.*

Le nom

Il vient de *Graveningis* et *Graveningen,* « pays des grèves » À l'origine, la cité émergeant des marais se nomma *Niewport,* « nouveau port ».

Les gens

12 430 Gravelinois. La mutation à Gravelines faisai trembler les militaires qui caricaturaient ainsi l'austérit des lieux : « De la peste, de la famine, Des garnisons d Bergues et de Gravelines, Préservez-nous Seigneur ! » Aujourd'hui, les habitants s'en moquent encore.

découvrir

Remparts, contregardes et demi-lunes

Les remparts, dont on peut faire le tour, sont bier conservés ; l'arsenal de Charles Quint les renforce d côté de l'Aa *(Ouest)*. Chaque bastion d'angle est couver par un système de demi-lunes, de fossés en eau et d contregardes destiné à retarder l'avancée de l'ennemi. Pour découvrir ce réseau défensif, prenez la rue de Calais qui traverse le fossé et devient le boulevard Salomé. A gauche, après le pont, longez le sentier et empruntez u pont ; vous voici sur une contregarde ; prenez encore à gauche en longeant le fossé et traversez un 2e pont pour arriver sur une autre contregarde ; parcourez-la jusqu'au bout, puis prenez le 3e pont qui donne sur une demi-lune boisée.

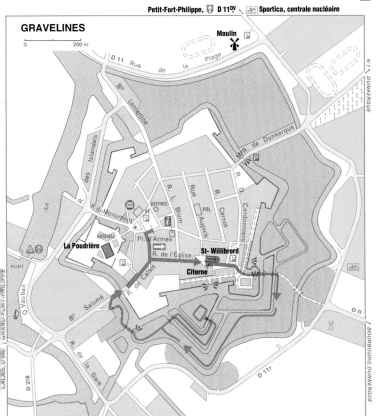

visiter

Musée du Dessin et de l'Estampe originale

Tlj sf mar. 14h-17h, w.-end 15h-18h. Fermé 1ᵉʳ janv., 1ᵉʳ et 8 mai, 14 juil., 25 déc. 10F. ☎ 03 28 51 81 00.

Installé dans la **Poudrière** datant de 1742. Rez-de-chaussée consacré à l'histoire et aux techniques de l'estampe et de la gravure, illustrées par Dürer et Léger. Au sous-sol, expositions temporaires sur le patrimoine historique de la ville. Copie à l'identique du plan-relief (1756) de Gravelines.

L'autre partie du musée occupe la casemate souterraine (1693), ancienne salle d'armes intégrée aux fortifications. La salle dite « du Pilier » – son pilier central s'ouvre sur 4 voûtes en plein cintre – abrite des expositions temporaires d'estampes, gravures et dessins. Des œuvres de M. Gromaire, E. Leroy, J. Dodin, etc., sont régulièrement exposées.

L'ensemble est ceint d'agréables jardins. Belles sculptures de Charles Gadenne : *la Conversation* et *la Vigie.*

Église St-Willibrord

Tlj sf lun. 9h-11h30.

Église flamboyante, à l'exception du portail de façade fin Renaissance, dédiée à l'apôtre des Pays-Bas au 7ᵉ s. Murs de la nef revêtus de belles boiseries (17ᵉ s). Confessionnaux et buffet d'orgues. Plusieurs monuments funéraires dont le cénotaphe de Charles Berbier du Metz, sculpté par Girardon *(bas-côté gauche).*

La citerne, reliée à St-Willibrord par une arcade, date du 18ᵉ s. ; ses pompes ont des embouts sculptés en dauphins.

ANIMATION

Présentation vivante et ludique du plan-relief : un spectacle son et lumière de 20 mn vous plonge au temps de Vauban. Deux soldats de l'époque évoquent à travers leurs pérégrinations l'histoire de leur petite ville fortifiée.

À VOIR

Portrait en médaillon, très expressif, du gouverneur de Gravelines, tué au siège de St-Venant en 1657.

Maison du Patrimoine
   *14h-17h, w.-end et j. fériés 15h-18h. Fermé 1er janv.
1er mai et 25 déc.* ☎ *03 28 51 84 84.*
Très active, elle organise des expositions de peinture
d'artistes locaux, des stages « Nature » à destination d
jeune public et bien d'autres animations de découvert
de la région.

Maison de la Mer
*De Pâques à mi-sept. : tlj sf mar. 14h-18h, dim. et j. férié
15h-18h. 10F (donne accès à la Maison du Sauvetage)*
☎ *03 28 23 03 53.*
La Maison de la Mer retrace l'histoire du port d
Grand-Fort-Philippe et de la construction navale
explique les techniques de pêche, dévoile la vi
quotidienne des marins...

Maison du Sauvetage
*De Pâques à mi-sept. : tlj sf mar. 14h-18h, dim. et j. férié
15h-18h. 10F (donne accès à la Maison de la Mer).* ☎ *03 2
23 10 12.*
Ancien abri à canots, elle s'est convertie en musée à l
gloire du sauvetage en mer. Maquettes de canots
archives retraçant les grandes heures du sauvetage, cano
restauré...

Moulin *(route de Petit-Fort-Philippe et Bourbourg)*
Petit moulin sur pivot, fort bien restauré.

alentours

Petit-Fort-Philippe *(2 km au Nord-Ouest par la D 11)*
Reconstruit dans le style flamand après la guerre. À l
fois port de pêche où l'on peut déguster d'excellent
poissons frais et station balnéaire, Petit-Fort-Philippe doi
son nom au roi d'Espagne Philippe II. Jolie vue sur l
canal animé par les chalutiers et sur Grand-Fort-Philippe

Centrale nucléaire *(3 km au Nord de Gravelines)*
*Visite guidée (2h30) tlj sf dim. et j. fériés à 9h et 14h su
demande (1 sem.). Âge minimum 10 ans. Pièce d'identit
obligatoire. Mission Information communication,* ☎ *03 2
68 42 36.*
◄ Construite dans les années 1970 en lisière du Port-Oues
de Dunkerque, cette centrale compte parmi les plu
puissantes d'Europe. Elle compte six réacteurs à eau. Un
partie de l'eau de mer réchauffée à la sortie de
condenseurs alimente un site aquacole.

> **À savoir**
> La centrale fournit
> 35 milliards de kWh par
> an, soit 10 % de la
> production nationale
> d'électricité.

Guînes

Campé dans un paysage verdoyant, entre forêts e
marais, Guînes promet de mémorables ripailles et d
jolies balades à travers les « Trois Pays ». La petit
ville fut le siège d'un puissant comté, vassal de la
couronne d'Angleterre de 1352 à 1558.

La situation
Cartes Michelin nos 51 pli 2 ou 236 pli 2 – Pas-de-Calais (62).
Guînes se trouve au Nord du territoire dit des « Trois
Pays », à 8 km de Calais et du tunnel sous la Manche.
Accès par la D 231 ou la D 127.
🛈 *14 r. Clemenceau, 62340 Guînes,* ☎ *03 21 35 73 73.*

Le nom
Un acte de donation de 807 porte la mention de *Gisna,*
qui dériverait de *Ghisnervlet,* nom de la rivière primitive.

Les gens
5 221 Guînois. Bons vivants, en témoignent quelque
spécialités du coin : sauté de cerf, foie gras, hydromel...

Le Camp du Drap d'or

Près de Guînes, sur la route d'Ardres, s'est tenue, à partir du 7 juin 1520, la rencontre entre **François Ier** de France et **Henri VIII d'Angleterre** pour débattre d'une hypothétique entente. Tous deux sont accompagnés d'une cour nombreuse. Le premier loge à Ardres, le second au château de Guînes. Le camp s'étend autour de lices pour les joutes. Le roi d'Angleterre occupe un « palais de cristal », François Ier, une tente brochée d'or, décorée par le peintre Jean Bourdichon. Mais le pavillon anglais résiste difficilement aux vents et Henri VIII sera terrassé par son royal adversaire au cours d'une partie de lutte. Battu et vexé, il regagne Gravelines puis fait alliance avec Charles Quint.

visiter

Musée municipal E.-Villez

Mar. et jeu. 9h-12h, 14h-17h (juil.-août : dim. 15h-18h). 10F.
☎ *03 21 36 18 06.*
Présentation de l'histoire de Guînes. Nombreux vestiges archéologiques, documents, objets, cartes (atlas Mercator de 1609), gravures, tableaux.

alentours

Forêt de Guînes

Au Sud de Guînes, une route goudronnée traverse cette forêt qui longe le rebord Nord des collines du Boulonnais.
785 ha de chênes, hêtres, charmes et bouleaux. La voie mène à la **clairière du Ballon**. À gauche, en retrait, la **colonne Blanchard** marque l'endroit où atterrit, le 7 janvier 1785, le ballon monté par Blanchard et Jefferies, les premiers à franchir la Manche par voie aérienne.

Forteresse de Mimoyecques

10 km au Sud-Ouest par la D 231 et après Landrethun-le-Nord, la D 249. & *D'avr. à mi-nov. : 14h-18h, dim. et j. fériés 10h-18h (juil.-août : 10h-19h). 30F.* ☎ *03 21 87 10 34.*
Mimoyecques faillit recevoir une base de lancement de V3. Cette arme aurait alors servi à anéantir Londres. Pour le lancement, les Allemands avaient conçu des canons de 130 m de long. Le chantier débute en septembre 1943 ; des milliers de prisonniers participent au creusement du tunnel ferroviaire (600 m de long sous 30 m de craie) et au percement des puits pour recevoir les canons. Les Alliés bombardent Mimoyecques dès l'hiver 1943. En juillet 1944, une bombe Tallboy percute la couche de béton et provoque une inondation qui met fin au sinistre projet.

Hébergement
Auberge du Colombier – *Av. de Verdun -* ☎ *03 21 36 93 00 - fermé Noël au J. de l'An -* 🅿 *- 7 ch. : 200/260F -* 🍽 *30F.*
Cette belle propriété du 18e s. à la campagne a plus d'un atout pour retenir les vacanciers. Autour d'un ancien pigeonnier, chambres proprettes et calmes dans une bâtisse récente. Sur le site, camping bien aménagé, petits chalets et restaurant.

Le Camp du Drap d'or *(reconstitué par F. Bouterwek), rencontre entre François Ier et Henri VIII d'Angleterre.*

Ardres *(8 km à l'Est, D 231)*

Jadis fortifiée, Ardres est un marché agricole à la croisée de la plaine maritime et des collines de l'Artois. Convoitée par les Anglais et les Espagnols, l'ancienne ville-frontière accueillit François Ier lors de l'**entrevue du Camp du Drap d'or**.

Grand-Place (ou place d'Armes) – Triangulaire et pavée, elle est bordée de vieilles maisons aux toits aigus. Face au chevet de l'église (14e-15e s.), l'ancienne chapelle (17e s.) des Carmes.

Guise

Aux portes de la Thiérache, Guise est une charmante petite ville, calme et verdoyante. Résolument moderne, elle garde pourtant son vieux quartier près de l'église. Trois tonalités s'y disputent : le rouge et le blanc des maisons, et le vert des massifs arborés et fleuris.

La situation

Cartes Michelin n°s 53 pli 15 ou 236 pli 28 – Aisne (02). Dominée par les vestiges du château, Guise est rafraîchie par l'Oise. Accès par la N 29 ; la D 967 (de Laon) ; la D 934 (de Valenciennes) ; la D 960 (de Cambrai).

🚩 *2 r. Chantraine, 02120 Guise,* ☎ *03 23 60 45 71.*

Le nom

Il se prononce Gu-ize et provient de la contraction de *Gué* (endroit peu profond d'une rivière où l'on peut traverser à pied) et de *Ise,* ancien nom de l'Oise.

Les gens

5 901 Guisards. Érigé en duché par François Ier, Guise donna son nom à une branche de la maison de Lorraine. **François de Guise** (1519-1563) défendit Metz contre Charles Quint et reprit Calais aux Anglais. **Henri de Guise** (1550-1588), chef du parti catholique, la Ligue, est tué lors des guerres de Religion, sur ordre de Henri III.

visiter

Château fort des ducs de Guise★

Accessible depuis Guise, au-delà de l'église St-Pierre. Visite guidée (1h) 10h-12h, 14h-18h (juil.-août : 19h, hiver : 17h30). Fermé de mi-déc. à déb. janv. 30F. ☎ *03 23 61 11 76.*

Construction en grès des Ardennes (11e s.). Ce fut l'une des premières forteresses bastionnées de France, au 16e s., sous l'impulsion des ducs de Guise, Claude et François. Sur la route des invasions de la vallée de l'Oise, Vauban la renforce au 17e s. En 1914-1918, elle est la cible de l'artillerie puis tombe en ruine. Dans les années 1950, le Club du vieux manoir entreprend son sauvetage.

Franchissez la porte ducale (16e s.), restaurée, située côté ville. Du bastion de la Haute Ville, un passage médiéval donne sur l'allée voûtée de l'entrée des carrosses pour atteindre le bâtiment des prisons et le cellier qui servait de garnison à 3 000 hommes en temps de siège. L'allée voûtée du Gouverneur conduit aux vestiges du palais et au donjon. On voit les soubassements de la collégiale St-Gervais-St-Protais et les bastions de la Charbonnière et de l'Alouette. Les salles des gardes, converties en musée, présentent les objets découverts lors des fouilles. Par une suite de souterrains, on retrouve le bastion de la Haute Ville et la galerie dite des Lépreux.

Un chef d'entreprise audacieux

Pour concrétiser ses idées sur l'épanouissement de l'individu, le partage des richesses et l'égalité entre les hommes, Godin fait construire un Palais social. L'ensemble urbain est édifié à proximité de l'usine entre 1856 et 1883. Il abrite 500 logements au confort moderne (eau, toilettes et vide-ordures à chaque étage) mais aussi des équipements complémentaires : écoles, piscine, théâtre, lavoir, jardin d'agrément et magasins d'approvisionnement. En 1880, Godin crée l'Association coopérative du capital et du travail et la propriété de l'usine passe progressivement aux mains du personnel.

Familistère Godin★

Visite guidée (1h1/2) tlj sf lun. à 14h30 et 16h30 (nov.-mars : tlj sf lun. à 14h30 et 16h30, dim. à 15h). Fermé de fin déc. à mi-janv. 20F. ☎ 03 23 61 35 36.

Ensemble dû à **Jean-Baptiste-André Godin** (1817-1888), fondateur des usines fabriquant des appareils de chauffage et de cuisson. On visite l'ensemble du site dont trois pavillons construits autour d'une cour vitrée à charpente en bois ou métallique. À chaque étage, une galerie permet la circulation. Dans l'aile droite, appartement de l'administrateur-gérant (audiovisuel, maquette) et appartement témoin reconstitué (1877). Le théâtre accueille des manifestations. Sur l'autre rive de l'Oise, les usines Godin tournent toujours.

Aile gauche du familistère reconstruite en 1924 avec au 1er plan la statue de Godin.

Ham

Ville industrielle et port fluvial actif, ancienne place forte dans la vallée marécageuse de la Somme, Ham est surtout connue pour sa prison, dont s'évada le futur Napoléon III.

La situation

Cartes Michelin nos 53 pli 13 ou 236 pli 36 – Somme (80). C'est ici que la Somme entre dans le département du même nom. Ham est à l'Est d'Amiens et à 18 km au Sud-Ouest de St-Quentin. Accès par la D 930 au départ de St-Quentin ou, au départ d'Amiens, par la D 934 puis la D 930 que l'on prend à Roye. 🛈 *R. André-Audinot, 80400 Ham,* ☎ *03 23 81 30 00.*

Le nom

Plusieurs interprétations coexistent. *Ham* proviendrait de *Han* ou *Hen*, appellation pré-celtique désignant une habitation sur un ensemble de buttes entre Somme et

---

Foie gras
Les canards de la Germaine, *3 r. de l'Église, 80400 Sancourt (3 km de Ham),* ☎ *03 23 81 01 57.*

Pêche
Domaine des îles à Offoy, forfait à la journée (au Nord-Ouest de Ham), ☎ *03 23 81 10 55.*

marais. On peut aussi y voir un mot d'origine germanique, *Heim,* qui signifierait encore « maison » ou « foyer ».

Les gens
5 532 Hamois. Prisonnier au château de Ham, Louis Napoléon Bonaparte passe là 6 ans à écrire et... à filer le parfait amour avec la fille de son geôlier !

comprendre

FRIANDISES HISTORIQUES
L'hamoise est un bonbon qui rappelle l'évasion de Louis-Napoléon et les croquants du général Foy sont à l'effigie de cet officier napoléonien né à Ham en 1775.

Une prison d'État – Le château de Ham, détruit en 1917 par les Allemands, était une forteresse aux murs épais de 11 m par endroits. Sa construction s'achève au 15e s. Utilisé dès son origine comme prison politique, Ham reçut à ce titre, au 18e s., le corsaire Cassard et Mirabeau, puis, après la Révolution de 1830, les ministres de Charles X. Le plus illustre prisonnier reste Louis-Napoléon Bonaparte, détenu ici après son débarquement manqué à Boulogne. Le futur **Napoléon III** s'évade de Ham le 25 mai 1846, déguisé en maçon. Il franchit le poste de garde et passe en Angleterre.

visiter

Église Notre-Dame
En bordure de l'enceinte. Ancienne abbatiale, d'aspect romano-gothique (12e-13e s.). Les parties hautes de la nef ont été refaites au 17e s. dans un style s'accordant avec la construction primitive. Façade à portail roman et transept percés d'un triplet (trois baies associées). Chevet gothique. Intérieur rhabillé au 17e s. Transept et chœur gardent leur caractère primitif. Sous le chœur, belle **crypte** abritant les gisants d'Odon IV, seigneur de Ham, et de sa femme.
Sur la droite, bâtiments de l'**ancienne abbaye** (1701).

Hardelot-plage ☼☼

Cette élégante station balnéaire de la Côte d'Opale familiale et sportive, offre une longue plage de sable fin. Hardelot dissémine ses villas modernes dans les pins, frênes et bouleaux qui couvrent ses larges dunes.

GARE À LA COULEUR !
Vert : *baignade surveillée, sans danger.*
Orange : *baignade dangereuse mais surveillée.*
Rouge : *baignade interdite.*

La situation
Cartes Michelin nos 51 pli 11 ou 236 pli 11 – Pas-de-Calais (62). Hardelot se niche au creux des dunes d'Écault au Nord et du mont St-Frieux au Sud, entre Boulogne et Le Touquet. Accès par la D 940 ou l'A 16. 🛈 *23 av. Concorde, 62152 Neufchâtel-Hardelot, ☎ 03 21 83 51 02.*

Le nom
Hardelot dérive du terme saxon *hard lob,* mentionné en 596, qui désigne une « place forte ». Hardelot est un hameau détaché de la commune de Neufchâtel.

Les gens
C'est sur leur longue plage de sable fin que les Hardelotois ont assisté aux premiers essais d'aéro-plage de **Louis Blériot.**

carnet pratique

visiter

château

ur la commune de Condette, il fait face au lac des Miroirs t conserve des vestiges de ses fortifications du 13e s. ir John Hare le fait reconstruire au 19e s. en s'inspirant u style du château de Windsor, avec créneaux, ourelles... Le propriétaire suivant, John Whitley, le onvertit en centre d'attractions. Une congrégation eligieuse s'y installe par la suite. Il appartient aujourd'hui la commune de Condette.

n suivant la route qui longe le château à droite, on arrive l'entrée des chemins de découverte de la dune brisée 'Écault. Belles promenades dans les dunes.

Son sable fin et le léger dénivelé de sa plage font de Hardelot le paradis des amateurs de char à voile.

Hazebrouck

ille active au cœur de la Flandre, Hazebrouck s'est éveloppée au 19e s. en devenant un important nœud erroviaire. Les lapins s'y cuisinent encore aux pruneaux, mais ils ont dû se trouver d'autres garennes et egrettent bien leur ancien marais. Pour saisir une part de l'âme flamande, tâchez de vous y rendre lors u carnaval d'été, quand les trois géants défilent.

a situation
Cartes Michelin n°s 51 pli 4 ou 236 Sud du pli 4 – Nord (59). À mi-chemin de Lille et Dunkerque et de Bailleul et St-Omer (22 km). Accès par la N 42 qui relie ces deux dernières villes en contournant Hazebrouck par le Nord. De Steenvoorde, prendre la D 916. **🚉** *Pl. du Gén.-de-Gaulle, 59524 Hazebrouck, ☎ 03 28 49 59 89.*

e nom
Hazebrouck signifie « marais du lièvre » en flamand.

es gens
21 396 Hazebrouckois. Blessé en 1914-1918, Céline recevra des soins au lycée St-Jacques. Cette expérience a marqué l'auteur controversé du *Voyage au bout de la nuit.*

visiter

Musée des Augustins

 ♿ *Mer., jeu., w.-end, j. fériés : 10h-12h, 14h-17h, dim. 10h-12h, 15h-18h. Fermé j. fériés. 11F30.* ✆ *03 28 43 44 4* Situé dans l'ancien couvent des Augustins (17ᵉ s.), e briques et pierres, aux beaux pignons style Renaissanc flamande. Reconstitution d'une cuisine traditionnell flamande et évocation du passé de la ville. Galeries d cloître : peintures flamandes et hollandaises (16ᵉ-17ᵉ s. Rubens, Van Dyck... Objets d'art sacré. Collection d peintures des 19ᵉ et 20ᵉ s. dont Théodore Rousseau Bouguereau, Bastien-Lepage et César Pattein.

Église St-Éloi

Tlj sf dim. ap.-midi.

Ce bel édifice à trois nefs en briques et pierres renferm des boiseries du 17ᵉ s. La flèche a été détruite lors de l Seconde Guerre mondiale.

Coupole d'**Helfaut-Wizernes**★★

Cette gigantesque base de lancement de fusées V compte parmi les plus imposants vestiges de l Seconde Guerre mondiale. Symbole de la folie et d la démesure nazie, le site a été converti en Centr d'histoire de la guerre et des fusées, un lieu d mémoire et d'éducation.

La situation

Cartes Michelin nᵒˢ 51 pli 3 ou 236 Sud du pli 4 Pas-de-Calais (62). La coupole se trouve sur les hauteu des communes d'Elfaut et Wizernes, à 5 km au Sud d St-Omer, par la D 928. Accès facile par l'A 26. Des autobu assurent la liaison entre la gare de St-Omer et la Coupol

Les gens

Auguste Moro, qui vécut l'enfer du percement de galeries, se souvient : « On travaillait 12h/24, un semaine de jour, une semaine de nuit. Ils ne nou ménageaient jamais. Le chantier prenait des proportion hors du commun... le béton coulait sans cesse ».

Haut de 14 m, le V2 est un assemblage de 22 000 pièces. Il peut atteindre une vitesse de 5 800 km/h, sa portée est de 300 km.

comprendre

Un projet démesuré – Après la destruction du blockhau d'Éperlecques en août 1943, Hitler fait construire u nouveau bunker. L'organisation Todt aménage dan une carrière de craie un immense dôme de protectio en béton de 72 m de diamètre et de 5 m d'épaisseur des tunnels ferroviaires pour amener les fusées e des kilomètres de galeries souterraines pour le stocker.

Tallboy contre V2 – Malgré les bombardements de mar à septembre 1944, dont certains avec des bombes Tallbo de cinq tonnes, la Coupole est restée intacte. Suite la percée des Alliés, les Allemands abandonnent l projet en juillet 1944, avant de terminer la zone de ti Des V2 tirés ultérieurement à partir de bases mobile sur Londres et Anvers provoquèrent de nombreuse morts.

Transfert technologique et course à l'espace – À l fin de la guerre, Von Braun se rallie aux États-Unis e devient l'un des pères d'Apollo. Commence alors un formidable compétition spatiale entre Américains e Soviétiques.

visiter

La coupole

  Avr.-sept. : visite audioguidée (3h) 9h-19h ; oct.-mars : 10h-18h. Fermé de déb. janv. à mi-janv. et 25 déc. 55F. ☎ *03 21 12 27 27.*

Après le tunnel ferroviaire puis les galeries souterraines destinées au stockage des fusées, on arrive sous l'énorme coupole (55 000 t). Deux expositions présentent les armes secrètes allemandes (bombes volantes V1 et fusées V2) et la vie des populations dans le Nord de la France de 1940 à 1944 (affiches d'époque, graffitis anti-Allemands...). Un ▶ espace consacré aux fusées fait découvrir la conquête de l'espace de 1945 à 1969, avec les maquettes de Titan, Soyouz, Saturn, Ariane et un film *(20mn)* : *De la terre à la lune.* Une maquette animée montre le site de tir tel qu'il aurait dû être ; une bombe volante V1 et une authentique fusée V2 pesant 12 t.

Au retour, on traverse la grande salle octogonale, restée inachevée, qui servait à préparer des fusées au tir (chargement en oxygène liquide et mise en place de la charge explosive) avant que celles-ci ne passent par deux tunnels communiquant avec deux aires de lancement extérieur.

> **MOMENT D'ÉMOTION**
> La lettre d'adieu d'un jeune résistant s'imprime sur une reconstitution du mur des fusillés de la citadelle de Lille.

Hesdin

Au creux d'un bassin verdoyant formé par le confluent de la Canche et de la Ternoise, Hesdin possède ce charme d'une ville à la campagne. La cité est fondée par Charles Quint. Hesdin vit la naissance en 1697 de l'abbé Prévost. Sa voisine, Fressin, abrita la jeunesse d'un autre écrivain, Georges Bernanos.

La situation

Cartes Michelin n°s 51 plis 12, 13 ou 236 pli 13 – Pas-de-Calais (62). La Canche, qu'enjambent sept ponts, se glisse entre les maisons de la ville. Accès, de Nord en Sud, par la D 928 ou, d'Ouest en Est, par la D 439 qui suit la vallée depuis Montreuil. D'Arras ou St-Paul, N 39.
🛈 *Hôtel de ville, 62140 Hesdin,* ☎ *03 21 86 19 19.*

Les gens

2 686 Hesdinois. La fierté du maire, c'est la bretèche de l'hôtel de ville où paradent les pigeons, sous les yeux de Philippe IV d'Espagne et d'Isabelle de Bourbon entourés des sept vertus.

> **RESTAURATION**
> L'Ecurie – *17 r. Jacquemont -* ☎ *03 21 86 86 86 - fermé 1 sem. en fév., 1er au 14 juil., dim. soir et lun. - réserv. le w.-end - 85/140F.* À deux pas de la place d'Armes, au centre-ville, vous pourrez vous attabler dans ce restaurant. Dans son décor simple et clair, vous goûterez une cuisine traditionnelle qui change au gré des arrivages. Plusieurs menus.

visiter

Hôtel de ville

Visite guidée (3/h4h), tlj sf w.-end 9h30-11h15, 14h30-16h30, lun. 14h30-16h30. Fermé w.-end et entre Noël et j. de l'An. 10F. ☎ *03 21 86 19 19.*
Édifice de brique et pierre (16e s.) qui servit de palais à Marie de Hongrie, sœur de Charles Quint. La bretèche, au centre, date de la transformation du palais en hôtel de ville (1629) ; son couronnement date de 1702.
On visite le musée (souvenirs locaux), la salle des Tapisseries aux tentures du 18e s. et la salle de bal de Marie de Hongrie, transformée en théâtre. Du sommet du beffroi (1876), vue sur la ville.
Prendre la rue de la Paroisse et traverser la Canche.

Église Notre-Dame

Précédée d'un beau portail en arc de triomphe, typique de la fin de la Renaissance (arc en plein cintre à caissons sculptés, pilastres cannelés d'ordre corinthien). L'inté-

La bretèche de l'hôtel de ville est ornée d'écussons sculptés et de niches garnies de statues des vertus.

rieur, de style « église-halle », a été enrichi au 18e s. d'un mobilier baroque hérité de la chapelle des récollets détruite pendant la Révolution. Au bout de la nef centrale, une gloire ; encadrant la Vierge en Assomption, un théâtre portique à baldaquin et sa colombe. Au fond de la nef gauche, bel autel sculpté d'anges, de fruits et de fleurs.

Contourner l'église par la gauche et gagner le chevet.

Du pont sur la Canche, vue sur la rivière encadrée de maisons de briques à toits de tuiles et sur une placette servant de marché aux poissons.

Revenir par la rue Daniel-Lereuil.

La maison natale de l'**abbé Prévost** se trouve au n° 11.

alentours

Forêt d'Hesdin *(accès par la D 928 au Nord)*
Ses 1 020 ha couvrent le plateau au Nord de la Canche : futaies de chênes et hêtres, vallons retirés. On peut rayonner du carrefour du Commandeur, où se dresse le Chêne de la Vierge, en empruntant sur 15 km les routes forestières. Un sentier de grande randonnée traverse la forêt sur 5 km.

circuit

44 km – environ 1h. Quitter Hesdin par la N 39 à l'Est et prendre à gauche la D 94 vers la vallée de la Ternoise.
La route sillonne une campagne luxuriante, ponctuée de maisons paysannes typiques, basses et chaulées.

Auchy-lès-Hesdin
Cette ville industrielle conserve son **abbatiale St-Georges** (13e-17e s.). Chœur décoré de boiseries ; stalles de l'abbé et du prieur marquées d'un Christ et d'une Vierge ; tableau d'autel attribué à Van Dyck.
Continuer sur la D 94. À Blangy prendre à gauche la D 104, puis à droite la route d'Ambricourt.

Ambricourt
Cadre du roman de **Georges-Marie Bernanos** (1888-1948), *Le Journal d'un curé de campagne.* « Que c'est petit un village », murmurait le curé en le découvrant.

Tramecourt
Une « allée royale » mène au château de briques à parements de pierre (17e s.). Il avoisine l'église dont l'intérieur est orné de plaques funéraires de la famille de Tramecourt. Trois de leurs descendants sont morts en déportation en 1945 (monument face au château).

Azincourt *(voir ce nom)*
Par la D 928 et, à droite, la D 155, on gagne Fressin.

Fressin
Bernanos passa une partie de sa jeunesse dans ce bourg de la vallée de la Planquette, décrit dans son roman *Sous le soleil de Satan.* Église flamboyante à baies découpées en « soufflets et mouchettes » ; ruines d'un château féodal élevé au 15e s. par Jean V de Créquy, conseiller et chambellan de Philippe le Bon.
La D 154 suit le vallon de la Planquette jusqu'à la Canche.
On retrouve Hesdin par la D 43.

Hirson

Entre Thiérache et Avesnois, Hirson, ville des hérissons, est un point de départ idéal pour découvrir ces
deux régions. La forêt de St-Michel et ses étangs, à deux
pas, incitent à quelques balades rafraîchissantes.

La situation

Cartes Michelin n⁰ˢ 53 pli 16 ou 236 pli 29 – Aisne (02). Sur
une courbe de l'Aisne, au Nord-Est du département du
même nom. Accès : N 43/E 44 ou D 1050/D 963.
🛈 *Pl. V.-Hugo, 02500 Hirson, ☎ 03 23 58 03 91.*

Le nom

Des archives indiquent que la ville tire son nom de la
quantité de *hérissons* qu'on y trouvait. Ce sympathique
rongeur se croise toujours en forêt.

Les gens

10 337 Hirsonnais. Tous connaissent la légende du cheval
Bayard, dont le pas pesant fit trembler tout le pays.

visiter

LES ÉTANGS

Reliés par l'Oise, ils s'égrènent dans la forêt d'Hirson.
Chaque étang possédait sa forge dont les marteaux
actionnés par le courant travaillaient le fer des gisements
de Féron, Glageon, Trélon, Olhain.

Étang de Blangy *(2 km au Nord par la N 43)*
*Face au cimetière, prendre à droite la rue qui traverse l'Oise,
puis un chemin à gauche.*
Vallon boisé et encaissé. Après le viaduc du chemin de
fer, on arrive à l'étang et à sa cascade.

Étang du Pas-Bayard *(6 km au Nord par la N 43)*
Prendre à droite la D 963, puis le chemin du Pas-Bayard.
Le cheval Bayard aurait laissé la profonde empreinte où
s'allonge l'étang. La « route Verte » entre en **forêt d'Hirson** (domaine privé) : imposantes futaies de chênes.

alentours

St-Michel *(4 km à l'Est par la D 31)*
En lisière de la forêt du même nom, St-Michel est connu
pour son ancienne abbaye bénédictine.

Abbaye St-Michel – Fondée en 945 par des moines
irlandais sur un site de pèlerinage existant depuis le 7ᵉ s.
L'abbatiale est aussi grande qu'une cathédrale. Chœur,
transept et cloître témoignent de l'abbaye gothique
édifiée fin 12ᵉ-début 13ᵉ s. La nef fut reconstruite vers
1700 par l'abbé de Mornat qui fit élever une façade
baroque à l'italienne inspirée du Gesu de Rome. Le bel
orgue (1714) a gardé sa tuyauterie d'origine. Le transept
est éclairé par une grande **rose★** à douze rayons. Les
bâtiments monastiques en briques à encadrements de
pierre s'ordonnent autour d'une galerie de cloître. Dans la
galerie Nord, des **peintures murales** du 16ᵉ s. évoquent
la légende de saint Benoît. Un **musée de la vie rurale et
forestière** occupe les dépendances agricoles (élevage,
exploitation du bois, fonderie, vannerie). ⅃ *De mi-mars à
fin oct. : 14h-18h, w.-end et j. fériés 14h30-18h30. 25F.*
☎ *03 23 58 87 20.*

Forêt de St-Michel – Ses 3 000 ha (chênes, hêtres,
charmes et résineux) vallonnés s'étendent entre l'abbaye
St-Michel et la Belgique. Nombreuses rivières à truites où
viennent s'abreuver les chevreuils. Des migrateurs,
comme la cigogne noire, ont leur nid dans les frondaisons.

AGENDA
Un festival de musique
sacrée (voix et orgue) se
déroule chaque été en
juin et juillet dans le
cadre de l'abbatiale ;
solistes et ensembles
instrumentaux de
qualité.

Hondschoote

Petite cité rurale, de langue flamande, avec deux moulins et de belles maisons anciennes, dont quelques-unes à pignon. Jusqu'au 17ᵉ s., Hondschoote se développe grâce au tissage de la sayette.

La situation
Cartes Michelin nᵒˢ 51 pli 4 ou 236 plis 4, 5 – Nord (59). À 1 km de la Belgique, dans la plaine flamande. Accès par la D 947 ou par la D 110. 🛈 *2 r. des Möeres, 5912 Hondschoote,* ☎ *03 28 62 53 00.*

Le nom
En flamand, *Hondschoote* signifie « enclos des chiens ». Une interprétation étymologique fantaisiste fait dériver ce nom de *Hunschoote*, « enclos de Huns », en référence à un camp mystérieux établi par Attila.

Les gens
3 815 Hondschootois. Pour le bicentenaire de la défaite anglaise à Hondschoote, qui permit à la France de garder Dunkerque, ces fils d'Attila ont reconstruit en 1993 leur ancien moulin à farine, le *Spinnewijn (rue de Bergues).*

visiter

Hôtel de ville
Tlj sf w.-end 9h-12h, 14h-17h. Fermé j. fériés. 6F. ☎ *03 28 62 53 00.*
De style gothique-Renaissance (1558). Côté Grand-Place, façade en pierre rythmée de hautes baies à meneaux que relient de délicates moulures. Façade arrière en briques et pierres, avec une tourelle aiguë coiffée d'un bulbe. Au rez-de-chaussée, des inscriptions évoquent les liens de Lamartine avec les Coppens d'Hondschoote.

Église St-Vaast
De type « église-halle », fréquent en Flandre maritime. La tour du 16ᵉ s. (82 m) est le seul vestige de l'incendie d'Hondschoote en 1582. Nefs reconstruites au début du 17ᵉ s. Intérieur : buffet d'orgues en forme de lyre et chaire de vérité de style baroque flamand, l'un et l'autre du 18ᵉ s. La maison en face (Caisse d'épargne) est l'ancien manoir des Coppens, seigneurs d'Hondschoote.

Moulin Spinnewijn
Visite sur demande. 6F. ☎ *03 28 62 54 20.*
Moulin à vent en bois reconstruit en 1993 pour le bicentenaire de la bataille d'Hondschoote (8 sept. 1793).

Les ailes du Noord-Meulen ont cessé de tourner en 1959.

Moulin Noord-Meulen *(à 500 m au Nord)*
Moulin parmi les plus vieux d'Europe, fondé en 1127. La
cabine repose sur un pivot de bois et une base en brique.

Les moères
Inondés de 1645 à 1746, puis en 1940, les moères, qui se
prolongent en Belgique jusqu'à Furnes, se trouvent sous
le niveau de la mer. Ce sont des polders fertiles coupés de
canaux poissonneux et parsemés de fermes. À l'horizon,
se profilent le beffroi et les usines de Dunkerque.
*Quitter Hondschoote par la D 947 et tourner à gauche dans
la D 3 vers Bergues ; prendre à droite la D 79, puis la route
menant aux moères. Revenir par la D 947.*

Laon★★

Aux confins de la Picardie, de l'Île-de-France et de la
Champagne, perchée sur son rocher comme une
acropole, Laon surplombe la plaine de plus de 100 m.
La vieille cité carolingienne a tout pour plaire : une
splendide cathédrale, de bonnes tables, maintes
demeures anciennes et des remparts médiévaux.
C'est aussi le pays des artichauts.

La situation
Cartes Michelin n°s 56 pli 5 ou 236 pli 38 – Aisne (02). Accès
par l'A 26. De Paris (130 km) ou Bruxelles (160 km), par
la N 2 ; de Reims (50 km), la N 44. La ville haute comprend
deux quartiers : autour de la cathédrale, la **Cité**, noyau
primitif de Laon, et le **Bourg**. Un mini-métro automatique, **Poma**, relie la ville ancienne au quartier moderne de
la gare.
🚩 *Parvis de la cathédrale, 02000 Laon,* ☎ *03 23 20 28 62.*

Le nom
Il dérive de *Laudunum* ou *Lugidunum* ; dun, peut-être
d'origine celte, signifierait « place forte », certains y voient
une « montagne ».

Les gens
26 265 Laonnois. Nés à Laon, les **frères Le Nain** (17ᵉ s.)
n'ont cessé d'évoquer les types et les sites du Laonnois
dans leurs peintures.

comprendre

Un « îlot tertiaire » – À la lisière Nord-Est du Bassin
parisien se dresse un abrupt calcaire nommé par les
géologues « falaise de l'Île-de-France ». La butte que porte
Laon s'est détachée de cet ensemble d'époque tertiaire et
travaillée par l'érosion. Elle était autrefois couverte de
vignes et est creusée de grottes naturelles, les *creuttes*.
De Berthe au Grand Pied à Hugues Capet – *Laudunum*
fut capitale de la France à l'époque carolingienne (9ᵉ-
10ᵉ s.). Berthe au Grand Pied, mère de Charlemagne, est
née à Samoussy, entre Laon et Liesse. Charles le Chauve,
Charles le Simple, Louis IV d'Outremer, Lothaire, Louis V
vécurent sur le « mont Laon » dans un palais près de la
porte d'Ardon. Hugues Capet s'empare de Laon par
traîtrise et boute dehors la descendance de Charlemagne.
Laon, cité épiscopale – Saint Rémi, né à Laon, fonde le
1ᵉʳ évêché au 5ᵉ s. Sous Hugues Capet, les évêques,
devenus ducs et pairs, reçoivent le privilège d'assister le
roi lors du sacre à Reims. Depuis l'époque carolingienne,
Laon est un centre religieux et intellectuel renommé. Au
12ᵉ s., l'évêque Gautier de Mortagne fait édifier la
cathédrale ; au 13ᵉ s., la cité s'entoure de nouveaux
remparts. À partir du 16ᵉ s. elle devient une place militaire forte qui subit plusieurs sièges. La poudrière saute en
1870, faisant plus de 500 victimes.

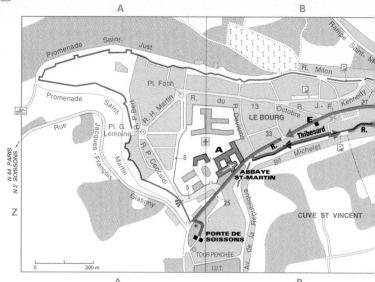

A   B

Comme la plupart des cathédrales gothiques, Notre-Dame de Laon est ornée de nombreuses gargouilles.

VITRAUX

Du 13e s. Ils garnissent les baies lancéolées et la rose de l'abside consacrée à la Glorification de l'Église. Ceux de la rose du croisillon Nord évoquent les Arts Libéraux.

---

se promener

DE LA CITÉ AU BOURG *(env. 2h1/2)*

Cathédrale Notre-Dame★★

Commencée dans la deuxième moitié du 12e s., achevée vers 1230, c'est une des plus anciennes cathédrales gothiques du pays. Elle comptait sept tours : deux en façade, une sur la croisée du transept et quatre sur les croisillons. Deux de ces dernières ont perdu leur flèche en 1789.

La façade est parmi les plus belles qui soient. Très homogène, avec ses trois porches profonds ornés d'une majestueuse statuaire (refaite au 19e s.) et surtout des tours illustres, hautes de 56 m, qui faisaient la fierté de **Villard de Honnécourt**, son auteur présumé. Ces tours, imposantes mais légères, ajourées par de longues baies et encadrées par de graciles tourelles, portent aux angles de grands bœufs. Bâties sur le même modèle, les deux tours des croisillons culminent à 60 m et à 75 m.

◀ **Intérieur** – 110 m de long, 30 m de large, 24 m de haut (N.-D. de Paris : 130 m, 45 m, 35 m).

Couverte de voûtes sexpartites, la **nef★★★** offre une magnifique élévation à quatre étages : grandes arcades, tribunes, triforium aveugle, fenêtres hautes. Elle se prolonge par un chœur, très développé, que termine un chevet plat comme dans les églises cisterciennes. À la croisée du transept, admirez la perspective sur la nef, le chœur, les croisillons et la tour-lanterne d'influence normande (40 m). Grille du chœur et orgues du 17e s.

Quittez la cathédrale par le croisillon Sud et longez le mur extérieur du cloître, que souligne une frise sculptée de rinceaux ; à l'angle, Ange au cadran solaire.

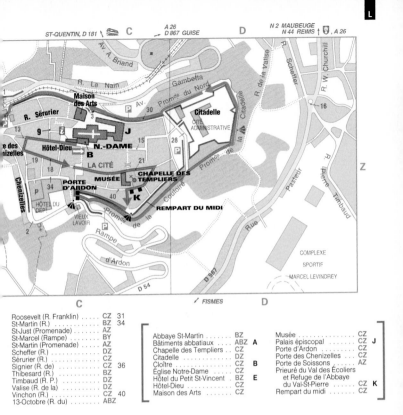

Hôtel-Dieu

Sur le flanc droit de la cathédrale. L'ancien hôpital (12e s.), sur deux niveaux, s'ouvrait sur la rue par des baies et des arcades en tiers-point, aujourd'hui murées. La grande salle des malades, gothique et souterraine, à trois nefs, et la salle basse, dite des Passants, sont préservées.

Par la rue Châtelaine puis une des deux ruelles à gauche s'engager dans la rue des Cordeliers. Traverser la place des Frères-Lenain et continuer dans la rue G.-Ermant.

Chapelle des Templiers★

Tlj sf mar. 9h-17h (avr.-sept. : 18h). Fermé 1er janv., 1er mai, 14 juil., 25 déc. Gratuit. ☎ 03 23 20 19 87.

La commanderie du Temple fondée ici au 12e s. passe aux chevaliers de St-Jean de Jérusalem après la suppression de l'ordre. Un jardin remplace le cimetière des Templiers mais la chapelle romane a été conservée, édifice octogonal avec clocher-pignon et chœur s'achevant par une abside en cul-de-four. Porche et tribune sont des 13e-14e s. À l'intérieur, deux statues-colonnes de prophètes provenant de la façade de la cathédrale et le transi (14e s.) de **Guillaume de Harcigny**.

Reprendre à droite la rue G.-Ermant, puis la rue Vinchon.

Au n° 44, le prieuré du Val des Écoliers du 13e s. (chapelle du 15e s. et portail du 18e s.), et, au n° 40, le refuge de l'abbaye du Val-St-Pierre (15e-16e s.).

Rempart du Midi et porte d'Ardon★

En bordure du rempart du Midi, la porte d'Ardon (13e s.) est flanquée d'échauguettes en poivrière. Elle surplombe un vieux lavoir-abreuvoir. Vue sur la plaine. Le rempart mène à la **citadelle** édifiée sur ordre de Henri IV par Jean Errard. On la contourne à pied par la promenade de la Citadelle qui rejoint le rempart du Nord.

> **PRÉMICES FREUDIENNES**
> Le médecin de Charles VI, Guillaume de Harcigny (1300-1393), né à Laon et initié par des médecins arabes en Syrie, fut le précurseur de la psychanalyse en France.

La porte d'Ardon du rempart du Midi est aussi connue sous le nom de porte Royée, c'est-à-dire qui appartient au roi.

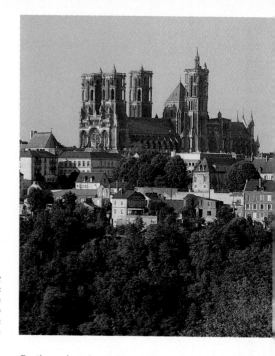

Villard de Honnecourt vantait son œuvre en ces termes « J'ai été en beaucoup de terres, nulle part n'ai vu plus belles tours qu'à Laon. »

Continuer jusqu'au rempart St-Rémi, prendre à gauche et rejoindre la pl. du G^{al}.-Leclerc. Suivre les rues du Bourg, St-Jean puis St-Martin.

Hôtel du Petit St-Vincent
Édifié au 16e s., comme refuge de l'abbaye St-Vincent, sise hors des remparts. Le bâtiment sur rue, gothique, possède un corps de logis encadré de tourelles et flanqué d'une voûte d'entrée surmontée d'une chapelle. Sur cour, une aile perpendiculaire marque une époque plus tardive.

Abbaye St-Martin★
Juil.-août : 14h-18h ; sept.-juin : ven. 14h, sam. 17h30. Visite guidée possible, s'adresser à l'Office de tourisme.
Ancienne abbatiale de prémontrés (12e-13e s.). Bel ensemble gothique primitif restauré après l'incendie de 1944. Du terre-plein, appréciez la longueur de la nef d'aspect roman, la hauteur (35 m) et l'implantation des deux tours à l'angle de la nef et du transept (influences rhénanes), l'élévation du croisillon Sud avec sa rosace surmontée d'arcatures. Façade principale percée d'une grande baie que surmonte un pignon orné d'un haut-relief : saint Martin partageant son manteau.

À SCRUTER
Sur les tympans des portes latérales : la Décollation de saint Jean-Baptiste *(droite)* et le Martyre de saint Laurent, sur son gril *(gauche)*.

Intérieur – Chœur et chapelles orientées à chevets plats suivant la mode cistercienne. Près de l'entrée, les gisants de Raoul de Coucy, chevalier laonnois (fin 12e s.), et de Jeanne de Flandre, abbesse du Sauvoir-sous-Laon (14e s.). Boiseries Louis XV *(nef)* et Louis XIII *(chœur)*. À droite dans la chapelle Saint-Éloi : Christ de Pitié du 16e s.

Bâtiments abbatiaux – La partie du 18e s., restaurée, se découvre en traversant le cloître. Elle abrite la **bibliothèque** municipale. Bel escalier elliptique de pierre.

Porte de Soissons★
Construite au 13e s. en beaux moellons et renforcée de tours rondes. La porte est reliée par une courtine à la grosse tour de Dame Ève, dite Tour Penchée en raison d'un glissement de terrain.

HOMMAGE
Dans le jardin près de la porte de Soissons, un monument rappelle que Jacques Marquette (1637-1675), missionnaire jésuite, découvrit le Mississippi.

De la **rue Thibesard** qui suit le chemin de ronde du rempart, **vues★** sur la cathédrale. Ses tours se découpent au-dessus des vieux toits d'ardoises à cheminées de briques roses. Par le rempart et la vieille **rue des Chenizelles**, gagnez la **porte des Chenizelles** (13e s.) à deux tours délimitant un passage vers la rue du Bourg.

carnet pratique

TRANSPORTS

Mini métro – Circulation difficile et places de parking limitées dans la ville haute. Il est donc préférable de laisser son véhicule dans la ville basse (parking souterrain, pl. de la Gare) et rejoindre la ville haute par le funiculaire. Départ de la gare toutes les 2mn30 ; arrivée à l'hôtel de ville. *Lun.-sam. 7h-20h (juil.-août : dim. 14h30-19h). Fermé j. fériés. Rens. : accueil gare SNCF,* ☎ *03 23 79 07 59.*

VISITE

Visite guidée de la cité médiévale – Laon a reçu le label « Ville d'Art et d'Histoire » ; les visites guidées (1h1/2), organisées par l'Office de tourisme, sont commentées par des guides agréés par le ministère de la Culture. *Juil.-août : dim. à 10h30. 35F. Réservation à l'Office de tourisme.*

RESTAURATION

● *Valeur sûre*
La Rose des Sables – *2/4 r. Roger-Salengro* - ☎ *03 23 79 99 96 - fermé août et lun.* - *réserv. le w.-end - 102/162F.* Un peu de soleil du Maghreb est venu réchauffer le Nord. Ici, dans la ville basse, ce petit restaurant au décor simple et à l'atmosphère conviviale vous servira de délectables couscous et tajines.

HÉBERGEMENT

● *Valeur sûre*
Hôtel Les Chevaliers – *3 r. Sérurier* - ☎ *03 23 27 17 50 - fermé 16 oct. au 14 mai - 10 ch. : 260/350F.* Cette maison d'origine médiévale, habilement restaurée, a retrouvé un second souffle en devenant hôtel. Ses pierres, ses briques, ses poutres apparentes, son décor intime et l'accueil convivial évoquent l'atmosphère des chambres d'hôte dont il a gardé le charme et l'esprit.

visiter

Palais épiscopal

Devenu palais de justice. Précédé d'une cour (belle vue sur le chevet de la cathédrale). Le bâtiment de gauche (13e s.) repose sur une galerie à arcs brisés retombant sur des chapiteaux à décor végétal. À l'étage, la Grande Salle du Duché (plus de 30 m) sert de cour d'assises. Le bâtiment du fond (17e s.) abritait les appartements de l'évêque communiquant avec une chapelle du 12e s. à deux étages, que l'on visite. Dans la partie basse, réservée aux serviteurs, se déroulaient les eucharisties. La chapelle haute, en forme de croix grecque accueillaient des cérémonies religieuses en présence de l'évêque.

Face au palais, la **Maison des Arts** (1971) occupe l'emplacement du 3e hôpital fondé au 13e s. Centre culturel : expositions, salle de lecture, théâtre... *Tlj sf dim. et lun. (sf manifestations) 12h-19h, sam. 13h-18h. Fermé pdt vac. de Noël et j. fériés (sf manifestations). Gratuit.* ☎ *03 23 26 30 30.*

Au n° 53 de la rue Sérurier, beau portail du 15e s. et au n° 33 bis, la porte de l'ancien hôtel de ville (18e s.). Aux n°s 7-11, rue au Change, l'ancienne hôtellerie du Dauphin (16e-17e s.) conserve sa belle galerie en bois.

Musée★

Tlj sf mar. 10h-12h, 14h-17h (avr.-sept. : 18h). Fermé 1er janv., 1er mai, 14 juil., 25 déc. 20F. ☎ *03 23 20 19 87.*

Remarquable galerie d'archéologie : vases grecs à figures, figurines de terre cuite, tête d'Alexandre le Grand. Section de préhistoire. Céramiques, bijoux gallo-romains et mérovingiens, bronzes. Peintures : œuvres du maître des Heures de Rohan, des frères **Le Nain**, de Desportes et de Berthélemy (18e s.).

De nombreux objets exposés au musée de Laon, parmi lesquels cet œnochoé, proviennent de fouilles régionales.

circuit

LE LAONNOIS★ *(31 km – env. 2h)*

Quitter la ville basse par l'Ouest et la route de Chauny (D 7).
Avant Molinchart, prendre à gauche la D 65.

On chemine en plaine, puis la route grimpe dans la
« **Montagne de Laon** » (alt. : 180 m).

Mons-en-Laonnois

◀ Ce bourg possède une **église** en croix grecque des
13ᵉ-14ᵉ s. *Sur demande. Mairie, ☎ 03 23 24 12 93 ou
Mme Cadieu, ☎ 03 23 23 03 41.*

*Au bas de la place principale de Mons-en-Laonnois, suivre
la direction « panorama des Creuttes ».*

Une route se détache de la D 65 et gravit les pentes d'un
chemin creux, jadis couvertes de vignes, où l'on voit les
creuttes. Au sommet, **vues★** sur Mons et Laon.

Revenir à la D 65.

La route musarde à travers une campagne accidentée où
alternent cultures, prairies et vergers.

Bourguignon

Village classé, aux belles demeures de pierre. Les Le Nain
y possédaient une maison et la ferme de la Jumelle.

Royaucourt

Église (13ᵉ-14ᵉ s.) à la haute et fine silhouette,
qu'épaulent des arcs-boutants. Des abords, vue sur un
terroir paisible, immortalisé par les frères Le Nain.

La D 65 rejoint la N 2 qu'on franchit pour gagner la D 25.

On longe les collines séparant la plaine de Laon de la
vallée de l'Ailette. Paysages et villages s'égrènent au
milieu des vergers qui coexistaient hier avec les vignes.

Nouvion-le-Vineux

Église de campagne (12ᵉ s.) entourée d'un cimetière. Nef
couverte de voûtes gothiques primitives retombant sur
des chapiteaux romans historiés ou à décor de feuilles
d'acanthe. Fonts baptismaux romans, en pierre de
Tournai. De la colline derrière l'église, vue sur la tour
romane.

*Il n'y a plus guère de
lavandières au lavoir de
Nouvion-le-Vineux.*

Presles

Son **église** est l'un de ces modestes édifices romans, avec
un beau porche et un chevet fortifié à meurtrières
étroites.

Vorges

Église gothique (13ᵉ s.) fortifiée pendant la guerre de
Cent Ans. Une tour percée de baies géminées surmonte
le transept ; belle rose à colonnettes en façade. En 1972,

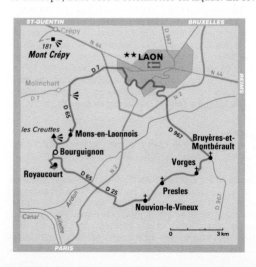

des fouilles ont mis au jour des sarcophages mérovingiens (7e s.). Des découvertes faites au 19e s. sont exposées au musée des Antiquités nationales de St-Germain-en-Laye.

Bruyères-et-Montbérault

Église de style transition romano-gothique (12e-13e s.), remarquable par l'ampleur de son plan (nef, bas-côtés, double transept et abside complétée d'absidioles). Parties hautes du transept Ouest refaites au 15e s. Chevet à abside et absidioles en cul-de-four (modillons et chapiteaux romans sculptés) que domine une tour carrée.
Retour par la D 967 ; belle perspective sur la ville.

> **Un détail**
> Les frises de l'abside représentent des animaux, des végétaux ainsi que les vices sous les regards de diables grimaçants.

Lens

Capitale du pays de Gohelle, Lens conserve, malgré deux guerres mondiales, des témoignages de son passé minier. La ville a été le siège de la grande Compagnie des mines de Lens et un important centre ferroviaire où transitait le charbon des compagnies minières situées à l'Ouest de l'agglomération.

La situation

Cartes Michelin n°s 51 pli 15 ou 236 pli 15 – Pas-de-Calais (62).
Au centre du quadrilatère formé par Lille, Douai, Arras et Béthune. L'A 21 contourne la ville par le Nord. Accès : N 43 de Béthune ; N 17 d'Arras ; N 41-N 47 de Lille ; A 21 de Douai. **🚉** *26 r. de la Paix, 62300 Lens ☎ 03 21 43 78 82.*

Le nom

Il apparaît pour la première fois sur des monnaies mérovingiennes sous les formes de *Lenna Castrum*, « Forteresse des sources ».

Les gens

36 206 Lensois. Les fils des porions, cafus, galibots et autres gueules noires ont décidé de reconquérir leurs terrils. Une de ces éminences, parée de couleurs vives, vous invite à dévaler ses pentes... en skis.

comprendre

L'ÉVOLUTION DE L'HABITAT MINIER

Corons et barreaux

Pour loger les mineurs, de grandes cités ouvrières naissent au 19e s. Ce sont d'abord des alignements continus de dizaines de maisons basses, en briques brutes ou badigeonnées. Ces **corons**, seule forme d'habitat minier entre 1820 et 1870, tirent leur nom de leur implantation. Portant le numéro du carreau de fosse tout proche, dominées par le chevalement et le terril, les

> **Atmosphère**
> « Maisons de mineurs, maisons fraternelles,
> où brique à brique leurs vies s'usèrent,
> Nulle réponse aux fronts soucieux, que la sueur. »
> (*Symphonie en sol mineur*, de Bernard Desmaretz.)

carnet pratique

Visite technique
Brasserie Castelain – *13 r. Pasteur - 62410 Bénifontaine - ☎ 03 21 08 68 68 - Mar.-ven. visite (1h) sur RV 9h-12h, 14h-18h ; sam. 9h-12h sans RV. 20F, dégustation comprise.* Différentes sortes de bières sont brassées à Bénifontaine, qui porte bien son nom. La célèbre **Ch'ti**, moelleuse et ronde, est une des rares bières de garde obtenues par infusion, disponible en blonde, brune ou ambrée, 7 malts torréfiés entrent dans sa composition ; la **Saint-Patron** est une blonde sur lie (7,5°), refermentée et mûrie en bouteille, merveilleuse en apéritif ; la **Jade** est uniquement brassée à base de malt et de houblon « bios », c'est la première bière écologique française (4,6°) depuis 1986. En saison, les bières de **Mars** (amertume prononcée) et de **Noël** (du velours) complètent ce tableau généreux.

LES TERRILS

Nombreux (environ 360) et atteignant jusqu'à 100 m de haut, les terrils ont contribué à modifier le paysage. Depuis qu'ils sont désaffectés, ils se transforment en espaces de découverte naturelle, de tourisme, de sport et de détente. Le terril de **Pinchonvalles** à Avion bénéficie d'un arrêté préfectoral pour la protection de son biotope. Certains sont boisés comme le terril **Sabatier** à Raismes ou celui de la **Mare à Goriaux** à Wallers : frênes, érables et surtout bouleaux. Sur les pentes des terrils d'**Audiffet-Sud** à Escaudin ou de **Bleuze Borne** à Anzin poussent des espèces thermophiles : vipérines, onagres, millepertuis, cerisiers, et même orchidées. D'autres ont été reconvertis en base de loisirs : terril de **Nœux-les-Mines** (piste de ski), terril de **Wingles**, terril de **Rieulay**...

Cité de la Parisienne à Drocourt, où étaient logés autrefois les mineurs et leurs familles.

barres d'habitations parallèles s'étirent sur 100 m et plus, non loin de la route menant au village dont elles constituent le « bout » : la « corne » ou le « coron » dans le dialecte local. Après *Germinal* de Zola (1885), le terme désignera tout groupe de logements ouvriers en pays minier

La surface de ces logements est très réduite. À l'arrière de l'habitation, séparé d'elle par un petit chemin appelé « voyette », l'étroit jardin potager s'encombre de constructions disparates : buanderie, clapier, poulailler et volière pour les « coulons » (pigeons) ; les lieux d'aisance sont relégués au fond dans le « carin ».

Les **barreaux**, véritables « cités linéaires » de centaines de logements, sont une évolution des corons suite au développement des activités industrielles : les maisons, semblables et contiguës, sont groupées dos à dos et les jardins s'installent en façade. Dès 1870, l'habitat ouvrier change encore car il faut pallier les affaissements du sol dus à l'extension des mines. Les barres se coupent alors en enfilades de 10, de 8, puis de 6 maisonnettes. L'étape des blocs de 4 maisons en carré précède la généralisation des maisons jumelles mitoyennes.

Le temps des cités

Fin 19ᵉ s. arrive le temps des grandes **cités pavillonnaires** inspirées de Kœchlin à Mulhouse (1835) ou des Alouettes à Montceau-les-Mines (1867). Sur un plan quadrangulaire, elles regroupent environ 400 maisons disposées géométriquement. Les habitations s'espacent et leur surface augmente, les jardins aux dépendances standardisées s'étendent. L'ensemble, traversé de grands axes rectilignes, s'articule autour d'une esplanade où s'élèvent, expression du paternalisme des compagnies, l'église, les écoles, la coopérative d'achat, le dispensaire ou encore le stade. L'aube du 20ᵉ s. inaugure « le règne de la courbe, de la fantaisie et de la variété », avec les **cités-jardins** aux larges avenues bordées d'arbres et des squares publics. De taille et d'aspect variés, les maisons s'entourent de jardins. Fuyant la poussière des terrils, ces cités, dont le plan libre s'impose dans l'Entre-deux-guerres, se rapprochent de la ville.

se promener

La gare

Reconstruite en 1926 dans le style Art déco, elle devait résister aux affaissements du sous-sol. Son architecture évoque une locomotive à vapeur. Hall décoré d'une mosaïque en grès qui thématise l'exploitation du charbon.

Les grands bureaux de la Compagnie minière

L'université d'Artois occupe cet édifice de style Art déco dû à l'architecte lillois Cordonnier. Au milieu d'un parc à la française, l'édifice témoigne de la puissance passée des houillères. Toits pentus ornés de lucarnes, pignons à redans, oriels, richesse décorative de la brique.

LA ROUTE DES « GUEULES NOIRES »

115 km – une journée)

Quitter Lens au Sud-Ouest par la D 58.

évin

À l'entrée, prendre à droite la D 58 vers Béthune puis encore à droite au rond-point, vers le chevalement.

Place dominée par le chevalement de la fosse n° 3 bis dite ▶ Ste-Anne, érigé en 1923. La fosse est fermée depuis 1978. Il ne reste que 26 chevalements, sur les 300 que comptait la région en 1945.

Contourner le chevalement puis, aux feux, prendre à droite vers Loos-en-Gohelle.

Les silhouettes imposantes de terrils jumeaux dominent de 130 m l'ancienne fosse n° 11.

Loos-en-Gohelle

À l'entrée de l'agglomération, suivre à droite la signalisation du site 11/19.

L'importante **fosse n° 11/19** a fermé en 1986. Site et terrils sont désormais protégés. Les bâtiments, en cours de réhabilitation, doivent accueillir des activités culturelles.

Regagner la route principale, tourner à droite, passer le pont. Aux feux, prendre à gauche la N 43 vers Béthune et encore à gauche la D 165 vers Grenay. Passer Bully-les-Mines et continuer vers Sains-en-Gohelle (D 166^E).

Sains-en-Gohelle

Aux feux, prendre à gauche la D 937 vers Hersin-Bruay, puis la première à droite, même direction.

On entre dans la **cité n° 10**. Construite selon un plan orthogonal. Bel exemple de cité pavillonnaire édifiée entre 1905 et 1914 avec maisons jumelles mitoyennes.

Prendre la 3e rue à gauche, puis tourner à droite.

On remonte la rue centrale, plantée d'arbres et menant à l'église. Autour de celle-ci s'ordonnent écoles de filles et de garçons, maisons d'instituteurs et presbytère.

Devant l'église, tourner à droite puis, au stop, à gauche. Prendre la D 75^E puis la D 188 vers Hersin-Coupigny.

Hersin-Coupigny

À la sortie de l'agglomération, à gauche, **corons de Longue Pierre**. Ce sont en réalité des barres coupées de 10 logements. Leur disposition rappelle celle des corons.

Suivre la D 188 vers Barlin puis Haillicourt.

Haillicourt

Dans la ville, aux feux, tourner à gauche vers Houdain.

Sur la gauche, les terrils jumeaux de la fosse n° 6 de Bruay-la-Buissière.

Au rond-point, prendre à droite vers Bruay-la-Buissière.

On entre dans la **cité n° 16** dite **du Nouveau Monde** par une rue bordée de maisons jumelles, « fragments » de barre annonçant la cité pavillonnaire. Des détails rompent la monotonie de l'architecture : « gerbières » sur les toitures, encadrements peints en blanc, jeux d'appareil.

Bruay-la-Buissière

La cité n° 16 se poursuit dans Bruay. Prendre à droite avant l'église, que l'on contourne.

Dans la rue de Mauritanie et celle du Cap-Vert, alignements de maisons jumelles d'aspect plus austère.

Au bout, tourner à gauche, puis à droite aux feux.

Sur la gauche, quelques barreaux (1899) constitués d'une trentaine de logements contigus. Au début du 20e s. des dépendances sont ajoutées. Abandonnés, ils feront l'objet d'une rénovation dont profite déjà, en face, un coron de 28 logements des années 1912-1919.

À VOIR

Le mémorial national des Mineurs entretient le souvenir de la catastrophe minière du 27 décembre 1974 où un coup de grisou, le plus meurtrier de l'Après-guerre, fit 42 victimes.

LA CHAÎNE DES TERRILS

Créée en 1988, cette association propose des visites guidées de certains sites miniers. *Base du 11/19, r. de Bourgogne, 62750 Loos-en-Gohelle,* ☎ *03 21 28 17 28.*

MÉTAMORPHOSE

Un programme de réhabilitation décidé au début des années 1990 transforme peu à peu tout ce secteur en véritable quartier urbain.

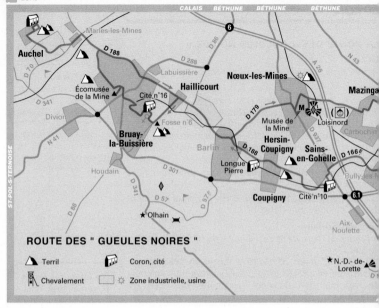

ROUTE DES " GUEULES NOIRES "

| ▲ Terril | 🏚 Coron, cité | ★ N.-D.- de- ▲ Lorette |
| 🗼 Chevalement | ☐ ☼ Zone industrielle, usine | |

Tourner à droite puis à gauche, direction Centre-ville. Face au lycée Carnot, prendre à droite et suivre la direction Hôtel de ville puis Parking Wery. À gauche, signalisation de l'écomusée de la Mine.

Écomusée de la Mine – La visite d'une ancienne mine-école, avec ses commentaires et ses bruits du fond, nous fait toucher du doigt la dure existence des mineurs. *De fin avr. à déb. oct. : visite guidée (1h) w.-end et j. fériés 14h-17h (de déb. juin à déb. sept. : tlj 14h-17h30 ; de déb. sept. à déb. oct. : dim. et j. fériés 14h-17h). Fermé 14 juil. 25F.* ☎ 03 21 53 52 33.

Revenir sur ses pas. Au stop, prendre à gauche. Par la D 188, gagner Marles-les-Mines. D 70, vers Auchel. Devant l'hôtel de ville de Marles, tourner à droite vers la cité de Marles, suivre la direction Auchel centre.

Auchel
Au niveau du terrain vague, tourner à droite vers les alignements d'habitations.

Dominée par des terrils, la **cité d'Auchel** et sa dizaine de barres coupées est caractéristique de ce pays minier.
Revenir vers Marles, reprendre la D 188 vers Bruay-la-Buissière. À Barlin, tourner à gauche dans la D 179.

Nœux-les-Mines
Dans l'agglomération, prendre à droite la D 937 et suivre la direction Piscine.

Musée de la Mine – *Avenue Guillon.* Ancien centre de formation pour « galibots », jeunes mineurs. Évolution des techniques de travail (200 m de galeries reconsti-tuées). *Visite guidée (1h1/2) 1ᵉʳ et 3ᵉ sam. du mois à 15h, 16h et 17h. 25F.* ☎ 03 21 26 34 64.

Retour sur la D 937, tourner 2 fois à droite vers Loisinord. Le coron n° 3 est en pleine restructuration.
Revenir au rond-point, prendre à droite vers Mazingarbe.

Marzingarbe
Direction Centre-ville. Après l'église, prendre à droite.
Le boulevard des Platanes, bordé par quelques belles maisons d'ingénieurs (gauche), longe l'usine carbochi-mique, aux impressionnantes superstructures.

Prendre à droite, longer l'entrée principale de l'usine et tourner à gauche après le passage à niveau. S'engager dans la N 43 vers Lens que l'on contourne par l'A 21, direction Arras-Douai. Sortir à Loison ; N 17, direction Lille, puis D 306, vers Oignies centre.

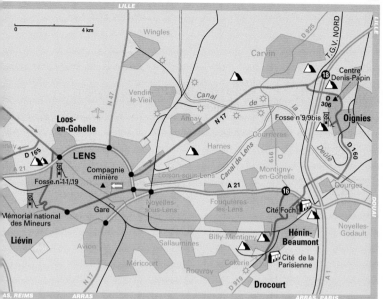

Oignies

La ville a été témoin de la naissance et de la fin de
l'exploitation du bassin du Pas-de-Calais. C'est ici que fut
découvert en 1842 un gisement houiller de meilleure
qualité que celui du Valenciennois. En 1990, la fosse n° 9
voit la remontée des dernières « gueules noires ».

Centre Denis-Papin – *R. É.-Zola ; un panneau indique, à
droite, l'entrée du Centre.* Mémoire de l'ancienne fosse n° 2
de Oignies et musée du Chemin de fer. Un grand
bâtiment, abritant la puissante machine d'extraction, est
parcouru de trains miniatures. Superbe Pacific 231 C 178
(plus de 100 t). Exposition des machines du fond, dont la
dernière berline de « gaillettes », remontée de la fosse n° 9
en 1990. ♿ *D'avr. à fin oct. : visite guidée les 2ᵉ et 4ᵉ dim.
du mois 14h-19h. 25F.* ☎ *03 21 69 42 04.*

*Continuer sur la même route ; prendre à droite puis, au
2ᵉ rond-point (1 km), à gauche vers la Fosse n° 9 et 9 bis.*

Bâtiments, chevalements et terril de la **fosse n° 9
et 9 bis**, intacts, reçurent l'équipe de Claude Berri pour
tourner une scène de *Germinal* (la remontée des
« jaunes ») en 1992.

*Revenir sur la voie principale, prendre la D 160 à droite vers
Dourges, passer au-dessus de l'autoroute du Nord et gagner
Hénin-Beaumont.*

Hénin-Beaumont

À l'entrée, prendre à gauche le boulevard Maréchal-Galliéni.
La **cité Foch** (1922) marque une étape importante dans
l'architecture de l'habitat ouvrier. C'est l'une des plus
belles cités-jardins de France. Avenues courbes et ronds-
points mènent à des maisons d'allure cossue regroupant
deux à quatre logements. Peints en blanc, la façade
égayée par un colombage en trompe-l'œil, ces pavillons
se disséminent dans la verdure en retrait des allées.

Revenir sur ses pas ; direction Centre-ville et Drocourt.

Drocourt

Après le panneau d'entrée de la ville, tourner à gauche.
L'église Sainte-Barbe (patronne des mineurs) trône au
centre de la **cité de la Parisienne**. Sur la gauche s'étirent
des barres de corons dépassant parfois 40 logements,
édifiante image du passé. En face, la cokerie est une des
rares installations des houillères toujours active.

Revenir sur Hénin-Beaumont. Retour à Lens par l'A 21.

TORTILLARD DES PETITS
🔲 À l'extérieur, un circuit
à l'échelle 1/8 invite les
enfants à voyager sur des
wagonnets tirés par des
répliques de locomotives à
vapeur.

De la fosse Delloye sortirent jusqu'à 1 000 tonnes de charbon par jour entre 1930 et 1971. L'ancien carreau sert aujourd'hui de cadre au Centre historique minier, conçu et aménagé avec le concours des Ateliers du Grand Hornu en Belgique.

La situation
Cartes Michelin n°s 53 pli 3 ou 236 pli 16 – Nord (59). L'ancien site minier est à 8 km au Sud-Est de Douai par la N 45. Ses deux chevalements se distinguent de loin.

L'emblème
Sur le logo du Centre historique minier, on reconnaît le chevalement du carreau de l'ancienne fosse Delloye. Les trois triangles (jaune, bleu et rouge) évoquent peut-être la fièvre de la houille (or du Nord), l'habit des gueules noires et le lourd tribut que ces hommes ont payé.

Les gens
Personnalités attachantes et de fort tempérament, ces anciens mineurs sont les derniers héros de la grande épopée des houillères du Nord.

visiter

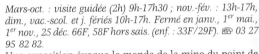

Mars-oct. : visite guidée (2h) 9h-17h30 ; nov.-fév. : 13h-17h, dim., vac.-scol. et j. fériés 10h-17h. Fermé en janv., 1er mai, 1er nov., 25 déc. 66F, 58F hors sais. (enf. : 33F/29F). ☎ 03 27 95 82 82.

Une exposition évoque le monde de la mine du point de vue économique, technique, social et humain : la découverte du charbon et son exploitation pendant trois siècles, l'activité minière et l'évolution technique, la vie quotidienne du mineur, ses drames et souffrances.

Visite libre des bureaux et de la salle des géomètres. Visite commentée par d'anciens mineurs pour suivre les étapes jusqu'à la descente dans le puits : vestiaire, bains-douches, lampisterie, infirmerie...

Un petit train mène au puits n° 2 où la « descente » s'effectue en ascenseur vers les galeries. Un parcours de 450 m (audiovisuels, reconstitution de scènes de taille) montre l'évolution du travail du mineur depuis 1930. La visite se termine par le bâtiment d'exploitation : machine d'extraction, atelier de triage-criblage, écurie de la fosse.

La « salle des pendus » tient son nom des crochets auxquels étaient suspendus vêtements, casques et bottes.

La force de traction des chevaux était fréquemment utilisée pour le déplacement des wagonnets dans les galeries.

Liesse-Notre-Dame

Depuis le 12ᵉ s., ce petit bourg agréable et dynamique est le siège d'un important pèlerinage à Notre-Dame, auquel les rois de France, de Charles VI à Louis XV, participèrent.

La situation

Cartes Michelin n°s 56 Nord-Est du pli 5 ou 236 pli 39 – Aisne (02). Liesse se niche dans une région boisée, au Nord-Est de la Champagne picarde, à 15 km au Nord-Est de Laon. Accès par la D 977. De l'A 26, direction Marle (N 2), 1re à droite (D 513) vers Monceau et Gizy, puis à gauche (D 977). **B** *1 pl. Bailly, 02350 Liesse-N.-D., ☎ 03 23 22 21 05.*

Le nom

Avant 1134, *Liesse* était connue sous le nom de *Liance.* Une très belle évolution puisque le nom de la ville évoque désormais l'idée d'une foule qui déborde de joie.

La légende

1 327 Liessois. En route vers Jérusalem, trois chevaliers du pays sont capturés par les Égyptiens. Ils convertissent la fille du Sultan et lui offrent une statuette de la Vierge. Les voilà alors transportés par les airs avec la princesse, jusqu'à leur pays natal où ils décident de construire une chapelle en l'honneur de la statue miraculeuse.

visiter

Basilique Notre-Dame

Flèche d'ardoises en légère spirale et portail du 15ᵉ s.

Intérieur – Un jubé (16ᵉ s.) sépare la nef du chœur à l'extrémité duquel se tient la Vierge noire. Vitraux contemporains (1981) de Jacques Despierre et ex-voto marin suspendu à la nef : *Le Soleil royal.* Toile ex-voto de Vignon : la Nativité *(croisillon droit).* Elle remplace un tableau semblable offert par Louis XIII et Anne d'Autriche en remerciement de la naissance du futur Louis XIV. À gauche du chœur, la sacristie, bâtie sous Louis XIII, abrite des ex-voto. Dans la chapelle St-Louis, à droite, diorama sur la légende et l'origine du pèlerinage.

PROMESSE TENUE

Construite par les 3 chevaliers, comme ils l'avaient promis, l'église devenue exiguë est rebâtie en 1384 et agrandie en 1480. En 1913, elle est érigée en « basilique », titre lié à un pèlerinage.

alentours

Château de Marchais

3 km au Sud par la D 24.
On ne visite pas. Château Renaissance achevé par le cardinal de Lorraine. Remarquez les lucarnes à frontons sculptés et pinacles ; au bout de l'aile droite se trouve la chapelle. Les rois de France descendaient au château de Marchais, quand ils venaient prier à Liesse.

Lille★★

Capitale de la Flandre française, Lille joue le rôle d'une métropole régionale et européenne grâce à sa position sur les axes Nord-Sud et Est-Ouest. On croirait cette cité conviviale et mouvementée sortie d'un bain de jouvence. Aux splendeurs du baroque flamand, au fameux style « éclectique », fantaisiste et exotique, s'ajoutent ce chic « high-tech ». Un cocktail à savourer sans modération avant de découvrir les nuits lilloises, où chaleur et animation ne font jamais défaut.

La situation

Cartes Michelin n°s 51 pli 16 ou 236 pli 16 – Nord (59). L'A 1 de Paris, l'A 27/E 429 de Bruxelles ou Tournai et l'A 23 de Valenciennes desservent la ville par le Sud-Est. L'A 17 de Bruges et l'E 17 de Gand et Anvers rejoignent l'A 22 qui dessert le Nord de Lille. Les D 710 (Est), N 356 (Ouest) et une section de l'A 25/E 42 (Sud) servent de périphérique externe et donnent accès aux boulevards qui enserrent le centre. Sur un axe Est-Ouest se succèdent le nouveau et l'ancien Lille, puis la citadelle.

🛈 *Palais Rihour, pl. Rihour, 59000 Lille, ☎ 03 20 21 94 21.*

Le nom

La première mention de *l'Isle*, qui vient d'*Insula*, apparaît en 1066 dans une charte de dotation de la collégiale St-Pierre par Baudouin V, comte de Flandre et propriétaire d'un château sur une île de la Deule où grandit la cité.

Les gens

184 657 Lillois pour la métropole, 950 265 habitants pour la *communauté urbaine.* Tout aussi éclectique et attachant que sa ville, le Lillois sait apprécier une chère généreuse. Si les accordéons des vieux quartiers le font toujours chavirer d'émotion, il aime aussi se donner le vertige en savourant sa ville futuriste.

Joutes sur la Deûle, *planche de l'*Album de Pourchez, *recueil d'aquarelles du 18e s.*

comprendre

LA VIE À LILLE

La vie culturelle – Lille est devenue un centre culturel important avec l'ouverture de l'Opéra du Nord, l'atelier lyrique à Tourcoing, les ballets du Nord, et des troupes de théâtre dont celle du théâtre du Nord. Plusieurs festivals s'y déroulent : celui d'automne présente concerts, spectacles de théâtre et de danse, arts plastiques.

Le folklore – Très vivace, comme partout dans le Nord ; chaque quartier a sa fête : la ducasse. À l'occasion des fêtes, les Lillois sortent leurs **géants, Phinaert** et **Lydéric.** Vers l'an 600, Phinaert le brigand occupait un château à l'emplacement de Lille. Un jour, il attaque le

MONSIEUR LE MAIRE
Né à Cartignies (1928), **Pierre Mauroy** est maire de Lille depuis 1973. Professeur dans l'enseignement technique, il est 1er ministre de mai 1981 à juillet 1984. Son mandat voit l'abolition de la peine de mort, l'inauguration du TGV et l'invention de la fête de la Musique. Il fut aussi président du conseil régional du Nord-Pas-de-Calais, député du Nord et 1er secrétaire du PS. Il reste sénateur du Nord (depuis 1992) et président de la communauté urbaine de Lille (depuis 1989).

NÉS À LILLE
L'acteur **Philippe Noiret**, (1930), magistral dans *Cinéma Paradiso* (1989).
Le dessinateur de BD **François Bouck**, père de l'irrésistible Jérôme Mouchot ; à lire absolument : *La Femme du Magicien* et *Les Dents du Recoin* (Casterman).

prince de Dijon et sa femme en route pour l'Angleterre.
Le prince est tué mais sa femme, enceinte, s'échappe.
Elle met au monde un garçon qu'elle cache, avant d'être
rattrapée par le brigand. Le bébé, recueilli par un ermite,
est baptisé Lydéric et allaité par une biche. Adulte, il n'a
de cesse de venger ses parents. Il défie Phinaert qu'il
tue. Il épouse la sœur du roi Dagobert et se voit confier
la garde des forêts de Flandre qui appartenaient à
Phinaert.

LILLE AUJOURD'HUI

Lille fait peau neuve – Les efforts de sauvegarde et de
restauration entrepris dans le quartier ancien, riche en
demeures et monuments des 17e et 18e s., font de Lille
une ville d'art. Parallèlement la ville s'est modernisée
avec la reconstruction du quartier St-Sauveur et du
Forum, la création de Villeneuve-d'Ascq et d'Euralille.

Le « Dallas » du Nord de la France – Carrefour de routes
et de voies d'eau, Lille a toujours eu une vocation
industrielle et commerciale. Elle est plus que jamais le
grand centre économique du Nord de la France. Aux
universités, structures d'accueil et industries traditionnelles sont venues s'ajouter des entreprises de
pointe. Capitale de la vente par correspondance, Lille-
Roubaix-Tourcoing est aussi le grand carrefour des
affaires avec le centre Euralille, la chambre de commerce
et d'industrie et la Bourse des valeurs.

L'art du mouvement – C'est surtout par le rail que Lille
associe art et mouvement. La gare Lille-Europe (1994),
transparente et audacieuse, est un bel exemple
d'architecture contemporaine. Le métro le plus
moderne du monde, le VAL, équipe le sous-sol lillois et
certaines stations sont ornées d'œuvres d'art. Une ligne
relie Lille à Roubaix-Tourcoing. Le VAL a séduit
Orly et Toulouse, comme Chicago et Taipei. Au
célèbre tram Mongy, qui parcourait le Grand-Boulevard
entre Lille, Roubaix et Tourcoing, s'est substitué un
tramway, dont la silhouette est due au designer de
Ferrari.

HISTOIRE

Flamande, française, un temps autrichienne et espagnole, Lille a connu 11 sièges et quelques destructions.
L'architecture de la ville en témoigne encore.

Les comtes de Flandre – Lille naît autour du château
du comte de Flandre, Baudouin V, et du port aménagé
à l'emplacement de l'avenue du Peuple-Belge. Bau-
doin IX, couronné empereur de Constantinople lors
d'une croisade, meurt en 1205. Il laisse deux héritières,
Jeanne et Marguerite, élevées par Philippe Auguste. Il
marie l'aînée à Ferrand de Portugal et envoie le couple
à Lille.
Bien que vassale du roi de France, la Flandre était
économiquement liée à l'Angleterre et à l'Empire
germanique. Aussi, devant les prétentions de Philippe
Auguste sur les régions du Nord, une coalition se forme,
groupant le roi d'Angleterre Jean sans Terre, l'empereur
germanique Otton IV, les comtes de Boulogne, du
Hainaut et de Flandre. La guerre s'achève par la **bataille
de Bouvines** le 27 juillet 1214, première grande victoire
française. « Ferrand le bien enferré » est fait prisonnier
et enfermé au Louvre tandis que Jeanne gouverne la
ville.

Des ducs de Bourgogne aux Espagnols – En 1369 le
mariage de Marguerite de Flandre et Philippe le Hardi,
fait du comté de Flandre une partie du duché de
Bourgogne. La présence des ducs stimule le commerce.
Philippe le Bon (1419-1467) aménage le palais Rihour
où il prononce en 1454 le Vœu du faisan : promesse de
partir en croisade. Il est alors entouré d'une cour
brillante, où figure le peintre **Van Eyck**.

> **L'ART DANS LE MÉTRO**
> Stations intéressantes.
> *République : Les Muses*,
> sculptures de Debeve,
> *Spartacus* de Foyatier,
> *L'Automne* et *Le
> Printemps* de Carrier
> Belleuse et reproductions
> de tableaux du musée des
> Beaux-Arts. *Porte de
> Valenciennes : La main
> de César. Wazemmes* :
> la *Source de vie* (lave
> émaillée). *Fives* : Fresques
> de Degand (*Le Cri et
> Graffitis*). *Pont de Bois* :
> *La Paternité*, bronze de
> Mme Léger.

> **L'ÉCONOMIE HIER**
> Au Moyen Âge, c'est une
> cité drapière. Les haute-li-
> ciers d'Arras, chassés par
> Louis XI, s'y installent au
> 15e s. À la tapisserie suc-
> cède la filature du coton et
> du lin au 18e s., tandis que
> Roubaix et Tourcoing tra-
> vaillent la laine. La grande
> industrie lilloise naît dès la
> fin du 18e s., comme son
> prolétariat urbain et son
> cortège de misères. En
> 1846, la mortalité infantile
> atteint 75 % dans les cou-
> rées de St-Sauveur. Les
> moulins à huile broyant
> le lin, le colza, l'œillette
> constituaient, avec la
> dentelle et la céramique,
> d'autres spécialités lilloises.

carnet pratique

Visite

Visite guidée de la ville – Pour découvrir le Vieux Lille : sam. à 15h. 45F. Autres thèmes de visite (uniquement en juil.-août) : l'îlot Comtesse, Wazemmes, Euralille ou encore balade nocture avec dégustation de bière. S'adresser à l'Office de tourisme.

Tour de Lille en mini-bus – Mai-oct. : dép. ttes les h. de 10h à 18h ; nov.-avr. : de 10h à 17h. 45F. RV au Palais Rihour.

Restauration

● *À bon compte*

La Robe des Champs – *10 r. Faidherbe - ☎ 03 20 55 13 74 - 74/150F.* Dans ce joli restaurant jaune et bleu du centre-ville, la pomme de terre est reine et vous pourrez la déguster sous toutes ses formes. Tour à tour lilloise, parisienne ou paysanne, elle saura vous séduire.

La Taverne de l'Écu – *9 r. Esquermoise - ☎ 03 20 57 55 66 - 85/120F.* Empruntez un long couloir et découvrez cette brasserie, haut lieu de la gaieté lilloise. L'esprit de cette ancienne salle de spectacles perdure avec le ballet des serveurs, l'ambiance bruyante et conviviale et les bières maison qui coulent à flot. Spécialités régionales.

Verzenay – *142 rte Nationale - 59152 Chereng - 6 km au N de Cysoing par D 90 et D 941 - ☎ 03 20 41 14 56 - fermé 15 au 30 janv., 22 juil. au 16 août, dim. soir et lun. - 100/235F.* Derrière cette accueillante façade, en bordure de la nationale qui mène en Belgique, se cachent plusieurs salles à manger au décor contemporain et une petite mezzanine. En été, belle terrasse à l'arrière de la maison. Cuisine classique aux doux accents régionaux.

Détente sur la Grand'Place

● *Valeur sûre*

Aux Moules – *34 r. de Béthune - ☎ 03 20 57 12 46 - 110/150F.* Des moules et des moules... et quelques autres spécialités flamandes bien sûr. Cette brasserie au cadre 1930, dans une rue piétonne animée, attirent les vrais amateurs. Un incontournable de la ville...

La Tête de l'Art – *10 r. de l'Arc - ☎ 03 20 54 68 89 - fermé 29 juil. au 25 août, dim. et le soir sf ven. et sam. - réserv. le w.-end - 112/142F.* Derrière la façade rose de cette maison bourgeoise de 1890 se cache un restaurant animé et sympa. Au bout d'un couloir, la salle est chaleureuse et les Lillois

aiment bien s'y retrouver pour déguster les différentes formules qui ont fait son succès.

Le Passe-Porc – *155 r. de Solférino - ☎ 03 20 42 83 93 - fermé 29 juil. au 19 août et dim. - réserv. obligatoire - 120F.* Voici un bistrot comme on les aime ! Carrelage, banquettes et plaques émaillées sur les murs servent d'écrin à une collection de cochons... Son ambiance sympathique et sa cuisine copieuse s'accordent parfaitement avec son cadre amusant.

L'Écume des Mers – *10 r. du Pas - ☎ 03 20 54 95 40 - fermé 30 juil. au 22 août et dim. soir - 130F.* Son banc de fruits de mer en devanture vous mettra l'eau à la bouche. Entrez les déguster dans un décor brasserie, où la couleur verte domine. Quelques plats de viandes sont également proposés.

Baan Thaï – *22 bd J.-B.-Lebas - ☎ 03 20 86 06 01 - fermé 23 juil. au 23 août, lun. midi, sam. midi et dim. soir - 150/220F.* L'exotisme est au rendez-vous dans ce restaurant thaïlandais, au premier étage d'une maison cossue. Les sculptures et la décoration orientales, le plafond tapissé d'ombrelles ajoutent au raffinement du lieu. Spécialités thaïes avec degré d'épices indiqué pour chaque plat.

Champlain – *13 r. N.-Leblanc - ☎ 03 20 54 01 38 - fermé 1er au 21 août, sam. midi et dim. soir - 170/360F.* Les vitres des fenêtres de cette maison bourgeoise du 19e s. sont peintes de jolis motifs. Deux salles à manger avec lustres à pendeloques et moulures au plafond. Service en terrasse l'été. Bon choix de menus dont un pour les enfants.

La Cour des Grands – *61 r. de la Monnaie - ☎ 03 20 06 83 61 - fermé vacances de fév., 29 juil. au 20 août, sam. midi, lun. midi, dim. et j. fériés - réserv. obligatoire - 185/295F.* Au fond d'une petite cour pavée, c'est l'ancien hôtel de la Monnaie qui date de la fin du 17e s. La salle à manger haute de plafond avec ses dorures, ses motifs muraux et ses boiseries anciennes a gardé le cachet de cette époque. Cuisine soignée au goût du jour.

● *Une petite folie !*

À L'Huîtrière – *3 r. des Chats-Bossus - ☎ 03 20 55 43 41 - fermé 22 juil. au 25 août, dim. soir et soirs fériés - 350/580F.* Amateurs de poissons et fruits de mer, ce restaurant étoilé est incontournable. La poissonnerie aux splendides céramiques marines jouxte la salle à manger aux boiseries de chêne clair, lustres et appliques à pendeloques. Coquillages, crustacés et poissons y ornent les murs et les tables.

Hébergement

● *Valeur sûre*

Hôtel Flandre Angleterre – *13 pl. de la Gare - ☎ 03 20 06 04 12 - www.hotel-flandre-angleterre.fr - 45 ch. : 330/390F. - ☒ 28F.* Face à la gare, à proximité des rues piétonnes, cet hôtel familial met à votre disposition des chambres modernes, confortables et douillettes. Son emplacement et ses prix abordables en font une adresse recommandable.

Hôtel de la Paix – *46 bis r. de Paris* - ☎ *03 20 54 63 93 - 35 ch. : 360/480F* - ☐ *50F.* Vous serez ici à deux pas de la vieille ville et du quartier piétonnier. Les patrons, amateurs d'art, ont décoré les lieux de reproductions de tableaux de peintres célèbres. Les chambres au mobilier de merisier massif sont dédiées chacune à un artiste (Matisse, Van Gogh...).

Lille Europe – *Av. Le Corbusier - Euralille* - ☎ *03 28 36 76 76 -* 🅿 *- 97 ch. : 380F* - ☐ *40F.* Un hôtel résolument moderne situé dans le complexe Euralille entre les deux gares ferroviaires. Les chambres au mobilier contemporain sont fonctionnelles et bien insonorisées. Salle de petits-déjeuners en étage bordée de baies vitrées.

• *Une petite folie !*
Hôtel Alliance – *17 quai du Wault* - ☎ *03 20 30 62 62 -* 🅿 *- 80 ch. : à partir de 1050F - ☐ 80F - restaurant 95/165F.* Pour une petite retraite dans un ancien couvent du 17e s. en plein cœur de la ville. Une pyramide de verre coiffe le cloître en briques rouges et pierres du pays. Des coursives distribuent une partie des chambres contemporaines, créant ainsi un jardin intérieur.

SORTIES
El Sombrero – *10 r. de Rastibonne* - ☎ *03 20 40 27 65 - Mar.-sam. 21h-4h.* Ce bar gigantesque, qui fait également discothèque, est certainement le lieu le plus branché et le plus fréquenté de Lille. Une clientèle de 20 à 30 ans, à majorité étudiante, s'y rassemble au son de la house et de la techno. Spécialité maison : la « pyramide », 100 verres de bière empilés comme un château de cartes.

L'Échiquier - Bar de l'hôtel Alliance – *17 quai de Wault - ☎ 03 20 30 62 62* - *www.goldentulip.com - Lun.-sam. 9h-1h, dim. et j. fériés 10h-23h.* Bar de l'hôtel L'Alliance, dans le décor majestueux d'un ancien couvent des Minimes datant du 17e s. Une harpiste s'y produit du lundi au jeudi (19h30-21h30), suivie d'un pianiste (lun.-jeu. 22h-23h30, ven. et sam. 19h30-23h30, dim. 16h-19h). Belle sélection de cocktails et de champagnes.

L'Illustration – *18 r. Royale - ☎ 03 20 12 00 90 - Lun.-ven. 12h30-2h, sam. 15h-2h., dim. 10h30-2h.* Petit bar convivial et tranquille datant du début du siècle, où les artistes (écrivains, peintres) se retrouvent pour bavarder. Soirées littéraires et autres animations à thème pour une clientèle d'habitués. Spécialités : cocktails.

Opéra Night – *84 r. de Trévise - ☎ 03 20 88 37 25 - Mar.-sam. 21h-4h. Fermé dim, lun.* Cet immense bar-discothèque est pris d'assaut par les Lillois dès le jeudi. Clientèle branchée de 20 à 30 ans et musique techno.

Planet Bowling – *ZA du Grand-But* - ☎ *03 20 08 10 50 - Lun.-jeu. 11h-2h, ven.-sam. 11h-4h, dim. 10h-2h.* Complexe à l'américaine avec bowling (32 pistes), billards (20 américains), espace enfants, connexions à Internet, spectacles (cabaret, show humoristique : jeudi, vendredi et samedi) et karaoké (dimanche). Restaurant.

The Tudor Inn After Burn Café – *12 r. de la Vieille-Comédie (Pl. Rihour)* - ☎ *03 20 54 53 35 - Lun.-sam. 11h-2h, dim. 15h-3h. Fermé 24 déc., 31 déc.* Avec son épée de géant derrière le comptoir, ce pub donne dans le kitsch féodal, façon Excalibur. Concerts acoustiques (blues, rock) le dimanche. Piano-bar le lundi et le mardi. Clientèle d'étrangers et d'habitués. Spécialités : bières et cocktails.

Les Folies de Paris – *52 av. du Peuple-Belge - ☎ 03 20 06 62 64* - *www.foliesdeparis.com - Mar.-sam. 20h (dîner), 22h30 (spectacle), dim. 13h-1h Fermé août.* Ce cabaret et dîner-spectacle est le plus grand de la région. Il attire de nombreux Lillois et voisins belges, particulièrement en fin de semaine.

Orchestre national de Lille – *30 pl. Mendès-France - ☎ 03 20 12 82 40* - *Lun.-ven. 9h-12h30, 14h-18h.* Depuis 1976, Jean-Claude Casadesus et l'Orchestre national de Lille donnent en moyenne 120 concerts chaque saison. Leur activité se partage entre la métropole lilloise, la région Nord-Pas-de-Calais, et l'étranger (30 pays visités). Grand répertoire, créations, œuvres rares, artistes confirmés et jeunes talents.

ACHATS
Place de la Nouvelle-Aventure se trouvent les grandes halles en brique rouge du **marché de Wazemmes**, très pittoresques le dimanche matin lors du marché aux puces. La **rue Basse** est celle des antiquaires de Lille, mais on y trouve aussi d'autres boutiques peu communes, tel le Bleu Natier : meubles, décoration, cadeaux d'art, artisan bijoutier.

Trogneux Chocolatier – *67 r. Nationale* - ☎ *03 20 54 74 42.* De nombreux chocolats : Fleur de Lille, Noir de Houille (au genièvre), chocolats à la bière Jenlain, Réserve de Bacchus (aux vins d'Alsace et Bourgogne).

Pâtisserie Meert – *27 r. Esquermoise* - ☎ *03 20 57 07 54.* On y trouve de succulentes pâtisseries dans un décor Art nouveau très réussi.

Le Chat qui pêche – *12 r. St-Étienne* - ☎ *03 20 51 87 42.* Jouets anciens et hôpital pour poupées.

Librairie Raoust – *11 r. Neuve - ☎ 03 20 54 64 79.* Des ouvrages bien cotés y côtoient quelques bonnes soldes ; de plus, sourire et compétence ne sont pas de pacotille.

CALENDRIER
Grande Braderie de Lille – *1er week-end de septembre et le lundi.* Lille ne vit alors que pour la Braderie (c'est jour férié pour les Lillois). Des kilomètres de trottoirs conquis par les forains et les particuliers. On s'installe n'importe où pour vendre n'importe quoi. Animation garantie, surtout dans le quartier piéton de la place Rihour et sur le boulevard de la Liberté. À cette occasion, restaurants et cafés servent des moules-frites et font des concours de tas de coquilles devant leurs portes.

Le mariage de Marie de Bourgogne, fille de Charles le Téméraire, avec Maximilien d'Autriche fait passer le duché de Bourgogne, dont la Flandre, à la maison de Habsbourg, puis à l'Espagne quand Charles Quint devient empereur. Après les guerres de Religion, sous la domination espagnole, la situation se gâte. Des « gueux » dévastent la campagne et pillent les églises. Lille échappe à l'assaut des *Hurlus* (hurleurs) grâce à ses habitants menés par la cabaretière **Jeanne Maillotte**.

Lille française – Louis XIV, faisant valoir les droits de son épouse Marie-Thérèse à une part de l'héritage d'Espagne, réclame les Pays-Bas. En 1667, il dirige le siège lillois et y entre après 9 jours. Lille devient capitale des Provinces du Nord. Le Roi-Soleil s'empresse de faire construire une citadelle par Vauban et d'agrandir la ville, réglementant les alignements et modèles de maisons.

Les guerres – **Septembre 1792** : 35 000 Autrichiens assiègent Lille, défendue par une faible garnison. Les boulets pleuvent sur la ville et de nombreux bâtiments s'écroulent ; cependant, grâce au courage des habitants, la métropole tient bon et les Autrichiens lèvent le siège.

Octobre 1914 : Lille est peu défendue quand six régiments bavarois l'attaquent. Après trois jours de résistance furieuse, la ville se rend. Recevant la reddition, le prince de Bavière refuse l'épée du colonel de Pardieu « en témoignage de l'héroïsme des troupes françaises ».

Mai 1940 : sept divisions allemandes et les blindés de Rommel sont aux portes de Lille. 40 000 soldats français défendent la place. Ils résistent trois jours et capitulent avec les honneurs militaires au matin du 1er juin 1940.

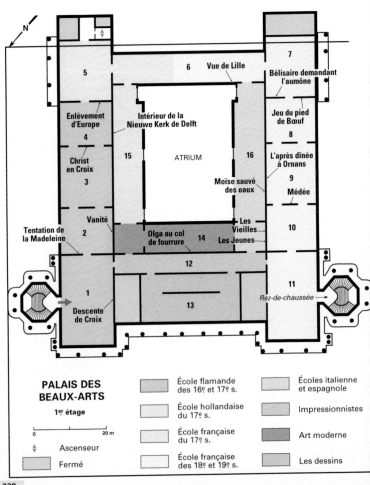

N

7

5   6   Vue de Lille   Bélisaire demandant l'aumône

Enlèvement d'Europe   Intérieur de la Nieuwe Kerk de Delft   Jeu du pied de Bœuf

4   8

Christ en Croix   15   ATRIUM   16   L'après dînée à Ornans

3   9

Moïse sauvé des eaux   Médée

Vanité   Les Vieilles   10

Tentation de la Madeleine   2   Olga au col de fourrure   14   Les Jeunes

12

1   11   *Rez-de-chaussée*

Descente de Croix   13

PALAIS DES BEAUX-ARTS

1er étage

0   20 m

⇕ Ascenseur

☐ Fermé

☐ École flamande des 16e et 17e s.

☐ École hollandaise du 17e s.

☐ École française du 17e s.

☐ École française des 18e et 19e s.

☐ Écoles italienne et espagnole

☐ Impressionnistes

☐ Art moderne

☐ Les dessins

PALAIS DES BEAUX-ARTS★★★

Tlj sf mar. 10h-18h, lun. 14h-18h, ven. 10h-19h. Fermé 1ᵉʳ janv., 1ᵉʳ mai, 14 juil., 1ᵉʳ w.-end de sept., 1ᵉʳ nov., 25 déc. 30F. ☎ 03 20 06 78 00.

Construit entre 1885 et 1892 pour abriter les collections ▶ de la ville. Ce bâtiment fait face, de l'autre côté de la place de la République, à la préfecture. À l'arrière a été construit un **bâtiment-lame**, de 70 m de long et 6 m de large, dont la façade de verre sérigraphiée renvoie l'image du palais et lui redonne ainsi la dimension initiale du projet jamais réalisé. Il abrite le café-restaurant *(au rez-de-chaussée)*, le cabinet des dessins *(sur rendez-vous pour les chercheurs)* et les services administratifs.

Entre ces bâtiments s'étend le jardin dont le centre est recouvert d'une dalle de verre laissant entrer la lumière vers la salle d'expositions temporaires située au-dessous. L'entrée mène à un vestibule éclairé par de grands lustres en verre coloré dus à l'italien G. Pesce. Libre accès à l'atrium (librairie-boutique, salon de thé) et au café-restaurant *(entrée possible par le jardin, r. de Valmy).*

Sous-sol

Escalier à gauche au fond de l'atrium.

Archéologie – Œuvres du bassin méditerranéen : Égypte, Chypre, Rome, Grèce (céramiques à figures noires).

Moyen Âge et Renaissance – Au centre de la première ▶ salle, l'*Encensoir de Lille* en laiton finement ciselé (art mosan du 12ᵉ s.), formé de deux coupes avec au sommet les trois jeunes Hébreux. À côté, quelques ivoires issus des abbayes du Nord de la France. Dans les galeries voûtées, parmi les rares témoins de la sculpture romane, trois fragments d'un haut-relief en calcaire sur le thème de la Déposition de Croix. L'art gothique est abondamment représenté : la *croix reliquaire* qui contenait un morceau de la Vraie Croix (1200-1220), le *Festin d'Hérode*, bas-relief en marbre de Donatello, deux volets d'un triptyque de Dirck Bouts et le triptyque du *Bain mystique*, par J. Bellegambe. Dans la dernière salle, la célèbre *Tête de jeune fille en cire* (18ᵉ s.).

Rez-de-chaussée

Galerie de céramique – *Au fond de l'atrium à gauche.* Principales productions françaises : Nevers, Rouen, Lille (grand plat en camaïeu bleu), Strasbourg, Sinceny. Delft (belles bouteilles Flesch), grès allemands et wallons, porcelaines de Chine et du Japon.

Galerie de sculpture – *Au fond de l'atrium à droite.* Dans la rotonde, le *Chevalier errant* par Frémiet ; à l'opposé le *Napoléon Iᵉʳ, protecteur de l'industrie* par Henri Lemaire. Panorama de la sculpture française du 19ᵉ s. : Houdon (buste de *Le Fèvre de Caumartin*), David d'Angers (*Bienfaits de l'imprimerie*, 4 maquettes pour le monument dédié à Gutenberg à Strasbourg), Préault (40 médaillons en bronze), Camille Claudel (*Giganti, Mme de Massary*), Bourdelle (*Pénélope*, vers 1909).

1ᵉʳ étage

Peintures, présentées par écoles, autour de l'atrium.

École flamande des 16ᵉ et 17ᵉ s. – Jordaens est représenté par plusieurs toiles, de type religieux (*Tentation de la Madeleine*), mythologique (*Enlèvement d'Europe*) ou rustique (*Le Piqueur*) ; son étude de vaches sera reprise par Van Gogh. De Van Dyck, *Christ en croix* pour le maître-autel du couvent des Récollets ; par Téniers le Jeune, la *Tentation de saint Antoine*.

École hollandaise du 17ᵉ s. – *Galerie donnant sur l'atrium.* Chefs-d'œuvre dus à Lastman (*Mise au tombeau*), E. de Witte (*Intérieur de la Nieuwe Kerk de Delft*). Natures

À VOIR

La grande salle expose 15 **plans-reliefs★** de villes des frontières du Nord à l'époque de Louis XIV : 7 françaises : Aire-sur-la-Lys, Avesnes (1822), Bergues, Bouchain, Calais (1690), Gravelines (1758), Lille (1743) ; 7 belges : Audenarde (1746) – remarquable par la précision des détails et des couleurs –, Charleroi, Menin, Namur, Ostende, Tournai, Ypres ; et une hollandaise : Maastricht.

Le Chevalier errant *(1878)* par Emmanuel Frémiet.

mortes de Van der Ast et de Van Beyeren, paysages de Ruisdael (*Le Champ de blé*) et de Van Goyen (*Les Patineurs*) ; scènes de genre.

École française du 17ᵉ s. – Chefs-d'œuvre de P. van Mol (*L'Annonciation*) et de Ch. de La Fosse (la *Remise des clefs à saint Pierre*). Petits formats de Ph. de Champaigne (*La Nativité*), La Hyre (*Paysage pastoral*), Largillière (*Portrait de J.-B. Forest*), Le Sueur et Chardin.

École française des 18ᵉ et 19ᵉ s. – Toiles de Louis Watteau (*Vue de Lille*) et de son fils François (*Bataille d'Alexandre*). Remarquable ensemble de Boilly (1761-1845), le *Jeu du pied de bœuf*, le *Triomphe de Marat* et nombreux portraits. Œuvres de David (*Bélisaire demandant l'aumône*), Delacroix (*Médée*), Courbet (*L'après dînée à Ornans*), P. de Chavannes (le *Sommeil*).

Écoles italienne et espagnole – *Moïse sauvé des eaux* par Liss, une *Esquisse du Paradis* par Véronèse et le *Portrait d'un sénateur* par le Tintoret illustrent la peinture italienne. L'école espagnole, peu présente, est d'une grande qualité : *Saint François en prière* par le Greco ; *Saint Jérôme* par Ribera ; toiles de Goya.

Le Temps ou Les Vieilles
par Goya, féroce satire de son siècle.

Impressionnistes – Œuvres (fin 19ᵉ s.) de la **donation Masson.** Pré-impressionnisme : Boudin (*Port de Camaret*), Jongkind (*Les Patineurs*) et Lépine. Impressionnisme : Sisley (*Port Marly, En hiver, Effet de neige*), Renoir (*Jeune femme au chapeau noir*) et Monet (*La Débâcle, Le Parlement de Londres*). Toiles de Vuillard, E. Carrière, A. Lebourg et sculptures de Rodin.

Art moderne – Parmi les peintres figuratifs ou abstraits, F. Léger *(Femmes au vase bleu)*, Gromaire *(Le Borinage)*, Poliakoff *(Composition nº 2)*, Sonia Delaunay *(Rythme couleur 1076)*, Picasso *(Olga au col de fourrure)*.

Dessins – 4 000 œuvres, surtout italiennes (roulement).

se promener

LE VIEUX LILLE★★ *(visite : 2h1/2)*

Depuis les années 1970, le quartier ancien de Lille a retrouvé ses belles façades des 17e et 18e s., dissimulées jusque-là sous de disgracieux crépis. Des îlots entiers ont changé de physionomie et des commerces de luxe, des décorateurs, des antiquaires y sont apparus.

LE STYLE LILLOIS

Très original par son mélange de briques et de pierre sculptée. Les façades ornées de moellons de pierre taillés en « pointe de diamant » apparaissent début 17e s. (pl. Louise-de-Bettignies). Le style Renaissance flamande (Vieille Bourse, maison de Gilles de la Boë) se caractérise par un décor exubérant. Fin 17e s. l'influence française se fait sentir dans l'alignement des maisons, « les rangs », et dans les décorations. Rez-de-chaussée à arcades de grès (gresseries), pierre au grain serré qui freine l'humidité. Au-dessus, la brique alterne avec la craie sculptée d'angelots, d'amours, de cornes d'abondance, etc.

Place Rihour

Dominée par le **palais Rihour** (Office de tourisme), de style gothique, construit entre 1454 et 1473 par Philippe le Bon. Belles fenêtres à meneaux et tourelle octogonale de briques. Salle des gardes voûtée d'ogives élancées *(rez-de-chaussée)*. Chapelle dite salle du Conclave *(étage)* et

Ancienne place du marché au Moyen Âge, la Grand'Place a toujours été le centre de l'activité lilloise.

LILLE

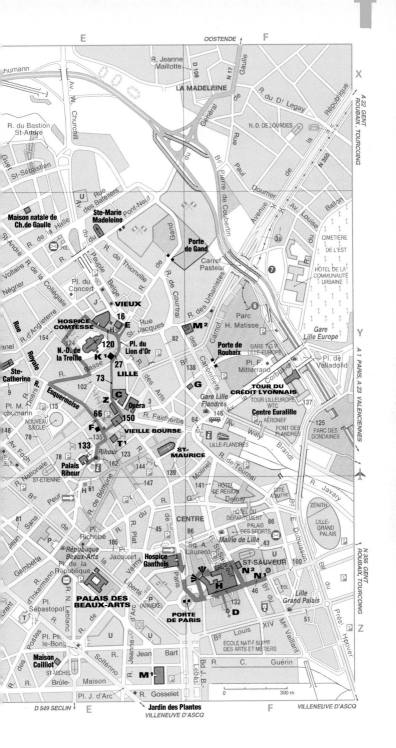

oratoire ducal desservi par une cage d'escalier en pierre aux voûtes en réseau. Sur le côté extérieur de la chapelle monument aux morts des deux guerres et pyramide d verre sur la place. *9h30-18h30, dim. et j. fériés 10h-12h 14h-17h. Fermé 1er janv., 1er mai, 25 déc. Gratuit.* ☎ 03 2 21 94 21.

On rejoint la place du Gén.-de-Gaulle par une allé piétonne où s'alignent les terrasses de cafés. Sur la gauche, façades caractéristiques de l'architecture lilloise du 17e s., mélange d'influences flamande et française.

Place du Général-de-Gaulle (Grand'Place)★

Son joyau est la Vieille Bourse. Près du théâtre s'élève la **Grand'Garde** (1717) surmontée de frontons, où logeai la garde du roi. Sur le terre-plein central, la **colonne de la Déesse** (1845), tenant un boutefeu, symbolise la résistance héroïque de Lille lors du siège en 1792.

Vieille Bourse★★

Construite en 1652-53 par Julien Destrée à la demande des commerçants lillois qui voulaient une bours rivalisant avec celles des grandes villes des Pays-Bas Elle se compose de 24 maisons à mansardes autou d'une cour rectangulaire qui servait de cadre au transactions. La richesse décorative des façade s'explique par le fait que Julien Destrée était sculpteu sur bois, spécialiste de l'écrin et du petit meuble. Sous les arcades, bustes en bronze, médaillons, angelots e cartouches honorent des savants, les sciences et leur applications.

Le bâtiment au fronton à redans abrite les services administratifs du quotidien La Voix du Nord *depuis 1944.*

Les guirlandes, mascarons, grappes de fruits et chutes de fleurs qui ornent la façade de la Vieille Bourse évoquent un bahut flamand.

Place du Théâtre

Dominée par l'imposante silhouette de la Nouvelle Bourse et de son beffroi néo-flamand qui avoisine l'opéra de style Louis XVI. Ces deux édifices (début 20e s.) son dus à Louis Cordonnier. Face à la Nouvelle Bourse l'alignement de maisons (1687) à pilastres surmonté d'élégants cartouches, nommé « **Rang du Beauregard** » est le plus caractéristique et le plus intéressant de l'architecture lilloise de la fin du 17e s.

Rue de la Bourse

Bel ensemble de façades du 18e s., décorées d'anges joufflus et de masques au 1er étage.

Rue de la Grande-Chaussée

Les « gresseries » à arcades des maisons anciennes ont été rénovées et les magasins de luxe y ont installé leurs vitrines. Quelques balcons en fer forgé et les dessus de fenêtres sont ouvragés. Remarquez la première maison à droite, et les nos 9, 23 et 29.

Rue des Chats-Bossus

Elle doit son nom à une ancienne enseigne de tanneurs.

L'Huîtrière, célèbre restaurant de fruits de mer, a une façade et un intérieur Art déco (1928).

Place du Lion-d'Or

Au n° 15, le magasin Olivier Desforges occupe l'ancienne maison des Poissonniers, du 18ᵉ s.

Place Louise-de-Bettignies

Elle porte le nom d'une héroïne de la Grande Guerre. Au n° 29, à l'angle de la place, la **demeure de Gilles de la Boé★**, épicier grossiste (1636). Ornementation abondante (corniches et frontons en saillie). Elle bordait un port sur la Basse-Deûle, actif jusqu'au 18ᵉ s. La rivière est comblée en 1936 et fait place à l'avenue du Peuple-Belge où s'élève la tour moderne du palais de justice.

Rue de la Monnaie★

L'hôtel des Monnaies se trouvait dans cette rue dont les maisons restaurées ont attiré antiquaires et décorateurs. Alignement de maisons du 18ᵉ s. *(côté gauche)*. Au n° 3, le mortier et l'alambic servaient d'enseigne à un apothicaire. Les maisons suivantes (nᵒˢ 5 à 9) sont décorées de dauphins, de gerbes de blé, de palmes... Au n° 10, statue de N.-D.-de-la-Treille ; pignon à pas de moineaux aux nᵒˢ 12 et 14. Les maisons suivantes datent du début du 17ᵉ s. et encadrent le portail à bossages (1649) de l'hospice Comtesse.

Hospice Comtesse★

Lun. 14h-18h, mer.-jeu., w.-end et j. fériés 10h-18h, ven. 14h-19h. Fermé 1ᵉʳ janv., 1ᵉʳ mai, 14 juil., 1ᵉʳ w.-end sept., 1ᵉʳ nov., 25 déc. 35F. ☎ 03 28 36 84 00.
Sa fondatrice, Jeanne de Constantinople, était comtesse de Flandre. Elle fit construire un hôpital en 1237 pour le salut de son mari Ferrand de Portugal fait prisonnier à Bouvines. Incendié en 1468, il est reconstruit puis agrandi aux 17ᵉ-18ᵉ s. et transformé en hospice en 1789, puis en orphelinat. C'est à présent un musée régional d'histoire et d'ethnographie et un lieu d'expositions et de concerts. Portail monumental (17ᵉ s.) : « gresserie » à bossages.

Salle des Malades – Dans la cour d'honneur. Long bâtiment reconstruit après 1470 sur les fondations du 13ᵉ s. À l'intérieur de la salle, deux tapisseries, tissées à Lille en 1704. L'une montre Baudouin de Flandre avec son épouse et ses deux filles, et l'autre Jeanne la fondatrice entourée de son premier et de son second mari. La **chapelle** qui la prolonge a été agrandie et séparée par un jubé après l'incendie de 1649.

Musée – Dans l'aile droite (fin du 15ᵉ s.), surélevée au 17ᵉ s. Meubles et objets d'art évoquent l'atmosphère d'une fondation pieuse au 17ᵉ s. Cuisines revêtues de carreaux bleutés de Hollande et de Lille. Salle à manger : le manteau de cheminée baroque encadre une Nativité (16ᵉ s.). Parloir aux sobres lambris décorés d'ex-voto du 17ᵉ s. Salon de la prieure lambrissé de boiseries.
Au 1ᵉʳ étage, l'ancien dortoir présente, sous son plafond à poutres sculptées, des peintures flamandes et hollandaises du 17ᵉ s. et un beau Christ picard (16ᵉ s.). De part et d'autre du dortoir, deux salles évoquent l'histoire régionale : éléments d'architecture, objets d'art, tableaux de Louis et François Watteau représentant Lille au 18ᵉ s.

Prendre à gauche la rue Au-Pétérinck. On débouche sur la jolie petite place aux Oignons. Poursuivre par la rue des Vieux-Murs, puis à gauche la rue des Trois-Mollettes.

Sur la gauche s'élève l'imposante **cathédrale N.-D.-de-la-Treille** de style néo-gothique. La façade est surmontée d'une rosace illustrant le thème de la Résurrection. Portail en bronze de Georges Jeanclos.
Par la rue du Cirque, on atteint la rue Basse.

> ▶ **À VOIR**
> Vaisseau de la salle des Malades et sa **voûte en carène★★** faite de bois lambrissé.

Faïence de Lille (pièce exposée à l'Hospice Comtesse).

Rue Esquermoise

Bordée de maisons des 17e-18e s. Aux nos 6 et 4, les amour
s'embrassent ou se tournent le dos selon qu'ils appa
tiennent ou non à la même maison ; en face, belle maiso
restaurée, celle du fourreur (magasin Gailliaerde).

Rejoindre la place Rihour par la Grand'Place.

LILLE, CÔTÉ OUEST

Euralille

Nouveau quartier conçu par l'urbaniste néerlandais Re
Koolhaas. La gare de Lille, rebaptisée **Lille-Flandres** e
1993, est reliée par la rue Le-Corbusier à la nouvelle gar
Lille-Europe, immense façade de verre qu'enjamber
deux tours : la **tour Lilleurope WTC**, par Claud
Vasconi, et la **tour du Crédit Lyonnais★**, en forme d
L, à pan coupé, par Christian de Portzampac. Le **centr
Euralille**, dû à Jean Nouvel, a été conçu comme « u
feuilleté métallique, perforé, tramé, avec de
transparences et des jeux lumineux ». Euralille compren
le **parc Henri-Matisse** (8 ha).

> **CENTRE EURALILLE**
> Dans ses allées spacieuses
> (2 niveaux), plus de
> 130 boutiques, hyper-
> marché, restaurants et
> pôle d'animation cultu-
> relle, l'Espace croisé. Eura-
> lille abrite aussi une salle
> de spectacles, une école
> supérieure de commerce,
> des logements et
> résidences.

Porte de Roubaix

Vestige de l'enceinte espagnole (1621), cette port
massive a été percée en 1875 pour le passage de
tramways. Un larmier en pierres et un étage en brique
surmontent sa base de grès. Fossés aménagés en jardin
Cette porte a toujours sa sœur, la **porte de Gand**,
600 m au Nord, par les rues des Canonniers et d
Courtrai.

Hôtel Bidé-de-Granville

En 1821, l'industriel A.D. Scrive Labbe installe 1
première machine à carder dans cet hôtel érigé en 1773
Siège de la direction régionale des Affaires culturelles

QUARTIER ST-SAUVEUR *(env. 1h30)*

Alexandre Desrousseaux, l'auteur de la berceuse du P'ti
Quinquin *(statue r. Nationale, à l'entrée de l'av. Foch)*, n
reconnaîtrait pas cet ancien quartier ouvrier qui l'inspir
au 19e s. À la misère de ses courées s'est substitué u
centre d'affaires. Quelques témoins du passé subsisten
parmi les immeubles modernes.

Hospice Ganthois

Fondé en 1462 par Jean de la Cambe, dit Ganthois, e
toujours en activité. Salle des Malades (15e s.). Pigno
encadré de bâtiments du 17e s. *(r. de Paris)*. Sculpture de
vantaux de la porte datée de 1664.

La porte de Paris a été édifiée en l'honneur de Louis XIV.

Porte de Paris★

Construite de 1685 à 1692 par Simon Vollant. Seu
exemple d'une porte de ville (elle faisait partie de
remparts) faisant office d'arc de triomphe. Côté faubourg
elle se présente comme une arcade décorée des arme
de Lille (un lys) et de la France (trois lys). Au sommet
la Victoire s'apprête à couronner Louis XIV représent
en médaillon. Côté ville, la porte ressemble à u
pavillon.

Hôtel de ville

Construit de 1924 à 1927 par l'architecte lillois Émil
Dubuisson, il est dominé par un **beffroi** de 104 m de haut
À sa base sont sculptés les deux géants de Lille Lydéri
et Phinaert. *En restauration.*

> **TOUT EN HAUT**
> 109 marches puis un
> ascenseur mènent au
> sommet. **Vue★** sur la
> métropole et les environs
> jusqu'à 50 km.

Pavillon St-Sauveur

Aile d'un cloître (18e s.) conservée lors de la démolitio
d'un hospice en 1959. Arcades surmontées de haute
fenêtres à médaillons fleuris.

Noble Tour

Tronquée, c'est le seul témoin de l'enceinte du 15e s. Ce
donjon est devenu un mémorial de la Résistance. Belle
composition du sculpteur Bizette-Lindet.

Chapelle du Réduit
Seul vestige du fort du Réduit, construit à la même époque que la citadelle. Jolie façade Louis XIV, ornée des armes de France et de Navarre.

visiter

Église St-Maurice★
De style gothique (du 15e au 19e s.), c'est un bel exemple d'église-halle. Dans la chapelle du faux transept gauche, Christ de pitié (16e s.), souvent recouvert d'un manteau de velours et vénéré sous le vocable de « Jésus flagellé ». Au Sud, demeures restaurées : La Croix de St-Maurice (1729) et la maison (boulangerie) du Renard (1660) ; en face, rue de Paris (n° 74), celle des Trois Grâces.
Suivre la rue de Paris ; longer la Vieille Bourse par la rue des Manneliers et remonter la rue Esquermoise jusqu'à la rue Royale.

Rue Royale
Ancienne voie principale d'un élégant quartier aménagé au 18e s. entre la citadelle et la vieille ville. Au début, à gauche, l'**église Ste-Catherine** dresse sa tour austère du 15e s. L'**église St-André,** ex-chapelle des carmes (18e s.), de style jésuite, s'agrémente d'une tour en 1890. Ch. de Gaulle y est baptisé le 22 novembre 1890.

La rue Négrier *(sur la droite en venant du centre)* qui se prolonge en rue du Pont-Neuf permet de rejoindre l'**église Ste-Marie-Madeleine**. Achevée vers 1715, elle rappelle le dôme des Invalides par son plan central et sa coupole (50 m de haut). Façade remaniée en 1884.

> **L**es beaux hôtels particuliers qui bordent la rue Royale sont marqués par l'influence française. Au n° 68, ancien hôtel de l'Intendance, édifié par l'architecte lillois Lequeux en 1787.

Maison natale de Charles de Gaulle
9 r. Princesse. Tlj sf lun. et mar. 10h-12h, 14h-17h. Fermé j. fériés. 15F. ☎ 03 28 38 12 05.
Charles de Gaulle est né dans cette maison lilloise en briques chaulées. Son grand-père maternel y tenait une fabrique de dentelles. Un musée rassemble photos et souvenirs. On y voit la robe de baptême du petit Charles et une réplique de la célèbre DS où se tenaient le Général et son épouse lors de l'attentat du Petit-Clamart en 1962. Si les impacts de balles, matérialisés par des croix blanches, ne sont pas tout à fait au bon endroit, pas de doute, la plaque d'immatriculation est correcte.

MAIS QU'EST DONC DEVENU L'ORIGINAL ?
La DS authentique, revendue au général Robert-Pol Dupuy en 1964, sera sévèrement accidentée par ce dernier en 1971. L'épave historique sera ensuite offerte à l'Institut Charles-de-Gaulle qui confiera sa réparation à Citroën, mais, trop endommagée, elle finira finalement à la casse, sauf l'intérieur (sièges, volant tableau, etc.), préservé pour la reconstitution.

Citadelle★
De mai à fin août : visite guidée (2h) dim. 15h-17h. 45F. ☎ 03 20 21 94 21.
Née du génie de Vauban, c'est la première réalisation de Louis XIV après la conquête de Lille. Le chantier occupa 2 000 hommes pendant trois ans (1667-1670). Cinq bastions et cinq demi-lunes, que protègent des fossés autrefois alimentés par la Deûle, défendent une véritable ville dans la ville. L'armée occupe toujours le site.
On entre par la **porte Royale** qui donne sur une vaste place d'armes pentagonale, cernée par les bâtiments de Simon Vollant : chapelle classique, logements d'officiers et superbe arsenal restauré. Ces édifices en grès, briques et pierres, sont représentatifs du style franco-lillois au 17e s. Autonome, la citadelle avait ses puits et ses commerces (boulangerie, brasserie, tailleurs, cordonniers...).

FAIRE UNE PAUSE
Dans le **bois de Boulogne**, près du Champ-de-Mars – Zoo, maison tropicale et jeux pour enfants. En suivant l'agréable promenade autour des remparts...
...ou dans le **jardin Vauban**, le long du canal de la Deûle, parc paysager typique du Second Empire – Allées sinueuses, massifs arborés et fleuris, bassins. Statue du poète lillois A. Samain (1859-1906).

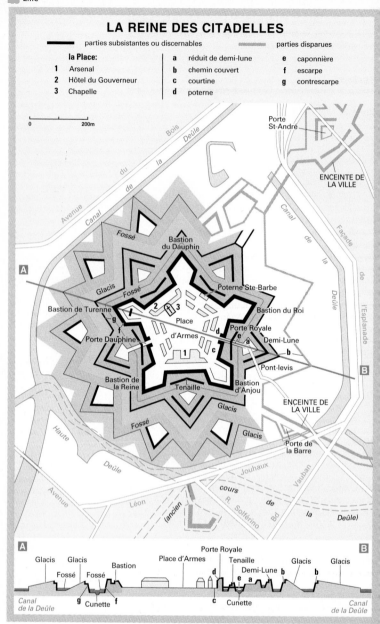

LA REINE DES CITADELLES

──── parties subsistantes ou discernables   ═══ parties disparues

la Place:
1 Arsenal
2 Hôtel du Gouverneur
3 Chapelle

a réduit de demi-lune
b chemin couvert
c courtine
d poterne

e caponnière
f escarpe
g contrescarpe

Des patriotes ont été fusillés pendant les dernières guerres dans les fossés extérieurs. Dans le square Daubenton, le **monument aux Fusillés**, dû à Félix Desruelle, frappe par la noble attitude des patriotes lillois exécutés en 1915.

Musée des Canonniers

Mer.-jeu et w.-end 14h-17h. Fermé de mi-déc. à mi-fév. et les trois 1ʳᵉ sem. d'août. 30F. ☎ 03 20 55 58 90.

Dans l'ancien hôtel des Canonniers, il abrita le couvent des urbanistes. En 1804, l'édifice est légué par Napoléon au corps des canonniers de Lille, fondé en 1483 et connu sous le nom de confrérie Sainte-Barbe. Le musée militaire évoque l'histoire des sièges soutenus par la ville et les faits d'armes de Faidherbe et Négrier. Exposition de 3 000 objets : fusils de 1777 à 1945, armes blanches...

À VOIR

2 pièces de canons exceptionnelles, les fameux **Gribeauval**, don de Napoléon aux Canonniers.

248

La citadelle de Lille est la plus vaste et la mieux conservée de France.

Musée d'Histoire naturelle et de Géologie

Tlj sf mar. et sam. 9h-12h, 14h-17h, dim. 10h-17h. Fermé 1ᵉʳ janv. et 1ᵉʳ mai. ☎ 03 28 55 30 80.

Créé en 1822 et enrichi au 20ᵉ s. par deux géologues de la région. Squelettes de baleine dans l'entrée.

Zoologie – Mammifères et oiseaux naturalisés, reptiles... Dioramas : faune française (sangliers, biches, castors). Insectariums : mygales, scorpions... Section ornithologique : 5 000 oiseaux dont certains ont disparu.

Géologie – Fossiles et roches illustrent l'histoire de l'Europe du Nord, de – 600 millions d'années à l'époque gallo-romaine. Les nombreux fossiles végétaux (extraits d'anciens puits miniers) sont les vestiges de la forêt couvrant la région voici 300 millions d'années. Une veine de charbon reconstituée évoque l'univers de la mine.

Jardin des Plantes

Du bd J.-B.-Lebas, prendre la r. de Douai, la r. A.-Carrel et à droite après le bd des Défenseurs-de-Lille. Mai-sept. : 7h30-21h ; avr. : 7h30-18h ; oct.-mars : 8h30-18h (fermeture des serres à 16h). Gratuit.

Au milieu de 12 ha de pelouses, d'arbres et de fleurs rares se dresse la serre tropicale, structure moderne de béton et de verre abritant la flore tropicale et équatoriale.

alentours

Comines

20 km par la N 17, D 108 à gauche et D 945 à droite.

Sur la Lys, sa rive gauche est belge, la droite, française. Le château où Philippe de Commynes passa son enfance a été détruit en 1674. La **fête des Louches** rappelle par son jet de louches enrubannées, du haut de l'hôtel de ville, le geste légendaire d'un seigneur emprisonné qui se fit connaître en jetant ses cuillers par la fenêtre.

Septentrion

9 km au Nord. Sortir par la N 17, traverser Marcq-en-Barœul puis Bondues et suivre une route à droite (panneaux indicatifs).

Fondation Prouvost – Cette ancienne ferme des Marguerites, proche du château du Vert-Bois, accueille des expositions temporaires. Très belle collection de minéraux rares rassemblés par Anne et Albert Prouvost au cours de leurs voyages. *De juil. à fin août : tlj sf lun. et mar. 14h-18h, w.-end et j. fériés 14h30-18h30. 40F. ☎ 03 20 46 26 37.*

Traverser le parc (60 ha) peuplé de tilleuls argentés, marronniers, chênes rouges... pour gagner le Vert Bois.

Château du Vert-Bois★ – Beau mobilier (18ᵉ s.), tableau de Van Loo, peintures du 18ᵉ s. évoquant la marine, tapisseries (16ᵉ-17ᵉ s.), orfèvrerie 18ᵉ s. et Empire, souvenirs de Napoléon et de sa famille, faïences persanes du 9ᵉ au 15ᵉ s. (au sous-sol). *Billetterie à la fondation Prouvost. De juil. à fin août : visite guidée (1h) tlj sf lun. et mar. à 15h, 16h, 17h. 40F (-10 ans : gratuit).* ☎ 03 20 46 26 37.

Le château du Vert-Bois, charmante folie du 18ᵉ s., est cerné de douves en eau.

circuits

LE MÉLANTOIS *(16 km – env. 1h)*

Le Mélantois, au Sud de Lille, est un « pays » constitué d'une bande de terrain crayeux, couvert de limon.

Quitter Lille par le bd du Prés.-Hoover, prendre la D 941 et à la sortie d'Ascq, tourner à droite dans la D 955.

Sainghin-en-Mélantois

Ce bourg est fait de vieilles maisons flamandes chaulées à toits de tuiles. Vaste église gothique (15ᵉ-16ᵉ s.) reconstruite après l'incendie qui la dévasta en 1971.

Bouvines

Ce nom reste gravé dans l'Histoire de France en raison de la bataille qui s'y déroula *(voir p. 235)*. Dans l'église St-Pierre, **21 vitraux** relatent les épisodes de cette victoire française.

Cysoing

Au Sud de la petite ville s'élevait une abbaye d'augustins où logea Louis XV en mai 1744, un an avant la bataille de **Fontenoy**. En mémoire de son séjour et de sa victoire, les chanoines ont laissé un **obélisque** de 17 m *(accès chemin « pyramide de Fontenoy »)*. Posé sur un piédestal rocaille, il se termine par une fleur de lys.

Prendre la D 94 jusqu'à Templeuve.

Templeuve

Le **moulin de Vertain** (17ᵉ s.), restauré, est l'unique survivant d'un concept original : deux planchers pivotent avec l'ensemble de la construction, ce qui permet à un homme seul d'orienter le moulin dans le bon sens. *De mar. à fin sept. : visite guidée (1/2h) dim. et j. fériés 15h-19h. 10F.* ☎ 03 20 64 65 66.

On rejoint Lille par la D 145 puis l'A 1.

LA PÉVÈLE *(60 km – env. 1h1/2)*

Quitter Lille par l'A 1 et prendre la sortie Seclin. À l'entrée de la ville, la D 8 à gauche vers Attiches.

Forêt de Phalempin

Forêt domaniale : jeune futaie de chênes et de bouleaux ; certaines zones sont aménagées pour le tourisme.

Suivre la D 8 jusqu'à la D 954 que l'on prend à gauche.

oici la **Pévèle**, petite région de sables et d'argiles, très
umide, formant une légère bosse dans la plaine
amande. Les agriculteurs s'y spécialisent dans la
hicorée, les cultures expérimentales et les semences.

Mons-en-Pévèle
ampé sur sa butte (alt. 107 m), Mons est le point
ulminant de la Pévèle. En 1304, Philippe le Bel y inflige
ne défaite aux « communiers » (artisans) flamands.
*uivre la D 954 jusqu'à Auchy-lez-Orchies où l'on retrouve
A 1 par la D 549.*
'ue sur la Pévèle et, au-delà, sur la plaine de Flandre.

Lillers

Aux confins de l'Artois, Lillers conserve une légende
mystérieuse, une collégiale romane et quelques vieil-
es rues. Elle possédait jadis nombre de puits artésiens
'puits d'Artois). La sucrerie-distillerie reste active.

La situation
Cartes Michelin n°s 51 pli 14 ou 236 pli 14 – Pas-de-Calais (62).
Accès par l'A 26. De St-Omer, Aire-sur-la-Lys ou Béthune,
suivre la N 43. De St-Pol ou Hazebrouck, la D 916. ◪ *Pl. du
Capitaine-Ansart, 62190 Lillers,* ☎ *03 21 25 26 71.*

Le nom
Lillers (prononcer lilèr), apparaît sous cette forme en
1310. Il viendrait de *ledelaer* : assemblage du préfixe *lede*,
« conduit » ou « cours d'eau » (il s'agirait de la Nave) et
du suffixe *lear*, « pâturage commun ».

Les gens
9 775 Lillérois. Le **maréchal Pétain** (1856-1951), né à
Cauchy-à-la-Tour (8 km de Lillers) laisse le souvenir
d'une personnalité ambiguë. Héros de la Grande Guerre,
aux côtés de Joffre et Foch, il obtient les pleins pouvoirs
constituants après l'armistice du 22 juin 1940. Tandis que
d'autres se ralliaient au général de Gaulle, il engagea le
pays « dans la voie de la collaboration ».

> **LUGLE ET LUGLIEN**
> Vers l'an 700, deux princes
> d'Irlande, en pèlerinage
> vers Rome, sont assas-
> sinés sur ces terres. Une
> nuit d'orage, leurs corps
> enterrés à la hâte remon-
> tent à la surface. Leurs
> reliques furent conservées
> dans une petite chapelle
> sur une île entourée de
> marécages. On dit que la
> ville s'est développée à cet
> endroit et qu'elle fut
> baptisée *Lilia*, du nom de
> leur sœur, qui venait
> entretenir leur souvenir.

visiter

Le centre de la ville est la place Roger-Salengro, à
l'extrémité de laquelle s'élève une chapelle du 18e s.

Collégiale St-Omer
Vac. scol. : tlj. 10h-12h, 14h-18h. ☎ *03 21 02 27 76.*
Seul édifice roman (12e s.) de la Flandre et de l'Artois
complet dans son gros œuvre. La façade, effondrée en
1971, a été restaurée, comme le pignon tronqué du
transept, sur lequel la toiture a été raccordée.
Intérieur – Nef à trois étages, arcades brisées à double
rouleau suivant la formule cistercienne ; triforium et
fenêtres hautes en plein cintre sous un plafond de bois.
Dans le déambulatoire, chapiteaux romans découpés en
feuilles d'eau et *Christ du Saint Sang du Miracle* (12e s.)
dans la chapelle absidiale.

> ▶ **CHRIST DU SAINT SANG
> DU MIRACLE**
> À sa cuisse droite, un trou
> obturé marque l'endroit
> où un iconoclaste porta le
> coup qui fit couler un
> sang vermeil. Devant ce
> Christ, les comtes de
> Flandre faisaient brûler
> une lampe votive.

alentours

Amettes *(7 km au Sud-Ouest par la D 69)*
Ce bourg à habitat dispersé au sein d'un vallon est le siège
d'un pèlerinage à **saint Benoît Labre** (1748-1783) qui
visita les grands sanctuaires de pèlerinage en Europe et
mourut à Rome, dans le dénuement. On peut voir la
maison natale du saint et ses reliques dans l'église (16e s.).

Bours *(15 km au Sud, D 916 ; à gauche après Pernes)*
Au milieu d'un champ, le **donjon** dresse sa silhouett
flanquée de six tourelles en encorbellement. L
seigneurs de Bours l'ont érigé (fin 14e s.) sur les ruine
d'une forteresse. Intérieur : sculptures grossières. *L
mi-avr. à fin oct. : visite guidée (1/4h) w.-end et j. féri
14h-18h.* ☎ *03 21 04 76 76* ou ☎ *03 21 62 19 88.*

Ham-en-Artois *(5 km au Nord par la D 188)*
L'allée de tilleuls mène à l'ancienne abbaye St-Sauveu
dont subsiste un pavillon d'entrée (16e s.) et l'**abbatial**
Sa nef romane contient des œuvres d'art : Christ ent
la Vierge et saint Jean *(revers de façade)* ; retable circulai
doré du 17e s. *(chœur)* ; statues polychromes *(sacristie)*

Guarbecque *(8 km au Nord par la D 916 puis la D 18*
Église surmontée d'un original clocher du 12e s. : flèch
à pans cantonnée de clochetons, baies géminées sous de
arcs de décharge ornés de billettes, pointes de diamant
chevrons.

Abbaye de **Longpont**★

Village tranquille et séduisant, dominé par le
imposantes ruines de l'église et quelques bâtiment
d'une abbaye cistercienne fondée par saint Bernar
au 12e s. Les touristes viennent s'y ressourcer en été

La situation
*Cartes Michelin n°s 56 Sud-Ouest du pli 4 ou 237 pli 8 – Aisn
(02).* Dans une large vallée bordant la forêt de Retz, l
village se rejoint par la D 804 ou la N 2.

Le nom
Longpont vient de *Longus Pons*, allusion à la voie romain
de Soissons à Meaux qui traversait la Savière et se
marais, formant une succession de ponts.

visiter

Porte fortifiée
De l'enceinte primitive subsiste une très jolie **port**
fortifiée (14e s.) à quatre tourelles en éteignoir.

Abbaye★
&. *De mi-mars à fin oct. : visite guidée (1/2h) sam
14h30-18h30, dim. et j. fériés 11h-12h, 14h30-18h30. 28F
☎ 03 23 96 01 53.*
Vaste ensemble formé par l'abbatiale en ruine (14e s.) e
les bâtiments remaniés au 18e s., mis en valeur par de
jardins intérieurs ouvrant sur le parc et les étangs.

*La porte fortifiée de
Longpont a été érigée
pour défendre l'ancienne
rue principale.*

Ruines de l'abbatiale – D'un gothique très pur, l'église a été consacrée en 1227 en présence de Louis IX et de Blanche de Castille. Les biens de l'abbaye se dispersent à la Révolution et les acquéreurs de l'église la démantèlent pour en vendre les pierres. En 1831, elle est rachetée par la famille de Montesquiou. La façade principale subsiste, mais le remplage de la rose a disparu. À l'intérieur les vestiges des murs et des piliers s'élèvent parmi la végétation et donnent une idée de l'ampleur du monument (105 m de long et 28 m de haut sous voûte).

Bâtiments abbatiaux – Du grand cloître subsiste la galerie Sud refaite au 17e s. Elle donne sur le **chauffoir des moines** (13e s.) : cheminée centrale reposant sur 4 piliers. Le bâtiment Ouest a été transformé au 18e s. ; on a percé les façades de fenêtres, décorées de balcons en fer forgé. Intérieur : vestibule, rampe d'escalier en fer forgé (18e s.) et cellier des moines (13e s.), aux voûtes gothiques.

Église paroissiale – *Entrée sur la place.* Elle occupe 4 travées de l'ancien cellier. Reliquaires (13e s.) de Jean de Montmirail, conseiller de Philippe Auguste, et du chef de saint Denys l'Aréopagite.

Mailly-Maillet

Ce bourg campagnard était une puissante seigneurie. Ses seigneurs ont participé à plusieurs croisades ; l'un d'entre eux périt avec son fils sur le champ de bataille d'Azincourt. La façade de l'église du village mérite un coup d'œil attentif, comme la chapelle Madame.

La situation

Cartes Michelin nos 52 pli 9 ou 236 pli 25 – Somme (80). 12 km au Nord d'Albert par la D 938 puis D 919 à droite. 26 km au Sud-Est de Doullens par la D 938 et D 919 à gauche. 32 km au Nord-Est d'Amiens par la D 919.

Le nom

Il serait d'origine celtique ; *Mailly* signifiant « pierre » ou « roc », allusion à un château bâti sur une motte féodale.

visiter

Église St-Pierre

Sur demande auprès de M. Houcke, 4 r. Eugène Dupré, à côté de l'église.

L'église, souvent remaniée, a été élevée au 16e s. sous le patronage d'Isabeau d'Ailly, épouse de Jean III de Mailly. Son **portail**★ est une belle page de sculpture flamboyante entamée en 1509. Au trumeau, Christ de pitié, dit Dieu piteux. De part et d'autre du gâble en accolade, un grand registre sculpté montre Adam et Ève chassés du Paradis, Adam bêchant et Ève filant, le meurtre d'Abel : on distingue une sirène, un dieu marin et un dauphin couronné, allusion à l'avènement de François Ier. Isabeau d'Ailly est représentée *(à gauche)* avec sa patronne, sainte Élisabeth, sous une tente dont deux angelots retroussent les courtines.

Chapelle Madame

Accès dangereux pendant la durée des travaux.

Cette chapelle est située au bout d'une allée bordée d'arbres. Le marquis de Mailly la fit construire au 18e s. pour y enterrer son épouse, décédée à l'âge de 26 ans. L'originalité de l'édifice tient à son architecture de type jésuite baroque, style peu répandu dans la région. ▶

Marchiennes

Ville à la campagne, Marchiennes est entourée de forêts et de cours d'eau. Elle doit son origine à un monastère fondé au 7e s. par sainte Rictrude. Elle devint par la suite une riche abbaye de bénédictins. Le trèfle constitue un tapis idéal pour le pique-nique et la sieste. Ne pas manquer les Cucurbitades, fêtes de la courge et de la sorcellerie, en octobre.

La situation

Cartes Michelin nos 51 pli 16 ou 236 pli 17 – Nord (59). De Douai, accès par les N 455 et D 957 à Fenain ; de Valenciennes, D 13 et D 957 à Fenain ; de St-Amand D 955 et D 35 à gauche. ☐ *« Le Château », r. de l'Abbaye, 59870 Marchiennes,* ☎ *03 27 90 58 54.*

Le nom

Il vient d'un certain *Martius* qui possédait ici une grande exploitation agricole à l'époque gallo-romaine (1er-2e s.)

visiter

Abbaye

Subsiste l'entrée monumentale (18e s.), pavillon curviligne occupé par la mairie et un **musée** présentant des vestiges archéologiques. *Juil.-août : tlj sf lun. et mar. 14h30-17h30, dim. 10h-12h, 14h30-17h30 ; de mars à fin juin et de sept. à mi-nov. : dim. 10h-12h, 14h30-17h30. 15F.* ☎ *03 27 99 21 95.*

circuit

14 km – environ 1h
Suivre la D 47, 1km avant Pecquencourt tourner à droite.

Ancienne abbaye d'Anchin

Deux petits pavillons du 18e s., en pierre, indiquent l'entrée de l'abbaye bénédictine d'Anchin, un des plus anciens établissements religieux du Nord.

Pecquencourt

L'**église** a recueilli des trésors d'Anchin, comme l'autel, le banc de communion en fer forgé (18e s.) et plusieurs toiles dont la *Résurrection de Lazare* (17e s.) *(centre du bas-côté droit).* Ses personnages en gros plan, sa lumière contrastée rappellent les peintres hollandais inspirés par le Caravage.

Reprendre la D 47 vers Marchiennes, puis tourner à gauche dans la D 25 qui traverse Vred.

Forêt de Marchiennes *(2 km au Nord)*

Forêt domaniale (801 ha) formée de futaies de chênes, bouleaux, aulnes, sorbiers, peupliers et résineux. Quatre routes de promenade se croisent près de la Croix au Pile.

Rieulay *(5 km au Sud)*

La **Maison du Terril** présente un aperçu de la reconversion minière. *Été : lun., mar., jeu., ven. 14h-17h, mer. et w.-end 15h-19h ; hiver : lun.-ven. 14h-17h, w.-end 15h-18h. 10F.* ☎ *03 27 86 03 64.*
Balade sur les flancs du terril et, à deux pas, **site des Argales** (plan d'eau, espace loisirs).

Marle

Calme et isolée, autrefois ceinte de remparts, Marle est une ancienne petite ville à vocation agricole, sur les hauteurs du pays de la Serre. Quelques souvenirs des temps barbares y subsistent.

La situation

Cartes Michelin n°s 53 pli 15 ou 236 pli 38 – Aisne (02). Sur un piton crayeux, à 25 km au Nord de Laon. De Paris, Soissons, Laon ou Bruxelles, prendre la N 2. **🛈** *Mairie, r. Desains, 02250 Marle, ☎ 03 23 21 75 75.*

Le nom

Marle vient de *Marne* et de *Margila*, terme latin d'origine gauloise, désignant une terre argileuse et calcaire.

se *promener*

Église

De style gothique homogène (12e-13e s.). Outre le gisant (15e s.) d'Enguerrand de Bournonville *(1er enfeu du bas-côté gauche)*, l'église abrite des toiles (17e-18e s.), dont une Nativité de la Vierge *(revers de la façade)*, une Adoration des bergers *(bras droit du transept)* et une Assomption aux armes de France *(bras gauche)*. ►

> **R**emarquez le portail à voussures (croisillon Sud), la sublime Vierge à l'Enfant (trumeau de la façade Ouest). À l'intérieur, le chœur aux hautes voûtes d'ogives, les stalles et les boiseries (18e s.) éclairés de baies lancéolées, sont particulièrement magnifiques.

Terrasse

De l'église, on peut accéder, par une petite rue bordée de vieilles maisons signalées par des plaques (ancien presbytère du 18e s.), à la cour du château formant terrasse au-dessus de la vallée de la Serre.

Relais de poste

Au n° 26 du faubourg St-Nicolas, qui descend vers le pont sur la Serre, subsiste un relais (1753), en briques et pierres, décoré de bas-reliefs sculptés. Plus bas, à gauche (n° 53), autre maison de poste datant de l'Empire.

visiter

Musée des Temps barbares

De mi-avr. à mi-oct. : tlj sf mar. 14h-19h. Fermé 1er mai et 14 juil. ☎ *03 23 24 01 33.*
Musée de site, consacré à l'époque mérovingienne.

Moulin de Marle – Restauré depuis 1991. Il abrite le mobilier archéologique découvert sur le site de Goudelancourt-Pierrepont (nécropole, habitat des 6e-7e s.). Évocation du contexte historique du Haut Moyen-Âge : vie quotidienne, rites funéraires, céramiques, bijoux.

Parc archéologique – Dans le square voisin. Reconstitution d'une ferme mérovingienne avec ses dépendances.

Cette fibule en émaux cloisonnés permettait de fermer les vêtements.

Parc ornithologique du
Marquenterre★★

Sous un ciel brouillé, voici un paradis laissé aux oiseaux et aux admirateurs de la nature. Sans cesse redessiné au gré des marées, le Marquenterre est le fruit d'un combat entre l'homme, la mer, le sable et le vent. Aujourd'hui, toute la vie privée de la gent ailée s'y dévoile sous vos yeux. On passe d'un poste de guet dissimulé à l'autre pour assister à une série de ballets ornithologiques, à d'étranges parades nuptiales, à une éclosion inattendue... Un voyage initiatique.

La situation

Cartes Michelin n°s 51 pli 11 et 52 pli 6 ou 236 pli 11 – Somme (80). Plaine alluviale gagnée sur la mer, le Marquenterre s'étend entre les estuaires de l'Authie et de la Somme. Ces étendues sont formées de dunes, de marécages d'eau saumâtre, de prés-salés... Accès de Paris ou Lille, par l'A 1, direction Amiens, la D 14 jusque Abbeville et la N 40 vers Berck, suivre ensuite les panneaux « Marquenterre ». De l'A 16, aux départs de Paris, Amiens, Calais, Dunkerque ou Oostende, direction Rue. Accès en train par la ligne Paris-Calais (gares de Rue, Noyelles-sur-Mer et Abbeville). 🛈 *Internet : www.marcanterra.fr ou* ☎ *08 36 68 80 21.*

Le nom

Marquenterre vient probablement de l'expression « mer qui entre en terre ». La cartographie du 17e s. signale la région sous l'appellation *Marck-en-Terre.*

Les habitants

315 espèces d'oiseaux sont recensées au Marquenterre depuis 25 ans (l'Europe en compte 452). Héron, cigogne, bécasseau, aigrette-garzette, aigle de Bonelli, balbuzard, oie cendrée, sarcelle, pinson, rossignol, mésange, martinet et tant d'autres.

comprendre

La conquête du Marquenterre – Elle débute au 12e s. sous l'impulsion des moines de St-Riquier et Valloires qui érigent les premières digues et tentent de canaliser les rivières. Les canaux d'écoulement se multiplient. La colline de Rue, future capitale du Marquenterre, cesse

carnet pratique

VISITE

Les différentes périodes – La visite est très intéressante à **marée montante**, quand les oiseaux quittent les étendues de la baie de Somme, mais non sans risques en cas de méconnaissance du terrain.

En automne, on assiste aux migrations des passereaux rejoignant l'hémisphère Sud, et au retour des tadornes, tandis que les parades des canards vont bon train. À cette époque, le passage des oies sauvages constitue un magnifique spectacle.

À partir de février, le retour du héron est attendu avec impatience.

L'hiver, c'est l'époque préférée des canards et des sarcelles. Activités de baguage des oiseaux.

De mars à avril, période de parade nuptiale et de nidification. De nombreuses espèces d'oiseaux remontent vers le Nord de l'Europe.

Au printemps, d'avril à juin, c'est le temps du rossignol ; c'est aussi l'époque où les petits brisent leur coquille.

En août, les spatules blanches sont à l'affiche, le temps d'une escale entre la Hollande et l'Afrique. Les cigognes blanches, quant à elles, plient bagages.

Ne pas oublier – Prévoyez un coupe-vent et des chaussures confortables.
Munissez-vous d'une paire de jumelles pour découvrir le parc. Possibilité d'en louer sur place (accueil du parc).

d'être une île au 18ᵉ s. Mais qu'une marée capricieuse ou qu'une pluie torrentielle survienne, et voilà les frêles endiguements balayés et les cultures ensablées. Au cours du 19ᵉ s., digues et grèves sont stabilisées, ce qui permet le développement de cultures maraîchères et céréalières. En 1923, l'industriel H. Jeanson acquiert une garenne marécageuse le long de la côte. Endiguée et asséchée par ses successeurs grâce aux techniques hollandaises, la zone se transforme en parcelles de bulbiculture dans les années 1950. La conversion s'accompagne d'un reboisement du site. L'entreprise ne survivra pas à la crise qui frappe le secteur horticole. L'idée vient alors d'offrir cette étendue aux oiseaux et à leurs admirateurs.

La naissance du parc ornithologique – Le Marquenterre, et plus largement la baie de Somme, a toujours été une étape d'hivernage pour les oiseaux migrateurs. De leurs huttes, les chasseurs s'en donnaient à cœur joie... ce qui fit disparaître nombre d'espèces. L'Office de la chasse créa en 1968 sur le site maritime une réserve de 5 km assurant la protection des oiseaux. En 1973, les Jeanson décident, eux aussi, d'aménager un parc ornithologique sur leur domaine qui borde la réserve, afin de permettre au public d'observer cet échantillonnage de l'avifaune dans son cadre naturel. 13 ans plus tard, le site devient la propriété du Conservatoire du littoral et acquiert en 1994 le statut de réserve naturelle protégée.

Les aigrettes, très nombreuses au Marquenterre, font partie de la famille des hérons.

LE CHEVAL HENSON

Ce petit cheval robuste de 1,50 m à 1,60 m au garrot est issu du croisement de chevaux de selle français et de fjords norvégiens. Sa robe de couleur isabelle varie du jaune très clair au marron, avec une crinière noire et or ; la raie de mulet, qui s'étend du garrot à la naissance de la queue, est obligatoire. Il est né en 1978 dans un petit village de la baie de Somme grâce au docteur Berquin. D'une remarquable endurance, il vit toute l'année dans les pâturages et peut parcourir de grandes distances sans se fatiguer. Il excelle régulièrement dans les épreuves d'attelage, horse-ball et concours complet.

---

découvrir

Parc ornithologique★★

🎦 *Avr.-sept. : 9h30-19h (dernière entrée 17h) ; d'oct. à mi-nov. et de mi-mars à fin mars : 10h-18h. Fermé de mi-nov. à mi-mars. 60F (enf. : 45F).* ☎ *08 36 68 80 21.*
Des circuits pédestres fléchés sillonnent le parc.

Parcours pédagogique *(1h, panneaux explicatifs)* – ⧘ Au pied de l'ancienne dune côtière, il permet de voir de près les oiseaux en semi-liberté : canards, mouettes, oies... Ces oiseaux sécurisent leurs congénères sauvages. Découverte de la morphologie, des comportements et du régime alimentaire des oiseaux. Au détour du sentier, on croise quelques mammifères dont le célèbre Henson, la belette ou le lapin de garenne. Des batraciens patibulaires et d'élégants insectes, comme le crapaud ou la libellule. Cette

Sa docilité et son attachement font du cheval Henson le compagnon idéal des enfants et des amateurs de randonnées ou d'attelage.

faune cotoie des espèces végétales : saule cendré et marsault, habitat privilégié des passereaux ; argousie dont les fruits font beaucoup d'heureux à la fin de l'été.

Parcours d'observation *(2h)* – Ce circuit de 7 km vous entraîne sur un chemin creusé dans les dunes, qui mène aux divers postes de guet. Dans ce paysage changeant et magnifique, chaque espèce a son habitat privilégié : prés-salés, broussailles, haies, clairières, marécages, étangs parsemés d'îlots ou bosquets de résineux... La grande volière, enfin, fait partie d'un programme de réintroduction régionale d'espèces en voie de disparition. Elle sert à la rééducation de spécimen blessés.

Grand parcours d'observation *(3h)* – Une boucle supplémentaire de 1,5 km dévoile un autre aspect du site.

> En février et en avril, un détour par la héronnière s'impose : en retrait et dans le silence, on assistera à la nidification, puis aux naissances et au nourrissage des oisillons.

Maubeuge

Au cœur d'une puissante agglomération industrielle, Maubeuge s'est développée autour d'un monastère de femmes, fondé au 7ᵉ s. La construction de ses fortifications dues à Vauban ont occupé quelque 11 000 hommes. Son clair de lune n'a pas changé.

La situation
Cartes Michelin nᵒˢ 53 pli 6 ou 236 pli 19 – Nord (59) Maubeuge est à 6 km de la Belgique, le long de la vallée de la Sambre et au croisement des N 2 et N 49. Un périphérique longe une partie de ses remparts.
🅱 *Porte de Mons, pl. Vauban, 59600 Maubeuge, ☎ 03 27 62 11 93.*

Le nom
La ville tient son nom du bas latin *Malboden,* juxtaposition de *mahal* et de *boden,* qui désignait le siège d'une assemblée de chefs. Il se transformera en *Malbodium* avant de devenir *Maubeuge* dès 1293.

Les gens
Agglomération 99 900 Maubeugeois. Aujourd'hui, la cité des peintres **Jean Gossart**, dit **Mabuse** (1478-1533), et Nicolas Régnier, dit Niccolo Renieri (vers 1590-1667), revit, moderne et blanche.

comprendre

De sainte Aldegonde à la crise sidérurgique – Fondée par sainte Aldegonde au 7ᵉ s., *Malbodium* est une cité drapière, qui s'oriente au 12ᵉ s. vers la métallurgie. De 1637 à 1667, la ville est convoitée par les Espagnols et les Français puis rattachée à la France après le traité de Nimègue et fortifiée par Vauban. Ses remparts ne dissuaderont toutefois pas les envahisseurs. En 1940, la ville est détruite à 90 % par un déluge de bombes. Son plan actuel est dû à l'architecte A. Lurçat. La sidérurgie, regroupée dans un bassin industriel qui va d'Aulnoye et Hautmont à Jeumont, a subi la crise de plein fouet.

se promener

Parc zoologique
🎦 *Avr.-sept. : (dernière entrée 1h av. fermeture) 10h-18h (juil.-août : fermeture à 19h) ; de mi-fév. à fin mars et oct.-nov. : 13h30-17h30. 40F (enf. : 20F). ☎ 03 27 53 75 84.* Dans le cadre verdoyant et fleuri des glacis dominant les fossés de l'enceinte fortifiée, la ferme du zoo accueille petits et grands parmi les animaux domestiques en liberté. Jeux pour enfants, aires de pique-nique.

MAUBEUGE

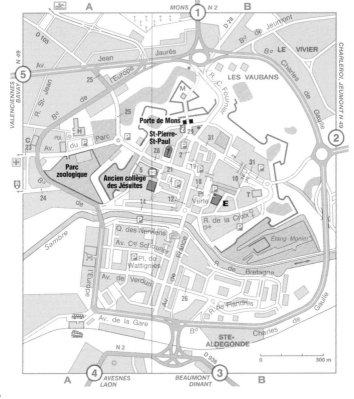

Porte de Mons

Construite en 1685, c'est l'élément principal des forti- ▶
fications. Côté ville, elle forme pavillon à fronton et
comble mansardé. Corps de garde intact, avec ses épaisses
portes de bois et le treuil du pont-levis. Franchissez le
fossé par le pont courbe vers la demi-lune, pourvue, elle
aussi, d'une porte avec loges de sentinelles. Après avoir
passé de nouveau le fossé, débouchez sur le glacis où l'on
découvre le front Nord des remparts.

Église St-Pierre-St-Paul

Tlj sf dim. ap.-midi.

Refaite après 1945 sur les plans de Lurçat. Un clocher de
dalles de verre la domine, abritant un **carillon**. Porche
orné d'une mosaïque. Trésor : crosse abbatiale (13e s.),
reliquaire du voile de sainte Aldegonde (fin 15e s.) et
« chasuble aux perroquets », tissu oriental (7e s.).

Chapitre des Chanoinesses

En bas de la place Verte, bâtiments de briques et pierres
(fin 17e s.) des Dames de Maubeuge, chanoinesses
séculières qui succédèrent aux moniales de sainte
Aldegonde.

Ancien collège des Jésuites

Édifié au 17e s., sur les plans du frère Du Blocq, il
compose un ensemble baroque homogène.

> **VESTIGES**
>
> La porte de Mons est
> l'une des parties les mieux
> conservées de l'ancienne
> enceinte à la Vauban. Elle
> était autrefois complétée
> par un arsenal et un
> système de redoutes
> extérieur. La place pouvait
> quant à elle accueillir
> jusqu'à 40 000 hommes.

Montcornet

Montcornet, un bien joli nom pour une bien jolie petite ville-marché de la Thiérache méridionale. Son église St-Martin serait l'œuvre des templiers.

La situation
Cartes Michelin n°s 53 Sud du pli 16 ou 236 pli 39 – Aisne (02). Au confluent de la Serre et du Hurtaut. Accès par la D 977 depuis Laon ; par la D 966 depuis Vervins ou Reims ; par la D 946 depuis Marle.

Le nom
Aucun lien avec le relief : pas de mont en forme de cornet à l'horizon. *Mons Cornetus* était un officier de l'époque gallo-romaine.

Les gens
1 690 Montcornetois. Ils se souviendront longtemps de ce 17 mai 1940, lorsque leur localité servit de théâtre à la pénible contre-attaque de la 4e division cuirassée, placée sous les ordres du **colonel de Gaulle.**

visiter

Église St-Martin
Imposant édifice gothique du 13e s. Chœur à chevet plat presque aussi long que la nef. L'église a été pourvue au 16e s. d'un porche Renaissance et d'éléments fortifiés, dont huit tours ou échauguettes munies de meurtrières.

alentours

Chaourse
2 km au Nord-Ouest par la D 966, et la D 58 à gauche. Chaourse restera longtemps le centre vital de la région, avant de décliner au profit de Montcornet. Église du 13e s. (nef et tour) fortifiée au 16e ; vue sur la vallée de la Serre.

Montdidier

C'est le « belvédère du Santerre ». Au cœur d'une région disputée, Montdidier a connu une histoire troublée. À sa libération, en août 1918, il ne restait que des ruines. La ville a retrouvé toute sa quiétude.

La situation
Cartes Michelin n°s 52 pli 19 ou 236 pli 35 – Somme (80). Montdidier s'étage sur une roche crayeuse à l'extrémité du plateau de Santerre. Du Sud, le site apparaît comme un avant-garde du Nord. Accès par la D 935 ou la D 930. ◘ *4 r. Jean-Dupuy, 80500 Montdidier,* ☎ *03 22 78 92 00.*

> **PROMENADE DU PRIEURÉ** ◀
> Derrière l'ancien palais de justice, agréable promenade aux allées ombragées. À son extrémité est érigée une table d'orientation d'où la vue s'étend sur la ville, ses clochers et son beffroi.

Les gens
6 328 Montdidériens. Le plus illustre d'entre eux reste **Parmentier** (1737-1813), agronome et apothicaire, qui introduisit en 1786 la culture de la pomme de terre en France. Il découvre les qualités de ce tubercule lors de sa captivité à Hanovre. Déjà connue au début du 16e s. en Europe, la « patate » était jusque-là boudée des Français. La petite histoire précise – mais c'est pure fiction – qu'il fit garder son champ par des soldats pour attiser la curiosité et ainsi favoriser le succès du célèbre légume.

alentours

Château de Tilloloy *(15 km à l'Est)*
Majestueux édifice Louis XIV, en brique et pierre, entouré d'un vaste parc dont les allées totalisent 18 km.

Roye *(18 km au Nord-Est)*
Étagée sur le versant Nord de la vallée de l'Avre, riche en blé et en betterave, Roye est le siège d'une sucrerie et d'un marché de grains. C'est aussi un centre industriel. La ville a été reconstruite après la guerre 1914-1918, y compris l'**église** qui conserve son chœur du 16e s.

Montreuil★

Cette tranquille sous-préfecture entretient une certaine forme de nostalgie. Ses vieilles rues bordées de maisons des 17e et 18e s. ont été préservées de la modernité. Sa citadelle et ses remparts ombragés dominent de vastes horizons. Le site a inspiré Victor Hugo, nul doute qu'il vous séduira aussi.

La situation
Cartes Michelin nos 51 pli 12 ou 236 pli 12 – Pas-de-Calais (62). Montreuil occupe un **site★** au bord du plateau qui domine le val de Canche. Accès par la N 39 du Touquet ; par la N 1 de Boulogne ou Abbeville ; par la D 77 puis la D 126 de St-Quentin. **🛈** *21 r. Carnot, 62170 Montreuil,* ☎ *03 21 06 04 27.*

Le nom
Deux établissements sont à l'origine de Montreuil : le monastère et la forteresse édifiée vers l'an 900 par Helgaud, comte de Ponthieu. Dès le 11e s., Montreuil passe dans le domaine royal.

comprendre

De Charles Quint à Douglas Haig – En 1537, les troupes de Charles Quint ravagent la cité. Les remparts seront rétablis par les ingénieurs de François Ier, Henri IV et Louis XIII ; et Montreuil comptera jusqu'à 8 églises. En 1804, Napoléon séjourne à Montreuil qui recevra le QG de Douglas Haig, chef des armées britanniques (1916).

se promener

AUTOUR DES FORTIFICATIONS

Citadelle★
De mi-mars à mi-oct. : 10h-12h, 14h-18h ; de mi-oct. à mi-mars : 10h-12h, 14h-17h. Fermé de mi-déc. à fin déc. et en fév. 15F. ☎ *03 21 06 10 83.*

UNE « TEMPÊTE SOUS UN CRÂNE »
Le site et l'agrément de Montreuil séduisirent maints écrivains, dont l'Anglais Sterne, spirituel auteur du *Voyage sentimental*, et surtout **Victor Hugo**. Celui-ci avait visité Montreuil en 1837 et prit la cité pour cadre d'un épisode capital des *Misérables*. Ce roman raconte en effet que l'ancien forçat Jean Valjean, réhabilité par toute une vie de générosité et de sacrifices, était devenu maire de Montreuil lorsqu'il apparut qu'un innocent allait être jugé à sa place : Valjean subit alors une terrible crise de conscience immortalisée par Hugo sous le titre « Tempête sous un crâne ».

Élevée dans la seconde moitié du 16e s., remaniée au 17e s. par Errard, puis Vauban, elle intègre des éléments de l'ancien château (11e et 13e s.). Côté ville, une demi-lune due à Vauban, protège l'entrée. Celle-ci franchie, on visite :

– les 2 tours rondes (13e s.) de l'entrée du château royal
– la tour de la reine Berthe (14e s.), qui servit de porte de ville jusqu'en 1594. Incluse dans un bastion (16e s.), elle abrite les blasons des seigneurs tués à Azincourt en 1415
– le chemin de ronde, avec de belles **vues★★** sur la vallée de la Canche : l'ancienne chartreuse N.-D.-des-Prés et le débouché de la vallée de la Course *(à droite)* ; les fonds humides de la Canche, l'estuaire et le Touquet *(à gauche,* signalé par son phare.
– enfin, les casemates (1840) et la chapelle (18e s.).

Remparts★

Enceinte bastionnée, à appareillage de brique rose et pierre blanche (16e-17e s.). Vestiges de la muraille du 13e s. sur le front Ouest.
En sortant de la citadelle, traverser le pont et prendre à droite, sur 300 m, le chemin longeant les remparts, vers la porte de France.
Du chemin de ronde, perspective sur la courtine et son enfilade de tours (13e s.) incorporées dans l'enceinte (16e s.). D'un côté, vue sur les toits ; de l'autre, sur la vallée de la Canche et le plateau du pays de Montreuil.

PRATIQUE
🚶 Prévoir environ 1h pour faire le tour complet des remparts par le sentier ombragé. Nombreuses vues plongeantes sur la campagne de Montreuil.

Les remparts de Montreuil offrent de belles perspectives sur la campagne environnante.

DANS LA VILLE

Chapelle de l'Hôtel-Dieu
Refaite en 1874 par un disciple de Viollet-le-Duc, elle conserve un portail flamboyant (15e s.).

Église St-Saulve★
Possibilité de visite guidée avec l'Office de tourisme.
Ancienne abbatiale bénédictine du 11e s. (la face Nord-Est du clocher-porche date de cette époque) et remaniée aux 13e et 16e s. après l'effondrement des voûtes. Elles ont été refaites plus basses, d'où l'obscurité de l'église.

À l'intérieur, il faut voir les frises des chapiteaux du côté droit de la nef et deux toiles du 18e s. : au maître-autel, la *Vision de saint Dominique*, par Jouvenet ; à gauche, dans la chapelle Notre-Dame (ancienne chapelle des Arbalétriers), la *Prise de voile de sainte Austreberthe*, par Restout.

Rue du Clape-en-Bas
Petite rue pavée, bordée de maisons basses chaulées aux toits de tuiles moussues, typiques de la vallée de la Canche. Des artisans s'y installent en saison.

itinéraire

VALLÉE DE LA COURSE
27 km – env. 1h. Quitter Montreuil par la D 126 à droite et presque aussitôt la D 150 à gauche en direction d'Estrées.
La D 150 suit la vallée marécageuse de la Course, puis remonte un vallon avant d'atteindre Montcavrel.

carnet pratique

RESTAURATION

• À bon compte

Auberge d'Inxent – *62170 Inxent - 9 km au N de Montreuil par D 127 -* ☏ *03 21 90 71 19 - fermé janv., mar. soir et mer. sf juil.-août - 85/225F.* Point central du village, cette jolie maison de 1765 à la façade blanche et bleue, a toujours été une auberge. Étape agréable de la vallée de la Course pour déguster les spécialités artésiennes et séjourner dans ses chambres confortables et assez spacieuses. Son jardin mérite un détour.

• Valeur sûre

Auberge La Grenouillère – *62170 Madelaine-sous-Montreuil - 2,5 km à l'O de Montreuil par D 139 puis rte secondaire -* ☏ *03 21 06 07 22 - fermé janv., mar. et mer. sf juil.-août - 200/400F.* Les grenouilles sont les invitées d'honneur de cette pittoresque auberge de campagne : aux murs, sur des toiles des années 1930, en céramique sur les tables ou à déguster dans les assiettes... En été, sa cuisine gourmande est servie dehors. Quelques chambres.

HÉBERGEMENT

• Valeur sûre

Chambre d'hôte La Haute Chambre – *124 rte d'Hucqueliers - hameau le Ménage - 62170 Beussent - 10 km au N de Montreuil par N 1 puis D 127 -* ☏ *03 21 90 91 92 - fermé 1er au 15 sept. et 15 déc. au 15 janv. -* ⊟ *- 5 ch. : 400/450F.* Si le Boulonnais est un écrin, la Haute Chambre en est la perle ! Assez difficile à trouver, ce manoir de 1858 magnifiquement restauré par ses propriétaires, ne peut que vous séduire. Dans le cadre idyllique du parc et grâce au confort des chambres, vous vivrez la vie de château à votre rythme.

• Une petite folie !

Château de Montreuil – *Chaussée des Capucins -* ☏ *03 21 81 53 04 - fermé 17 déc. au 3 fév., lun. d'oct. à avr. sf j. fériés et jeu. midi -* 🅿 *- 14 ch. : à partir de 860F -* ⌂ *80F - restaurant 300/400F.* Dans un jardin fleuri clos de murs, cette belle demeure est une étape très séduisante : la table est soignée et réputée, l'hôtel fort agréable avec ses grandes chambres toutes personnalisées et décorées avec soin. Préférez celles de la maison principale, plus cosy...

Montcavrel

Église de style flamboyant. Silhouette élancée, bien que sans nef. À l'intérieur, chapiteaux (début du 16e s.), dont trois à frises historiées ; le plus intéressant *(à gauche)* conte la vie de la Vierge de façon naïve. *Demander les clés auprès de la mairie.*

Prendre la D 149 jusqu'à Recques-sur-Course puis la D 127 vers le Nord.

Cette route longe la vallée de la Course, jalonnée de prairies d'élevage, de cressonnières et de pisciculture. Elle traverse **Inxent** et **Doudeauville**, qui possède un manoir de 1613, et mène à Desvres.

PRODUITS RÉGIONAUX
M. et Mme Leviel – Fond des Communes, 62170 Montcavrel, ☏ 03 21 06 21 73.

Église de **Morienval**★

Dans ce modeste hameau de la vallée de l'Automne, le temps semble avoir ralenti son cours. Morienval est, avec Saint-Denis et Thérouanne, l'une des premières expressions de l'architecture gothique en France. Son cadre verdoyant est le refuge de nombreux oiseaux. Le muguet fleurit à foison en mai dans la proche forêt.

La situation

Cartes Michelin nos 56 pli 3 ou 106 pli 11 (cartouche) ou 237 pli 7 – Oise (60). Trait d'union entre les massifs de Compiègne et de Retz, accès par la D 335 de Pierrefonds (15 km) ou, de Compiègne, par la D 332 et la 2e route à gauche. Vers Fossemont, vue de l'église.

Le nom

Ce serait la conjonction de *Morini,* peuple du Nord-Ouest de la Gaule, et de *vallis,* indiquant la situation, ce qui donne *val des Morins.* Ce pourrait être l'assemblage de *Morus* et de *vallis,* hypothèse étayée par la mention *Morus vallis* présente sur un acte faisant état d'un atelier monétaire frappant les deniers de Charles le Chauve.

Les gens
1 048 Morienvalois. Le bon roi Dagobert (7e s.), qui aurait mis sa culotte à l'envers, aurait fondé le bâtiment primitif.

visiter

Église Notre-Dame★
L'ensemble, qui doit être vu du Nord-Est, n'a pas changé depuis le 12e s., sauf la restitution de la partie haute du chœur : les étroites baies actuelles datent de la dernière restauration (1878-1912).

Extérieur – Sa silhouette est caractéristique, avec la tour Nord légèrement plus courte que celle du Sud. La base du clocher-porche est la partie la plus ancienne (11e s.), avec le transept, la travée droite du chœur et les deux tours Est. Il faut se représenter le clocher-porche non point empâté dans le prolongement des bas-côtés (disposition du 17e s.), mais se détachant en avancée sur une façade romane. Au chevet, remarquez le déambulatoire plaqué contre l'hémicycle du chœur (12e s.) pour en assurer la stabilité.

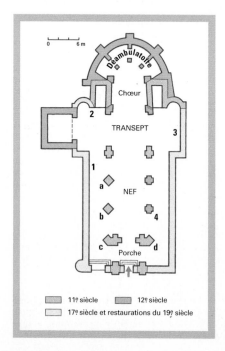

Notre-Dame de Morienval.

Intérieur – Le déambulatoire, artifice architectural, est la partie la plus originale. Ses arcs, montés vers 1125, comptent parmi les plus anciens de France. Les ogives ont été ici, pour la première fois, employées pour couvrir la partie tournante d'un édifice. Cependant, elles sont solidaires des quartiers de voûtes qu'elles supportent. On assiste à la transition voûtes d'arêtes-voûtes sur croisée d'ogives. Nef et transept, voûtés d'ogives au 17e s., ont perdu de leur antiquité. Les chapiteaux du 11e s. de la nef **(a, b, c, d)** : spirales, étoiles, masques, animaux affrontés y sont les seuls témoins sûrs de l'église romane. Dans le bas-côté gauche, série de dalles funéraires, dont celle **(1)** de la grande abbesse Anne II Foucault (1596-1635). Sur le mur du bas-côté opposé, des gravures du 19e s. montrent l'état de l'abbatiale avant la dernière restauration.

À NE PAS MANQUER
Les statues les plus remarquables sont : la statue **(2)** de **Notre-Dame de Morienval** (17e s.), un groupe **(3)** de la Crucifixion (16e s.) provenant d'une poutre de gloire déposée, et surtout un **Saint Christophe (4)** en terre cuite (17e s.).

0   6 m

Déambulatoire

Chœur

2

TRANSEPT

3

1

a

NEF

b

4

c

d

Porche

11e siècle   12e siècle
17e siècle et restaurations du 19e siècle

VALLÉE DE L'AUTOMNE *(une demi-journée)*

L'itinéraire traverse d'Est en Ouest le canton de Crépy-en-Valois. De remarquables monuments s'y égrènent, mis en valeur par un paysage verdoyant et préservé.

Quitter Morienval par la D 335 vers Crépy, puis à droite la D 123/D 32 et, au niveau d'Orrouy, encore à droite.

Champlieu

Les vestiges d'une petite église romane, et, surtout, des ruines gallo-romaines rappellent l'importance passée de ce hameau proche de la forêt de Compiègne.

Ruines gallo-romaines – Dégagées au siècle dernier, elles sont traversées par l'ancienne voie romaine de Senlis à Soissons : la « chaussée Bruhenaut ».

Théâtre – Avec ses 70 m de diamètre, il pouvait contenir 3 000 places. Seuls subsistent les trois premiers rangs de gradins. Au-dessus, l'hémicycle est gazonné. En bas, on reconnaît les soubassements de la scène et des coulisses. Au-dessus, les six entrées du public sont visibles.

Thermes – De dimensions restreintes pour un bâtiment public (53 m sur 23). On reconnaît l'emplacement de l'*atrium,* cour d'entrée carrée, du *frigidarium,* du *tepidarium* et du *caldarium,* au centre duquel l'eau jaillissait d'une vasque calcaire.

Temple – *De l'autre côté de la route.* Au premier sanctuaire, de type *fanum,* construit au 1er s., se superpose un deuxième temple plus grand, de forme carrée (20 m de côté). Son plan est dessiné par un caniveau de pierre.

Revenir sur la D 32 que l'on reprend à gauche. On longe la vallée sur 10 km ; Lieu-Restauré se trouve à droite.

Abbaye de Lieu-Restauré

Mars-nov. : w.-end et j. fériés 10h-12h, 14h-17h (mai.-sept. : fermeture à 18h) ; déc.-fév. : dim. et j. fériés 10h-12h, 14h-17h. Fermé 1er janv. et 25 déc. 15F. ☎ 03 44 88 55 31.
Descendez à l'église, parée d'une **rose**★ au remplage flamboyant, et entrez dans la nef par le côté gauche. Contournez les ruines des bâtiments abbatiaux. Au Sud, les fouilles ont dégagé l'ancien cloître et le réfectoire avec les bases de ses colonnes et de sa cheminée. Hôtellerie et cellier (18e s.) restaurés. Un musée expose le fruit des fouilles.

Poursuivre la D 32 ; 1 km plus loin, prendre à gauche ; 50 m après une tour au bord de la route, se garer à l'entrée du parc.

Vez★

Ce tout petit village à flanc de coteau a donné son nom au Valois, dont il représente le centre initial. Vez viendrait du latin *vadum* : « le gué ». En 1918, Vez accueille le général Mangin et son état-major, avant l'offensive de l'armée française qui, en juillet, assurera la victoire des Alliés.

> **HISTOIRE DES LIEUX**
> Érigée au 12e s. pour succéder à une chapelle plus exiguë – d'où son nom –, cette abbaye de prémontrés avait été rebâtie au 16e s., après la guerre de Cent Ans. Depuis 1964 des travaux de déblaiement et de conservation permettent de restaurer ce site de la vallée de l'Automne et de préserver les constructions d'une ruine définitive.

Les ruines romaines de Champlieu.

À VOIR

Sol Lewit, artiste américain courtisé par les musées les plus prestigieux, a réalisé en 1995 un **Wall Drawing** sur les 4 murs de la pièce principale du rez-de-chaussée du donjon.

◀ **Château★** – D'origine très ancienne, sa reconstruction au 14ᵉ s. domine son enceinte carrée (**donjon**, *à gauche*). Au milieu de la cour, la chapelle abrite des collections archéologiques du Valois : antiquités gallo-romaines et objets préhistoriques. Gisants en marbre sculptés par Frémiet. Du haut de la chapelle, **vue** sur la vallée de l'Automne. À l'angle droit de la courtine, une tourelle porte une plaque rappelant que Jeanne d'Arc est passée ici en 1430, lors de son voyage vers Compiègne. Derrière la chapelle subsistent les ruines de l'ancien logis du châtelain (13ᵉ s.). Le jardin paysager minimaliste présente parfois des sculptures contemporaines. *D'avr. à fin sept. : w.-end 14h-18h (de mi-juin à fin sept. : tlj). 38F (30F hors sais., enf. : 15F).* ☎ *03 44 88 55 18.*
Poursuivre la D 32/D 231 ; on passe dans l'Aisne.

Villers-Cotterêts *(voir ce nom)*
Prendre la D 80 ; à Corcy, prendre à gauche la D 17.

Abbaye de Longpont★ *(voir ce nom)*

Forêt de **Mormal**★

Le vaste massif forestier de Mormal, proche du bocage avesnois, abrite de nombreux cervidés et une flore abondante. Ses vallées, qui diffusent des parfums enivrants, sont le théâtre d'ambiances particulières. On enfile ses chaussures de marche et on décompresse.

PRATIQUE

57 km de routes forestières, aires de pique-nique, sentiers de Grande Randonnée, pistes cavalières.

La situation

Cartes Michelin nᵒˢ 53 pli 5 ou 236 pli 28 – Nord (59). S'étendant sur 9 129 ha, la forêt domaniale de Mormal occupe un plateau de 150 m d'altitude moyenne. C'est une ancienne forêt charbonnière. Accès par la D 33 (du Quesnoy) ; la D 932 (de Bavay ou St-Quentin) ; la D 951 (d'Avesnes-sur-Helpe) ; la D 959 (du Cateau-Cambrésis).

Le nom

Mormal vient de *mallum* qui désignait un terrain où l'on se rassemble. Les rois francs intégrèrent ce *mallum* au domaine royal et s'en servirent comme terre de chasse, placée sous la surveillance de « sergents » et sous l'autorité des « baillis des bois ».

Les arbres

Le chêne pédonculé est l'essence dominante depuis les reboisements des années 1920 et 1930. Le hêtre, autrefois majoritaire, est toujours présent avec ses hautes futaies qui ont parfois plus de 200 ans.

se promener

Face à l'**étang David**, de l'autre côté de la route, l'**arboretum** affine la connaissance des espèces forestières. Au cœur du massif, **Locquignol**, ancien centre artisanal de sabotiers et de sculpteurs sur bois, est un lieu reposant. D'autres sites sont agréables, comme la chapelle N.-D.-de-la-Flaquette et l'écluse de Sassegnies.

LA FLEUR AU BOUT DU FUSIL

En 1914-1918, l'armée allemande y pratiqua d'importantes coupes de bois. En mai 1940, la forêt fut un des pôles de la défense française sur la Sambre après le passage de la Meuse par les Allemands ; mais des éléments adverses s'y infiltrèrent après avoir franchi la Sambre à Berlaimont, malgré la résistance de la 1ʳᵉ division nord-africaine qui stoppa l'avance ennemie pendant deux jours.

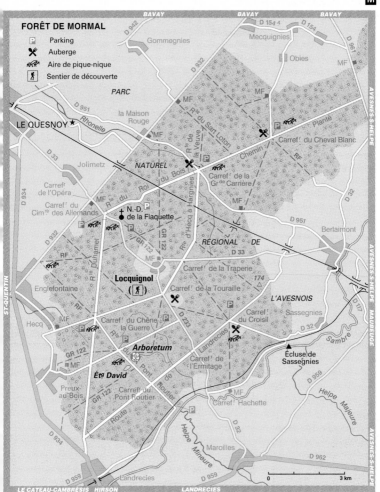

Grottes-refuges de **Naours**★

Ce vieux village, connu pour son architecture en torchis, l'est surtout pour son incroyable réseau de grottes-refuges creusées dans le calcaire du plateau voisin. Ces abris sont encore nombreux en Picardie et dans une partie de l'Artois. On les nomme « creuttes », « boves » ou, comme à Naours, « *muches* ».

La situation

Cartes Michelin n°s 52 pli 8 ou 236 pli 24 – Somme (80). Sur un plateau calcaire à 13 km d'Amiens d'où on accède, par la N 25, puis la D 60 (à gauche) à Talmas ou par la D 933, puis la D 60 (à droite) à Havernas.

Le nom

Naours vient de *Nor,* dont il existe une mention en 57 avant J.-C. Vers 1340, *Nor* évolue en *Nochere* : « gouttière » (vieux français), allusion au relief de la ville.

Les gens

1 124 Noriens. Leurs « muches » étaient tombées dans l'oubli lorsque le curé de Naours les redécouvre en 1887. Explorées et déblayées avec les habitants, on y découvre, en 1905, un trésor de 20 pièces d'or.

RESTAURATION

La Chèvrerie de Canaples – *172 r. de Fieffes - 80670 Canaples - 6 km au N de Naours par D 60 et D 933 - ☎ 03 22 52 93 06 - fermé nov. à mars, dim.et j. fériés - ✉ - réserv. - 40F.* Voici une façon originale de terminer la visite des grottes. Cette ferme vous attend pour un goûter fermier (groupe minimum de dix personnes) ou une dégustation de fromages (sauf de midi à 14h). Découvrez l'élevage de chèvres et la boutique de produits régionaux.

visiter

⬙ *De fév. à mi-nov. : visite guidée (1h) 9h-12h, 14h-18h. 47F (enf. : 37F).* ☎ *03 22 93 71 78.*

Les souterrains constituent une ville pouvant abriter 3 000 personnes et totalisant 2 km de rues, des places, 300 chambres, 3 chapelles, des étables, une boulangerie avec fours... Des cheminées relient les galeries à la surface du plateau, 30 m plus haut. Lors de la visite, on découvre les composantes du terrain : craie, argile, silex alignés en bancs parallèles. **Musée du Folklore** : métiers picards présentés sous forme de dioramas géants, personnages de cire.

DÉTOUR

On peut compléter la visite en montant la falaise où 2 moulins à vent en bois, sur pivot, sont reconstitués – le village en possédait 7. Vues plongeantes sur Naours.

Colline de **Notre-Dame-de-Lorette**★

Dans un site émouvant par son dépouillement, sous l'infini d'un ciel souvent gris, la colline de N.-D.-de-Lorette, point culminant (166 m) des collines de l'Artois, fut l'objectif principal de nombreuses attaques menées lors de la Première Guerre mondiale.

La situation

Cartes Michelin nos 51 pli 15 ou 236 pli 15 – Pas-de-Calais (62). 11 km au Sud-Ouest de Lens par la D 58E. De Béthune ou Arras, D 937 puis la D 58E. Par l'A 26, prendre la D 937 vers Arras, puis la D 58E à droite.

Les gens

Le **général Pétain** avait son poste de commandement sur le site de la Targette, à 7 km de cette colline, lorsque le 33e corps enfonça les lignes allemandes.

comprendre

Des noms de triste mémoire – Les noms de la Targette (cimetière allemand), Neuville-St-Vaast et Vimy, Souchez (monument au général Barbot et aux 1 500 chasseurs alpins tués en mai 1915), Carency, Ablain-St-Nazaire et Notre-Dame-de-Lorette se sont égrenés dans les communiqués de la guerre 1914-1918, surtout au cours de la première bataille d'Artois de mai à septembre 1915.

visiter

Cimetière

Une table d'orientation en bronze se trouve à gauche de l'entrée du cimetière. Elle indique la sépulture du général Barbot, premier monument, à gauche de l'allée principale.

La **basilique**, de style roman byzantin, consacrée en 1937, est décorée intérieurement de marbre et de mosaïque. Haute de 52 m, la **tour-lanterne** surmonte l'ossuaire principal et les sept autres ossuaires qui rassemblent les restes de plus de 20 000 soldats, des deux guerres mondiales et de celle d'Indochine. Du sommet, **panorama**★ sur le bassin minier au Nord, le mémorial de

Le cimetière de Notre-Dame-de-Lorette rassemble les tombes de 19 000 soldats français morts sur le champ de bataille.

Vimy à l'Est, l'église ruinée d'Ablain-St-Nazaire, les tours de Mont-St-Éloi et Arras au Sud. *Avr.-sept. : 9h-18h (juin-août : fermeture à 19h) ; mars et oct.-déc. : 9h-17h. Gratuit.*

Musée vivant 1914-1818
&. *9h-20h. Fermé 25 déc. 20F, 5F champ de bataille.* ☎ *03 21 45 15 80.*
À 100 m de la basilique, ce musée présente, outre de nombreux objets (photographies, uniformes, obus, casques), plusieurs reconstitutions d'abris souterrains avec animation laser qui vous plongent dans l'univers des « Poilus ».

Musée de la Targette
7 km au Sud-Est sur la D 937. &. *9h-20h. Fermé 1er janv. et 25 déc. 20F.* ☎ *03 21 45 15 80.*
Riche de plus de 2 000 pièces, notamment des armes anciennes, ce musée des deux guerres évoque les combats d'Artois. Reconstitutions de scènes. &. *9h-20h. Fermé 1er janv. et 25 déc. 25F.* ☎ *03 21 45 15 80.*

Mont St-Éloi
12 km par Souchez et la D 937, puis la D 58 à droite ; à Carency, prendre à gauche vers Mont-St-Éloi.
Enjeu de combats en 1915 et 1940, Mont-St-Éloi couronne une colline (135 m) dominant la vallée de la Scarpe. Vestiges d'une abbaye d'augustins du 18e s.

► À côté du musée s'étend sur trois hectares le champ de bataille avec son labyrinthe de tranchées françaises et allemandes et ses vestiges de la Grande Guerre (canons, mitrailleuses, tourelles).

Noyon *

Ville ecclésiastique et religieuse, Noyon est dominée par une imposante cathédrale et s'entoure d'un paysage dont l'allure lui vaut le surnom de « petite Suisse ». Le Noyonnais est aujourd'hui la capitale française des fruits rouges : avis aux amateurs !

La situation
Cartes Michelin nos 56 pli 3 ou 236 pli 36 – Oise (60). 24 km au Nord-Est de Compiègne par la N 32. D'Amiens ou Coucy-le-Château, prendre la D 934 ; de St-Quentin, la D 1 puis la N 32 à Tergnier ; de Soissons, la D 6 puis la D 934 à Blérancourt ; de Ham, la D 932. 🏛 *Pl. de l'Hôtel-de-Ville, 60440 Noyon,* ☎ *03 44 44 21 88.*

Le nom
Il vient de *noviomagus,* qui signifie « nouveau marché » et dont l'apparition remonte au 3e s.

Les gens
14 471 Noyonnais. Noyon est la patrie du réformateur **Calvin** (1509-1564), partisan de la doctrine luthérienne. C'est aussi celle du sculpteur **Sarazin** (1592-1660), précurseur du classicisme officiel.

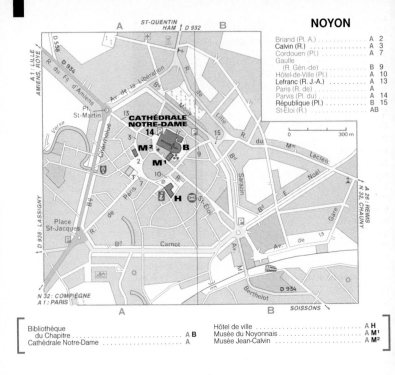

comprendre

RENDEZ-VOUS
Le 1ᵉʳ dimanche de
juillet, lors de la fête des
Fruits rouges à Noyon,
le parvis de la
cathédrale se tapisse de
barquettes alléchantes,
de fraises, groseilles,
cerises, cassis. Au
programme,
dégustations de
pâtisseries sculpturales
et concours de jets de
noyaux.

De saint Médard à Hugues Capet – D'origine gallo-
romaine, Noyon fut érigée par saint Médard en un
évêché uni à Tournai en 581. Au 7ᵉ s., saint Éloi en fut
un des titulaires. La ville a vu les fastes du couronnement
de Charlemagne, en 768, et du sacre de Hugues Capet,
en 987. C'est une des premières cités françaises à obtenir
une charte des libertés communales, dès 1108.

Vive les fraises ! – L'activité industrielle noyonnaise est
variée (alimentation, imprimerie, fonderie). L'agriculture, favorisée par le climat, la présence d'entreprises de
conserverie et de stockage donne une place importante
à la culture des fruits rouges, dont 90 % sont destinés à
la fabrication de sorbets.

visiter

Cathédrale Notre-Dame★★ *(visite : 1/2h)*
Quatre édifices l'ont précédée. L'actuel, commencé en
1150 par le chœur, est achevé en 1290 par la façade. C'est
un bel exemple des débuts du gothique. Elle conserve la
sobre robustesse du roman, mais atteint la mesure et
l'harmonie obtenues par les grands maîtres d'œuvre de
l'âge d'or des cathédrales. Sa restauration a été entreprise
après 1918.

Extérieur – La façade est précédée d'un porche de trois
travées (13ᵉ s.), épaulé par deux arcs-boutants ornés de
gâbles (14ᵉ s.). Une baie centrale surmontée d'une galerie
à hautes colonnettes s'encadre des deux clochers aux
contreforts d'angle saillants. La tour Sud, plus ancienne
(1220), est aussi plus austère. La tour Nord, un des plus
beaux types de clocher du Nord de la France élevés au
14ᵉ s., est finement décorée : moulures, cordons de
feuillage aux arcatures de la galerie, bandeaux de
feuillage soulignant les glacis supérieurs des contreforts.
La disposition du couronnement des deux tours indique
que le projet initial comportait des flèches jamais
réalisées.

À REMARQUER
La **place du Parvis** est
bordée en demi-cercle de
maisons canoniales
fermées par des portails
surmontés de chapeaux
de chanoine. Elle garde
son charme vieillot.

En contournant la cathédrale par le Sud, observez l'hémicycle qui clôt le transept. Laissant à droite les ruines de l'ancienne chapelle de l'évêché, on atteint le chevet, entouré de jardins. L'étagement des chapelles rayonnantes, du déambulatoire et des fenêtres hautes est d'un bel effet malgré quelques adjonctions du 18e s.

À droite, s'étend l'ancienne **bibliothèque du Chapitre** *(on ne visite pas)*, beau bâtiment à pans de bois du 16e s., qui abrite l'évangéliaire de Morienval (9e s.).

On distingue difficilement le transept Nord, englobé en partie dans les bâtiments canoniaux.

L'ENFER

L'une des pièces de la bibliothèque du Chapitre, contenant des ouvrages mis à l'index, était appelée « l'Enfer ».

Intérieur★★ – Les proportions de la nef et du chœur sont harmonieuses. La nef compte 5 travées doubles et s'élève sur 4 étages : grandes arcades, tribunes impressionnantes à double arcature vues de la croisée du transept ; triforium et fenêtres hautes. Parmi les chapelles des bas-côtés, celle de droite, N.-D.-de-Bon-Secours, richement décorée, a une voûte en étoile à clefs pendantes, qui représentent les sibylles. L'absence de vitraux accentue la sévérité du transept. Les croisillons, de même ordonnance que le **chœur**, sont arrondis à leur extrémité. Influence rhénane, cette particularité se retrouve à Soissons et à Tournai. Le mobilier est constitué par un maître-autel Louis XVI en forme de temple ; des grilles de fer forgé (18e s.) ferment le chœur et les chapelles de la nef.

Les voûtes du chœur sont aussi élevées que celles de la nef. Les huit nervures de l'abside rayonnent autour d'une clef centrale et retombent sur des faisceaux de colonnettes. Neuf chapelles s'ouvrent sur le déambulatoire.

Dans le bas-côté gauche, l'**ancien cloître** conserve une seule galerie qui s'ouvre par de grandes baies au remplage rayonnant et donne sur le jardin. Le mur opposé est percé de fenêtres en tiers-point et d'une porte accédant à la **salle capitulaire** (13e s.). Une rangée de colonnes reçoit les retombées des voûtes d'ogives.

Musée du Noyonnais

Tlj sf mar. 10h-12h, 14h-17h (avr.-oct. : fermeture à 18h). Fermé 1er janv., 11 nov., 25 déc. 16F, billet valable pour le musée Jean-Calvin, gratuit 1er dim. du mois. ☎ 03 44 44 43 41.

Le pavillon Renaissance, en briques et pierres avec tourelles d'angle, vestige du palais épiscopal, et une aile du 17e s., reconstruite après 1918, abrite des collections d'histoire locale. Objets issus des fouilles menées à Noyon et dans la région (Cuts, Béhéricourt) : pièces de jeu d'échecs (12e s.), trésor monétaire gallo-romain, mobilier funéraire, céramiques. **Coffres** en chêne (12e-13e s.) venant de la cathédrale.

Musée Jean-Calvin

Mêmes conditions de visite que le musée du Noyonnais.

Dans une maison construite en 1927 sur les fondations et suivant les plans de la maison natale de Calvin (détruite fin 16e s.). Un audiovisuel présente Calvin et son temps. Sa chambre contient des portraits et gravures authentiques et une de ses lettres manuscrites. Bibles en français (16e s.), dont la fameuse Bible d'Olivétan et celle de Lefèvre d'Étaples. Maquettes d'une imprimerie du 16e s., du temple rond du Paradis à Lyon (1564) et de la galère la *Réale* ; œuvres de Calvin et de ses contemporains. Bibliothèque : 1 200 volumes du 16e au 20e s.

Hôtel de ville

Souvent remaniée, la façade conserve des traces du 16e s., dont les niches aux dais ouvragés qui abritaient des statues. Le fronton aux lions est ajouté au 17e s.

Ce château féodal des 13e-15e s., avec sa « baille » du Moyen Âge, vaste avant-cour transformée à usage agricole, domine un étang, au creux d'un vallon.

La situation

Cartes Michelin n°s 51 pli 14 ou 236 pli 15 – Pas-de-Calais (62). 6 km au Sud-Est de Bruay-la-Buissière, le long de la D 57 que l'on rejoint à Rebreuve par la D 341. D'Arras, prendre la D 341 vers Bruay-la-Buissière.

Le nom

Le château a été construit vers 1200 à l'initiative de **Hugues d'Olhain**, dont il a pris le nom.

visiter

Avr.-oct. : dim. et j. fériés 15h-18h30, vac. scol. été : sam. 15h-18h. 25F. ☎ *03 21 27 94 76.*
La structure médiévale du château est fort bien conservée. Un pont-levis dessert la cour où l'on voit une tourelle de guet *(escalier de 100 marches)*, une salle gothique dite « salle des gardes », des caves aux murs épais de 2 à 3 m et une chapelle. Promenade agréable le long des douves.

alentours

Parc départemental de Nature et de Loisirs

1 km au Nord. Nombreux aménagements (aires de jeux et de pique-nique, sentiers de promenade, terrains de sport, piscine, golf...) dans ce nid de verdure au cœur du pays minier.

Dolmen de Fresnicourt

3 km par la D 57. Cette « Table des Fées », d'un aspect imposant quoique irrégulier (la dalle supérieure a glissé), se dissimule à l'orée d'un bois qui fut sacré, sur la crête des hauteurs qui séparent la Flandre et l'Artois. De ses abords, jolies vues.

Le château d'Olhain est l'archétype du château fort de plaine du Moyen Âge.

Abbaye d'**Ourscamp**★

Une jolie légende entoure cette abbaye fondée en 1129 par les cisterciens entre l'Oise et la forêt. La vie monastique s'y développe surtout aux 17e et 18e s. et se perpétue encore aujourd'hui.

La situation

Cartes Michelin nos 56 pli 3 ou 236 pli 36 – Oise (60). 6 km au Sud de Noyon, entre un bras de l'Oise et la forêt d'Ourscamp. Accès, de Noyon, par la D 165 puis la D 48 à droite. De Compiègne, par la D 130 à Choisy-au-Bac, puis la D 165 au carrefour du Puits-d'Orléans (en forêt de Laigue) et de la D 48 à gauche.

Le nom

On dit que saint Éloi allait souvent sur le site de l'abbaye. Tandis qu'il travaillait dans un champ, un des deux bœufs tirant son char fut dévoré par un ours. Le saint demanda à l'ours de s'atteler à la place du bœuf afin de terminer la besogne. L'ours s'exécuta et le site conserva le nom d'*Ourscamp,* « champ où a travaillé l'ours ».

Les gens

L'abbaye est réoccupée, depuis 1941, par une poignée de religieux : les serviteurs de Jésus et Marie.

visiter

9h-12h, 14h-17h, dim. et j. fériés 11h-12h, 14h-17h (avr.-oct. : fermeture à 19h). 15F. ☎ *03 44 75 72 10.*

En entrant par l'ancienne porterie, à gauche de la grille d'honneur (1784), on ne voit que les constructions du 18e s. de part et d'autre d'un avant-corps à colonnade dorique, ouvrant maintenant sur le vide. Ce pavillon central masquait intentionnellement la façade gothique de l'église abbatiale, devenue démodée. À gauche, le logis abbatial du 18e s. abrite des religieux ; à droite, le bâtiment symétrique, dévasté par la guerre en 1915, n'a pas été restauré. *Passer la voûte.*

Ruines de l'église – Au bout d'une allée qui occupe l'emplacement de la nef se dresse le squelette du chœur gothique (13e s.). Son déambulatoire, double dans la partie droite, simple au chevet, desservait cinq absidioles.

Chapelle – Ex-infirmerie, cette salle du 13e s. conserve sa distinction monastique. De fins piliers, alignés sur deux rangs, supportent les nervures des ogives. Des fenêtres à oculus dispensent une grande clarté. La perspective est hélas rompue par l'adjonction de hautes stalles du 17e s. formant un chœur.

Péronne

Péronne, la ville de l'anguille et de la bière Colvert, est parsemée d'étangs et de verdure en plein cœur de la campagne picarde. Aujourd'hui port de commerce et de plaisance sur le canal du Nord, cette ancienne place forte a payé un lourd tribut en 1914-1918. Quelques témoignages subsistent de ce passé douloureux.

La situation

Cartes Michelin nos 53 pli 13 ou 236 pli 26 – Somme (80). Au confluent de la Cologne et de la Somme, Péronne s'allonge le long d'étangs poissonneux et de « **hardines** », cultures maraîchères. Accès : A 1 et D 938. Depuis Ham : D 937 ; d'Albert : D 938 ; de St-Quentin : N 29/E 44, puis D 44 ; de Cambrai : N 44, puis D 917. ⌂ *1 r. Louis-XI, 80200 Péronne,* ☎ *03 22 84 42 38.*

PÉRONNE

Ancien-Collège (R. de l') 2
Audinot (Pl. A.) 3
Bouchers (R. des) 4
Caisse-d'Épargne (R. de la) ... 5
Chanoines (R. des) 7
Daudré (Pl. du Cdt) 9
Gare (Av. de la)
Gladimont (R. du) 12
Noir-Lion (R. du) 14
Pasteur (R.) 17
St-Jean (R.) 18
St-Quentin-Capelle (R.) 21
St-Sauveur (R.) 22

Hôtel de ville .... H

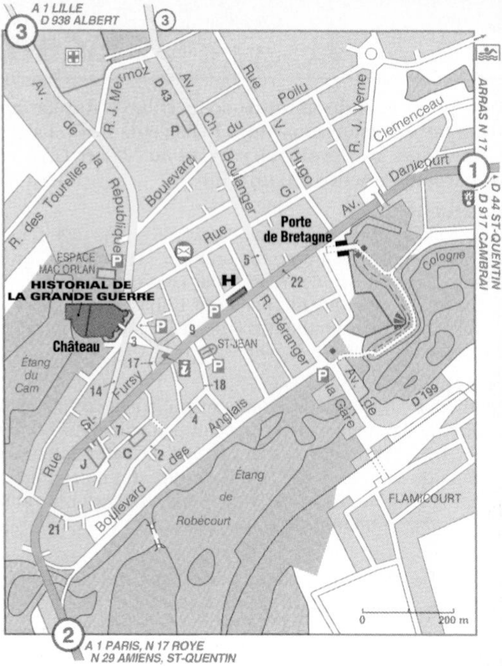

Le nom

D'origine celtique ou latine, la question est controversée. Dans le premier cas, le nom viendrait de *perrhaon,* « place très forte », ou de *perronn,* « endroit marécageux ». Les latinistes suggèrent *pero* ou *peronis,* « guêtres » ou « bottes », utiles pour traverser les marécages. Interprétation la plus charmante : *per ranas,* « au milieu des grenouilles ». La plus sérieuse : *Petrona,* nom de l'ancienne ville romaine.

Les gens

8 380 Péronnais. Et sans doute davantage d'anguilles, qui reviennent toujours se faire pêcher ici, depuis la mer des Sargasses où elles se reproduisent.

L'ara de Louis XI

La petite histoire raconte que, pour attiser sa rancœur contre Charles le Téméraire, un perroquet lui répétait : « Péronne ! Péronne ! »

comprendre

L'entrevue de Péronne – En 1468, elle réunit **Charles le Téméraire** et **Louis XI** qui se disputent la Picardie. Louis, ayant soutenu l'insurrection des Liégeois contre Charles, est séquestré à Péronne par son rival. Pour recouvrer la liberté, il doit signer un traité humiliant et néfaste à ses intérêts, puisqu'il est obligé de se déclarer contre les Liégeois. Il se souviendra de l'affront.

carnet pratique

Restauration

• *À bon compte*

Hostellerie des Remparts – *23 r. Beaubois - ☎ 03 22 84 01 22 - 95/350F.* Près des remparts, ne manquez pas cette grosse maison avec sa façade colorée et fleurie de géraniums. Dans les salles à manger traditionnelles, choisissez l'un des menus de cuisine classique sagement inspirée du terroir, moins onéreux que la carte.

Hébergement

• *Valeur sûre*

Le Prieuré – *80360 Rancourt - 10 km au N de Péronne par N 17 - ☎ 03 22 85 04 43 - fermé dim. soir - P - 25 ch. : 295/335F - ☕ 42F - restaurant 78/260F.* Cette grande bâtisse blanche au bord de la nationale impose par son architecture récente. La brique et la pierre habillent les salons, le bar et la salle à manger rehaussée d'une chaiserie Louis XVI. Chambres modernes doucement colorées.

Lorsque la Somme dessine des arabesques...

Les misères de la guerre – Rattachée à la France après la mort du Téméraire (1477), la ville subit en 1536 un violent assaut de Charles Quint. Mais la résistance s'organise, galvanisée par l'héroïque **Marie Fouré**, et les assaillants doivent lever le siège. Chaque année, en juillet, une procession et une fête commémorent l'événement. En 1870, c'est au tour des Prussiens d'assiéger la ville, qu'ils bombardent 13 jours durant. Puis vient la Grande Guerre et la ville est à nouveau occupée par les Allemands. En 1916, lors de la bataille de la Somme, elle sert de point d'appui. La ville est entièrement détruite à cette époque.

visiter

Historial de la Grande Guerre★

&. *Tlj sf lun. 10h-18h (mars-sept. : tlj). Fermé de mi déc. à mi-janv. 39F.* ☎ *03 22 83 14 18.*

Ce musée, novateur par sa conception, occupe un bâtiment moderne adossé à l'ancien château construit sur pilotis, au bord de l'étang du Cam. On accède aux salles par une faille taillée dans le mur même du **château** édifié au 13e s. par les comtes de Vermandois. Charles le Téméraire enferma Louis XI dans une de ses tours.

L'Historial s'attache à donner une vision comparative des sociétés qui composaient les pays belligérants à la veille de la Première Guerre mondiale et au cours des hostilités.

Les objets exposés à l'Historial de la Grande Guerre doivent leur originalité à l'imagination des soldats.

Des cartes jalonnent le parcours, permettant de suivre l'évolution des fronts. Collection d'objets, d'œuvres d'art, de documents, de lettres, de cartes postales témoins du quotidien des populations liées au conflit. Dans des excavations en marbre, figurant les tranchées, reposent les uniformes des combattants, entourés de pièces d'armement, d'effets personnels... Aux différents thèmes évoqués correspondent des films d'archives projetés grâce à un système de bornes vidéo réparties dans les salles.

se promener

Hôtel de ville

Sur la place, il présente une façade Renaissance flanquée de tourelles, et sur la rue St-Sauveur un corps de bâtiment Louis XVI. À l'intérieur, le **musée Danicourt** présente une collection de monnaies antiques et de bijoux gréco-romains et mérovingiens. *Tlj sf dim. et lun. 14h30-17h30, sam. 9h-12h, 14h30-16h30.* ☎ *03 22 73 31 00.*

Porte de Bretagne

Cette porte (1602) conserve ses battants et forme un pavillon de briques à toits d'ardoises ; elle est ornée du blason et de la devise de Péronne. Au-delà du fossé, franchissez la porte de la demi-lune et suivez les **remparts** de briques à chaînages de pierre (16e-17e s.) pour avoir une jolie vue sur les étangs de la Cologne et les « hardines ».

alentours

Athies

10 km par D 44 puis D 937 vers Ham.
Le roi des Francs Clotaire Ier, fils de Clovis, possédait ici un palais où fut élevée Radegonde sa future épouse qui, retirée à Poitiers, y fonda un monastère et fut canonisée. L'église montre un beau portail du 13e s. à tympan sculpté. On y voit la Nativité et la Fuite en Égypte.

Picquigny

Les vestiges du château des Vidames de Picquigny, anciens représentants de l'évêque, couronnent ce bourg qui défendait un passage de la Somme. La ville basse conserve sa structure moyenâgeuse très marquée. Aux environs, s'étendent de nombreux étangs et des marais aux couleurs changeantes.

La situation

Cartes Michelin nos 52 pli 7 ou 236 pli 23 – Somme (80).
Accrochée aux pentes de la vallée de la Somme, Picquigny se situe à 10 km au Nord-Ouest d'Amiens, par la N 235. Prendre la D 936 (d'Airaines) ; la D 141 (de Poix-de-Picardie) ou la D 49 (de Doullens).

Le nom

La première mention de *Picquigny* daterait de 942, sur un document relatif à l'assassinat de Guillaume Longue-Épée, duc de Normandie.

Les gens

1 386 Picquinois. Jusqu'en 1780, le château reste la propriété des sires de Picquigny dont une branche émigre en Angleterre sous le nom de Pinkenni, qui deviendra Pinkney, famille fondatrice de la banque Barclay.

> **SACRÉ HENRI !**
> À la fin du 16e s., Henri IV s'apprête à rejoindre à Picquigny sa favorite, la capiteuse Gabrielle d'Estrées : « Je mènerai à Picquigny une assez bonne bande de violons pour vous réjouir », lui écrit-il.

visiter

Château

Juil.-août : visite guidée (1h1/4) tlj sf lun. à 11h, 15h, 16h30 ; mai-juin et de déb. sept. à mi-sept. : w.-end et j. fériés à 15h et 16h30. 20F. ☎ *03 22 51 46 85.*

Enceinte – Ses murailles de pierre à soubassements de grès englobaient, au 14e s., la résidence seigneuriale, la collégiale et les demeures des officiers de la vidamie. Côté plateau, à l'endroit le plus exposé, les éléments de défense les plus imposants sont la barbacane et le donjon *(à droite)* dont les murs font 4 m d'épaisseur. Reculez vers

> **L'ÎLE DE LA TRÊVE**
> L'île de la Trêve, au milieu de la Somme, rappelle l'entrevue qui se déroula en 1475 entre **Louis XI** et **Édouard IV** d'Angleterre, aboutissant à la paix de Picquigny : comme les deux souverains se méfiaient l'un de l'autre, ils se rencontrèrent dans une sorte de loge coupée en deux par des barreaux, « comme on fait aux cages des lions », dit le chroniqueur Commynes.

a route pour apprécier l'ensemble. Côté ville, on remarque la porte du Gard, en arc brisé, avec tourelles d'angle et corps de garde. Le **Pavillon Sévigné** tient son nom d'un séjour de la marquise qui, dans une lettre à sa fille, évoque ce château du début du 17e s.

Terrasse supérieure (cour d'honneur) – Les bâtiments d'habitation s'ordonnaient le long des côtés Est et Sud. Il ne reste que la cuisine Renaissance à l'immense cheminée et, partiellement, la grande salle où le seigneur rendait justice. On visite divers souterrains et prisons (graffiti). De la terrasse, **vue** sur la vallée, jusqu'à Amiens.

Collégiale St-Martin

Mêmes conditions de visite que le château.

Nef (13e s.) éclairée par de petites ouvertures en tiers point ; abside et tour (15e s.) placée à la croisée du transept, percée de baies flamboyantes (comme une tour-lanterne).

Redescendez vers l'hôtel de ville par une longue poterne voûtée (14e s.) et un escalier en pente douce.

Château de **Pierrefonds**★★

En rentrant dans la cour de ce château féodal, un frisson vous gagne : on se croit transporté dans un roman ou un film de cape et d'épée. D'ailleurs vous y êtes. Filmé sous toutes les coutures, ce monument médiéval occupe une place privilégiée dans l'histoire du 7e Art, depuis 1924 à nos jours.

La situation

Cartes Michelin n°s 106 pli 11 (cartouche) ou 237 pli 8 – Oise (60). Accès par la D 973 ou la D 335. De l'A 1, prendre la D 200, contourner Compiègne par la N 131 (vers Soissons) puis, à droite, traverser la forêt de Compiègne par la D 973. ⊟ *Pl. de l'Hôtel-de-Ville, 60350 Pierrefonds,* ☎ *03 44 42 81 44.*

Le nom

Pierrefonds provient des noms latins *petra fontana, petra fontis* et *petra fons* qui signifient, on l'a deviné, « sources ou fontaines des pierres ».

Les gens

1 945 Pétrifontains. Ils ne se lassent jamais du spectacle de leur château et de l'enthousiasme qu'il suscite auprès des 125 000 touristes qui le visitent chaque année.

comprendre

Le château de Louis d'Orléans – Un château s'élève ici dès le 12e s. La châtellenie formait, avec celles de Béthisy, Crépy et La Ferté-Milon, le comté de Valois, érigé en duché quand Charles VI le donna à son frère Louis d'Orléans. Ce prince assura la régence pendant la folie du roi et périt en 1407, assassiné par son cousin Jean sans Peur. Avant de mourir, il avait mis en place sur ses terres du Valois un réseau de forteresses dont Pierrefonds était le pivot : vers le Sud, à peine espacés de 10 km, Verberie, Béthisy, Crépy, Vez, Villers-Cotterêts et La Ferté-Milon formaient une barrière de l'Oise à l'Ourcq. Louis d'Orléans fit reconstruire le château féodal par Jean le Noir. Pierrefonds résiste à plusieurs sièges. Fin 16e s., il revient à Antoine d'Estrées, marquis de Cœuvres et père de la belle Gabrielle. À la mort d'Henri IV, le marquis de Cœuvres prend le parti du prince de Condé opposé à Louis XIII. Assiégé une dernière fois par les forces royales, le château est pris et démantelé.

Sa photogénie a valu au château de Pierrefonds d'être le théâtre de nombreux tournages cinématographiques.

Le château de Viollet-le-Duc – Napoléon Ier, en 1813, achète les ruines pour moins de 3 000 francs-or. Napoléon III, fervent archéologue et passionné par l'art des sièges, en confie la restauration en 1857 à Viollet-le-Duc. Il ne prévoit qu'une réfection de la partie habitable ; les « ruines pittoresques » des courtines et des tours, consolidées, subsistant pour le décor. Mais fin 1861 le chantier prend une ampleur nouvelle : Pierrefonds doit devenir résidence impériale. Passionné de civilisation médiévale et d'art gothique, Viollet-le-Duc entreprend une réfection complète, suggérée par les vestiges de murs qui subsistaient lors des travaux.

visiter

Se garer pl. de l'Hôtel-de-Ville et gagner l'entrée principale du château au pied de la tour d'Arthus. Contourner le château par la route charretière. Mars-oct. : 10h-12h30, 14h-18h, dim. 10h-18h (mai-août : 10h-18h) ; nov.-fév. : 10h-12h30, 14h-17h dim. 10h-17h30. Fermé 1er janv., 1er mai, 1er et 11 nov., 25 déc. 32F, oct.-mai : gratuit 1er dim. du mois. ☎ 03 44 42 72 72.

Extérieur

Quadrangulaire, long de 103 m, large de 88, il présente une tour défensive aux angles et au milieu de chaque face. Sur trois côtés, il domine à pic le village. Au Sud un profond fossé le sépare du plateau.

Les murailles ont deux chemins de ronde superposés : celui du dessous, couvert, comporte des mâchicoulis ; celui du dessus, seulement des merlons. Les **tours**, aux murs épais de 5 à 6 m et hauts de 38 m ; un double étage de défense les couronne. De la route charretière, elles produisent une impression écrasante. Le toit de la chapelle est orné d'une statue de saint Michel.

On arrive sur une esplanade puis, après le premier fossé, sur l'avant-cour dite les Grandes Lices. Un double pont-levis **(1)** (pour les piétons et pour les voitures) mène à la porte du château, ouvrant sur la cour d'honneur.

Intérieur

Deux expositions sont installées dans les casernements. L'une illustre les travaux de Viollet-le-Duc. L'autre consacrée aux **ateliers Monduit**, présente des trésors de plomberie d'art, dont le lion girouette du beffroi d'Arras, le Cupidon de la cathédrale d'Amiens et des gargouilles de N.-D.-de-Paris. Le talent des frères Monduit fut mis à contribution par Viollet-le-Duc pour la réalisation des ouvrages de couverture du château. Ils œuvrèrent aux côtés de Garnier, Bartholdi et Petitgrand.

La façade principale présente des arcades en anse de panier formant un préau, surmonté d'une galerie. L'un et l'autre n'existaient pas dans le château primitif mais

À SAVOIR
Huit statues de preux ornent les tours et leur donnent leur nom : Arthus, Alexandre, Godefroy, Josué, Hector, Judas Macchabée, Charlemagne et César.

EXPOSITION MONDUIT
Les pièces exposées au château de Pierrefonds sont « d'authentiques doubles ». Ils étaient fabriqués par les ateliers Monduit parallèlement à l'exécution des commandes. Elles illustraient leur savoir-faire auprès du public, lors d'expositions universelles.

carnet pratique

urent imaginés par Viollet-le-Duc, inspiré du château de Blois. La statue équestre de Louis d'Orléans **(2)**, par Frémiet (1868), se dresse devant l'escalier monumental. L'intérieur de la chapelle, surhaussée par Viollet-le-Duc, se caractérise par une élévation audacieuse, avec sa tribune voûtée jetée au-dessus de l'abside, pure invention de l'architecte. Au trumeau du portail, saint Jacques le Majeur a les traits de Viollet-le-Duc.

Entre la chapelle et l'entrée s'élève le donjon, logis du seigneur. Viollet-le-Duc a mis l'accent sur son rôle résidentiel en le dotant d'un élégant escalier à jour.

La cour des provisions, ménagée entre la chapelle et le donjon, communique avec la cour d'honneur par une poterne et avec l'extérieur par une autre poterne dominant de 10 m le pied de la muraille. Enfin la résidence du seigneur, le donjon, est flanquée de trois tours : deux rondes *(extérieur)* et une carrée *(intérieur)*.

Logis au donjon
Accédant au 1er étage du donjon, on parcourt les salles du couple impérial : **salle des Blasons**, ou Grande Salle ▶ **(3)**, dont les boiseries et les meubles, rares, furent

À LA SOUPE !
Pour introduire les vivres dans la forteresse, un tablier de bois en forte pente était abattu. On hissait les provisions sur ce plan incliné.

À RECHERCHER
L'aigle napoléonien, le chardon de l'impératrice Eugénie, le blason héraldique de Louis d'Orléans (armes de France « brisées ») et le bâton noueux, autre attribut de la famille.

Réponses (dans l'ordre) : sous les poutres maîtresses ; en haut des murs ; sur la cheminée et de chaque côté des poutres maîtresses.

CHÂTEAU DE PIERREFONDS
1er ÉTAGE

ESCALIER VIOLLET-LE-DUC

dessinés par Viollet-le-Duc. De la chambre de l'Empereur **(4)** (vue plongeante sur l'entrée fortifiée), passer dans la salle des Preuses, en quittant le donjon.

Salle des « Preuses » – Vaisseau (52 m sur 9) créé par Viollet-le-Duc, couvert d'un plafond en carène renversée. Sur le manteau de la cheminée **(5)**, les statues de neuf preuses, héroïnes des romans de chevalerie. Sémiramis *(au centre)* est représentée sous les traits de l'impératrice ; les autres sont les portraits des dames de la Cour.

Tour d'Alexandre et chemin de ronde Nord – Sur cette face, les murailles de la ruine s'élevaient encore à 22 m (remarquer la teinte des pierres). Viollet-le-Duc a utilisé le long de ce chemin, les derniers progrès des systèmes de défense avant l'ère du canon : les cheminements à niveau, sans marches ni portes étroites, permettaient aux défenseurs d'affluer aux points critiques, sans se heurter à des chicanes. Vue dégagée sur le vallon de Pierrefonds.

Salle des Gardes ou des Mercenaires – Accès par un escalier à double vis **(6)**. Fragments lapidaires, dont les vestiges des statues originales (15e s.) des « preux » qui ornaient trois des huit tours (Du Guesclin, Charlemagne et Arthus). Une maquette en pierre conclut la visite. *Retour en ville par l'escalier direct (vers le parking).*

Poix-de-Picardie

Faire une halte dans cette petite ville aux toits rouges est toujours un plaisir. Conviviale et accueillante dans la tradition picarde, on peut y découvrir quelques succulentes spécialités gastronomiques régionales.

La situation
Cartes Michelin n°s 52 pli 17 ou 236 pli 33 – Somme (80). La localité a été reconstruite après les destructions de juin 1940. En amont se profile le viaduc de la voie ferrée Amiens-Rouen. La ville se trouve à 24 km au Sud-Ouest d'Amiens par la N 29/E 44 et à 20 km au Sud d'Airaines par la D 901.
🛈 *6 r. St-Denis, 80290 Poix-de-Picardie, ☎ 03 22 90 32 93.*

Le nom
On peut relier *Poix* à *pic,* qui donnera aussi « picard » (piocheur). Une autre interprétation, plus ancienne, fait appel au latin *piscis,* « poisson » ; un élément la conforte : Poix est arrosé par la petite rivière du même nom.

Les gens
2 285 Poyais. Poix fut le siège d'une principauté appartenant à la famille des Noailles. Les occupants habiles au pic, étaient des durs à cuire. S'ils se sont adoucis, ils n'ont en rien perdu de leur verve.

visiter

Église St-Denis
Juil.-août : visite guidée 15h-18h ; sept.-juin : sur demande à Mlle Denier. ☎ 03 22 95 60 99.
Entourée du cimetière, l'église (16e s.) domine le bourg. Elle se dressait autrefois dans l'enceinte du château dont quelques vestiges subsistent. Cet édifice, de style flamboyant, possède un portail surmonté d'une accolade. À l'intérieur, voûtes à liernes et tiercerons et à clés pendantes polychromées. Dans le transept, piscines sculptées.

RENDEZ-VOUS
Grande fête de la gastronomie le 3e week-end de septembre.

À TROUVER
Près du portail, une niche abrite un saint Denis portant dans ses mains sa tête tranchée.

:ircuit

ES ÉVOISSONS *(30 km – env. 2h)*

*'itinéraire sillonne la campagne, le long de vallées de
eupliers où coulent des rivières poissonneuses.*

u départ de Poix, prendre la D 920 vers Conty.

a route longe **Blangy-sous-Poix**, dominé par une église
omane au clocher polygonal (12ᵉ s.). Continuez jusqu'à
amechon (église flamboyante du 16ᵉ s.).

rendre à droite la D 94.

uizancourt

raversé par la rivière des Évoissons, ce village s'étale sur
s coteaux. À l'entrée, un sentier mène au sommet de la
olline *(1/2h AR)*. Jolie **vue** sur la vallée des Évoissons.

*ouper la D 901 ; prendre le chemin de Baudets qui suit la
allée jusqu'à Méréaucourt ; poursuivre vers Agnières.*

gnières

glise isolée au pied d'une motte féodale. Chœur du
3ᵉ s. Balade le long du sentier *(2 km)* autour de l'édifice.

raverser Souplicourt puis Ste-Segrée.

ne forêt propose ses ombrages sur quelques kilomètres,
uis la route débouche sur Saulchoy-sous-Poix.

Lachapelle, prendre la D 919 pour rejoindre Poix.

Abbaye de **Prémontré**★

tape-découverte dans un vallon boisé de la forêt de
t-Gobain, l'ancienne abbaye de Prémontré, chef
'ordre, est l'un des trois derniers souvenirs de
'ordre des norbertins en France.

a situation

artes Michelin nᵒˢ 56 pli 4 ou 236 pli 37 – Aisne (02). En
sière du massif de St-Gobain, à 14 km à l'Ouest de Laon
ar la D 7 et la D 55 à gauche. De La Fère (15 km) ou
t-Gobain (7 km), prendre la D 13 et la D 14 à Septvaux.
e Soissons (22 km), la D 1 jusqu'à Coucy (12 km), la D 13
usqu'à Septvaux puis la D 14.

e nom

rémontré vient du latin *pratum monasterum*, qui signifie
pré découvert » ou « pré essarté ». Ce site éponyme a
onné son nom à un ordre de chanoines réguliers.

es gens

é à la fin du 11ᵉ s., **saint Norbert** mène une vie
nondaine lorsque, un jour d'orage, il tombe de cheval.
Jne voix lui reproche alors ses dissipations. Touché par
a grâce, Norbert vend tous ses biens et se retire en 1119
Prémontré où il fonde un monastère.

LES NORBERTINS

Reconnu dès 1126 par le
pape Honorius III, cet ordre
qui applique la règle de
saint Augustin prospère et
se développe surtout en
Europe centrale et aux
Pays-Bas. Les prémontrés,
ou norbertins, ont le titre
de chanoines de St-Augus-
tin et sont voués à
l'apostolat ou à la liturgie ;
les pères portent la
barrette et l'habit blancs.

isiter

ur demande auprès de la Conciergerie du centre hospitalier
3 j. av.). ☎ 03 23 23 66 66.

econstruite au 18ᵉ s., convertie en verrerie en 1802, puis
n hôpital psychiatrique, l'abbaye groupe trois bâtiments
emarquables par leur ordonnance et leur élévation,
ythmés par des pilastres d'ordre ionique colossal. Le
orps central présente un avant-corps circulaire, avec
ronton triangulaire incurvé. À remarquer : les agrafes des
aies, finement ciselées. Les bâtiments latéraux ont des
vant-corps surmontés d'une coquille flanquée de vases
nonumentaux. Celui de gauche contient un **escalier**
avant, sans autre appui que les murs de la cage ovale.
'abbatiale n'a jamais été édifiée ; un bâtiment annexe
britait la chapelle des chanoines.

*Balcon en fer forgé aux
armes cardinalices.*

Le Quesnoy ★

Isolée en campagne, dans un cadre de verdure e
d'eau, à proximité de la forêt de Mormal, la tranquill
cité aux maisons basses blanchies à la chaux reste u
beau témoignage de notre histoire militaire.

La situation

Cartes Michelin n°s 53 pli 5 ou 236 pli 18 – Nord (59). Tro
étangs entourent les fortifications. Accès par la N 49 pui
la D 934 de Valenciennes ou Bavay. Du Cateau-Cambré
sis, D 959 puis D 934 à Landrecies. De Cambrai, D 942
🛈 *Maison du Tourisme et de l'Artisanat, 1 r. du Mar.-Joffr
59530 Le Quesnoy, ☎ 03 27 20 54 70.*

Le nom

Quesnoy vient du latin *Quercitum,* « endroit couvert d
chênes », allusion évidente à la forêt de Mormal. Sur l
blason, on distingue trois chênes et un rameau.

Les gens

4 917 Quercitains, de *Quercitum,* bien sûr, mais san
connaître l'étymologie, vous auriez certainement donn
votre langue au chat.

se promener

Les fortifications★

Intactes, ces fortifications illustrent le caractèr
d'ancienne place forte propre au Quesnoy. Des bastion
en saillie, dont les flancs sont reliés par des courtine
s'ordonnent selon un plan polygonal. C'est un be
exemple du système à la Vauban, bien que certaine
parties datent de Charles Quint (bastions à orillons)
Plusieurs kilomètres de sentiers praticables en tout
saison permettent d'agréables balades. Des panneau
expliquent les arcanes de ce système défensif.

*Partir de la pl. du Gén.-Leclerc, ex-place d'Armes, et passe
la porte du château. Prendre l'av. des Néo-Zélandais pou
gagner la poterne.*

RESTAURATION

La Flambée – 6 les
Quatre-Vents - 59530
Villers-Pol - 3 km au
N du Quesnoy par
D 934 dir. Valenciennes
- ☎ 03 27 49 50 60
- laflambee@wanadoo.fr
- fermé mer. - réserv.
conseillée - 145/220F.
Installé dans un ancien
relais de poste ce
restaurant a une jolie
façade de brique. Sur
l'arrière, le joli jardin et
la terrasse sont deux
bonnes surprises. Dans
la plaisante et rustique
salle poutrée, la
cheminée crépite
joyeusement pour griller
et rôtir les mets choisis.

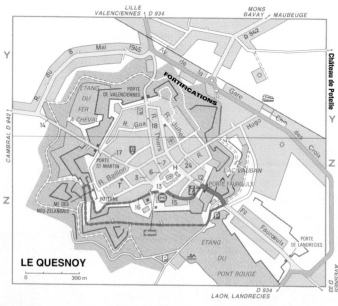

LE QUESNOY

0 _____ 300 m

Elle donne accès aux fossés, à l'endroit même où les hommes de la New Zealand Rifle Brigade escaladèrent la muraille en novembre 1918. Un « monument des Néo-Zélandais » commémore leur exploit.

De là, contourner le front Sud des remparts par le fossé.
Le fossé a été aménagé en parc et théâtre de verdure. On arrive à l'**étang du Pont Rouge** et au **lac Vauban** qui s'étend au pied des remparts, de part et d'autre de la porte Faurœulx. Du pont, vue sur les courtines et les bastions de briques roses se reflétant dans les eaux.

Étang du Fer à Cheval
Dans la partie Nord-Ouest de la ville, l'étang a été tracé et creusé d'après les directives de Vauban sous Louis XIV. Autour de ses 3 ha, qui ne forment pas vraiment un fer à cheval, promenade agréable dans un cadre verdoyant.

Château fort de **Rambures** ★

Bel exemple d'architecture militaire du 15ᵉ s., ce château de plaine a joué un rôle important lors de la guerre de Cent Ans. Enclave française en territoire anglais, « Clé du Vimeu », il reste dans la même famille depuis cinq siècles. Henri IV y a séjourné.

La situation
Cartes Michelin n°s 52 pli 6 ou 236 pli 22 – Somme (80).
5 km au Nord-Est de Blangy-sur-Bresle par la D 928 puis la D 180 à droite. D'Abbeville (24 km au Nord), prendre la D 928 puis la D 180 à gauche. D'Amiens (50 km à l'Est), via Picquigny et Airaines (20 km à l'Est), prendre la N 235, la D 936 puis la D 180 à Oisemont.

Le nom
Il apparaît en 1058, lorsque Asson de Rambures assiste à la cour plénière que le roi Henri Iᵉʳ tient à Cambrai.

Les gens
Ses plus illustres représentants sont David de Rambures, le Lord Rambures du *Henry V* de Shakespeare, Grand Maître des Arbalétriers de France. Charles dit « le Brave de Rambures », compagnon d'armes de Henri IV.

PRATIQUE
Dans le parc, le « Pavillon Henri IV » permet de se rafraîchir et de déjeuner le week-end et les jours fériés en mai, juin, septembre et tous les jours en juillet-août.

visiter

Mars-oct. : visite guidée (1h) tlj sf mer. 10h-12h, 14h-18h (juil.-août : 10h-18h) ; nov.-fév. : sur demande. 32F. ☎ 03 22 25 10 93.

Extérieur – Puissante forteresse, ses tours rondes à mâchicoulis et ses courtines n'ont pas souffert des assauts. Ses fossés et sa tour de guet sont tels qu'à

Avec ses tours et ses courtines arrondies, le château de Rambures n'offrait aucune surface plane au tir de l'ennemi.

l'origine. Les murs de briques ont de 3 à 7 m d'épaisseur l'ensemble a été conçu avec le souci de résister à l'artillerie de l'époque. Au 18e s., le château for devient une demeure de plaisance et la façade sur cour est percée de baies. Parc à l'anglaise planté d'arbres séculaires.

Intérieur – Certaines pièces ne sont éclairées que par des meurtrières. Les aménagements du 18e s. ont doté le 1er étage de salles de réception avec cheminées de marbre et boiseries. Mobilier picard (15e au 17e s.). Au 2e étage, après un tour sur le chemin de ronde (15e s.) on découvre le billard-bibliothèque et ses portraits. Sous la cuisine, se trouvent les oubliettes. Les caves abritaient les villageois lors des invasions.

Ravenel

Voici un de ces petits villages paisibles qui foisonnent au Nord de l'Oise. Au 16e s., les terres picardes entre Ravenel et Rollot formaient le duché d'Halluin. Grands constructeurs mécènes, les Halluin ont pourvu leur petit domaine d'églises remarquables, dont un beau témoignage subsiste ici.

La situation
Cartes Michelin n°s 56 pli 1 ou 236 pli 34 – Oise (60). De Beauvais (32 km), accès par la D 938, puis la D 58 à St-Just-en-Chaussée ; de Compiègne (40 km), D 36, puis D 58 à St-Just. D'Amiens (40 km), N 1 jusqu'à Breteuil, puis D 916, et enfin D 58 à St-Just.

Le nom
Le village tire son nom de la *ravenelle*. Ce sympathique légume aujourd'hui oublié est une forme sauvage du radis, apparenté à la grande famille des crucifères.

Les gens
1 018 Ravenellois. Peu se souviennent des ducs d'Halluin, en revanche **Robert Hersant**, magnat de la presse, est resté dans les mémoires, il fera une halte sur ces terres entre 1956 et 1957, parachuté maire de la ville.

visiter

Église

◀ Sa **tour**★ associe les motifs flamboyants (parties aveugles) et Renaissance (parties ajourées). Les contreforts couronnés de pinacles et la tourelle d'escalier flamboyante relient les étages. Le couronnement Renaissance (1550) montre deux étages de baies au-dessus d'une balustrade ouvragée. Un dôme en charpente coiffe la plate-forme supérieure.

alentours

St-Martin-aux-Bois
6 km par la D 47 puis la D 73 à Maingnelay-Montigny.
Dominant la plaine picarde, l'abbatiale de St-Martin est isolée à la limite du village auquel elle a donné son nom.

glise★ – Accès par l'ancienne porte fortifiée.
e **vaisseau**★ (13ᵉ s.) mutilé lors de la guerre de Cent Ans
st presque aussi haut (27 m) que large (31 m). Les piliers ▶
e la nef reçoivent très haut la retombée des voûtes. Un
écor de lancettes et de roses aveugles anime les parois
es bas-côtés. Au-dessus, sous chaque fenêtre haute, trois
uvertures tréflées percent le mur. Le chevet, chef-
'œuvre gothique rayonnant, est entièrement ajouré : la
errière à sept pans commence presque au ras du sol
our se terminer dans chaque lancette par un trèfle. À
roite s'ouvre la gracieuse porte Renaissance de la
acristie. Une Vierge la surmonte. *Sur demande auprès de
a mairie.* ☎ 03 44 51 03 55.

À OBSERVER
Les stalles (fin du 15ᵉ s.),
surtout, méritent un
examen pour leur décor
flamboyant et leurs
miséricordes illustrant des
tableaux de la vie
quotidienne et des dictons
populaires. Sur les joués
figurent deux des quatre
Pères de l'Église latine :
saint Jérôme à gauche,
saint Ambroise à droite.

Forêt de **Retz**★

« L'une des plus grandes raretés du Valois est la
orest de Rest, la plus belle et renommée de toute la
rance », écrivait un certain Muldrac en 1662. Quatre
iècles plus tard, son opinion se vérifie toujours.
3iches, cerfs, chevreuils, sangliers, renards et faisans
1e vous diront pas le contraire.

.a situation
*Cartes Michelin nᵒˢ 56 plis 3, 13 ou 237 plis 8, 20 – Aisne
12).* Au Sud-Est de la forêt de Compiègne, cette forêt
Iomaniale dessine un croissant aplati qui entoure Villers-
Cotterêts. Le massif couronne le sommet du plateau du
Valois. De Paris (75 km), Soissons (25 km) et Laon
55 km), on traverse le massif par la N 2.

.e nom
3ien avant de devenir la *Forest de Rest*, ce massif
'appelait forêt des *Sylvanectes*. Il groupait alors les
ctuelles forêts de Chantilly, Ermenonville, Halatte,
Compiègne, Laigue, St-Gobain et Coucy-Basse.

.'emblème
.a forêt est couverte de très belles futaies de hêtres. Elle ▶
st aussi peuplée de chênes, charmes, frênes, merisiers,
:rables, bouleaux, châtaigniers. Les conifères abondent
lans les zones sableuses.

VIEILLES BRANCHES
Une quinzaine d'arbres
remarquables sont à
découvrir, dont les hêtres
du Saut du Cerf, du Pré
Gueux, et le hêtre aux
Amours, le chêne des
Crapaudières et celui du
Roi de Rome, etc.

:omprendre

Tremplin de la victoire – Lors de la 2ᵉ bataille de la
Marne, déclenchée le 27 mai 1918, le bastion de la forêt,
enu par l'armée Mangin, reste inébranlable, tandis que
'avancée ennemie dessine une « poche » vers Château-
Thierry, au Sud. Le 12 juillet, Foch attaque le flanc Ouest
le la poche. La concentration de l'armée Mangin s'opère
:n trois nuits sous le couvert de la forêt. Le général
Fayolle mène l'ensemble de l'opération. Le 18, les deux
rmées, précédées des chars, s'élancent sur un front de
15 km. Un barrage roulant d'artillerie s'est déclenché en
nême temps que l'attaque. La surprise est foudroyante :
a ligne allemande est enfoncée.

BIENTÔT RETHONDES
Mangin dirige cette pous-
sée décisive, prélude de la
grande offensive contrai-
gnant les Allemands à
signer l'armistice du 11 novembre 1918.

itinéraire

JE VILLERS-COTTERÊTS À LA FERTÉ-MILON
(35 km – env. 2h30)
*Prendre la D 973 ; 1 km après la déviation, tourner à droite
:t se garer à l'étang de Malva.*

Ermitage St-Hubert
1/4h à pied AR en remontant la trouée à travers bois.

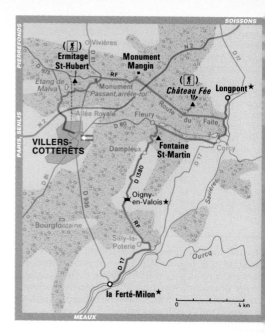

On coupe, à mi-chemin, la perspective principale du château, l'allée Royale. La petite construction, restaurée en 1970 et décorée des salamandres de François Ier, abrita un ermite jusqu'en 1693. Elle constitue l'un des « regards » du réseau de canalisations mis en service, à partir du 12e s., pour approvisionner le château en eau pure, collectée dans les « pleurs ».

Suivre la route forestière ; tourner à gauche pour monter au faîte de la forêt. À hauteur du monument « Passant, arrête-toi », prendre à droite la route du Faîte. À 2 km, parking dans un virage. Monter à pied à travers bois.

Monument Mangin

Stèle de granit à l'emplacement de l'observatoire militaire (tour de bois, 7 étages) qui servit de poste de commandement à Mangin les 18 et 19 juillet 1918.

Suivre la route du Faîte. 2,5 km après la traversée de la N 2, après le 2e carrefour de routes forestières, se garer et prendre à gauche, la « promenade de Château Fée ».

Château Fée

🚶 *1/2h à pied AR par le chemin forestier.* Il ne s'agit pas d'un château mais d'une éminence, dans un secteur en partie reboisé. Larges échappées.

Longpont★ *(voir ce nom)*

Demi-tour. Gagner Corcy, puis l'entrée de Fleury. Tourner à gauche, en passant sous la voie ferrée.

Dampleux

Fontaine St-Martin – Abondante source dont le captage (regard, bassin, déversoir) est l'un des symboles de la forêt de Retz, château d'eau d'Île-de-France.

La route traverse la clairière d'Oigny-Dampleux.

À Oigny, engagez-vous dans la route forestière de Silly-la-Poterie *(à gauche)*. Du sommet, descendez au fond de la vallée de l'Ourcq, près de l'origine du canal.

La D 17, à droite, mène à La Ferté-Milon.

Riqueval

Riqueval est surtout connu pour son Grand souterrain, long de 5 670 m, qui permet au canal de t-Quentin de franchir le plateau séparant le bassin le la Somme de celui de l'Escaut. Point fort de la isite : la rencontre avec le « toueur ».

La situation

Cartes Michelin n°s 53 plis 13, 14 ou 236 pli 27 – Aisne (02). 2 km au Nord de St-Quentin et 28 km au Sud de Cambrai ar la N 44. De Péronne, à l'Ouest, prendre la D 6, la D 331 uis la N 44 à droite.

Le nom

Prononciation picarde de « riche val », il donnera *rikeval* 1178) puis *ricqueval* (1363), allusion à la fertilité de cette allée où étaient exploitées des carrières de pierre.

Les gens

Cet ouvrage d'art, conçu par le premier consul Bonaparte n 1801, réalisé de 1802 à 1810 sous la direction de ingénieur **A.-N. Gayant**, fut inauguré en présence de Napoléon Ier et de l'impératrice Marie-Louise. Durant la uerre 1914-1918, il servit d'abri aux Allemands.

visiter

Entrée du souterrain

km au Nord de Riqueval. Touage des péniches : entre 14h-6h. Fermé 1er janv., 1er mai, Pâques, 14 juil., 11 nov., 25 déc. Un chemin signalé « Grand souterrain du canal de St-Quentin » descend à travers bois vers l'entrée du souterrain où l'on assiste au touage des péniches.

Le touage – La mauvaise ventilation du souterrain contraint à faire la traversée par touage : la rame de péniches dont les moteurs sont éteints est remorquée par un toueur électrique, bateau (25 m de long, 5 de large, 8 t) se déplaçant à l'aide d'un treuil et d'une chaîne, fixée u fond du canal. Cette chaîne s'enroule sur des tambours itués au centre du bateau. Jusqu'en 1863, le halage nécessitait l'énergie musculaire de 7 à 8 hommes et la raversée du souterrain durait de 12 à 14 heures. On nstalla plus tard un remorqueur à manège appelé rougaillou », mu par des chevaux. Un toueur à vapeur rit sa place en 1874, puis un toueur électrique dès 1910.

Maison de pays du Vermandois

&, 8h30-12h30, 13h30-17h30, w.-end 14h-19h (nov.-mars : ermé w.-end ; avr.-oct. : fermé sam.). Fermé 1er janv., ^er mai, 1er et 11 nov., 25 déc. Gratuit. ☎ 03 23 09 50 51. Documents touristiques, panneaux explicatifs, vidéos sur e fonctionnement du toueur et sur le Vermandois. Pro-duits du terroir.

Musée du touage

Avr.-oct. : 8h30-12h30, 13h30-17h30, w.-end et j. fériés 14h-19h (avr. et oct. : fermé sam.) ; nov.-mars : lun.-ven. 8h30-12h30, 13h30-17h30. Fermé 1er janv., 1er mai, 1er et 11 nov., 25 déc. 20F. ☎ 03 23 09 50 51. Visite d'un toueur de 1910, au bord de la N 44. ▶ Présentation des techniques du touage, histoire du canal de St-Quentin et de son souterrain.

À REMARQUER
L'équipement de scaphandrier qui permettait d'accéder à la chaîne (8 km de long) en cas de rupture de celle-ci.

circuit

MÉMORIAL AMÉRICAIN ET SOURCE DE L'ESCAUT

24 km. Quitter Riqueval au Nord par la N 44.

À SAVOIR
Des abords : vue panoramique sur le plateau que sillonnaient les tranchées allemandes.

Mémorial américain de Bellicourt

Un cénotaphe de pierre blanche commémore l'attaque, ▶ en 1918, de la ligne Hindenburg par le 2e corps d'armée américain.

Poursuivre la N 44 vers le Catelet, et, à 2 km à droite, une route qui conduit à Mont-St-Martin.

Mont-St-Martin
Ruines d'une ancienne abbaye de prémontrés.

Prendre à droite de nouveau la D 71 d'où se détache le sentier qui conduit à la source de l'Escaut (parking).

Source de l'Escaut
Ancien lieu de pèlerinage, au creux des arbres dans un site mystérieux. De là, suivre, sur 100 m, la berge du fleuve qui coule au milieu des trembles et des frênes.

Passer de nouveau devant Mont-St-Martin, continuer jusqu'à Gouy et là, prendre à droite vers Beaurevoir.

Beaurevoir
Ce village conserve une tour du château où Jeanne d'Arc fut tenue captive, d'août à novembre 1430, par le comte de Luxembourg qui la livra aux Anglais.

Revenir à Riqueval par la D 932.

> **C**'est le départ d'une course de 400 km à travers la France, la Belgique, les Pays-Bas, par Cambrai, Valenciennes, Tournai, Gand et Anvers.

Roubaix

Ces cheminées, ces murs de brique, dont se parent les cités industrielles du Nord pourraient suggérer monotonie et grisaille. On préfère y déceler toutes les nuances du rouge au brun. On y verra aussi des paraboles de miroirs, comme celles de l'Eurotéléport, château industriel transformé sous la baguette magique de Sarfati. L'ancienne cité textile, carrefour de la communication, subit une refonte urbanistique. Les ensembles audacieux continuent à se multiplier.

La situation
Cartes Michelin n°s 51 pli 16 ou 236 plis 16, 17 – Nord (59) Entre Lille et Tourcoing. Accès : de Lille, N 356 ; de Tournai, N 509 ; de Courtrai (20 km) ou Mouscron (12 km), N 43. Autres accès : E 42 puis D 710 ; A 1/E 17. Les voies rapides D 700, D 9, N 356 encerclent la ville. L'av. Jaurès, qui devient bd Leclerc, puis bd De-Gaulle, enfin bd Gambetta, traverse le centre. De la gare, l'av. Lebas donne sur la Grand-Place.

🛈 *10 r. de la Tuilerie, 59100 Roubaix,* ☎ *03 20 65 31 90*

Le nom
Il vient probablement de *Rosbach*, « ruisseau aux roseaux », et dont la première mention apparaît dans une légende du 9e s., intitulée *Le Miracle de St-Éleuthère*.

Les gens
96 984 Roubaisiens. Pour l'an 2000, ils ont décidé de mettre l'*Odalisque* d'Ingres dans la piscine Art déco, en même temps que Fantin-Latour, les peintres symbolistes et les orientalistes. Plouf !

comprendre

Du Téméraire à La Redoute – En 1469, l'octroi par Charles le Téméraire, duc de Bourgogne et comte de Flandres au seigneur Pierre de Roubaix d'une charte autorisant les habitants à faire « drap de toute laine » consacre déjà la vocation textile de la ville. Suite à la profonde crise du textile de 1960, Roubaix est devenu un pôle universitaire et un centre d'affaires. Si l'activité textile demeure importante (le groupe La Lainière de Roubaix est l'un des plus importants

> **BOOM DÉMOGRAPHIQUE**
> Roubaix compte 8 000 habitants en 1800. L'explosion de l'industrie textile propulse la ville au rang de grande cité : 124 000 hab. en 1914.

carnet pratique

TRANSPORTS

Le **tramway** dessert 5 stations à Roubaix et met la gare Lille-Europe à 40mn.
Roubaix est également relié à la métropole lilloise et à Tourcoing par le **métro VAL** : 20mn suffisent pour rejoindre le centre de Lille et moins de 10 pour Tourcoing.
5 stations du VAL desservent le centre de Roubaix. Le métro circule de 5h à 0h30 (passage à Lille-Flandres). Ttes les 2mn aux heures de pointe ; ttes les 6 à 7mn aux heures creuses. ☎ 03 20 40 40 40.

RESTAURATION

● **À bon compte**
Restaurant Le Richard Lenoir – *39 r. Pierre-Motte (près de la poste) -* ☎ *03 20 73 92 92 -* ⌷ *- 99/245F.* Dès l'entrée, le ton est donné : au sol, belle mosaïque d'origine, suivie d'une grande salle au décor fin 19ᵉ s. Pour rehausser le tout, deux cheminées en marbre moucheté et un puits de lumière. Côté cuisine, préparations originales bien tournées.

ACHATS

Les 3 magasins d'usine cités ci-dessous sont ouverts du lun. après-midi au sam. (ven. pour l'usine Vanoutryve).

L'usine – *228 av. Alfred-Motte.* Dans une ancienne usine où étaient fabriqués des velours sont réunis les magasins d'usine de la région. Plus de 200 marques sont proposées dans une soixantaine de magasins.
« Les Aubaines de la Redoute » – *R. de l'Alma.* Ce magasin de vente par correspondance vend des articles de fin de série ou supprimés du catalogue.
Usine Vanoutryve et Cie – *75 bd d'Armentières.* Fondée en 1860 par Félix Vanoutryve, l'usine propose de nombreux tissus d'ameublement et velours.
La Petite Ferme – *55 r. de l'Épeule* - ☎ *03 20 36 08 05.* Le vieux hollande, délicieux fromage à la pâte orange et cassante, dont le général de Gaulle raffolait, est exclusivement mûri dans les caves centenaires de ce fromager.
Brasserie Terkens – *3 quai d'Anvers* - ☎ *03 20 76 15 00.* Bières « Septante 5 » et « Terken Brune », bières spéciales du Nord.

de l'Union européenne) la ville est surtout connue pour la vente par correspondance (Trois Suisses, La Redoute,...).
L'ère de la communication – Depuis 1980, Roubaix s'affirme comme ville pilote dans la communication. Eurotéléport abrite un centre international de télé-communications. Connecté à tous les réseaux de la planète, co-utilisateur du satellite Eutelsat, il est équipé de paraboles et d'une station terrienne. Le Centre des archives du monde du travail se trouve sur le même site.

se promener

Grand-Place

Son réaménagement lié à l'arrivée du VAL met en valeur ses deux principaux monuments – hôtel de ville et église. Les pavés beiges composent de vastes rectangles que séparent des liserés et de larges bordures de pavage brun-ocre. Face à l'église, une coupole illumine

Essayez de reconnaître les corps de métier de l'industrie roubaisienne illustrés sur la façade de l'hôtel de ville.

> **À REMARQUER**
> Le cénotaphe de François de Luxembourg (1472), très rare gisant d'enfant en pierre de Tournai.

la station de métro souterraine. On n'attend plus que les alignements d'arbres déploient leurs frondaisons. L'**hôtel de ville**, inauguré en 1911, est dû à Victor Laloux.

Église St-Martin – Agrandie au 19e s. dans le style néo-gothique. L'autel est formé d'éléments d'une ancienne chaire (les quatre Évangélistes, 17e s.) ; beau retable en bois sculpté (16e s.) et tabernacle style Rocaille (18e s.).

Carrefour de la communication

> **À DÉTAILLER**
> Créneaux et tour de guet, mais aussi pont-levis, suggéré par la structure métallique dominant l'entrée.

Témoin de l'architecture industrielle du 19e s., l'édifice abrite plusieurs organismes disposant de moyens de communication performants. Le site, appelé **Euro-téléport**, comprend le Centre international de la communication et le **Centre des archives du monde du travail** qui conserve les documents des entreprises, organismes... créés dans le cadre de la vie professionnelle. L'une des tours d'entrée de ce « château de l'industrie », réhabilité par l'architecte Sarfati, héberge l'Office de tourisme. De l'extérieur, admirez cet ensemble qui tient à la fois du paquebot et de la forteresse médiévale.

ROUBAIX

Abreuvoir (Pl. de l') 3
Alouette (R. de l') 4
Alsace (Av. d') 6
Avelghem (R. d') 9
Beaumont (R. de) 10
Beaurepaire (Bd du) 12
Bois (R. du) 13
Braille (R. Louis) 15
Cateau (Bd du) 18
Colmar (Bd de) 21
Communauté-Urbaine (R.) 22
Curé (R. du) 30
Douai (Bd de) 31
Épeule (R. de l') 33
Faidherbe (Pl. du Gén.) 37
Fosse-aux-Chênes (R.) 40
Fraternité (Pl. de la) 42
Goujon (R. Jean) 45
Grand-Place
Grande-Rue
Halle (R. de la) 49
Hospice (R. de l') 52
Hôtel-de-ville (R. de l') 54
Lacordaire (Bd) 57
Lannoy (R. de)
Lebas (Av. J.)
Le Nôtre (Av.) 58
Leclerc (Bd Gén.) 60
Liberté (Pl. de la) 64
Monnet (R. Jean) 67
Motte (R. Pierre) 70
Nadaud (R.) 72
Nyckès (Pont) 73
Peuple-Belge (Av. du) 75
Prof.-Langevin (R. du) 76
Sarrail (R. Gén.) 82
Travail (Pl. du) 87
Vieil-Abreuvoir (R. du) 88

Carrefour de la communication .. M¹ Musée d'Art et d'Industrie ...... M² Hôtel de ville .... H

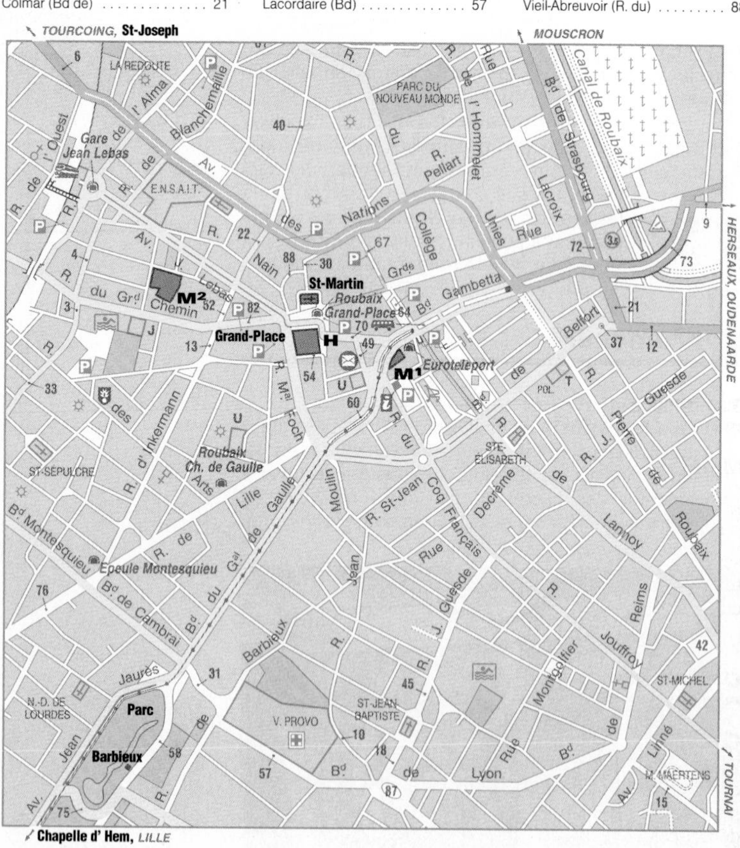

L'Eurotéléport est installé dans l'ancienne filature de coton Motte-Bossut (1842).

Église St-Joseph

De 1878 et de style néo-gothique. La sobriété extérieure de l'édifice en briques contraste avec la richesse du décor intérieur. Les peintures ornant les murs, les voûtes et colonnes forment un vrai livre d'images.

> **À VOIR**
> Dans le chœur, un retable en bois sculpté relate la vie de saint Joseph, patron des ouvriers.

Parc Barbieux

De nombreuses essences d'arbres apprécient ce parc à l'anglaise au creux d'un vallon. Ses massifs fleuris, ses monuments à la mémoire des grands Roubaisiens, ses étangs et ses jeux en font une pause idéale en famille.

LA « REINE » DES CLASSIQUES OU « L'ENFER DU NORD »

Créée en 1896, la course cycliste Paris-Roubaix (chaque année, mi-avril) est le symbole de l'endurance. Au départ de Compiègne, l'itinéraire de 268 km rallie le vélodrome de Roubaix. Elle compte 22 secteurs pavés. Ces pavés, qui viennent des carrières arrageoises et bretonnes, couvraient déjà les routes du Nord-Pas-de-Calais aux 18e et 19e s. Il en reste environ 80 km dans le Nord dont 57 sont utilisés pour la course. Les passages réputés les plus difficiles sont : le trajet de Préseau à Famars, le plus long (3,9 km), la traversée de la forêt d'Arenberg... Lorsque la pluie s'en mêle, la course peut revêtir en ces lieux des allures d'apocalypse : chutes spectaculaires, crevaisons en série, visages maculés de boue... C'est « l'enfer du Nord ». Émotion incomparable lorsque les premiers entendent la clameur de la foule à l'approche du vélodrome. Le vainqueur devient un héros, tels Eddy Merckx en 1970, Francesco Moser en 1978, 1979 et 1980, Bernard Hinault en 1981, Duclos-Lasalle en 1992 et 1993.

Comme souvenir de cette épreuve de force, la tradition veut que le vainqueur emporte un pavé.

visiter

Musée d'Art et d'Industrie

Ouv. prévue printemps 2001. ☏ *03 20 66 46 93.*
Il est en cours d'installation dans une piscine Art déco (1932). Peintures (française, flamande et hollandaise), sculptures, dessins, objets d'art (céramiques) et fonds textile (de l'époque copte à nos jours, échantillons, collection de vêtements).

alentours

Chapelle d'Hem★

7 km par l'av. J.-Jaurès et la D 64. La chapelle Ste-Thérèse-de-l'Enfant-Jésus-et-de-la-Sainte-Face, réalisée sur les plans de H. Baur, a été achevée en 1958. Sa silhouette se détache sur un fond de maisons flamandes blanchies à la chaux, rappelant un béguinage. Dès l'entrée une tapisserie de la Sainte Face, d'après Rouault, s'impose. Autels et tabernacles, crucifix et statue de sainte Thérèse dus au sculpteur Dodeigne.

> **À VOIR**
> Admirables **murs-vitraux★★** dus au peintre Manessier. Remarquez, à droite, les tons chauds et vibrants ; à gauche, des nuances plus légères, d'une exquise délicatesse.

Rue ★

Port de mer au début du Moyen Âge et place forte jusqu'au 17ᵉ s., Rue, capitale du Marquenterre, est une ville agricole et touristique. Sa chapelle abrite une relique liée à une mystérieuse légende. Son puissant beffroi symbolise les libertés communales. Paradis des chasseurs et des pêcheurs, c'est aussi le point de départ privilégié de nombreuses randonnées.

La situation

Cartes Michelin nᵒˢ 51 pli 11 et 52 pli 6 ou 236 pli 12 – Somme (80). Entre les baies d'Authie et de Somme, Rue occupe une éminence du Marquenterre. La ville est cernée de « mollières », de prés-salés, de dunes, d'étangs et de vasières. Accès par la D 940. De Paris ou Lille, A 1 vers Amiens puis N 1 jusqu'à Abbeville et D 40 vers Le Crotoy, suivre les panneaux « Marquenterre ». Accès par l'A 16, aux départs de Paris, Amiens, Calais, Dunkerque ou Oostende. La ligne Paris–Calais dessert la gare de Rue. 🏢 *54 porte de Becray, 80120 Rue,* ☎ *03 22 25 69 94.*

La légende

On raconte que des croisés ayant découvert trois crucifix près du Golgotha à Jérusalem les livrèrent aux flots. L'un d'eux échoua sur la grève de Rue. Les deux autres accostèrent en Italie et en Normandie.

Les gens

3 075 Ruéens. Leurs grand-parents ont assisté, vers 1910, aux premiers essais aéronautiques des pionniers de l'aviation : les frères Gaston et René Caudron.

visiter

Chapelle du St-Esprit ★

De mi-fév. à fin oct. : 9h30-17h30. Visite guidée incluant chapelle de l'Hospice : juil.-août à 15h, 16h, 17h, 18h (gratuit), dép. à la chapelle Saint-Esprit. Office du tourisme. ☎ *03 22 25 69 94.*

Le raffinement de cette chapelle est dû aux dons faits par les fidèles lors du pèlerinage du Crucifix miraculeux.

Les voûtes de la chapelle du St-Esprit témoignent du goût des 15ᵉ et 16ᵉ s. pour la sculpture décorative qui forme ici une dentelle de pierre d'une rare délicatesse.

Extérieur – Contreforts saillants aux statues grandeur nature superposées : effigies royales *(à droite)*, la Visitation, saint Jacques et saint Jean *(au centre)*, les Pères de l'Église et les Évangélistes *(à gauche)*. Les voussures du portail évoquent la passion du Christ. Tympan découpé en niches à dais très fouillés. Elles abritent des hauts-reliefs refaits au 19e s. sur le thème des sept douleurs de la Vierge.

Intérieur★★ – La voûte du narthex, très élancée, présente une énorme clé en pendentif, restaurée en 1963. Des arcatures lancéolées ornent le mur droit. Les portes de la **trésorerie** sont surmontées de représentations de la Sainte Face et de l'Esprit saint. Celle de droite conduit à la salle basse où un escalier à vis mène à la salle haute, celle de gauche donne sur un autre escalier desservant aussi la salle haute, ce qui permettait aux pèlerins de défiler dans un sens unique. La salle haute, au fin décor sculpté, abrite le retable de l'ancien autel. De bas en haut, on voit une galerie flamboyante, une frise de feuilles de chêne où se glissent escargots, coqs, oiseaux ; et des scènes, dont l'Annonciation, les Adorations des Bergers et des Mages, la Circoncision. À gauche du retable, la porte du second escalier séduit par son gâble, son couronnement à jours et ses vantaux (16e s.) en chêne.

Revenir au narthex. Une porte à jours donne accès à la chapelle. Ses voussures figurent la légende du Crucifix miraculeux. Dans les niches au-dessus des piédroits, statues des bienfaiteurs de la chapelle, Isabelle du Portugal et Louis XI. Trois peintures (19e s.) retracent la légende du Crucifix *(mur latéral).*

À VOIR

Dans la salle basse, remarquez l'arcade gauche. Sa voussure est sculptée de feuilles de vigne et de lierre entre lesquelles rampent des escargots. Au-dessus du gâble de la porte d'escalier, jolie Vierge à l'Enfant polychrome (16e s.).

Beffroi

De mi-fév. à fin oct. : 10h-12h30, 14h30-18h, dim. et j. fériés 10h-12h30 (juil.-août : dim. et j. fériés 10h-12h30, 14h30-18h). Gratuit. ☎ *03 22 25 69 94.*
Puissant et massif, cantonné de 4 tourelles. Gros œuvre du 15e s. et couronnement, avec sa loge de guetteur, du 19e s. Au rez-de-chaussée, un petit **musée** se consacre aux frères Caudron.

ARAIGNÉES AU PLAFOND

La **chapelle** du 16e s., qui conserve les reliques, surprend par ses voûtes : les nervures y dessinent un réseau arachnéen autour de clés sculptées avec une étonnante virtuosité. Trois peintures (19e s.) retracent la légende du Crucifix.

Chapelle de l'hospice

Juil.-août : visite guidée jumelée à la chapelle du St-Esprit tlj à 15h, 16h, 17h et 18h, dép. à la chapelle du St-Esprit. Gratuit. Office du tourisme. ☎ *03 22 25 69 94.*
Sa charpente en carène de navire (16e s.) repose sur des poutres sculptées de scènes de chasse. Au-dessus du maître-autel une toile de Ph. de Champaigne figure saint Augustin.

alentours

Château d'Arry *(4 km à l'Est par la D 938)*
De la route, perspective sur cette demeure Louis XV élevée en 1761. L'avant-corps arrondi et l'appareillage de brique rose à chaînages de pierre blanche rappellent le château de Bagatelle.

St-Amand-les-Eaux

Ses sources thermales sont réputées dans le traitement des rhumatismes et des maladies liées aux voies respiratoires. St-Amand est également célèbre pour ses eaux minérales. Le massif de Raismes-St-Amand-Wallers, poumon vert de la plaine de la Scarpe et de l'Escaut, entoure l'Est de la ville. Aux sensations forestières s'ajoutent quelques spécialités régionales : tarte aux glands, galette de noisettes, bière d'abbaye...

La situation

Cartes Michelin n°s 51 pli 17 ou 236 plis 17, 18 – Nord (59). À 10 km de la Belgique. Accès par l'A 23 : puis la D 40 depuis Lille ; puis la D 169, venant de Valenciennes ou Cambrai. Par la route : N 507/D 169 de Tournai, N 49/D 169 de Maubeuge et Bavay ; D 169 de Valenciennes.

🛈 *Grand'Place, 59230 St-Amand-les-Eaux,* ☎ *03 27 22 24 47*

Le nom

Ça coule de source. La ville réunit dans son nom les deux principaux facteurs de sa destinée : saint Amand, évêque de Tongres au 7e s., et les sources thermales, réputées depuis l'époque gallo-romaine.

Les gens

17 175 Amandinois. Dans la réserve ornithologique de la **Mare à Goriaux**, on risque de croiser la foulque noire, cousine de la poule d'eau, mais aussi le grèbe huppé.

visiter

Abbaye

Avr.-sept. : tlj sf mar. 10h-12h, 14h-17h, w.-end 10h-12h30, 15h-18h ; oct.-mars : tlj sf mar. 14h-17h, w.-end 10h-12h30, 14h-17h. Fermé 1er et 2 janv., 14 juil., 25 et 26 déc. 10F, gratuit mer. ☎ 03 27 22 24 55.

La dernière reconstruction (1625-1673) du monastère est due à l'abbé Nicolas du Bois. Propriété nationale en 1789, l'ensemble est démantelé de 1797 à 1820. Par chance, deux impressionnants édifices baroques ont été épargnés : la tour abbatiale et l'échevinage, qui servait d'entrée.

Tour abbatiale-musée★ – Avec ses 82 m de haut, ce monument baroque colossal constituait le narthex de l'église dont la nef, disparue, occupait l'essentiel du jardin public. La **façade** se divise en 5 étages qui utilisent chacun un ordre architectural classique : de bas en haut, les ordres toscan, dorique, ionique, corinthien et composite. Cette disposition rythmée par des colonnes et des larmiers étonne par ses nombreuses sculptures. Les statues mutilées évoquent Dieu le Père, saint Amand, saint Benoît... Au centre du 1er étage, une perspective d'église, en trompe-l'œil, montrait une scène du Christ chassant les marchands du Temple. Au-dessus de la balustrade, la tour se coiffe d'une coupole.

Intérieur – Le rez-de-chaussée est voûté de pierres sculptées autour d'un vide central prévu pour le passage des cloches. Masques, enroulements de rubans, niches et bénitiers évoquent le style maniériste anversois. Des expositions y sont présentées. Au 1er étage, sous une voûte nervurée, collection de faïences (plus de 300 pièces) des deux manufactures locales du 18e s. : Desmoutiers-Dorez et Fauquez. L'ascension de la tour *(365 marches)* permet d'apprécier la charpente et le mouvement d'horloge, du 17e s., puis le carillon actuel (48 cloches). De la galerie extérieure, **panorama** sur la vallée de la Scarpe et la forêt de Raismes jusqu'à Tournai et Valenciennes.

La coupole de la tour abbatiale abrite un bourdon du 17e s. de 4 560 kg.

◄

À VOIR

Les curieux dragons repliés en volute qui ornent la façade Ouest de la tour (au niveau de la colonne ionique) sont particulièrement ouvragés.

RENDEZ-VOUS MUSICAL

Actionné électriquement chaque quart d'heure, le carillon devient un instrument de concert animé par les carillonneurs, de 12h à 12h30.

échevinage – Nicolas du Bois l'avait conçu comme pavillon d'entrée de l'abbaye ; il deviendra le siège du « magistrat », composé du maire et de ses échevins. Flanquée de tours à coupole et lanternon, la façade à soubassement de grès est typique du style baroque flamand : encadrements de pierres en bossages vermiculés, colonnes baguées, cartouches sculptés. Une brèche surmonte l'entrée. Dans le campanile, la « cloche du ban » est d'origine.

À l'intérieur, au 1er étage, la salle de justice de paix a conservé son décor initial. Au 2nd étage, sous les coupoles, deux salles symétriques, couvertes de voûtes en dôme à nervures rayonnantes. La salle des échevins (réservée au conseil municipal) est réaménagée. ▶

À VOIR

Le **salon Watteau** garde son caractère d'époque. L'arrière-neveu du peintre l'a orné en 1782 de toiles religieuses et allégoriques du maître.

séjourner

Établissement thermal *(4 km à l'Est)*

Les sources de Fontaine-Bouillon étaient connues des Romains pour leurs propriétés curatives. Lorsque Vauban organisa leur réexploitation, au 17e s., on découvrit au fond du bassin des statues en bois, ex-voto laissés par les curistes. L'**établissement thermal**, reconstruit après 1945, est équipé d'un hôtel et d'un casino. Son parc de 8 ha se prolonge en forêt par la Drève du Prince, tracée sur l'ordre de Louis Napoléon Bonaparte qui fit ici une cure en 1805.

Forêt de Raismes-St-Amand-Wallers★

Ce massif (4 600 ha), le plus important du **Parc naturel régional Scarpe-Escaut**, ne représente qu'un lambeau du vaste manteau forestier qui couvrait le Hainaut au

ALCHIMIE AMANDINOISE

Jaillies à la température de 26°, les eaux et boues amandinoises sont parmi les plus radioactives du pays ; elles s'utilisent surtout pour le traitement des rhumatismes.

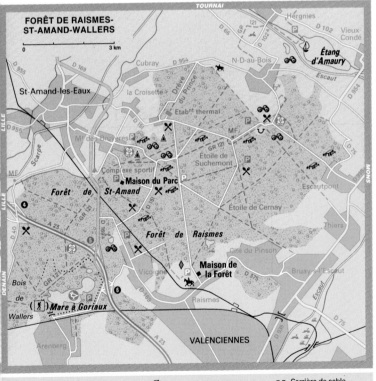

FORÊT DE RAISMES-ST-AMAND-WALLERS

| Parking |
| Restaurant, auberge, buvette |
| Camping, caravaning |
| Base de loisirs |
| Aire de pique-nique |
| Aire de jeux |
| Centre hippique |
| Centre nautique |
| Carrière de sable |
| Réserve ornithologique |
| Sentier de découverte |
| Arboretum |

Moyen Âge. Le sol plat de sable et d'argile et le effondrements miniers sont à l'origine des marécages e des étangs qui le parsèment. Traité en futaie, il est peupl d'essences variées.

Les aménagements du parc sont nombreux : sentiers allées cavalières, aires de pique-nique, mais auss réserve ornithologique, avec la **Mare à Goriaux** (105 ha et base nautique à **l'étang d'Amaury** (100 ha). L maison du Parc est à la lisière de St-Amand-les-Eaux e de la maison de la Forêt (édifice étrange et moderne) à Raismes, comme le **site Sabatier**, terril (106 m) qu l'on peut gravir (3 itinéraires) pour profiter du panorama sur la forêt et sur le Valenciennois. Son chevalement es intact et un jardin aquatique a pris la place de l'ancie carreau de fosse.

alentours

Condé-sur-l'Escaut *(13 km à l'Est par la D 954)*
Ancienne place forte au confluent de l'Escaut et de l Haine, Condé a connu de nombreux sièges. Une parti des remparts à la Vauban subsiste *(Ouest)*. Né à Condé le maréchal de France Emmanuel de Croÿ, familier de Louis XV, s'intéressa à l'exploitation de la houille et fu à l'origine des mines d'Anzin.

Hôtel de Bailleul – *Place Verte.* Austère mais beau, ce édifice (15e s.) en grès, cantonné de quatre tours en encorbellement, vit naître le maréchal de Croÿ.

Hôtel de ville – *Place Delcourt.* Édifice du 18e s.

Château de l'Hermitage *(16 km au Nord-Est)*
Visite guidée pour les groupes uniquement. ☎ 03 27 40 21 89.
Cerné par la forêt de Bonsecours, ce château aux 200 fenêtres a été bâti sous Louis XV par le maréchal de Croÿ. L'édifice restauré se complète de deux pavillons et d'un quadrilatère marquant la « Cour du Grand Manège ».

À SAVOIR
2 km plus loin, juste après la frontière belge, la basilique Notre-Dame-de-Bon-Secours (1885) est le siège d'un célèbre pèlerinage.

Forêt de **St-Gobain** ★★

Arbres majestueux, battements d'ailes dans les frondaisons, rochers capitonnés de mousses, parfums mêlés de fleurs sauvages et d'humus, étangs calmes et ruisseaux où s'abreuvent des cervidés de tout poil... il ne manque que l'ogre pour jouer au Petit Poucet. N'oubliez pas vos bottes de sept lieues !

La situation
Cartes Michelin n°s 56 pli 4 ou 236 pli 37 – Aisne (02). La forêt de St-Gobain (6 000 ha) couvre un plateau entaillé de carrières et parsemés d'étangs. Le boisement est composé de chênes, de hêtres, de frênes sur les argiles, de bouleaux sur les sables et, dans les vallées, de peupliers. De Laon ou St-Quentin, accès par la N 44, puis la D 539 ; de Soissons, D 13.

Le nom
St-Gobain naît d'un pèlerinage au tombeau de l'ermite irlandais *Goban,* décapité aux Roches de l'Ermitage (670).

Les gens
Le massif abrite toujours de nombreux cerfs. Loups et sangliers ont eux disparu. La chasse à courre est traditionnelle depuis Louis XV. Le père Louis-Auguste Bosc (1759-1828), né à St-Gobain, fut l'un des premiers à s'intéresser à la zoologie du Nouveau Monde.

PRATIQUE
Des circuits fléchés permettent de parcourir la forêt. En saison, les amateurs de muguet et de champignons y feront une bonne cueillette.

carnet pratique

RESTAURATION

• À bon compte

Auberge de Bernagousse – *02700 Barisis-aux-Bois - 5 km au SO de St-Gobain par D 534 - ☎ 03 23 39 56 05 - fermé 19 au 26 fév., 3 au 10 sept., dim. soir et lun. - réserv. le w.-end - 59/180F.* Octroyez-vous un instant de repos dans cette auberge au décor assez spartiate, nichée au milieu de la forêt. Le goûter du dimanche après-midi est réputé, avec ses tartes et son cidre : un bon moyen de reprendre des forces avant de continuer la balade.

Parc – *8 r. Luce-de-Lancival - 02410 St-Gobain - ☎ 03 23 52 80 58 - fermé 14 juil. au 14 août, dim. soir et lun. - 100/180F.* Voilà une petite halte qui ne manque pas de charme : nichée dans un petit jardin, cette maison bourgeoise du 19e s. est simple et accueillante avec ses jolis parquets et sa belle cheminée en pierre, très agréable en hiver... Menus servis dehors en été.

circuit

FORÊT DE ST-GOBAIN *(23 km – env. 2h3/4)*

St-Gobain

Ce bourg apparaît comme une clairière sur le rebord du banc de calcaire qui atteint ici 200 m d'altitude. La légende veut que l'ermite irlandais saint Gobain, en quête de terres à évangéliser, s'endormit un soir dans la forêt de Voas. À son réveil, constatant qu'une source avait jailli près de lui et y voyant un signe, il décide de s'installer à cet endroit où il restera 20 ans, jusqu'à sa décapitation par les Vandales.

St-Gobain doit surtout son renom à sa **Manufacture de glaces**, fondée par Louis XIV à la demande de Colbert. Établie en 1665 au faubourg St-Antoine à Paris, elle est transférée en 1692 dans les ruines du château édifié au 13e s. par les sires de Coucy. Elle inaugura un procédé de coulage permettant la fabrication de glaces de grandes dimensions. Cette manufacture est à l'origine de la Compagnie St-Gobain désormais intégrée au groupe St-Gobain-Pont-à-Mousson. On peut encore voir l'entrée et son portail monumental (18e s.) ainsi que quelques vestiges de maisons ouvrières.

Prendre la route de Laon (D 7) jusqu'au carrefour de la Croix-des-Tables, et tourner à gauche dans la D 730.

ST-GOBAIN-PONT-À-MOUSSON

C'est aujourd'hui l'un des premiers producteurs au monde pour les vitrages, flacons, tuyaux en fonte, matériaux isolants et de construction. Les vitrages de la Pyramide du Louvre, c'est St-Gobain. Il ne subsiste pourtant plus d'activité verrière au village de St-Gobain.

Le prieuré du Tortoir est une ancienne dépendance de l'abbaye St-Nicolas-aux-Bois.

ROCHES DE L'ERMITAGE
3 circuits pédestres :
l'étang (2h, balisage de pastilles bleues) ; les abbayes (4h, balisage rouge) et les roches (20mn., balisage blanc).

Les **Roches de l'Ermitage** *(1/4h à pied AR)* constituent le point de départ de sentiers balisés par l'ONF.
La D 730 rejoint après le Centre de rééducation la D 55. Prendre la D 55 à droite puis la D 556 à gauche.

Le Tortoir★

Ce **prieuré fortifié** (14e s.) surgit d'une clairière. Transformé en ferme, le prieuré comprend autour de la cour un bâtiment des hôtes et le logis du prieur aux jolies baies à meneaux. Chapelle du 14e s.
Revenir sur ses pas et poursuivre la D 55 après St-Nicolas-aux-Bois.

Abbaye St-Nicolas-aux-Bois★

Les vestiges de cette abbaye bénédictine, incorporés dans une propriété privée, occupent un site agréable au creux d'un vallon. La route longe les douves en eau et deux étangs enchâssés de frondaisons au travers desquelles on distingue le logis abbatial du 15e s.

La Croix de Seizine *(à 400 m de la D 55)*

Ce monument expiatoire fut érigé par Enguerrand IV, sire de Coucy, condamné par Saint Louis, en 1256, pour avoir exécuté quatre élèves de l'abbaye de St-Nicolas-aux-Bois, surpris à chasser sur ses terres.
À Suzy, charmant village, prendre à droite la D 552.

Abbaye de Prémontré★ *(voir ce nom)*

Septvaux

L'église romane à deux clochers se tient sur une hauteur dominant un beau lavoir du 12e s. *(sur la route de Coucy).*
La D 13 ramène à St-Gobain.

St-Omer★★

SPÉCIALITÉS DU MARAIS
Le célèbre chou-fleur de St-Omer, de juin à octobre, mais aussi d'intéressantes variétés d'artichauts, poireaux, céleris, navets, carottes et salades, sans oublier les endives (hiver). Le marais audomarois a été élu Site remarquable du goût.

Aristocratique, religieuse et bourgeoise, St-Omer garde son visage d'hier : rues paisibles bordées d'hôtels à pilastres et de demeures à baies sculptées des 17e-18e s. Sa cathédrale conserverait l'un des plus riches mobiliers de France. Dans le faubourg Nord, plus modeste, les maisons basses à la flamande s'alignent le long des quais de l'Aa. Des bacôves vous attendent pour une jolie promenade dans le marais audomarois.

La situation

Cartes Michelin n°s 51 pli 3 ou 236 pli 4 – Pas-de-Calais (62). Le cours de l'Aa et le canal de Neuffossé se croisent à St-Omer, desservie par une voie rapide. Accès par l'A 26, puis la N 42 ou la D 77 ; on rejoint la ville par le Sud. Par l'A 25, prendre la D 948 vers Cassel, ou la N 42 vers

Hazebrouck. Le plan de St-Omer se dessine comme un
[r]useau de voies reliant les deux établissements religieux.
4 r. du Lion-d'Or, 62500 St-Omer, ☎ 03 21 98 08 51.

Le nom
Le futur **saint Omer**, aidé de Bertin et Momelin, fonde
le monastère de St-Bertin sur une île du marais de l'Aa.
Devenu évêque, il fait bâtir en 662 sur la colline
dominant l'île, une chapelle autour de laquelle se forme
un bourg.

Les gens
Agglomération 56 425 Audomarois. Environ 120 familles
de brouckaillers – habitants du marais – sillonnent
encore les **watergangs** (chemins d'eau) à bord de leurs
larges barques à fond plat appelées bacôves. Ils s'en vont
cultiver leurs parcelles légumières.

découvrir

QUARTIER DE LA CATHÉDRALE★★

Cathédrale Notre-Dame★★
Ancien « cloître Notre-Dame » des chanoines, cette
cathédrale, le plus bel édifice religieux de la région,
étonne par la majesté et l'ampleur de ses formes. Son
chœur date de 1200, son transept du 13e s., sa nef des
14e-15e s. ; sa tour de façade (50 m), couverte d'un réseau
d'arcatures verticales à l'anglaise, est surmontée de
tourelles de guet, du 15e s. Le trumeau du portail Sud
porte une Vierge du 14e s. et le tympan, un Jugement
dernier où les élus sont peu nombreux. Dans l'angle du
chœur, tour octogonale romane. ▶

> **À VOIR**
> Le **labyrinthe** *(au centre
> du chœur)* est la copie du
> célèbre labyrinthe du
> 13e s. de l'abbatiale de
> St-Bertin. Pèlerinage en
> raccourci, on l'appelait
> « La lieue de Jérusalem »;
> on suivait le tracé en
> blanc.

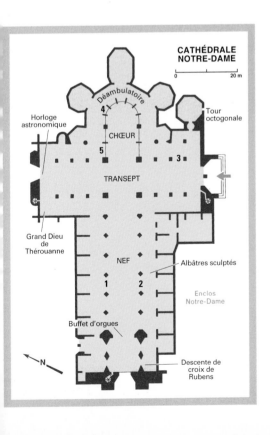

CATHÉDRALE NOTRE-DAME

0   20 m

Horloge astronomique
Tour octogonale
Déambulatoire
CHŒUR
TRANSEPT
Grand Dieu de Thérouanne
NEF
Albâtres sculptés
Enclos Notre-Dame
Buffet d'orgues
Descente de croix de Rubens
N

À NE PAS MANQUER

Le *Grand Dieu de Thérouanne* (13ᵉ s.). Ce groupe sculpté était placé à 20 m de haut, au-dessus du portail de la cathédrale de Thérouanne détruite par Charles Quint. Les silhouettes, qui paraissent déformées, ont été raccourcies par l'artiste pour les adapter à l'effet de perspective *(bras gauche du transept)*.

L'intérieur est vaste (100 m de long, 30 de large, 23 de haut) ; son plan, très développé, comprend une nef à trois étages (arcades, triforium aveugle élancé, fenêtres hautes) flanquée de bas-côtés, un **transept** à collatéraux, un chœur à déambulatoire et chapelles rayonnantes. Chapelles des bas-côtés fermées de riches clôtures à jours, en marbre polychrome, témoignage de l'opulence des chanoines auxquels elles étaient dévolues.

Œuvres d'art★★ – Nombreuses. Voici les principales :

– cénotaphe (**1**) (13ᵉ s.) de saint Omer ;

– mausolée (**2**) (16ᵉ s.) d'Eustache de Croÿ, prévôt du chapitre de St-Omer et évêque d'Arras. C'est une œuvre saisissante de Jacques Dubrœucq qui a représenté le défunt agenouillé, en costume épiscopal, et gisant, nu, à la manière antique ;

– dalles funéraires gravées du 15ᵉ s. et *Descente de croix* de Rubens *(première travée du bas-côté droit)* ;

– monuments funéraires du 15ᵉ s. et albâtres sculptés (16ᵉ et 17ᵉ s.), *Madone au Chat (bas-côté droit)* ;

– statue (13ᵉ s.) de Notre-Dame-des-Miracles (**3**), très vénérée, objet d'un pèlerinage ;

– Nativité du 13ᵉ s. (**4**) ; tombeau (8ᵉ s.) de saint Erkembode (**5**), abbé de St-Bertin – les mamans de bambins qui ont des difficultés à marcher y déposent de petites chaussures ;

– horloge astronomique surmontée d'un jacquemart qui sonne les heures. Son mécanisme date de 1558 *(bras gauche du transept)*. Au-dessus, la rosace flamboyante. *Prendre la rue des Tribunaux.*

Cette rue passe derrière le chevet de Notre-Dame et devant l'**ancien palais épiscopal**, du 17ᵉ s., aujourd'hui palais de justice. On arrive place Victor-Hugo, centre de St-Omer, où se trouve une fontaine érigée pour la naissance du comte d'Artois, futur Charles X.

Hôtel Sandelin et musée★

Fermé pour travaux. ☎ 03 21 38 00 94.

À VOIR

Quatre œuvres de Boilly : *La Visite reçue, Le Concert improvisé, Ce qui allume l'amour l'éteint, L'Amant jaloux.*

Édifié en 1777 pour la vicomtesse de Fruges, l'hôtel se trouve entre cour et jardin. Un portail fermé par une grille Louis XV y donne accès.

Rez-de-chaussée – Les salons sur jardin forment une suite de pièces au charme désuet. Lambris clairs finement sculptés, cheminées du 18ᵉ s., mobilier Louis XV, tableaux de la donation de Mme du Teil-Chaix d'Est Ange. Parmi ces toiles, remarquez *Le Lever de Fanchon* par Lépicié, qui rappelle le style de Chardin et *Mme de Pompadour en Diane* par Nattier.

La salle des Bois sculptés (sculptures religieuses et tapisseries médiévales) et la salle Henri-Dupuis (cabinet en ébène anversois) mènent à la **salle du Trésor** où est exposé le **Pied de croix de St-Bertin**★ (12ᵉ s.). Orné des effigies des Évangélistes et d'émaux figurant des scènes de l'Ancien Testament, il vient de l'abbaye St-Bertin comme le bel ivoire représentant un vieillard de l'Apocalypse. Notez aussi une **croix-reliquaire** à double traverse (1210-1220) dont la face antérieure, filigranée, est incrustée de gemmes.

Orfèvrerie et ivoires dans le couloir de la Chapelle ainsi nommée pour son autel (ébène, écaille et bronze doré).

Les pièces sur cour présentent un ensemble de primitifs flamands : retable des saints Crépin et Crépinien (vers 1415), *La Sainte Famille et un ange* de l'école de Gérard David, triptyque de l'*Adoration des mages* du Maître de l'Adoration Khanenko, *Kermesse flamande* de Pierre Bruegel d'Enfer, et de petits maîtres du 17ᵉ s. flamands et hollandais : *Le Fumeur* d'Abraham Diapram, *Lézard et coquillages* de Balthasar Van der Ast, *Portrait de femme* de Cornélis de Vos, *La Ribaude* de Jan Steen.

Doré et émaillé, le Pied de croix de St-Bertin est un pur chef-d'œuvre de l'orfèvrerie mosane.

1er et 2e étages – Céramiques, parmi lesquelles il faut distinguer les produits de la fabrique de St-Omer, et une belle **série de Delft** (750 pièces).

Église St-Denis

Ouv. pdt les offices ; mai-sept. : visite thématique, dim. 15h30.
Restaurée au 18e s. Tour du 13e s. et chœur du 15e s. caché par des boiseries 18e s. (riche baldaquin à caissons dorés). Dans une chapelle, à gauche du chœur, Christ d'albâtre attribué à Dubrœucq.

Ancienne chapelle des Jésuites★

Aujourd'hui chapelle du lycée, elle constitue un exemple du style jésuite ; des réminiscences gothiques s'y manifestent dans le dessin des baies et le plan du déambulatoire. Achevée en 1629, la chapelle fut conçue par un jésuite de Mons, **Du Blocq**. Elle frappe par sa hauteur, l'alignement des volutes de part et d'autre de la nef, les étroites tours carrées qui encadrent le chœur suivant la tradition tournaisienne.

> La monumentale façade de briques à parements de pierre blanche, haute de cinq étages et décorée de sculptures, demeure l'ornement principal de l'édifice.

Bibliothèque

 ♿ *Tlj sf dim. et lun. 9h-12h, 13h-18h. Fermé j. fériés, sam. Pâques et sam. Pentecôte. Gratuit.* ☎ *03 21 38 35 08.*
Présentés dans des boiseries de l'abbaye St-Bertin, 350 000 volumes, dont plus de 1 600 manuscrits et près de 200 incunables (Bible de Gutenberg).

Musée Henri-Dupuis

Tlj sf lun., mar. et j. fériés 10h-12h, 14h-18h. 16F. ☎ *02 31 38 00 94.*
Dans un hôtel du 18e s., il porte le nom de son donateur. Cuisine flamande, collections d'**oiseaux**, de minéraux et de **coquillages★**, rappelant l'atmosphère d'un cabinet d'histoire naturelle du 18e s.

carnet pratique

RESTAURATION
• À bon compte
La Charrette – *32 pl. Foch -* ☎ *03 21 98 28 29 - fermé 1er au 15 août et dim. -* ✉ *- réserv. le w.-end - 60/95F.* Dans ce restaurant tout en longueur du centre-ville, vous pourrez savourer une bonne cuisine traditionnelle à tout petit prix. Les produits frais et la simplicité bonhomme du patron plaisent aux Audomarois qui s'y pressent.

• Valeur sûre
Hostellerie St-Hubert – *62570 Hallines - 6 km au SO de St-Omer par D 928 puis D 211 -* ☎ *03 21 39 77 77 - fermé 8 au 15 janv., dim. soir et lun. - 185/300F.* Retirée derrière les arbres séculaires de son parc, cette demeure bourgeoise du 19e s. a gardé le faste de son époque. Deux salles à manger avec jolies boiseries sculptées aux murs et au plafond. Quelques chambres spacieuses et douillettes.

HÉBERGEMENT
• Valeur sûre
Hôtel Les Frangins – *5 r. Carnot -* ☎ *03 21 38 12 47 - http://www.frangins.fr - 26 ch. : 290/350F -* ▢ *40F.* Dans le centre historique de St-Omer, près des commerces et des musées, les « frangins » mettent à votre disposition des chambres rénovées, fonctionnelles et tranquilles.

Moulin de Mombreux – *62380 Lumbres - 11 km au SO de St-Omer sur D 208^E puis D 211 -* ☎ *03 21 39 13 13 - fermé 20 au 29 déc. -* ▢ *- 24 ch. : 500/720F -* ▢ *60F - restaurant 220F.* Le doux murmure de la cascade, le parc ombragé au bord de la rivière et ce vieux moulin en brique et pierre sont un ravissement. Au salon, près de sa cheminée, vous admirerez le splendide engrenage de la roue, silencieuse aujourd'hui.

• Une petite folie !
Château Tilques – *62500 Tilques - 6 km au NO de St-Omer dir. Calais par N 43 puis rte secondaire -* ☎ *03 21 88 99 99 -* ▢ *- 53 ch. : à partir de 700F -* ▢ *70F - restaurant 210/350F.* Ce château du 19e s. en brique rouge est entouré d'un tapis de verdure, parfait pour le footing matinal ou la flânerie du crépuscule. Chambres de style anglais dans le château, plus actuelles dans les annexes. Restaurant dans les anciennes écuries.

LE TEMPS D'UN VERRE
Le Map' Monde – *12 r. du Lion-d'Or -* ☎ *03 21 12 27 77 - Tlj 9h-1h (bar) 11h-15h, 18h-23h (brasserie).* Des murs tapissés de journaux relatant les grandes traversées, de drôles de cocktails et des cafés du monde entier, toutes ces invitations au voyage vous aideront à ne pas décoller des profonds fauteuils en cuir de ce café.

Le Queen Victoria – *15 pl. Foch -* ☎ *03 21 88 51 17 - Dim.-jeu. 9h-1h, ven.-sam. 9h-2h.* C'est un beau pub chaleureux et intime avec un vieux parquet et des murs en brique. Le bar est équipé de sièges à dossier et la petite salle du fond bénéficie d'une charmante cheminée pour les soirées d'hiver. Grande terrasse sur la place.

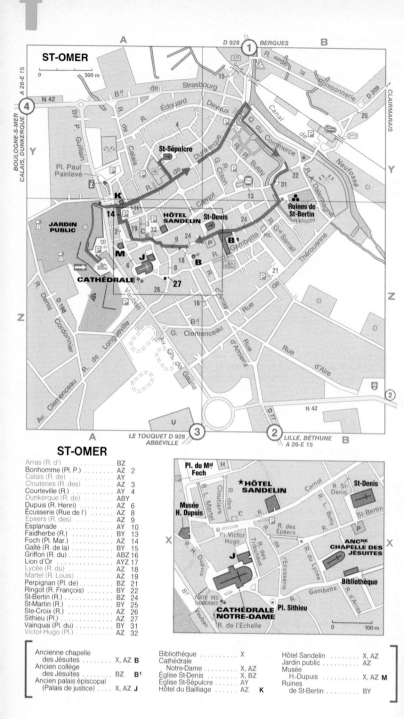

ST-OMER

se promener

Jardin public★

Parc (20 ha) sur les anciens remparts (17ᵉ s.). Le fossé est aménagé en parterre à la française tandis que le glacis porte un jardin à l'anglaise. Vues sur le bastion, les toits et la tour de la cathédrale. Côté Sud, dans le fossé, piscine.

Place du Maréchal-Foch

L'hôtel de ville a été construit de 1834 à 1841 avec des matériaux provenant de l'ancienne abbatiale St-Bertin. Un théâtre est implanté au cœur de l'édifice. Au 42 bis, l'**hôtel du Bailliage**, ancien tribunal royal opposé à l'ordre des échevins, est un édifice Louis XVI orné de pilastres, de chapiteaux doriques, de ferronneries, de guirlandes florales. Quatre statues (balustrade) représentent des vertus cardinales.

Prendre la rue L.-Martel, traverser la place V.-Hugo et s'engager dans la rue des Epeers et la rue St-Bertin.

Ancien collège des Jésuites

Édifié en 1593, il sera converti en hôpital militaire et remanié en 1726. Jolie façade ornée de pilastres à chapiteaux composites et de guirlandes.

Ruines de St-Bertin et faubourg Nord

Sur la place où s'élève une statue en marbre de Suger, bienfaiteur de St-Bertin, quelques arcades et la partie basse de la tour (1460) constituent les vestiges de l'abbaye St-Bertin. De la rue St-Bertin, vue sur les ruines.

Au bout du quai des Salines, prendre à gauche la rue de Dunkerque, puis la rue St-Sépulcre à droite.

Église Saint-Sépulcre

La plus importante paroisse de la ville siégeait dans cette église-halle (3 vaisseaux de même largeur et de même hauteur) consacrée en 1387. Sa flèche mesure 52 m. Le nom de l'église (il n'y a que 7 églises Saint-Sépulcre en France) vient de la participation de trois seigneurs audomarois aux croisades. Son portail, chef-d'œuvre d'ébénisterie, et deux statues baroques viennent de l'abbaye St-Bertin. Beaux vitraux du 19e s. (chœur).

La rue de Dunkerque rejoint la pl. du Mar.-Foch.

> **FLÂNERIE**
> Par la place du Vanquai, on peut musarder dans le faubourg Nord, le long des quais des Salines et du Commerce, où les maisons basses flamandes se reflètent à la surface des eaux calmes de l'Aa canalisée.

alentours

L'AUDOMAROIS

Cette région, dont le nom est dérivé du latin *Audomarus*, signifiant Omer, s'étend autour de St-Omer. Elle fait partie du parc naturel régional des Caps et Marais d'Opale. La zone dite marais audomarois en offre l'un des aspects les plus originaux.

La Grange-Nature

À Clairmarais. Vac. scol. Pâques et été : 10h-12h30, 14h30-18h30 ; avr.-juin et sept.-oct. : sam. 14h30-18h30 (17h30 en oct.), dim. et j. fériés 10h-12h30, 14h30-18h30 (17h30 en oct.) ; mars et w.-end de la première quinzaine nov. : 14h30-17h30. ☎ 03 21 38 52 95.

C'est l'un des sites du parc naturel régional. Expositions, audiovisuels sur la nature et la vie sauvage des animaux. Point de départ de promenades aménagées dont plusieurs à l'intérieur de la réserve naturelle de Rome-laere (sentiers d'observation...).

> **CHASSE ET PÊCHE**
> Pour la pêche aux poissons blancs ou carnassiers, le marais audomarois est un véritable paradis. La chasse à la hutte se pratique également.

Marais audomarois

4 km au Nord-Est par la D 209.
Pour une promenade en bacôve, s'adresser à Mme Lalart, Pont de la Guillotine, Rivage de Tilques, 62500 Tilques, ☎ 03 21 95 10 19, fax 03 21 95 10 19.

Fruit d'un travail d'aménagement mené dès le 9e s. par les moines de St-Bertin, cette dépression de 3 400 ha s'étire de Watten à Arques et de la forêt de Clairmarais aux cressonnières de Tilques.

Il s'agit de parcelles reliées les unes aux autres par les watergangs. Une partie des parcelles sert à la culture maraîchère. Le marais est aussi apprécié pour ses ressources piscicoles et pour l'observation des oiseaux migrateurs. De part et d'autre du canal de Neuffossé, on voit les canaux de circulation et de drainage enjambés de ponceaux et pont-levis.

La vraie découverte du marais audomarois se fait en bacôve.

Il fait bon vivre au bord du marais audomarois. Certains ne s'y sont pas trompés.

ADRESSE

Distillerie de **genièvre** :
Persyn, route de
Watten, 62910 Houlle,
☎ 03 21 93 01 71.

Coupole d'Helfaut-Wizernes★★ *(voir ce nom)*

Forêt de Rihoult-Clairmarais
4,5 km à l'Est. Cette forêt (1 167 ha) vit chasser Charlemagne lorsqu'il séjournait à St-Omer. Au 12e s. elle fut la propriété de cisterciens. Elle est aménagée pour le tourisme, surtout autour de l'**étang d'Harchelles**, dernier des sept étangs que les moines exploitaient pour la tourbe et le poisson.

Arques
Ville industrielle réputée pour sa cristallerie, Arques est aussi un port important à la jonction de l'Aa canalisée et du canal de Neuffossé qui relie l'Aa à la Lys.

ALCHIMIE DU SABLE ET DU FEU

Fondée en 1825, la Verrerie-Cristallerie d'Arques connut un formidable essor après 1945 et se hisse aujourd'hui au rang de leader des arts de la table. Les machines permettent la réalisation de grandes séries de qualité constante et contrôlée, tout en perpétuant la créativité et le savoir-faire des maîtres-verriers. Le groupe compte 13 000 collaborateurs et produit chaque jour 6 millions d'articles (verres traditionnels, verres à four, vitrocéramique et cristal au plomb), exportés dans le monde entier. Plus de 6 500 produits sont proposés pour différents usages : pour la cuisson, la table ou la décoration. Le verre est réalisé à partir d'un mélange de sable, de soude et de chaux auxquels s'ajoute le groisil (verre concassé).

Arc International (cristallerie)★ – Magie du monde verrier, de la goutte de verre en fusion au produit fini. Présentation historique de l'entreprise et observation des techniques de production depuis une passerelle surplombant un atelier. Des écrans montrent les opérations en cours. Un visuel (10mn) résume les étapes de fabrication. ᕖ *Visite guidée (1h1/2) tlj sf dim. à 9h, 10h30, 14h et 15h30. 35F. sur demande préalable. Interdit aux enf. de - 8 ans.* ☎ *03 21 12 74 74.*

Maison du parc naturel régional des Caps et Marais d'Opale – Dans le Grand Vannage, bâtiment de pierre blanche et brique rose enjambant l'Aa. On peut visiter la salle des vannes qui règlent le niveau des eaux de la rivière. *Tlj sf w.-end 9h-12h, 14h-18h. Fermé j. fériés. « Le Grand Vannage », 62510 Arques.* ☎ *03 21 87 90 90.*

Dans Arques, prendre à gauche la N 42 ; après le pont, tourner à droite et suivre « Ascenseur des Fontinettes ».

COMMENT ÇA MARCHE ?

Le principe de fonctionnement de l'ascenseur est simple : les péniches prenaient place dans deux sas ou bassins remplis d'eau, fixés sur deux énormes pistons constituant une sorte de balance hydraulique ; l'un des sas s'élevait quand l'autre descendait.

◀ **Ascenseur à bateaux des Fontinettes★** – Cet ascenseur est un témoin de la technologie du 19e s. Il devait remplacer les 5 écluses nécessaires au passage d'une dénivellation de 13,13 m. L'ascenseur a été remplacé par une **écluse géante**, que l'on voit fonctionner 500 m en amont. Celle-ci peut contenir 6 péniches et demande 20mn de manœuvre. *D'avr. à fin oct. : (dernier dép. 17h15) w.-end et j. fériés 15h-18h30 (de mi-juin à mi-sept. : tlj). 25F.* ☎ *03 21 12 62 30.*

Abbaye St-Paul de Wisques *(7 km à l'Ouest)*
11h-12h30, 13h30-17h.
Le château, occupé par des bénédictins, comprend des
bâtiments anciens : tour (15ᵉ s.), portail et logis (18ᵉ s.),
et modernes : chapelle, cloître, réfectoire et campanile
abritant la Bertine, cloche de l'abbatiale St-Bertin (15ᵉ s.,
2 600 kg).

En suivant la D 212, on côtoie le Petit Château (1770),
puis on gravit la côte au sommet de laquelle est bâti le
monastère des bénédictines, l'abbaye Notre-Dame.

Le long de la D 208, **panorama** sur la ville que dominent
la basilique Notre-Dame et la chapelle des Jésuites.

Esquerdes *(8 km au Sud-Ouest)*
Ce village de la vallée de l'Aa, lieu de production papetière
depuis 1473, compte encore plusieurs sociétés du secteur.
Sur les ruines de l'ancien moulin de Confosse, la **Maison
du papier** explique la fabrication du papier depuis son
apparition en Chine jusqu'aux techniques les plus
avancées. ♿ *De mi-fév. à mi-nov. : tlj sf sam. 9h-12h,
14h-18h30, dim. et j. fériés 14h-18h30. 25F. ☎ 03 21 95 45 25.*

*L'ascenseur à bateaux des
Fontinettes, installé sur le
canal Neuffossé en 1888,
facilita le passage des
péniches jusqu'en 1967.*

St-Quentin

Éprouvée durant la Grande Guerre, St-Quentin s'est
agrémentée de demeures Art déco lors de sa
reconstruction. La ville abrite les plus grands chefs-
d'œuvre du pastelliste Quentin de La Tour,
portraitiste officiel de Louis XV.

La situation
Cartes Michelin nᵒˢ 53 pli 14 ou 236 pli 27 – Aisne (02).
Étagée sur une colline calcaire truffée de caves et
souterrains, St-Quentin surveille le cours de la Somme
canalisée traversant les marais d'Isle. Nœud de trafic
entre Paris et les pays du Nord, la Manche et la
Champagne, elle assure les liaisons par ses voies d'eau
et ferroviaires reliées aux capitales du Nord européen.
L'E 17 dessert le Sud de la ville. De Calais, Cambrai, Laon
et Reims, N 44 ; de Compiègne ou Noyon, N 32/N 44.
🚩 *27 r. Victor-Basch, 02100 St-Quentin, ☎ 03 23 67 05 00.*

Autoportrait, par Maurice Quentin de La Tour, « Saint-Simon de la peinture ».

Le nom

St-Quentin tient son nom de *Quentin*, venu évangéliser la région et martyrisé à la fin du 3e s. La légende précise qu'avant sa décollation, le malheureux missionnaire reçut une broche de fer dans le creux de chaque épaule.

Les gens

Agglomération 69 287 Saint-Quentinois. En 1557, St-Quentin est l'enjeu de la bataille du même nom au cours de laquelle l'armée du connétable de Montmorency, venue au secours des habitants, sera défaite par les Espagnols.

LE CANAL DE ST-QUENTIN

Reliant les bassins de la Somme et de l'Oise à celui de l'Escaut, c'était, avant l'achèvement du canal du Nord, le canal le plus important de France par son trafic, et le plus encombré. Long de près de 100 km, de Chauny à Cambrai, Napoléon le considérait comme une des plus grandes réalisations de l'époque.

Deux sections le composent : de l'Oise à la Somme, le **canal Crozat**, du nom du financier qui le fit creuser, et le **canal de St-Quentin** proprement dit qui franchit le plateau entre Somme et Escaut grâce aux tunnels du Tronquoy (1 km de long) et de Riqueval. Le canal de St-Quentin assure l'écoulement des sables, des graviers et des céréales vers la région parisienne. La mise à grand gabarit du canal, incluse dans un plan de travaux à long terme, doit améliorer les liaisons avec Dunkerque.

se promener

Promenade Art déco

Très endommagée en 1914-1918, St-Quentin a été reconstruite dans le style des années 1920 par l'architecte Guindez. Une promenade dans les rues de la ville permet de découvrir les façades des maisons agrémentées de bow-windows, de balcons en saillie, de motifs floraux ou géométriques, de mosaïques, de fer forgé... Parmi tant d'autres, citons le hall de la poste *(r. de Lyon)*, la salle du Conseil municipal *(dans l'hôtel de ville)*, le cinéma le Carillon *(r. des Toiles)*, l'école de musique *(47 r. d'Isle)*, le buffet de la gare et, à côté de celui-ci, le pont encadré de tours-lanternes.

De la place de l'Hôtel-de-Ville, aller rue des Canonniers.

AYEZ L'ŒIL !
Au n° 21, la porte de l'ancien **hôtel des Canonniers** présente des trophées militaires sculptés en bas-relief.

◀ **Rue des Canonniers**

Dans l'**hôtel Joly de Bammeville** du 18e s. au bel escalier à rampe en fer forgé, se trouve la bibliothèque municipale (lieu privilégié du Festival de la nouvelle).

carnet pratique

ST-QUENTIN

Rejoindre la place de l'Hôtel-de-Ville et prendre la rue des Toiles. Contourner la basilique, traverser la rue du Gouvernement au niveau du chevet de la basilique. La rue E.-Ovres mène aux jardins des Champs-Élysées.

Champs-Élysées

Agréable parc public de 10 ha, aménagé sous la Restauration à l'emplacement des fortifications : aires de jeux, de sports, jardin d'horticulture.

Le marais de l'Isle se rejoint par le boulevard Gambetta et la place du 8-Octobre qui donne sur le pont du quai Gayant ; prendre à gauche après l'avoir traversé.

Marais d'Isle

Cette zone de plus de 100 ha, en partie aménagée pour les sports nautiques et la pêche, comporte aussi une réserve naturelle, lieu de passage des oiseaux migrateurs du Nord et de l'Est de l'Europe

La flore du marais comprend des espèces rares et carnivores. Téméraires, les oiseaux s'en moquent bien ; aux espèces nicheuses (grèbe huppé) s'ajoutent les oiseaux hivernants. Une **maison de la Nature**, à l'entrée du parc d'Isle, présente l'écosystème de l'étang et un sentier périphérique facilite l'observation. &. *Mai-sept. : 8h-20h ; oct.-avr. : 9h-17h. Gratuit.* ☎ *03 23 05 06 50.*

visiter

Hôtel de ville★

Juin : visite guidée (1h1/2) par des guides-conférenciers agréés par le ministère de la Culture dim. à 15h ; juin : sam. à 15h. 35F. RV devant la basilique. Renseignements à l'Office de tourisme.

HEURES SONNANTES
Le campanile de l'hôtel de ville a été entièrement refait au 18e s. Il abrite un très beau carillon de 37 cloches qui ponctue la journée des Saint-Quentinois.

Joyau de l'art gothique tardif (début 16e s.), sa façade vigoureusement dessinée comporte des arcs en ogive surmontés de pinacles, des fenêtres à meneaux et une galerie ajourée surmontée de trois pignons. Sculptures apparentées au registre flamboyant.

Intérieur – Aux pignons de la façade correspondent les voûtes des 3 nefs en forme de carène de bateau. La **salle des Mariages** conserve sa vieille poutre et une très grande cheminée de style Renaissance. Des blochets sculptés montrent les principaux personnages de la ville : argentier, bourreau... La **salle du Conseil** présente un habillage Art déco d'une belle unité.

Espace Saint-Jacques

14 r. de la Sellerie. À l'emplacement de l'église St-Jacques, ce bâtiment néo-gothique accueille des expositions au rez-de-chaussée, et au 1er étage le musée des Papillons.

Musée des Papillons – La plus importante collection de papillons et d'insectes en Europe. On peut observer toute une gamme de formes et de couleurs, surtout chez les espèces exotiques. *Tlj sf mar. 14h-18h, dim. et j. fériés 15h-18h. Fermé 1er janv., 1er mai, Pentecôte, 14 juil., 1er nov., 25 déc. 15F.* ☎ *03 23 06 30 92.*

Chaque été, la place de l'Hôtel-de-Ville devient la « plage de l'hôtel de ville » : sable, baignade, bateaux, jeux et rires d'enfants sont au programme.

Basilique★

Mêmes conditions de visite que l'hôtel de ville.

La collégiale St-Quentin, devenue basilique en 1876, est un édifice gothique, qui peut rivaliser avec maintes cathédrales. Déjà éprouvée pendant le fameux siège de 1557 et en 1669 par un incendie, bombardée en 1917, elle échappe de peu à la destruction totale en octobre 1918.

Extérieur – La façade Ouest présente un clocher-porche massif dont les parties basses sont du 12e s., les derniers étages du 17e s. et le couronnement d'après 1918. Depuis 1976, une flèche culmine à 82 m, comme autrefois.

Contournant la collégiale par la gauche, on pénètre dans le square Winston-Churchill (puits en fer forgé), d'où se révèle une **vue★** sur le grand et le petit transept puis le chevet : admirez l'élan des arcs-boutants à triple volée. En continuant le tour, belles perspectives sur le monument avant d'arriver à hauteur du bras Sud du petit transept, où se tient la chapelle St-Fursy (15e s.). Joli porche Lamoureux, flamboyant *(côté gauche)*.

Intérieur – D'une ampleur impressionnante, le **chœur**, du 13e s., comprend double transept, double collatéral, déambulatoire et chapelles rayonnantes. Les voûtes de celles-ci reposent, au droit du déambulatoire, sur deux colonnes, selon une disposition champenoise. Chapelle axiale : vitraux anciens ; entrée de la chapelle de gauche : statue de saint Michel (13e s.).

La clôture du chœur, refaite au 19e s., est sculptée de scènes (vie de saint Quentin). Le sacrarium (1409) ou armoire du trésor, en pierre *(côté gauche)*, abritait les vases sacrés. Beaux vitraux à grandes figures hiératiques (fenêtres hautes). Au centre et dans le bras Nord du petit transept, deux verrières du 16e s. : le Martyre de sainte Catherine et celui de sainte Barbe.

La nef du 15e s., hardie, atteint 34 m de hauteur. Sur le sol est tracé un labyrinthe, long de 260 m, que les fidèles parcouraient à genoux. Au début du bas-côté droit, Arbre de Jessé sculpté (début 16e s.) et, dans la seconde chapelle, peintures murales (16e s.). La visite des parties hautes en saison permet d'avoir une vue sur les pinacles et contreforts, et jusqu'à Laon.

> **À VOIR**
> Buffet d'orgues (1690-1703) dessiné par Bérain. L'instrument lui-même, dû à Clicquot, détruit en 1917, a été remplacé par un orgue moderne de 74 jeux.

Musée Antoine-Lécuyer

Tlj sf mar. : 10h-12h, 14h-17h, sam. 10h-12h, 14h-18h, dim. 14h-18h. Fermé 1er janv., 1er mai, 1er nov., 25 déc. 15F, gratuit mer. ☏ *03 23 64 06 66.*

La **collection de portraits★★**, œuvre de **Maurice Quentin de La Tour**, fait l'orgueil du musée.

La grande salle est consacrée à l'école française des 17e-18e s. À la suite, les trois salons réservés à La Tour contiennent 78 portraits de princes et princesses, grands seigneurs, financiers, clercs, hommes de lettres, artistes. Les œuvres de La Tour sont « d'incomparables planches d'anatomie morale » : chaque sourire a sa personnalité. Buste de l'artiste par Lemoyne. À l'étage, les collections du 19e s. retracent divers courants artistiques : œuvres de Lebourg, Corot, Fantin-Latour, Renoir. L'autre salle présente la peinture du 20e s. Du 18e s., citons : faïences, ivoires, émaux, mobilier et des bustes de Voltaire.

> **LES INCONTOURNABLES**
> La Tour atteint les sommets de son art avec les portraits de l'abbé Huber lisant, de Marie Fel (son amie), et son autoportrait, subtile introspection.

alentours

Riqueval *(voir ce nom)*

Source de la Somme

Elle surgit à Fonsommes, à côté de l'ancienne abbaye de Fervaques. Après une course de 245 km, le fleuve se jette dans la Manche.

St-Riquier★

Au cœur d'une campagne généreuse et paisible
l'ancienne ville fortifiée s'annonce par le clocher de
son église gothique, qui rivalise avec beaucoup de
cathédrales, et par les tourelles de son beffroi
coiffées de loges de guetteur. Cette petite ville du
Ponthieu est issue d'une très ancienne abbaye bénédictine. Le must : y débarquer le jour du festival de
musique classique ou le jour du « Jazz sur l'Herbe ».

La situation

Cartes Michelin n⁰ˢ 52 pli 7 ou 236 plis 22, 23 – Somme (80).
9 km au Nord-Est d'Abbeville. Accès par la D 925 ; de
Hesdin, D 928 puis D 12 ; d'Airaines, D 901 puis D 183.
Venant de l'A 16, sortie Abbeville, puis D 925. Venant
d'Abbeville, on est accueilli par la **maison Petit**, construite pour un soldat de la Grande Armée, et dont le
pignon dessine la forme du chapeau de Napoléon.
🏛 *Le Beffroi, 80135 St-Riquier,* ☎ *03 22 28 91 72.*

Le nom

Autrefois St-Riquier se nommait Centule, lorsque vers
645 l'ermite **Riquier** trépassa en forêt de Crécy. Rejeton
d'une noble famille, ce cénobite avait évangélisé le
Ponthieu, et son corps fut transporté à Centule où il
devint l'objet d'un pèlerinage. Un monastère bénédictin
se fonde alors et se développe rapidement.

Les gens

1 186 Centulois. En 790, les bénédictins voient arriver le
poète **Angilbert**, « Homère de l'académie palatine »,
gendre de Charlemagne, qui lui a confié le monastère.
Angilbert y reçoit l'empereur et embellit l'abbaye, faisant
reconstruire les bâtiments avec de précieux matériaux,
porphyres, marbres, jaspes d'Italie. Le couvent comprend
alors une église principale, avec le tombeau de Riquier, et
deux secondaires réunies par un cloître triangulaire.

visiter

Église★

 ♿ *Avr.-oct. : visite guidée (1h) tlj sf mer. ap.-midi et dim.
matin à 9h30-11h30, 14h-17h ; nov.-mars : à 11h, 12h et 14h,
16h. Fermé de mi-juil. à fin juil. 10F.* ☎ *03 22 28 20 20.*
Reconstruite plusieurs fois, l'église actuelle, en majeure
partie flamboyante (15ᵉ-16ᵉ s.), conserve des éléments du
13ᵉ s. (parties basses du transept et du chœur). Elle a été
restaurée par Charles d'Aligre qui en changea le mobilier.
Extérieur – La façade présente une grosse tour carrée
(50 m), flanquée de tourelles d'escalier et revêtue d'une
ornementation sculptée, très abondante et délicate.
Au-dessus du portail central, le gâble porte une Sainte
Trinité encadrée de deux abbés et des apôtres. Plus haut
encore est figuré un Couronnement de la Vierge. Entre les
deux baies du clocher, on voit la statue de saint Michel.

Intérieur★★ – Admirez la beauté et la simplicité de
l'ordonnance. La nef est large de 13 m, haute de 24 et
longue de 96. Ses 2 étages sont séparés par une frise et une
balustrade. Disposition originale pour le bras droit du
transept : l'extrémité est coupée par 3 travées de la galerie
du cloître, occupées par la sacristie et la trésorerie, dont
le mur est orné de statues et de sculptures.

Empruntez le déambulatoire à chapelles rayonnantes.
Dans la 1ʳᵉ chapelle à droite, après l'escalier de la trésorerie, observez le tableau de Jouvenet *Louis XIV touchant
les écrouelles*. Dédiée à la Vierge, la chapelle axiale montre
des voûtes en étoile aux nervures retombant sur des
culs-de-lampe historiés (Vie de la Vierge) ; à l'entrée,
Apparition de la Vierge à sainte Philomène (1847), toile de
Ducornet, artiste qui peignait avec ses pieds. Dans la

AGENDA MUSICAL

En juillet, l'abbatiale
St-Riquier accueille un
**festival de musique
classique**, dirigé par
Mickaël Rudy.
☎ *03 22 28 82 82.*

HÉBERGEMENT

Hôtel Jean de Bruges –
☎ *03 22 28 30 30*
- *fermé janv.* - 🅿
- *8 ch. : 500/700F -*
☕ *60F.* En face de
l'église, cette belle
demeure de pierre
blanche du 17ᵉ s. est
une étape séduisante au
cœur de la cité
médiévale. Transformée
en hôtel par un avocat
belge, ses chambres
marient mobilier
moderne et ancien dans
un décor d'une élégante
sobriété... Jolie
terrasse-patio.

LA LÉGENDE DU CIERGE

Au-dessus des voussures
du portail droit, une sainte
Geneviève tient un cierge.
On raconte que le diable
l'éteignait et qu'un ange le
rallumait.

À VOIR

Le décor et le mobilier
(17ᵉ s.) du chœur :
grille★ de fer forgé,
lutrin et stalles des
moines, clôture de marbre
surmontée d'un grand
Christ en bois par
Girardon.

chapelle St-Angilbert, 5 statues de saints, polychromes, sont typiques de la sculpture picarde du 16ᵉ s. (de gauche à droite : Véronique, Hélène, Benoît, Vigor, Riquier).

Le bras gauche du transept abrite un baptistère Renaissance ; sa base est sculptée de bas-reliefs (Vie de la Vierge et Baptême de Jésus).

Trésorerie – Chapelle privée de l'abbé. Les murs de cette salle voûtée (16ᵉ s.) s'ornent de peintures murales (même époque). ►

Bâtiments abbatiaux

Mars-nov. : 14h-18h, w.-end et j. fériés 10h-12h, 14h-18h (juil.-août : 10h-18h ; mai-juin et sept. : 10h-12h, 14h-18h). Gratuit. ☎ 03 22 68 20 20.

Reconstruits au 17ᵉ s. sous l'abbé d'Aligre, ils abritent le **Centre culturel départemental de l'abbaye de St-Riquier**, qui comprend un **Musée départemental**, consacré à la vie rurale et artisanale en Picardie, et le **centre d'accueil**, ensemble de salles de travail et de logements (pour séminaires, colloques, expositions temporaires, conférences,...).

> ## LE TRÉSOR
> Il contient un Christ byzantin (12ᵉ s.), des reliquaires (13ᵉ s.), un retable en albâtre (15ᵉ s.), un curieux chauffe-mains (16ᵉ s.).

Rencontre des trois morts et des trois vifs (1528), cette peinture murale de la salle de la Trésorerie illustre parfaitement la brièveté de la vie.

Hôtel-Dieu

Visite guidée (1/4h) tlj sf dim. et j. fériés 9h-11h30, 14h-16h30. Gratuit. ☎ 03 22 28 92 92.

Début 18ᵉ s. Au-delà du beffroi à gauche. Chapelle : grilles de fer forgé, retable de l'autel orné d'une toile de Parrocel, statues de saint Nicolas, saint Augustin et de deux anges, dus à Pfaffenhoffen qui vécut à St-Riquier.

St-Valery-sur-Somme ★

St-Valery, c'est le charme réuni d'un petit port de plaisance, d'une cité balnéaire et d'une ville haute, avec d'anciennes demeures à colombages et une ceinture de remparts. En retrait, près du cap Hornu, la chapelle St-Valery domine la baie de Somme. Ces *Rives incertaines* (Robert Mallet) ont également inspiré de grands peintres, comme Boudin ou Degas.

La situation

Cartes Michelin nᵒˢ 52 pli 6 ou 236 plis 21, 22 – Somme (80). Dans la verdure, St-Valery, capitale du Vimeu, comprend une ville haute et une ville basse près du port, où la vie commerciale s'est développée. Du littoral, entre Dunkerque et le Tréport, accès par la D 940. D'Abbeville, D 3 ou D 40 puis la D 940.

🛈 *2 pl. G.-le-Conquérant, 80230 St-Valery-sur-Somme,* ☎ 03 22 60 93 50.

Le nom

St-Valery est à l'origine une abbaye fondée par le moine Valery. Avant son arrivée, la ville s'appelait *Leuconaus* ; son nom actuel doit se prononcer « Saint Val'ry ». La cité prospère surtout au 18ᵉ s. avec l'importation du sel vendéen.

> ## INSOLITE
> La zone côtière voit débarquer chaque année la plus importante colonie de phoques veaux-marins de France.

> ## UN JOYEUX DRILLE
> Évangélisateur du Vimeu, saint Valery, dont le vrai nom est *Walaricus* ou *Gualaric* devait avoir beaucoup d'humour : il se fête en effet le 1ᵉʳ avril.

Les gens

2 686 Valéricains. C'est de ce port que Guillaume part
à la conquête de l'Angleterre (1066). Prisonnière des
Anglais, Jeanne d'Arc traverse la ville en 1430. Le
port, aujourd'hui fréquenté par les caboteurs, accueille
de nombreux bateaux de pêche côtière dits « sauterel-
liers », les « sauterelles » qu'ils poursuivent sont des
crevettes grises. Grande spécialité du coin : l'agneau de
prés-salés.

se promener

VILLE BASSE

Elle s'étend sur près de 2 km jusqu'au débouché de la
Somme où se trouve le port.

Digue-promenade★

Elle mène, sous les ombrages, à une plage abritée. De la
digue, **vue** sur la baie de Somme, Le Crotoy et la pointe
du Hourdel. Côté terre on longe les villas entourées de
jardins ; au-delà du Relais de Normandie apparaissent
les remparts de la ville haute où se perche l'église
St-Martin.

Calvaire des Marins

Accès par la rue Violette et le sentier du Calvaire,
à travers le quartier des marins aux charmantes
maisonnettes peintes. **Vue** sur la ville basse et l'estuaire.

Écomusée Picarvie★

D'avr. à mi-oct. : tlj sf mar. 14h-18h (juin-aoû : tlj). 25F.
☎ *03 22 26 94 90.*
Ce musée évoque la vie picarde avant l'ère industrielle. Reconstitutions d'ateliers et d'échoppes : travail du vannier, cordonnier, serrurier, tonnelier... mais
aussi la place du village avec l'école, le café et le barbier.
À l'étage, c'est la vraie ferme d'antan avec cuisine, étable,
écurie, cidrerie, grange ou « écoucherie » où l'on battait
le lin, cultivé alentours.

VILLE HAUTE

Elle conserve une partie de ses fortifications.

Porte de Nevers

Construite au 14e s., surélevée au 16e s., son nom évoque
les ducs de Nevers qui possédaient St-Valery au 17e s.

Église St-Martin

Au bord des remparts. Édifice gothique, appareil de
grès et de silex en damier. Triptyque Renaissance (nef
gauche).

*Recouverte d'un damier
de grès et de silex, la
chapelle abrite le
tombeau de saint Valery.*

Porte Guillaume

Du 12ᵉ s., elle est située entre deux tours majestueuses ; vue étendue sur la baie de Somme.

Chapelle St-Valery ou chapelle des Marins

Au-delà de la porte Guillaume, empruntez la rue de l'Abbaye : dans le vallon gauche s'étendait l'**abbaye St-Valery** dont subsiste le château abbatial en brique et pierre, à fronton sculpté (18ᵉ s.).

Place de l'Ermitage, prendre le chemin (1/2h à pied AR), en montée, de la chapelle.

Dominant la baie de Somme, la chapelle offre une **vue★** sur les mollières, l'estuaire et le Marquenterre.

Parc **Samara**★

Ce parc consacré à la préhistoire a soufflé ses dix bougies en 1998. Celles-ci ont bien évidemment dû être allumées à coups de silex. Et comme pour exorciser cette crainte de voir le ciel leur tomber sur la tête, des Gaulois de Samara ont installé un ballon captif afin d'admirer leur site depuis le zénith.

La situation

Cartes Michelin nᵒˢ 52 pli 8 ou 236 pli 23 – Somme (80). Ce parc de 30 ha, à 15 km à l'Ouest d'Amiens, est aménagé au pied d'un oppidum celtique d'où la vue s'étend sur la vallée de la Somme. Accès par l'A 16, puis direction Abbeville. D'Amiens, D 191 ou N 1.

Le nom

Samara, nom gaulois de la Somme qui traverse le département, désigne aussi un site où revit la préhistoire, grandeur nature, du néolithique jusqu'aux gallo-romains.

Les gens

La tribu celtique des Ambiani occupait cette partie de la Gaule, qui deviendra l'Amiénois.

> **LES AMBIANI ET LA SOMME**
>
> Cette population se définit par rapport à son fleuve puisque le préfixe *ambi* du nom *ambiani* signifie « des deux côtés »... de la Somme.

![Reconstitution d'une habitation préhistorique dans le parc Samara.]

Reconstitution d'une habitation préhistorique dans le parc Samara.

visiter

🎦 *De mi-mars à mi-nov. : 9h30-17h30, w.-end et j. fériés 9h30-18h30 (juil.-août : 10h-19h30). 59F (enf. : 45F).* ☎ *03 22 51 82 83.*

À bord du ballon captif, on découvre l'arboretum en forme de poisson, le jardin botanique, comme un labyrinthe, le pavillon des expositions dont les 2 coupoles centrales et les 12 coupoles latérales symbolisent la silhouette humaine, puis l'oppidum et la collégiale de Picquigny et enfin la vallée de la Somme.

Au centre de l'**arboretum**, le jardin botanique abrite environ 600 plantes à fleurs, certaines rares et protégées. Le sentier à travers le marais, ancienne tourbière en voie de comblement, permet de découvrir divers écosystèmes. Le circuit des reconstitutions d'habitats montre une maison du néolithique, une demeure de l'âge du bronze et une de l'âge du fer, avec son grenier, sa cave et son puits. Dans le **pavillon des expositions**, évocation du quotidien en Picardie du paléolithique inférieur jusqu'à l'époque gallo-romaine : habitat de chasseurs de rennes, atelier de bronzier, atelier de forgeron de l'âge du fer, ruelle d'un village gaulois, cuisine gallo-romaine... Plus loin, démonstrations des techniques préhistoriques : poterie, taille du silex, fabrication du feu, tissage, teinture, mosaïque...

Samer

Petit marché agricole dans la belle campagne boulonnaise, Samer est l'étape favorite des amis des fraises à l'approche de l'été. D'une vieille légende, les habitants du bourg gardent un étrange surnom : « les mangeurs de biches ».

La situation

Cartes Michelin nos 51 plis 11, 12 ou 236 pli 12 – Pas-de-Calais (62). La qualité des sols, le micro-climat du Boulonnais et l'exposition des parcelles favorisent la végétation, ce qui donne aux fruits leur saveur. Accès : N 1 ou D 52. Par l'A 16, prendre la D 52.

🚹 *R. de Desvres, 62830 Samer, ☎ 03 21 87 10 42.*

Le nom

Samer doit son nom au moine *saint Wulmer* qui y fonda au 7e s. une abbaye bénédictine.

Les gens

3 105 Samériens. Tous les ans on célébrait à Samer une procession en mémoire de saint Wulmer. Deux biches conduisaient la procession, à l'issue de laquelle l'une regagnait le bois tandis que l'autre restait là pour être nourrie, puis mangée. L'année suivante, la biche qui s'était retirée revenait avec une autre pour mener la procession, après quoi elle restait et sa compagne retournait au bois. Ceci dura des siècles et durerait encore si les habitants n'avaient pas capturé la deuxième biche. Aussi, nomme-t-on encore quelquefois les habitants de Samer « les mangeurs de biche ».

se promener

Grand-Place

Pavée et rectangulaire, la place est bordée de maisons anciennes, en majeure partie du 18e s. L'**église** du 15e s., vestige de l'ancienne abbatiale, possède un clocher octogonal et renferme une cuve baptismale romane décorée de bas-reliefs représentant les baptisés. C'est devant son portail que les biches légendaires arrivaient pour conduire la procession.

alentours

Wierre-au-Bois *(1 km à l'Est par la D 215)*

Ce village, siège d'un pèlerinage à saint Gendulphe, entretient le souvenir de l'œuvre de Sainte-Beuve. À l'intérieur de l'**église** statue équestre de saint Gendulphe et, au-dessus de l'autel, groupe en bois sculpté figurant Dieu le Père tenant le corps du Christ.

Sars-Poteries

Dès le 15ᵉ s., la terre de Sars-Poteries est utilisée par les potiers. Si la grosse industrie céramique a disparu, plusieurs ateliers artisanaux y fonctionnent encore. De magnifiques collections de verreries anciennes et contemporaines sont exposées dans une grande demeure bourgeoise.

La situation

Cartes Michelin nᵒˢ 53 pli 6 ou 236 pli 29 – Nord (59). D'Avesnes-sur-Helpe, accès par la N 2, puis au lieu-dit Les Trois-Pavés, la D 962 à droite. De Liessies ou Trélon, prendre D 963 puis à gauche D 962 à Solre-le-Château. De Mons ou Maubeuge, N 6 puis N 2 jusqu'au lieu-dit Les Trois-Pavés et à gauche la D 962.

🮻 *20 r. du Général-de-Gaulle, 59216 Sars-Poteries, ☎ 03 27 59 35 49.*

Le nom

Le village s'appelle *Sarto* en 1100, puis *Sars* au 13ᵉ s., qui signifie « défriché », et enfin Sars-Poteries au début du 17ᵉ s., lorsque naît la poterie de grès.

Les gens

1 541 Sarséens. Au 19ᵉ s., deux verreries s'y développent. En 1900, elles comptent 800 ouvriers, mais, en 1938, frappées par la crise, elles ferment leurs portes. Quelques potiers perpétuent la tradition. D'autres se contentent d'entretenir leurs curieux épis de faîtage en verre, posés depuis le 19ᵉ s. sur le toit de leurs maisons.

visiter

Musée-atelier du Verre★

Tlj sf mar. 10h-18h, w.-end et j. fériés 10h-19h. Fermé entre Noël et nouvel an. 20F. ☎ 03 27 61 61 44.

Dans l'ancienne demeure du directeur de la verrerie, ce musée rassemble une collection originale de verreries exécutées par les ouvriers pour eux-mêmes. Ces œuvres, des « bousillés », permettaient aux verriers de déployer leur talent, leur art et leur créativité. On y voit des lampes gravées, des coupes à plusieurs étages, les bouteilles de la Passion que l'on emportait au pèlerinage de N.-D. de Liesse, curieuses bouteilles contenant des ludions représentant instruments et personnages ayant trait à la Passion du Christ, et des objets hétéroclites. Suite à des fouilles locales, le musée s'est enrichi d'une collection de poteries de grès gris décorées au bleu de cobalt vitrifié (17ᵉ et 18ᵉ s.). Le musée reçoit des artistes internationaux et enrichit ainsi ses collections. L'œuvre de Makoto Ito est très épurée.

La Pierre de Dessus-Bise

Le menhir se dresse à 100 m de l'église, sur la place du Vieux-Marché. La tradition veut que les femmes stériles qui vont s'asseoir sur cette pierre deviennent fécondes.

Moulin à eau

Juil.-août : tlj sf mar. 15h-19h ; avr.-juin et sept.-oct. : dim. et j. fériés 15h-19h. Fermé nov.-mars. 15F. ☎ 03 27 61 60 01.

Sur la rivière Rieu de Sars, route de Cousolre. Construit en 1780, ce moulin a conservé son mécanisme : la grande roue dentée, autrefois actionnée par une roue à augets entraînant 3 paires de meules, et son système de monte-charge par courroie à godets.

Ce Derviche dansant (1994), par Guy Untrauger, est fait de verre travaillé à chaud, collé et passé à l'acide.

Seclin

Voisine de Lille et très ancienne capitale du Mélantois, Seclin vit des industries alimentaires, aéronautiques et chimiques. La ville peut s'enorgueillir de posséder l'un des meilleurs carillons de France.

La situation

Cartes Michelin n°s 51 pli 16 ou 236 pli 16 – Nord (59). À 10 km au Sud de Lille, sur un plateau crayeux à l'Ouest du Mélantois. Accès, de Lille, par la D 549, et par l'A 1. **🛈** *9 bd Hentgès, 59110 Seclin, ☎ 03 20 90 00 02.*

Le nom

Certains mettent en avant l'origine *Saint cellium,* « petite chapelle » ; d'autres privilégient *Secus lignum,* qui se rapporte à « une clairière entourée d'eau à côté du bois ».

visiter

Hôpital

En dehors de la ville et annoncé par un tapis vert bordé de charmilles, l'hôpital a été fondé au 13e s. par Marguerite de Flandre, sœur de la comtesse Jeanne qui fit édifier l'hospice Comtesse de Lille. Les bâtiments actuels, reconstruits au 17e s., constituent un exemple de monument « baroque-flamand » avec son appareil de briques et pierres et ses ornements très sculptés.

Entrez dans la **cour★** bordée d'arcades. À droite s'élève le pignon à gradins de la salle des malades que prolonge, suivant la tradition, une chapelle ; ces deux bâtiments sont du 15e s. La chapelle est couverte d'un berceau de bois.

Collégiale St-Piat

Sur demande. Office de tourisme. ☎ 03 20 90 00 02.

Dédiée à saint Piat, cette église, à déambulatoire et chapelles rayonnantes, possède dans la nef des chapiteaux allongés d'un modèle original. À droite du chœur, rhabillé au 18e s., s'ouvre l'entrée d'une **crypte** préromane abritant le tombeau du saint ; une dalle funéraire du 12e s. recouvre le sarcophage d'origine. À droite du déambulatoire, salle capitulaire des 14e-15e s.

Dans le clocher, **carillon** d'une sonorité unique (42 cloches), le seul du pays réalisé en Angleterre, d'une seule coulée de bronze. L'instrument servit de diapason au réglage de nombreux carillons français.

RENDEZ-VOUS
Concert de carillons interprété par M. Mulier chaque lundi (jour de marché) de 11h à 12h, et les jours de fêtes civiles et religieuses.

Soissons★

Reconstruite après 1918, Soissons n'en est pas moins riche en monuments anciens. Les flèches de St-Jean-des-Vignes règnent sur ses exploitations agricoles. C'était la capitale des premiers rois mérovingiens. De nombreux espaces verts et fleuris agrémentent sa découverte.

La situation

Cartes Michelin n°s 56 pli 4 ou 236 pli 37, Aisne (02). À 100 km de Paris, Soissons domine une colline calcaire. De St-Quentin, Coucy-le-Château et Château-Thierry, accès par la D 1 ; de Rouen, Beauvais, Compiègne ou Reims, N 31/E 46 ; de Laon ou Paris, N 2. **🛈** *16 pl. F.-Marquigny, 02200 Soissons, ☎ 03 23 53 17 37.*

carnet pratique

RESTAURATION

• À bon compte
Hostellerie du Lion d'Or – 1 pl. du
Gén.-de-Gaulle - 02290 Vic-sur-Aisne -
12 km à l'E de Soissons par N 31 et D 13
- ☎ 03 23 55 50 20 - fermé 15 au 31 juil.,
dim.soir, mar. soir et lun. - réserv. le w.-end
- 95/180F. Une bonne adresse pour faire
bombance dans un cadre chaleureux. Depuis
sa création en 1580, ce restaurant n'a
jamais failli et il continue de servir autour de
sa cheminée une cuisine du marché fraîche
et généreuse. Avant de quitter les lieux,
demandez à voir « l'album historique »...

HÉBERGEMENT

• À bon compte
Chambre d'hôte Ferme de la Montagne
– 02290 Ressons-le-Long - 8 km à l'O

de Soissons par N 31 et D 1160
- ☎ 03 23 74 23 71 - ☒ - 5 ch. :
200/300F. Cette ferme de l'abbaye de
Notre-Dame de Soissons est située sur un
plateau et domine superbement la vallée de
l'Aisne. On peut admirer le magnifique
paysage depuis le salon. Pour plus de
confort, les chambres ont chacune un accès
indépendant.

SPECTACLE
Le Cynodrome – 10 bd Branly - ☎ 03 23
73 09 17 - Ouv. dim. tous les 15 j. De toute
l'Europe, des lévriers viennent concourir sur
cette piste de 450 m. Bals et animations
sont organisés les jours de grands prix dans
une ambiance bon enfant. Un spectacle rare
à ne pas manquer. Le public peut assister
aux entraînements.

Le nom

Soissons est un dérivé de *Suessions,* l'une des trois cités celtiques du Soissonnais, proche de la capitale *Noviodunum.* À l'époque romaine, Noviodunum prend le nom de *Augusta Suessionum.*

Les gens

29 453 Soissonnais. Les maraîchers perpétuent la tradition du haricot de Soissons, gros haricot sec et blanc, que leurs épouses accommodent en délicieux « Soissoulet ». Les confiseurs le proposent sous forme de bonbons.

comprendre

Capitale franque – Au temps de la monarchie franque, la cité joue un rôle important. C'est à ses portes que Clovis bat les Romains qu'il ruine à son profit. À la suite de cette bataille a lieu l'épisode du **« vase de Soissons »**. Clovis avait réclamé dans son butin la restitution d'un vase volé à Reims. Un soldat s'y opposa et le brisa en déclarant : « Tu n'auras, ô Roi, que ce que le sort te donnera. » L'année suivante, passant en revue ses troupes, Clovis s'arrêta devant le soldat et lui fendit le crâne en disant : « Ainsi en as-tu fait du vase de Soissons. » Clotaire Ier, son fils, fait de Soissons sa capitale, ainsi que Childéric, roi de Neustrie. Au 8e s. a lieu l'élection de Pépin le Bref, successeur des Mérovingiens déchus. À la suite d'un combat livré sous ses murs en 923, Charles le Simple renonce au trône au profit de la Maison de France.

> **ET LE VASE SE BRISA**
> L'histoire du fameux vase est illustrée par un bas-relief du monument aux morts, place Fernand-Marquigny.

visiter

Ancienne abbaye de St-Jean-des-Vignes★★

9h-12h, 13h30-18h, w.-end et j. fériés 9h-12h, 13h30-18h. Fermé 1er janv., 1er mai, 12 juin, 14 juil., 1er nov., 25 déc. Gratuit. ☎ 03 23 53 58 80.

Fondée en 1076, l'abbaye fut un des plus riches monastères du Moyen Âge. Les libéralités des rois de France, des évêques, des seigneurs et des bourgeois permirent aux moines de construire, aux 13e et 14e s., une église abbatiale et des bâtiments monastiques. En 1805, un décret impérial, pris en accord avec l'évêché de Soissons, ordonne la démolition de l'église, dont les matériaux devaient servir à réparer la cathédrale. Devant les protestations, la façade fut sauvegardée.

> **PRATIQUE**
> Des expositions temporaires consacrées à la création contemporaine sont organisées dans la salle de l'Arsenal.

Façade – Portails à redans, finement découpés et surmontés de gâbles (fin du 13e s.). Le reste est du 14e s. à part les clochers (15e s.). Une galerie à claire-voie sépare le portail central de la rose, qui a perdu son réseau d'arcatures. Aux contreforts des tours sont accolées deux à deux des statues de la Vierge et des saints. Le **clocher Nord**, plus large, est le plus élevé et le plus orné : dais finement travaillés des contreforts, clochetons ajourés et surmontés de flèches à crochets, arêtes et crochets saillants. Sur la face Ouest, contre le meneau de la baie supérieure, est fixé un Christ en croix ; à ses pieds, les statues de saint Jean et de la Vierge.

Réfectoire★ – Dans le prolongement de la façade, au dos du grand cloître. Construction du 13e s. dont les deux nefs sont voûtées d'ogives. Huit grandes roses à lobes percent les murs Est et Sud. Il conserve sa chaire de lecteur.

Sept fines colonnes coiffées de chapiteaux à feuillage reçoivent la retombée des doubleaux et des nervures du réfectoire.

Cellier – Jolie salle sous le réfectoire dont elle reproduit le plan, voûtée d'ogives retombant sur de robustes piles octogonales. En face, ancien logis de l'abbé (16e s.).

◀ **Cloîtres** – Il ne reste du **grand cloître★** que deux galeries édifiées au 14e s. Les arcades en tiers-point, séparées par des contreforts ouvragés, possédaient une arcature dont les travées Sud conservent des restes. Le **petit cloître** présente deux travées Renaissance.

> **À DÉCOUVRIR**
> La finesse des motifs des chapiteaux du grand cloître, représentant la flore et la faune.

Cathédrale St-Gervais-et-St-Protais★★

La pureté de ses lignes et la simplicité de son ordonnance en font l'un des plus beaux témoins du gothique. Sa construction débute au 12e s. par le croisillon Sud. Le 13e s. voit s'élever le chœur, la nef et les bas-côtés. Le croisillon Nord et la partie haute de la façade sont du 14e s. La guerre de Cent Ans interrompt les travaux avant que le clocher Nord soit édifié ; il reste inachevé. Après la Grande Guerre, seuls le chœur et le transept sont intacts.

Extérieur – La façade asymétrique ne laisse pas présager la beauté intérieure de l'édifice. Au 18e s., des remaniements, corrigés en partie en 1930, ont défiguré les portails qui n'ont conservé que leurs profondes voussures. La rose, surmontée d'une galerie, s'inscrit dans un arc ogival. De la rue de l'Évêché on aperçoit l'étagement du bras Sud du transept qui se termine en hémicycle, et, de la place Marquigny, le chevet.

À l'Est du croisillon Nord s'ouvre un portail à gâble élancé, épaulé par deux contreforts ; l'art décoratif du 14e s., plus ouvragé, y apparaît. La façade du croisillon est ornée d'arcatures rayonnantes (14e s.). Elle est percée d'une grande rose inscrite dans un arc en tiers-point et s'achève par un pignon flanqué de deux pinacles.

SOISSONS

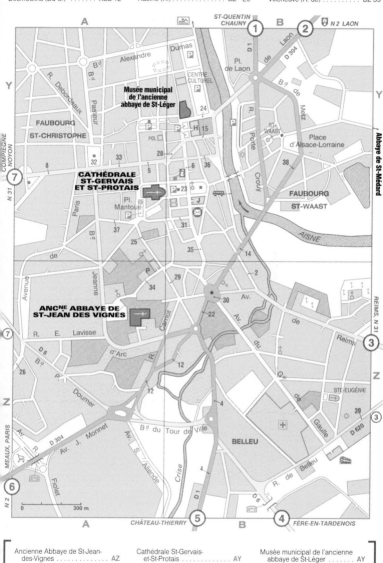

Ancienne Abbaye de St-Jean-des-Vignes .... AZ

Cathédrale St-Gervais-et-St-Protais .... AY

Musée municipal de l'ancienne abbaye de St-Léger .... AY

Intérieur★ – La cathédrale, longue de 116 m, large de 25,6 et haute de 30,33, est absolument symétrique. Aucun détail ne rompt l'harmonie de ce vaisseau. Des colonnes cylindriques séparent les travées de la nef ou du chœur. Leurs chapiteaux sobrement décorés reçoivent la retombée des grandes arcades en tiers-point. Ils servent aussi de point d'appui à cinq fûts qui soutiennent la voûte et sont prolongés jusqu'au socle par une colonne engagée. Grandes arcades surmontées d'un triforium et de hautes fenêtres géminées.

Le **chœur** est un des premiers témoins du gothique lancéolé. Fenêtres (à 5 lancettes) ornées de vitraux des 13ᵉ et 14ᵉ s. L'autel s'encadre de statues de marbre blanc

> **À REMARQUER**
> Le **croisillon Sud★★** est une merveille de grâce, due en partie à son déambulatoire. S'y ouvre une chapelle à deux étages. Une belle clé réunit les nervures de la voûte qui retombent sur des colonnettes encadrant les fenêtres et sur les deux colonnes monolithes de l'entrée.

(Annonciation). Les voûtes d'ogives des 5 chapelles rayonnantes se combinent avec celles du déambulatoire ; les branches d'ogives s'entrecroisent à la même clé.

Le **croisillon Nord** présente la même ordonnance que la nef. Sur le mur droit du fond, ornementation du 14ᵉ s. ; rose avec vitraux anciens. À gauche, *L'Adoration des Bergers* exécutée par Rubens pour les cordeliers en remerciement des soins que ceux-ci lui avaient prodigués.

Musée municipal de l'ancienne abbaye de St-Léger

Juil.-août : tlj sf mar. 10h-18h ; sept.-juin : tlj sf mar. 10h-12h, 14h-17h. Fermé 1ᵉʳ janv., 1ᵉʳ mai, Pentecôte, 14 juil., 1ᵉʳ nov., 25 déc. Gratuit. ☎ 03 23 59 15 90.

Fondée en 1139, l'abbaye fut dévastée en 1567 par les protestants qui démolirent la nef de l'église.

Église – Le chœur, terminé par un chevet à pans coupés, et le transept, du 13ᵉ s., sont éclairés par des fenêtres hautes et basses. La façade et la nef à double collatéral ont été reconstruites au 17ᵉ s. Riche collection lapidaire gallo-romaine et médiévale exposée dans l'église.

Crypte – Deux galeries et deux travées (fin du 11ᵉ s.) dont les voûtes d'arêtes retombent sur des piliers flanqués de colonnes à chapiteaux cubiques ornés de feuilles. Une abside polygonale (13ᵉ s.), voûtée d'ogives, la prolonge.

Salle capitulaire – Donnant sur le cloître (13ᵉ s.), la salle capitulaire, de la même époque, est voûtée de six croisées d'ogives retombant sur deux colonnes.

À VOIR

Tableau anonyme flamand : *l'Allégorie de l'hiver* (1630-1650) représentant un vieillard barbu (clair-obscur).

Musée – Dans les anciens bâtiments conventuels, le musée abrite des collections variées. Rez-de-chaussée : préhistoire, époques gauloise et gallo-romaine (tête de Clotaire). 1ᵉʳ étage : toiles (16ᵉ-19ᵉ s.) : écoles du Nord, italienne, française (Largillière, Courbet, Boudin...). Dans l'autre salle, documents, plans, peintures et maquettes illustrent l'histoire locale.

En sortant du musée, gagnez l'avenue du Mail pour jeter un coup d'œil sur le chevet de l'église et sur l'hôtel de ville, Intendance sous l'Ancien Régime.

Abbaye de St-Médard

Tlj sur demande à l'Office municipal de tourisme.

De cette abbaye célèbre à l'époque franque, ne subsiste qu'une **crypte** préromane (9ᵉ s.) qui gardait le tombeau de saint Médard et les tombes des rois mérovingiens fondateurs : Clotaire et Sigebert.

alentours

Courmelles

4 km au Sud, D 1 à droite ; à la sortie de la ville, prendre une petite route.

L'**église** du 12ᵉ s., au clocher trapu, conserve son **chevet** roman arrondi. 4 contreforts, formés de colonnettes aux chapiteaux finement sculptés, séparent les fenêtres en plein cintre décorées de cordons d'étoiles, surmontées d'arcatures brisées.

Septmonts

À 6 km au Sud, puis la D 831 à gauche.

Ce village de la vallée de la Crise conserve des maisons à pignons gradués dits « à pas de moineaux », caractéristiques de l'architecture soissonnaise.

Église – Du 15ᵉ s. Clocher-porche ajouré de baies que surmonte une flèche de pierre hérissée de crochets. À l'intérieur, poutre de gloire polychrome sculptée de médaillons représentant les apôtres. *De mai à fin sept : 9h-19h. Mairie.* ☎ 03 23 74 91 36.

Château – Quelques éléments intéressants témoignent de son architecture ancienne. Dans un beau site boisé, le donjon (14ᵉ s.) édifié par l'évêque Simon de Bucy, avec ses cheminées élancées et sa haute tourelle de guet,

VICTOR HUGO SUBJUGUÉ

« Dans une charmante vallée, un admirable châtelet du 15ᵉ s. est encore parfaitement habitable... C'est la plus saisissante habitation que tu puisses te figurer. Une ancienne maison de plaisance des évêques de Soissons. » Cette lettre fut adressée par Victor Hugo à sa femme en 1835.

orme une construction élégante. Il est relié par un
chemin de ronde à la tour carrée. Chapelle saint-Louis :
seul vestige du château primitif (13e s.). *Avr.-sept. : 10h-
19h ; oct.-mars : 10h-16h30 (donjon : w.-end et j.fériés).
Gratuit.* ☎ 03 23 74 95 35.

Braine

5 km au Sud-Est (N 31). Née d'un pont sur la Vesle que
commandait un château aujourd'hui en ruine, Braine fut
de tout temps une étape sur la route de Soissons à Reims.
Sur la place du Martroi, subsiste une belle maison à pans
de bois (16e s.) ; surmontée d'une tourelle, elle garde sa
porte cochère.

Église St-Yved-et-Notre-Dame – En lisière de la localité,
près de la Vesle, cette ancienne abbatiale de prémontrés,
fondée par le comte de Braine (fin 12e s.), ne conserve
que deux travées de sa nef, son transept et son chœur à
chapelles rayonnantes. Au revers de la façade, deux
statues (13e s.) : le Christ et la Vierge couronnée, entourés
par les 24 statues d'un Arbre de Jessé. *Dim. 9h-18h.
Possibilité de visite guidée avec l'Office de tourisme.*

> **À REMARQUER**
> À l'intérieur, vaste chœur
> à triforium et
> tour-lanterne, analogue à
> celle de la cathédrale de
> Laon.

Mont Notre-Dame

20 km au Sud-Est (N 31), et D 14 à Braine.
Une **église** dédiée à sainte Marie-Madeleine couronne le
« mont » qui domine la vallée de la Vesle. Architecture
et décor sont typiques du style Art déco ; elle a remplacé
une magnifique collégiale des 12e-13e s., détruite par les
Allemands en 1918. Son clocher (60 m) est surmonté
d'une statue de Marie-Madeleine. *Pâques-Toussaint : dim.
pdt les offices ; sinon sur demande à la mairie.* ☎ 03 23 54
30 27.

La baie de **Somme**★★

Comment résister à l'appel des phoques-veaux
marins, des canards sauvages et du P'tit train qui
siffle dans la campagne ? Voici une destination idéale pour décompresser tout en douceur.
D'immenses espaces vous y attendent, des paysages
baignés d'une luminosité à damner les peintres. À
marée basse, la mer découvre des étendues infinies
de sable et d'herbe ; la baie redouble alors de
charme.

La situation

*Cartes Michelin n°s 52 pli 6 ou 236 plis 11, 21, 22 – Somme
(80).* La baie de Somme se comble par un alluvionnement
régulier qui épaissit les bancs de sable. Ceux-ci finissent
par se recouvrir d'herbe, donnant naissance aux **mollières**, pâturages. Accès : D 940. De Paris-Lille, A 1,
direction Amiens, puis N 1 jusqu'à Abbeville et D 40 vers
Le Crotoy. A 16, depuis Paris, Amiens, Calais, Dunkerque
ou Oostende. Le train Paris–Calais dessert Rue, Abbeville
et Noyelles.

Les traditions

Les trois ports de pêche de la baie, St-Valery, Le Crotoy
et Le Hourdel, sont spécialisés dans les coquillages,
les crustacés et les encornets. La pêche à pied est
pratiquée le long des chenaux. La chasse au gibier d'eau
se pratique à la « botte » ou à la « hutte » avec l'aide de
canards domestiques ou artificiels faisant office d'appe-
lants.

Les gens

La baie a toujours constitué une halte de prédilection
pour les oiseaux migrateurs, attirant ainsi les chasseurs.

> **DÉCLIN DE LA
> NAVIGATION**
> L'ensablement et l'aug-
> mentation du tonnage des
> navires ont nui à la
> navigation, jadis active.
> L'aménagement du canal
> de la Somme de 1786 à
> 1835, la création d'un abri
> d'attente au Hourdel n'ont
> pu que retarder son déclin.
> Durant la Grande Guerre,
> la baie servit de base
> anglaise avec un trafic qui
> atteignit en 1919 près de
> 125 000 t.

Pic. 9

carnet pratique

RESTAURATION
• À bon compte
La Clé des Champs – *80120 Favières -
5 km au NO du Crotoy par D 940 puis
D 140 -* ☎ *03 22 27 88 00 - fermé
vacances de fév., 28 août au 11 sept., dim.
soir et lun. sf j. fériés - 88/240F. Une
adresse gourmande au cœur d'un tout petit
village. Dans un décor d'assiettes et de
casseroles de cuivre, prenez le temps de
vous asseoir à l'une des tables rondes de
cette auberge campagnarde toute simple
pour savourer les menus soignés du chef.*

HÉBERGEMENT
• Valeur sûre
**Chambre d'hôte La Ferme du Château
de la Motte** – *36 rte de la Froise - 80120*

*Monchaux - 11 km au NE de Rue par
D 940 puis D 32 -* ☎ *03 22 23 94 48
- 5 ch. : 300/360F -* ☲ *40F. Fuyez la cohue
du front de mer pour profiter de la
quiétude de ces chambres d'hôte. Vous
serez parfaitement au calme dans son parc
ou au bord de sa piscine sans être trop loin
des activités proposées aux alentours : golf,
aquaclub, équitation, char à voile... Tennis
et gîtes sur place.*

LOISIRS-DÉTENTE
Spectacle de rapaces en vol libre – *À la
maison de l'Oiseau -* ☎ *03 22 26 93 93.
D'avr. à fin août : 3 présentations (3/4h) à
11h30, 14h30, 16h30 ; sept.-oct. : sur
demande à 11h30 et 15h30.*

autour de la baie

Chemin de fer de la baie de Somme
*Dép. du Crotoy et de St-Valery : d'avr. à fin sept. : mer
w.-end et j. fériés à 15h30 (juil.-août : tlj sf lun.). Dép. a
St-Valery à 10h45 : d'avr. à fin sept. : dim. et j. fériés (c
mi-juil. à mi-août : tlj sf lun. et mar.), du Crotoy à 12h et a
Cayeux à 15h30 (juil.-août : mer., w.-end et j. fériés). De 35.
à 66F AR selon la longueur du trajet et l'âge. Train diesel
Cayeux, train à vapeur à St-Valery et au Crotoy. Transpo
des vélos gratuit.* ☎ *03 22 26 96 96.*

*Dès que les beaux jours
sont là, le petit train de
la baie de Somme
reprend du service pour le
plaisir de chacun.*

Un train de voitures à plates-formes tractées par des loco
à vapeur ou diesel circule entre Le Crotoy, Noyelles
St-Valery et Cayeux-sur-Mer, permettant de découvrir l
région.

Parc ornithologique du Marquenterre★★ *(voir ce nom*

Le Crotoy⚏
Accès par la D 940. Le Crotoy, jadis place forte pourvu
d'un château dans lequel Jeanne d'Arc fut enfermée e
1430 avant d'être conduite à Rouen, est une accueillant
station balnéaire. Le **port**, près de la place J.-d'Arc
centre de la station, est fréquenté par des petit
chalutiers. La pêche au lancer permet de ramene
carrelets et anguilles.

*Fières, les aigrettes de la
Maison de l'Oiseau ne
fréquentent guère leurs
voisins palmipèdes.*

Butte du Moulin – On y accède de l'église par la rue d
la Mer. De la terrasse, **vue★** étendue sur la baie d
Somme, St-Valery, le Hourdel, et en direction du large

St-Valery-sur-Somme★ *(voir ce nom)*

Maison de l'Oiseau★

De fin fév. à mi-nov. : (dernière entrée 1h av. fermeture) 10h-18h (juil.-août : fermeture à 19h). 59F, 39F hors sais. enf. : 42F/28F). ☎ *03 22 26 93 93.*

La volonté de préserver une collection d'oiseaux naturalisés, rassemblée par un habitant de Cayeux, est à l'origine de la Maison de l'Oiseau. L'édifice imite le plan des fermes traditionnelles autour d'une cour.

À l'intérieur, des dioramas mettent en valeur les oiseaux de la région dans leur cadre naturel. Dans une salle consacrée aux canards, une hutte de chasse a été reconstituée dont le poste de guet donne sur une mare à l'arrière de la maison où vivent canards sauvages, oies... Autour de l'étang, le long des pelouses et des roselières, un parcours pédagogique « La flore et les oiseaux des marais » vous mène à la rencontre des oiseaux. Films, expositions et stages d'initiation à l'ornithologie complètent la présentation muséographique.

Le Hourdel

Ce port de pêche et de plaisance étire ses maisons de style picard à la pointe du cordon littoral qui part d'Onival, formant un bourrelet de galets exploités par broyage pour faire de l'émeri et des filtrants.

Avec des jumelles, on observe depuis le Hourdel les phoques-veaux marins vautrés à marée basse sur leurs « reposoirs » et « micro-falaises » de sable bordant l'estuaire.

Vue sur le Hourdel et son phare situé à l'extrémité Sud de la baie de Somme.

Cayeux-sur-Mer

Station climatique bordée d'une digue-promenade doublée d'un chemin de planches où s'alignent les cabines en bois. La plage de sable dur s'étend du Hâble d'Ault au Hourdel. Des sentiers ont été aménagés dans le bois de Brighton.

LE CIMETIÈRE CHINOIS DE NOYELLES

C'est la plus grande nécropole chinoise de France. Sur la route de Sailly-Flibeaucourt au hameau de Nolette, le cimetière compte plus de 800 stèles blanches calligraphiées. Suite à un accord signé le 30 décembre 1916, des milliers de Chinois, paysans pour la plupart, venant du Nord de la Chine, s'engagèrent à servir l'armée anglaise en échange d'un salaire. Les premiers débarquèrent en avril 1917 ; le camp accueillit 12 000 travailleurs entre 1917 et 1919. Travaillant dans des conditions éprouvantes, ils étaient maintenus à l'écart de la population et ne pouvaient circuler librement. Beaucoup furent fauchés par la guerre mais surtout par l'épidémie de grippe espagnole à l'automne 1918. À la fin de l'année 1919, la plupart d'entre eux repartirent dans leur pays, quelques-uns préférèrent toutefois rester en France.

Vous recherchez l'apaisement ? Évadez-vous dans l[a] vallée de la Somme. Ce fleuve « qui a fait la Picardi[e] comme le Nil l'Égypte » (Mabille de Poncheville[)] traîne ses eaux paresseuses et vagabondes, souven[t] épandues en étangs argentés ou en sombres marai[s] tourbeux. Tout en douceur, avec la délicatesse d['un] potier, la Somme a modelé dans le plateau de crai[e] picard un val rafraîchissant. Impossible de se lasse[r] du paysage qui vous attend au belvédère de Vaux.

La situation

Cartes Michelin n°s 52 plis 6 à 10 ou 236 plis 22 à 26 – Somm[e] (80). La Somme prend sa source en amont de St-Quenti[n] et s'épanche d'Est en Ouest sur 245 km. Sa faible pent[e] associée au pouvoir absorbant des tourbes, frein[e] l'écoulement des eaux, mais la régularité du débit es[t] garantie par le suintement de la craie du plateau. Celui-[ci] se manifeste, au flanc du val, par de nombreuses source[s.] On rencontre tour à tour marais formant tourbières, pré[s,] champs cultivés, côte entaillée de carrières, bois. L[es] marécages accueillent parfois des jardins maraîchers.

Le nom

Ce fleuve ensommeillé et sa vallée bucolique évoquent d[es] furieux combats dont les plus sanglants, les deux **bataille[s] de la Somme** (1916 et 1940), restent gravés dans l[a] mémoire collective. Le fleuve a bon cœur : il prête so[n] nom – et une partie de son lit – au **canal de la Somm[e.]**

Chasse et pêche

La chasse concerne surtout le gibier d'eau, traqué e[n] barque ou à la « hutte ». Les pêcheurs ne sont pas en reste[.] Certes on n'attrape plus guère de saumons ni d'estu[r]geons. Mais les anguilles pullulent, dont on fait d'exce[l]lents pâtés, alors que foisonnent brochets, carpes, pe[r]ches, tanches…, aussi bien dans la Somme que dans se[s] affluents et les étangs qu'ils alimentent.

itinéraires

DE PÉRONNE À AMIENS *(63 km – env. 1h1/2)*

Sortir de Péronne au Nord-Ouest par la D 938.

La route franchit le canal du Nord, passe à **Cléry** d'où l'o[n] découvre les **étangs de la Haute-Somme**, puis travers[e] l'autoroute. Courant sur le bord du plateau, elle procur[e] des échappées sur la vallée en contrebas.

À l'entrée de Maricourt, prendre à gauche la D 197 puis, [à] gauche, le chemin de Vaux.

Belvédère de Vaux★

Au déclin du plateau, sur une plate-forme aménagée l[e] long de la route, on découvre un beau **panorama**★. A[u] premier plan, le méandre de Curlu, on aperçoit un[e] ferme et des maisons aux toits rouges formant le hamea[u] de Vaux. À l'arrière-plan, se profile la silhouette d[e] Péronne.

La route descend ensuite sur Vaux et traverse la Somm[e.]

Prendre à droite la route de Cappy longeant le canal.

À Cappy retraverser le fleuve en suivant la D 1 vers Bray[.]

Bray-sur-Somme

Bray se trouve à la pointe d'un méandre du fleuve. Ce[t] ancien port fluvial est un important centre de pêche dan[s] la Somme, le canal et les étangs voisins. Dominée par u[n] massif clocher carré à toit aigu, l'**église** possède un chœu[r] roman élancé flanqué de 2 absides. *Visite guidée possible [:] s'adresser à M. Vast.* ☎ *03 22 76 04 79.*

LE CHARBON DU PAUVRE

La **tourbe**, noire et épaisse, s'employait comme combustible dans les foyers picards modestes. Formée dans le marais par la décomposition des végétaux (60 % de carbone), elle était extraite en barres à l'aide de « louchets » (pelles spéciales), débitée en mottes, puis séchée sur prés ou en « hallettes » (petites granges).

LE TEMPS DES « GRIBANNES »

La navigation, entravée par la faible profondeur et la présence de gués, n'a jamais été active, mais la section Amiens-St-Valery portait des **« gribannes »**, lourdes nacelles transportant, à la descente, les blés du Santerre, les laines du Ponthieu et, à la remontée, les sels et vins.

DÉTOUR DES BIBLIOPHILES

Pendant la Grande Guerre, **Blaise Cendrars** passa quelque temps à Frise, surveillant les mouvements ennemis. L'écrivain bourlingueur évoque ces épisodes de la vie des Poilus dans son roman *La Main coupée.*

*Du belvédère de Vaux,
vue imprenable sur les
méandres de la Somme.*

Froissy

De ce hameau, sur le canal de la Somme, part **le p'tit
train de la Haute Somme**, reliant le pont de Froissy au
stade de Dompierre en passant par le tunnel de Cappy
(300 m), de la vallée de la Somme au plateau du Santerre.
Cette promenade (7 km), par chemin de fer, se fait
à l'allure folle de 15 km/h, dans un petit train qui
servit à approvisionner les tranchées en 1914-1918,
réutilisé par la sucrerie de Dompierre. La voie descend
vers les berges, escalade une colline, traverse une petite
forêt. *De mi-juil. à fin août : dép. tlj sf lun. à 14h30 et 16h
(1h1/2) ; de mai à mi-juil. et sept. : dim. et j. fériés à 14h15,
15h15, 16h15 et 17h15. 52F inclue musée des Chemins de fer
(enf. : 32F). Renseignements : APPEVA, BP 106, 80001
Amiens Cedex 1, ☎ 03 22 44 55 40.*

Revenir à Bray-sur-Somme et prendre la D 1.

Après Etinehem, l'itinéraire se glisse entre les étangs et
la falaise puis gravit le promontoire d'un méandre de la
Somme, d'où l'on voit **Corbie** et ses tours.

De Chipilly à Corbie, suivre la rive de la Somme.

La route, qui suit à droite le bord de la falaise, côtoie
à gauche les étangs, parfois masqués par des frondaisons sous lesquelles se cachent les cabanons des
pêcheurs.

Corbie et la Neuville *(voir Corbie)*

Après la Neuville, l'itinéraire passe près de cressonnières
puis gravit une colline : jolies **vues** sur la vallée et Corbie.
À Daours, prendre la D 1. Après 11 km, vue sur Amiens
que dominent la cathédrale et la tour Perret.

D'AMIENS À ABBEVILLE *(58 km – env. 3h)*

*Quitter Amiens à l'Ouest vers Picquigny par la N 235 et
suivre la route parallèle à la voie ferrée Paris-Calais.*

Ailly-sur-Somme

Surplombant le bourg, l'église moderne aux lignes sobres
et originales possède un grand toit oblique, qui repose
d'un côté sur un mur et de l'autre descend jusqu'au
sol.

*Passer sur la rive droite et prendre à gauche vers la chaussée
Tirancourt.*

Samara★ *(voir ce nom)*

Picquigny *(voir ce nom)*

À la sortie Nord-Ouest de Picquigny, emprunter la D 3.

Abbaye du Gard

Après 1789, les bâtiments accueillent des trappistes,
des pères spiritains puis des moniales chartreuses.
Abandonnés, ils tombèrent en ruine. En 1967, les frères
auxiliaires de St-Riquier rachètent l'abbaye et restaurent
le très beau corps de logis (18ᵉ s.), lui restituant sa
vocation de lieu de prière et de rencontre.

> **VISITE**
> Une **halle-musée**
> présente une trentaine de
> locomotives et plus de
> cent wagons et voitures
> remis en état d'origine.

> **À SAVOIR**
> L'abbaye cistercienne
> fondée en 1137 eut
> Mazarin pour abbé
> commendataire au 17ᵉ s.

Hangest-sur-Somme

Les cressonnières font la renommée du village. Dans l'**église** des 12e-16e s., mobilier (18e s.) de l'abbaye du Gard. *S'adresser à la mairie tlj sf mer. et dim. 15h-18h, sam. 9h-12h.* ☎ 03 22 51 12 37.

Au-delà d'Hangest, la route gravit une côte au sommet de laquelle une vue embrasse la vallée.

Longpré-les-Corps-Saints

Le bourg doit son nom aux reliques envoyées de Constantinople par Aléaume de Fontaine, fondateur de l'église au temps des Croisades. Au tympan du portail de l'**église**, scènes de la Mort et de la Résurrection de la Vierge. Reliquaires exposés au fond du chœur.

Après Longpré, au Catelet, à droite vers Long (D 32).

On traverse les fonds du val, parsemés d'étangs. Belle perspective sur le château de Long.

Long

Au Sud du village à flanc de coteau, se dresse un **château** Louis XV, de briques roses et pierres blanches, à comble d'ardoises à la Mansart. Il rappelle Bagatelle, mais des détails le singularisent. L'édifice est entouré d'un parc. On ne visite pas.

Dans le bourg, une **église** gothique reconstruite au 19e s. conserve une flèche du 16e s. ; orgues de Cavaillé-Coll.

Retraverser la Somme et rejoindre la D 3.

Église de Liercourt

Avant ce village, cet édifice flamboyant à clocher-pignon montre un portail surmonté des armes de France et d'une niche abritant la statue de saint Riquier.

Prendre à droite la D 901.

Château de Pont-Remy

Sur une île de la Somme, près de Pont-Remy. Château (15e s.) remanié en 1837 dans le style « gothique troubadour ». Beau parc paysager.

Revenir à la D 3.

La route longe la base du coteau, à la limite des étangs et des prés, et se rapproche des monts de Caubert.

Tourner à droite pour rejoindre Abbeville.

La Thiérache★

Les mots terroir, papillon, eaux vives, bocage, cidre, maroilles... vous donnent des fourmis dans les jambes ? Allez donc vous les dégourdir en arpentant la Thiérache. La région se découvre comme on veut, quand on veut. Randonneurs et amoureux de la nature choisissent l'Axe vert entre Guise et Hirson. Amateurs d'insolite, amis des vieilles pierres ou passionnés d'Histoire ne restent pas sur leur faim.

La situation

Cartes Michelin n°s 53 plis 15, 16 ou 236 plis 28, 29, 39 - Aisne (02). La Thiérache forme une tache verdoyante dans les plaines crayeuses de Picardie et de Champagne. Prolongée au Nord par l'Avesnois, elle couvre Vervins et une partie du canton de Marle. Sa pluviosité et son imperméabilité en font un pays humide.

Le nom

Plusieurs étymologies s'affrontent. *Thiérache* dériverait de *Theorasia silva*, c'est-à-dire « forêt de Thierry », ou de *Thier hasche*, « terrain de chasse ».

Église fortifiée de Marly (13e-14e s.).

Les spécialités

Dans les pâtures, les vaches de race pie noir frisonne font les yeux doux aux touristes. Elles expédient leur lait dans la région et à Paris ; une partie est transformée en beurre ou en fromage : maroilles et edam français. Les oseraies ont développé la vannerie, pratiquée dans la région d'**Origny**. Les pommes font un excellent cidre fermier.

découvrir

LES ÉGLISES FORTIFIÉES★

Région-frontière jusqu'au règne de Louis XIV, la Thiérache fut souvent envahie. Elle était parcourue par les Grandes Compagnies, les fantassins allemands, les « Gueux », surtout pendant la guerre de Cent Ans, les guerres de Religion et les luttes entre la France et l'Espagne sous Louis XIII et Louis XIV. Faute de châteaux forts et de remparts pour protéger leurs villages, les habitants fortifièrent leurs églises à la fin du 16e s. et au 17e s. C'est ainsi que la plupart des édifices datant des 12e et 13e s. ont été nantis de hauts donjons carrés percés de meurtrières, de tours rondes, d'échauguettes... leur donnant d'étranges silhouettes où pierres et briques se marient de façon assez hétéroclite. D'autres églises ont été construites d'un seul jet au tournant du 17e s. comme celle de Plomion, église forteresse très homogène.

carnet pratique

HÉBERGEMENT

● **À bon compte**

Chambre d'hôte Mme Piette – *7 pl. des Marronniers - 02120 Chigny - 15 km à l'E de Guise par N 29 et D 26 - ☎ 03 23 60 22 04 - ✆ - 5 ch. : 190/270F - repas 90F.* Cette maison-là a le charme désuet des vieilles demeures. Dans un décor qui semble ne pas avoir changé depuis des années, Madame Piette reçoit les voyageurs avec beaucoup d'attention.

Trois chambres n'ont pas de salle de bain particulière.

LOISIRS-DÉTENTE

Axe vert de Thiérache – De Guise à Hirson, l'axe vert de Thiérache est une ancienne voie ferroviaire réhabilitée pour le plus grand plaisir des randonneurs (30 km) ; elle serpente le long de l'Oise où quelques gares sont converties en gîtes d'étape.

[1] **Au départ de Vervins** *(65 km – env. 3h)*

Vervins

De la route de Reims, perspective sur la ville, accrochée à la colline. Capitale de la Thiérache, elle est marquée par les vestiges de ses remparts, ses rues pavées, ses places bordées de maisons à toits aigus et cheminées de brique.

Église N.-D. – Chœur du 13e s., nef du 16e s. et imposante tour (même époque) haute de 34 m, en brique à chaînages de pierre, flanquée de quatre clochetons. À l'intérieur, fresques du 16e s. *(piliers)*, composition colorée et animée, *Le Repas chez Simon,* par Jouvenet (1699) ; buffet d'orgues et belle chaire (18e s.).

Prendre la D 372 jusqu'à Harcigny puis la D 37.

Plomion

L'église du 16e s. est remarquable par sa façade flanquée de deux tours et pourvue d'un donjon carré, dont la grande salle communique avec les combles. Devant l'église, une halle importante atteste le rôle commercial de Plomion. L'ensemble (église et halle) sera bientôt restauré.

Prendre la D 747 en direction de Bancigny et Jeantes.

Jeantes

La façade de l'**église** est encadrée de tours carrées. À l'intérieur les murs ont été recouverts en 1962, par le peintre néerlandais Charles Eyck, de fresques expressionnistes représentant des scènes de la Vie du Christ. Remarquez les fonts baptismaux du 12e s.

Dagny

Ce village ancien a conservé ses maisons en torchis et à pans de bois sur assises de briques.

Morgny-en-Thiérache

Le chœur et la nef de l'**église** sont du 13e s. La fortification a porté sur le chœur, exhaussé d'un étage pour abriter une salle refuge.

Dohis

Maisons à pans de bois et torchis. L'**église** (nef du 12e s.) est intéressante pour son donjon-porche (17e s.).

De l'église, revenir en arrière et prendre la première rue à gauche, puis tourner de nouveau à gauche à une fourche, vers Parfondeval.

Parfondeval

◄ Perché sur une colline, ce beau village rassemble ses maisons de briques aux chauds coloris autour d'un vaste espace vert.

Revenir à l'entrée du village, suivre la D 520 vers Archon.

De cette route, vue sur Archon et le paysage vallonné.

Archon

Les maisons en torchis et briques cernent l'**église** gardée par ses deux grosses tours rondes entre lesquelles une passerelle servait de poste de guet.

La D 110 traverse **Renneval** (église fortifiée) et **Vigneux**.

Hary

Au chœur et à la nef de l'**église** romane du 12e s., construite en pierre blanche, s'est ajouté un donjon en brique.

La D 61 suit la vallée de la Brune.

Burelles

L'**église** (16e-17e s.) comporte de nombreux éléments défensifs : meurtrières, donjon avec tourelle et échauguette, croisillon gauche du transept à bretèche et échauguettes, chœur flanqué d'une tourelle. Étage du transept aménagé en une vaste chambre forte.

Église fortifiée de Wimy.

Prisces

Chœur et nef (12ᵉ s.) de l'**église** surmontés d'un donjon carré en brique (25 m) avec deux tourelles opposées en diagonale. À l'intérieur, les quatre étages pouvaient abriter une centaine de combattants avec armes et provisions. *En cours de restauration.* ☎ *03 23 98 11 98.*

Franchir la Brune pour gagner Gronard par la D 613.

Gronard

La façade de l'église disparaît presque derrière des tilleuls. Le donjon est flanqué de deux tours rondes.

Regagner Vervins par la D 613 et la D 966.

2 De Vervins à Guise *(51 km – env. 2h)*

Cet itinéraire suit en grande partie la vallée de l'Oise, riche aussi en églises fortifiées.

De Vervins, prendre la D 963 jusqu'à La Bouteille.

La Bouteille

Quatre tourelles cantonnent l'église, édifice aux murs épais de plus de 1 m, bâtie par les cisterciens de la proche **abbaye de Foigny**, aujourd'hui en ruine.

La D 751 et la D 382 mènent à Foigny. Traverser la D 38 et prendre la route qui longe l'abbaye, jusqu'à Wimy.

Wimy

Le donjon de l'église est flanqué de tours cylindriques. À l'intérieur : deux cheminées, un puits et un four à pain. L'étage servait de refuge.

La D 31 traverse Étréaupont et continue vers **Autreppes,** *village en brique. On passe devant son église fortifiée, puis la route longe* **St-Algis** *dominé par son église.*

Marly

L'église en grès, avec son beau portail en tiers-point, a été complétée de deux grosses échauguettes. À la base, remarquez les meurtrières pour le tir des arbalètes.

Englancourt

L'**église** de ce joli site dominant le cours de l'Oise possède une façade flanquée d'échauguettes, un donjon carré en brique et un chœur à chevet plat renforcé de tours rondes.

Église fortifiée d'Englancourt.

Rejoindre la D 31 par la D 26.

Beaurain

En hauteur, l'**église** se détache de la verdure, forteresse construite d'un seul jet. Le donjon carré et le chœur sont flanqués de tours. À l'entrée, fonts baptismaux romans.

Gagner Guise par la D 960.

Les oies ne fréquentent pas seulement le Périgord, elles apprécient aussi beaucoup la Thiérache.

Le Touquet-Paris-Plage ☼☼☼

Paris-Plage se love entre l'estuaire de la Canche, l
mer et la forêt. Villas et établissements au charm
rétro s'égrènent sous les pinèdes. Toutes les couleur
y jaillissent, dans un panaché de styles architectu
raux. Un foisonnement de détails anime le
résidences balnéaires qui rivalisent de contrastes
murs blancs, liserés bleus, tuiles rouges, pelouse
fleuries cernées de haies impeccables... Dépaysant
souhait, ce grand « Jardin de la Manche » s'anim
365 jours par an et porte ce parfum immuable de
vacances.

La situation

Cartes Michelin n°s 51 pli 11 ou 236 pli 11 – Pas-de-Calais (62
De la D 940, accès par le port d'Étaples ; on traverse le por
sur l'estuaire de la Canche. La gare d'Étaples est la plu
proche du Touquet. De la N 39 et de l'A 16, on est accueil
par l'École hôtelière. Le centre dessine un quadrillage
une dizaine de rues parallèles à la côte coupent un
trentaine de voies d'accès à la plage. ☐ *Palais de l'Europe
pl. de l'Hermitage, 62520 Le Touquet,* ☎ *03 21 06 72 0(
fax 03 21 06 72 01. Site internet : www.letouquet.com*

Le nom

Touquet-Paris-Plage aurait été inventé en 1912 par l
directeur du Figaro pour désigner cette station créée a
19e s. par son ami notaire, Daloz. Entre 1900 et 1930, le
affiches vantant les lieux associent Le Touquet au
expressions *Arcachon du Nord* et *Jardin de la Manche.*

Les gens

5 299 Touquettois. En 1837, les villageois s'essaien
à l'élevage puis à la culture des topinambours, d
seigle et même des patates. Fin 19e s., tandis qu
les arbres déploient leurs frondaisons, un homm
d'affaires anglais entrevoit le potentiel touristique d
site, ce qui aboutit à la création du Touquet Syndi
cate Ltd. Les premières rési-
dences balnéaires apparaissent dès 1882 ; le
géomètre Raymond
Lens se charge
de leur tracé.

séjourner

Digue-promenade
Formant front de mer elle comporte de nombreux
jardins. Côté sud, elle aboutit à la **Base nautique de char
à voile** et à l'**Institut de thalassothérapie**.

La plage et le port
Découvrant à marée basse sur 1 km et se prolongeant
sur 12 km jusqu'à l'embouchure de l'Authie, cette
admirable plage en pente douce est faite de sable fin et
dur – idéal pour le char à voile. Par une route en corniche
suivant le cordon de dunes, on arrive au **port de plaisance** et à la **Base nautique** Nord de la pointe du
Touquet.

Sports et autres distractions
Près du domaine de l'Hermitage aux belles galeries
marchandes sont implantés le **Centre sportif** et le
Casino du palais, le **Palais de l'Europe** où ont lieu
congrès et échanges culturels.
Le **Musée** expose une collection d'œuvres de l'« école
d'Étaples » (1880-1914), s'y ajoutent des toiles de Le
Sidaner et une section d'art contemporain. *Tlj sf mar.
10h-12h, 14h-18h, dim. et j. fériés 10h-12h, 14h30-18h. Fermé
j. fériés. 20F. ☎ 03 21 05 62 62.*

Les « Jardins de la Manche »
Plantée en 1855 à l'initiative d'Alphonse Daloz, la forêt
du Touquet couvre 800 ha. Ses boisements de pins
maritimes, bouleaux, aulnes, peupliers, acacias
protègent du vent environ 2 000 villas, de style anglo-
normand ou résolument modernes. 45 km de pistes
cavalières et 50 km d'avenues forestières réservées aux
piétons traversent les bois et les quartiers résidentiels
aux jardins soignés.

4 circuits pédestres partent de la place de l'Hermitage. Circuits **La
Pomme de Pin** pour
les « amateurs » ;
Le Daphné

carnet pratique

RESTAURATION

• À bon compte

Le Nemo – Bd de la Mer - Aqualud - ☎ 03 21 06 20 66 - www.aqualud.com - fermé janv. - 100/150F. Plongez 20 000 lieues sous les mers ! Dans ce restaurant, vous embarquerez dans le vaisseau imaginé par Jules Verne. Tout y est, des scaphandres aux cartes marines, dans un décor de bois et de laiton. Pour un bol d'air et la vue, choisissez la terrasse côté plage. À table, saveurs de la mer.

Perard – 67 r. de Metz - ☎ 03 21 05 13 33 - fermé janv. - ☑ - 98/145F. Avis aux amateurs, la soupe de poissons est la fierté du restaurant... Quant aux autres produits de la mer, ils viennent directement de la poissonnerie voisine tenue par le même propriétaire, deux bonnes raisons de pousser la porte. Décor années 1970.

• Valeur sûre

Flavio – Av. du Verger - ☎ 03 21 05 10 22 - fermé 10 janv. au 10 fév. et lun. (sf juil.-août et j. fériés) - 195/720F. Une institution dans la ville : derrière une façade assez banale, à côté du Westminster, ce restaurant au décor cossu est apprécié d'une clientèle d'habitués qui vient notamment y goûter la spécialité annoncée de la maison : le homard. Prix en conséquence.

HÉBERGEMENT

• À bon compte

Hôtel de la Forêt – 73 r. Moscou - ☎ 03 21 05 09 88 - fermé vac. de Noël - 10 ch. : 250/280F - ☑ 31F. Ce petit hôtel familial est au centre-ville et à 500 m. de la plage. Les petites chambres sont simples, rénovées peu à peu, bien insonorisées et fort bien tenues.

• Une petite folie !

Hôtel Westminster – Av. du Verger - ☎ 03 21 05 48 48 - fermé fév. - 🅿 - 115 ch. : à partir de 650F - ☑ 95F - 2 restaurants. Ah, les belles vacances ! Devant sa façade, on se surprend à rêver à ces familles parisiennes qui venaient autrefois se baigner sur les plages du Nord. Une rêverie qui se poursuit dans son décor luxueux au charme rétro. Deux restaurants : le Pavillon pour le dîner, et le Coffee-Shop.

LE TEMPS D'UN VERRE

Le Perroquet Bleu – 60 r. de Metz - ☎ 03 21 05 69 79 - Dim.-jeu. 17h-4h, ven.-sam. 17h-5h. Fermé lun. hors saison. Fermé janv. Sièges en osier sur la terrasse, bar rembourré à l'entrée, poufs et banquettes dans la grande salle et tables en verre dans une petite salle colorée sous verrière, ce café-karaoké vous fera chanter de plaisir été comme hiver.

Le Philae Café – 28 r. St-Jean - ☎ 03 21 05 98 63 - Tlj 11h-3h, veille j. fériés 11h-4h. La décoration de ce café luxueux est une reproduction fidèle des fresques égyptiennes et des colonnes colorées du temple de Philae. Les tables basses sont gravées de hiéroglyphes et certains murs sont recouverts de bas-reliefs. Le vendredi, soirées karaoké sur écran géant et concerts de jazz et de rock agrémentent la dégustation de cocktails exotiques. Le lieu s'anime après 22h. En attendant, vous pourrez chercher l'erreur qui s'est glissée dans une fresque. Avis aux égyptologues !

LOISIRS-DÉTENTE

Aéroport du Touquet – ☎ 03 21 05 03 99 - hélicobage@wanadoo.fr - Tlj 9h-20h. Baptêmes de l'air, avion et hélicoptère.

Centre de Char à Voile – Base Nautique Sud - ☎ 03 21 05 33 51 - charavoile@letouquet.com - Accueil : tlj 10h-12h, 14h-17h. La plage de plus de quinze kilomètres est un terrain idéal pour essayer ce sport surprenant. De plus, vous bénéficierez des conseils de Bertrand Lambert, recordman de vitesse (151,55 km/h !) et quadruple champion du monde.

Centre équestre régional du Touquet – Av. de la Dune-aux-Loups - ☎ 03 21 05 15 25 - Tlj accueil : 9h-12h, 14h-18h. Ce centre, qui s'étend sur 50 ha dans la forêt, élève plus de 150 magnifiques chevaux, la plupart confiés par des propriétaires. Cependant, les 40 chevaux et poneys du club sont à votre disposition pour des balades plus ou moins longues selon votre niveau.

Aqualud – Bd de la Mer - ☎ 03 21 05 90 96 - www.aqualud.com - Tlj 10h-18h. Juil.-août : dim.-jeu. 10h-19h, ven.-sam. 10h-0h. Fermé nov.-janv. Parc aquatique de 8 000 m² (plus 4 000 m² en été) dont la partie couverte bénéficie toute l'année d'une température de 27° dans l'air et 29 dans l'eau. Toboggans géants, rivière à surprises, bassin à vagues, jacuzzi, Black Hole et Twister... et assez de maîtres-nageurs pour rassurer les parents.

Le Touquet rencontre rapidement un grand succès auprès des familles qui y passent leurs fins de semaine.

pour les « confirmés » ; **La Feuille de chêne** pour les « explorateurs » et **L'Argoursier** pour les « chevronnés ». Dépliants d'orientation gratuits (Office de tourisme). Au Sud de la forêt s'étendent **3 parcours de golf**. Le long de la Canche s'alignent l'**hippodrome**, le **centre équestre**, le **stand de tir** (arc) et l'**aéroport**.

se promener

BALADE 1900

De la place de l'Hermitage, prendre l'avenue du Verger.

« Champs-Élysées » miniatures, cette avenue reste le rendez-vous des élégantes et des dandys. À droite, des parterres fleuris mettent en valeur des boutiques (1927) blanches, au style vaguement Art déco.
Plus loin, l'**hôtel Westminster** compte parmi les plus prestigieux établissements de la station. Sa façade de briques roses aligne ses rangées de fenêtres en saillie.
Prendre l'avenue St-Jean au croisement de l'avenue du Verger.
Ensemble éclectique, le **village Suisse** (1905) se donne un air médiéval, avec ses tourelles et créneaux ; les arcades commerciales forment une terrasse à l'étage.
Revenir jusqu'à l'hôtel et prendre l'avenue des Phares.
Sur la droite, derrière l'hôtel, le **phare** de briques roses a été reconstruit par Quételart en 1949. Son fût hexagonal est à faces incurvées, comme une colonne dorique.

Les façades du Touquet rivalisent d'élégance.

Traverser l'avenue des Phares et prendre la rue J.-Duboc pour rejoindre le boulevard Daloz.
Jolie loggia et retombée de toiture originale pour la **villa Cendrillon** (1923), à l'angle du boulevard Daloz. Au n° 44 du même boulevard, la **villa La Wallonne** marque le début du quartier animé et commerçant. Au n° 78, la façade de la **villa des Mutins** (1925), résidence de Louis Quételart, présente deux pignons sur la rue de Lens. Au n° 45, la **villa Le Roy d'Ys** (1903) est une demeure d'aspect normand, à pans de bois et pierre de marquise. L'**église Ste-Jeanne-d'Arc**, édifiée en 1912 et restaurée en 1955, se pare de vitraux et de ferronnerie d'art. À côté, l'**hôtel de ville** (1931), en pierres du pays et pans de bois cimentés, est flanqué d'un beffroi de 38 m. L'ensemble s'apparente au style anglo-normand.
Prendre la rue Jean-Monnet vers la plage.
Au n° 50, la **villa Le Castel** (1904) opte pour un style néomédiéval associé à des éléments Art nouveau. La rue Jean-Monnet passe sous l'arche du **marché couvert** (1927-1932), en forme de demi-lune, pour atteindre le boulevard Pouget, en bord de mer, où se succèdent d'autres maisons de plaisance.
On retrouve la place de l'Hermitage, puis la rue du Verger.

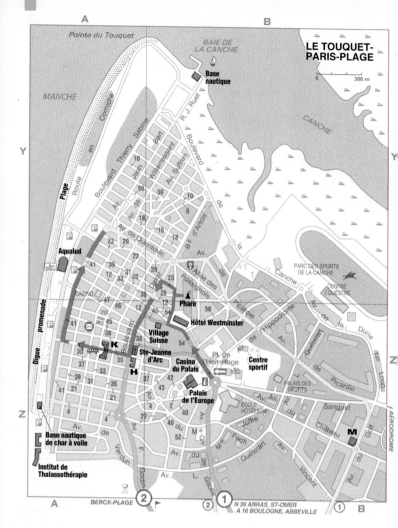

alentours

Stella-Plage
8 km. Quitter le Touquet par l'av. F.-Godin, et à 5 km prendre à droite la D 144.

En arrière de la dune qui longe la plage, les villas sont dispersées dans le bois qui prolonge celui du Touquet.

St-Josse
10 km par N 39, D 143 puis D 144. Vues sur Étaples. Sur une colline, le village possédait une abbaye fondée par Charlemagne en souvenir de saint Josse, ermite du 7ᵉ s. Dans le chœur (16ᵉ s.) de l'église, on vénère la châsse-reliquaire du saint.

À REMARQUER
À 500 m à l'Est, la fontaine et la chapelle St-Josse, lieu de pèlerinage, se cachent dans un clos boisé.

Tourcoing

Tourcoing, ville fleurie, s'embellit de jour en jour. Comme Roubaix sa voisine, la cité du « Broutteux » est fin prête à accueillir le 3ᵉ millénaire. Sur le parvis St-Christophe, on foule désormais un élégant pavage où le porphyre du Trentin voisine avec le marbre de Carrare et de Vérone et la pierre de Soignies. Les berges du canal, la mairie et bien d'autres édifices ont profité du même bain de jouvence. Avec, de surcroît, une vie culturelle riche, voici mille raisons de (re)découvrir Tourcoing.

La situation

Cartes Michelin nᵒˢ 51 pli 6 ou 236 pli 6 - Nord (59). Tourcoing est intégré à la communauté urbaine Lille Métropole. La ville s'entoure d'un périphérique. Le pont hydraulique sur le canal de Roubaix, témoignage d'architecture industrielle, accueille les automobilistes au sud de la ville, venant de Lille (N 356) et de Roubaix (D 9) ou de Tournai (N 509). De Courtrai, on rejoint la ville par la N 43. Le centre commerçant se situe entre St-Christophe et la mairie, jusqu'à la rue de Gand. **🛈** *9 r. de Tournai, 59200 Tourcoing, ☎ 03 20 26 89 03.*

Le nom

Trois possibilités : à vous de trancher. Le nom pourrait venir de *Tour Ken,* « près de la source d'une rivière » en celte. Ou alors, de *Tur Oing,* « passage du bois ». La troisième option se contente de *Tor* ou *Tur,* « tour » ou « sommet » (la ville culmine à 40 m en plusieurs lieux).

Les gens

93 540 Tourquennois. Jules Watteeuw dit « le Broutteux » (1849-1947) sera le chantre de sa ville. Il lègue une œuvre immense, entièrement écrite en patois. Ses concitoyens lui offrent en 1906 une ravissante maison dont la façade a été décorée par ses amis peintres et sculpteurs *(19 rue Jules-Watteeuw ; on ne visite pas).* Une plaque de bronze est apposée sur sa maison natale, Grand'Place, et un monument le célèbre dans le jardin de l'hôtel de ville.

U PAYS

L'humoriste **Raymond Devos** a fait ses études dans un collège tourquennois et l'acteur **Ronny Coutteure** s'est formé à l'art dramatique au conservatoire de Tourcoing.

comprendre

Vie actuelle – À l'industrie textile, se sont ajoutées des activités comme l'imprimerie, les arts graphiques, l'agroalimentaire, la vente par correspondance. Parallèlement, la cité est devenue un **pôle artistique** majeur avec l'Ersep, École régionale supérieure d'expression plastique, l'Atelier lyrique de Tourcoing dirigé par Jean-Claude Malgoire et le Fresnoy, ancien centre de distractions populaires des années 1920 réaménagé par l'architecte Bernard Tschumi pour devenir le Studio national des arts contemporains.

La bataille de Tourcoing – Les 17 et 18 mai 1794, la tentative d'invasion des coalisés (Prussiens, Autrichiens et Anglais) est habilement déjouée par les généraux Jourdan, Moreau et Souham. Le retentissement de cette victoire sera minimisé sur le plan intérieur, du fait des rivalités au sein du Comité de salut public. L'importance réelle de cette bataille n'a été reconnue que récemment.

La laine et les « Broutteux » – Au Moyen Âge, les paysans élèvent des moutons et associent ainsi une activité textile au travail de la terre. Cette activité est assez importante en 1360 pour que Tourcoing obtienne un sceau destiné à marquer sa draperie. L'institution d'une franche foire, qui se perpétue depuis 1491, consacre sa place de bourg marchand. Lorsque les drapiers déclinent, au 16ᵉ s., on s'y spécialise dans le peignage de la laine, à tel point que sur l'emblème de la cité figure la brouette employée jadis pour son transport. Les habitants étaient alors surnommés « les broutteux ».

carnet pratique

TRANSPORT

Le **tramway** dessert 4 stations à Tourcoing.
Il met la gare Lille-Europe à environ 45mn.
Tourcoing est par ailleurs relié à la
métropole lilloise et à Roubaix par le **métro
VAL** : 27mn suffisent pour rejoindre le
centre de Lille et moins de 10 pour Roubaix.
9 stations du VAL desservent Tourcoing, du
Sud vers le Nord. Le métro circule de 5h à
0h30 (heure de passage à Lille-Flandres).
Ttes les 2mn aux heures de pointe ; ttes les
6 à 7mn aux heures creuses. ☎ 03 20 40
40 40.

RESTAURATION
• *Valeur sûre*
La Baratte – 395 r. Clinquet - ☎ 03 20 94
45 63 - fermé vac. de fév., 1er au 20 août,
dim. soir, lun. soir et sam. - 118/330F.
Même si ce restaurant est un peu difficile à
trouver, insistez, vous ne serez pas déçu.
Son décor campagnard avec ses cheminées
lui donne une douce quiétude. Vous y serez
bichonné et dégusterez une cuisine
goûteuse. Très bon rapport qualité/prix.

ACHATS
Pour faire de bonnes affaires (magasins
d'usines textiles), se reporter au carnet
pratique de Roubaix.

L'industrie au 19e s. – La révolution industrielle
au 19e s. fait de Roubaix-Tourcoing la capitale française
du textile. Cet essor attire une main-d'œuvre nombreuse
venue de la Flandre belge, qui travaille dans les peignages, les filatures, les teintureries, les tissages. De
1789 à 1900, la population passe de 10 000 à 80 000
habitants.

visiter

Église St-Christophe
8h-12h, 14h-18h30, ven. 8h-12h. ☎ *03 20 26 70 67.*
À l'emplacement d'un sanctuaire plus ancien (11e s.),
l'église édifiée au 16e s. est agrandie au 19e s. dans le style
néo-gothique. Avec son parvis, elle forme un bel
ensemble. L'intérieur est lumineux, grâce aux fenêtres et
aux verrières du chœur, dues à Lorin. Le clocher (16e s.)
englobé dans le clocher actuel (85 m) abrite un **musée
campanaire** et un carillon de 61 cloches. Du sommet
(200 marches), **panorama** sur la ville et les environs. *Mai-
oct. : 3e dim. du mois 14h-18h. Gratuit.*

Hôtel de ville
Tlj sf dim. 8h-17h30, sam. 9h-12h. Fermé j. fériés. Gratuit.
☎ *03 20 27 55 24.*

◀ Ce monument édifié sous le Second Empire, parfait
exemple de style éclectique, a été brillamment restauré.
En façade, un blason surplombe chacune des trois portes.
L'ensemble s'inspire de la Renaissance et du Louvre.

À VOIR
La salle du conseil municipal de la mairie est ornée de quelques grandes toiles historiques, dont *La Victoire de Tourcoing*.

Hospice
3 r. d'Havré. Fermé provisoirement au public.
Fondé en 1260 par Mahaut de Guisnes pour servir
d'hôpital, l'édifice a été reconstruit aux 17e et 18e s. De
l'ancien monastère, restent la chapelle, avec son retable
de style baroque, et le cloître, avec ses culs-de-lampe
sculptés.

Musée des Beaux-Arts
À droite de l'hôtel de ville. ⚫ *Tlj sf mar. 13h30-18h. Fermé
j. fériés. Gratuit.* ☎ *03 20 28 91 60.*
Le musicien tourquennois A. Roussel (1869-1936) a vécu
une partie de sa jeunesse dans cet hôtel particulier.

◀ Les collections s'étendent du 16e au 20e s. La peinture
flamande et hollandaise des 16e et 17e s. se signale par
quelques œuvres de qualité, dont *L'Échanson de Rom-
bouts*. Les 19e et 20e s. sont illustrés par Boilly, Clairin
(Portrait de Sarah Bernhardt), Fautrier *(Portrait de ma
concierge, 1922)* et le Tourquennois Leroy *(Autoportrait)*.
Un cabinet d'art graphique conserve près de mille
œuvres, de Rembrandt à Picasso.

À VOIR
Kopft, tête d'homme en fonte, à perception très variable selon le point de vue adopté (tournez autour de la statue), par Markus Raetz (1992).

Boilly a réussi le prodige de représenter ces 35 têtes d'expression sur seulement quelques centimètres carrés.

Centre d'histoire locale

♿ *Tlj sf mar. 9h30-11h30, 14h-17h, w.-end. 14h-18h. Fermé . fériés. Gratuit.* ☎ *03 20 27 55 24.*

Dans un édifice de style Renaissance flamande surmonté d'un beffroi, on y voit des objets issus de fouilles, un plan de la ville, des peintures et documents ethnologiques. Une galerie accueille des expositions d'histoire régionale.

PRATIQUE
Le théâtre du Broutteux, (marionnettes flamandes à tringles et à fils) est annexé au centre.

Musée de la Guerre des Ondes (1940-1945)

4 bis av. de la Marne, juste après le pont hydraulique. Visite guidée (1h1/2) 1er et 3e dim. du mois 9h30-12h, 14h-18h, sam. sur demande. Fermé en juil.-août. ☎ *03 20 24 34 09.*

L'ancien blockhaus du commandement de la 15e armée est devenu musée. Protégé par un toit en béton armé et des murs épais de 2 m, il est recouvert de briques rouges et son toit ensemencé d'herbe pour des raisons de camouflage. Dans une quinzaine de salles, on voit du matériel de la guerre des ondes, des télex, des mannequins en tenue d'époque, une reconstitution du standard téléphonique et celle de la chambre-bureau du général.

HISTOIRE
C'est ici que fut décodé le 5 juin 1944 le message de Radio-Londres annonçant le débarquement en Normandie : « les sanglots longs des violons... ».

Valenciennes

Le surnom d'Athènes du Nord a souvent été donné à Valenciennes en raison du penchant de cette cité pour les arts. Active et commerçante, la ville garde cette réputation de pôle culturel d'envergure, avec les prestigieuses collections du musée des Beaux-Arts où rayonnent Watteau et Carpeaux. Il faut s'attabler pour découvrir l'un des plus grands trésors du Valenciennois : la langue Lucullus, langue de bœuf fumée, coupée en tranches, recouverte de foie gras.

La situation

Cartes Michelin n°s 51 pli 17 ou 236 plis 17, 18 – Nord (59). Sur l'Escaut, Valenciennes s'entoure de boulevards. La cité n'a plus d'unité architecturale, ayant subi de graves dégâts durant les deux guerres. L'A 2/E 19 dessert le Sud et l'Est de la ville. De Lille, l'A 23 rejoint le Sud-Ouest de la ville en traversant le massif de Raismes-St-Amand-Wallers. De Tournai, prendre la N 507 puis la D 169 ; de Douai, la N 455, et de Maubeuge ou Bavay, la N 49. 🏛 *1 r. Askievre, 59300 Valenciennes,* ☎ *03 27 46 22 99.*

Le nom

Un certain *Valentinus,* notable romain qui s'installa sur les rives de l'Escaut, serait à l'origine du nom *Valenciennes* et du développement de la cité.

DES HOUILLÈRES À TOYOTA
Alors que le tout proche bassin houiller était en pleine activité, Valenciennes, fut la capitale de la sidérurgie et de la métallurgie du Nord. Aujourd'hui, ces secteurs ont été remplacés par des industries diversifiées : matériel ferroviaire, automobile, peintures, laboratoires pharmaceutiques, électronique, etc. La présence d'une université scientifique contribue à ce nouvel essor. La firme Toyota s'est récemment implantée aux environs de Valenciennes, à Onnaing.

Les gens

Agglomération 357 395 Valenciennois. Parmi les célé
brités locales, des sculpteurs : A. Beauneveu (14ᵉ s.
« imagier » de Charles V, A. Pater (1670-1747), P. Dumor
(18ᵉ s.), et surtout J.-B. **Carpeaux** (1827-1875) ; des écr
vains : le chroniqueur **Froissart** (14ᵉ s.) ; des peintres
A. **Watteau** (1684-1721) et J.-B. Pater (1695-1736), spe
cialistes des « fêtes galantes », Louis et François Watteau
arrière-neveu et petit-neveu d'Antoine.

se promener

*Sceau de la ville de
Valenciennes (1374).*

Maison espagnole

Cette maison du 16ᵉ s. à pans de bois et à encorbellemen
a été construite sous l'occupation espagnole. Restaurée
elle abrite l'Office de tourisme.

Église St-Géry

Visite guidée. Se renseigner au presbytère. ☎ 03 27 46 22 0
Ancienne église des récollets, construite au 13ᵉ s. e
remaniée au 19ᵉ s. Une restauration a rendu à la nef e
au chœur leur pureté gothique d'origine.

À côté, dans le **square Watteau**, se dresse une fontain
dominée par une statue de Carpeaux, figurant Watteau
né au 39 rue de Paris. L'**église St-Nicolas** est l'ancienn
chapelle des jésuites convertie en auditorium ; ell
possède une façade du 18ᵉ s. La **maison du Prévôt N.-D.**
à l'angle de la rue Notre-Dame, est l'un des plus vieu
édifices (15ᵉ s.) de la ville, en brique et pierre. Le
fenêtres à meneaux, le pignon à pas de moineaux et l
tourelle surmontée d'un clocheton la rendent élégante

visiter

Musée des Beaux-Arts★

&. *Tlj sf mar. 10h-18h, jeu. 10h-20h. Fermé 1ᵉʳ janv., 1ᵉʳ mai
lun. suivant 2ᵉ dim. sept., 25 déc. 20F, gratuit 1ᵉʳ dim. du
mois.* ☎ 03 27 22 57 20.

Ce musée date du début du 20ᵉ s. Il expose de
nombreuses œuvres des écoles flamande du 15ᵉ au 17ᵉ s
(Rubens) et française du 18ᵉ s. (Watteau). La sculpture du
19ᵉ s. est bien représentée, surtout par Carpeaux.

École flamande du 15ᵉ au 17ᵉ s. – Dans la première
salle, l'énigmatique tableau de J. Bosch avoisine le
triptyque du *Jugement dernier* de Van Leyden et le
Banquier et sa femme de Marinus Van Reymerswaele.
Les 3 salles suivantes sont réservées au 17ᵉ s. et au
écoles hollandaise, française, italienne et flamande.
Dans la salle Rubens, le maître d'Anvers triomphe avec
le triptyque du *Martyre de saint Étienne*, jadis dans
l'abbaye de Saint-Amand, et deux toiles : *Élie et l'ange e
Le Triomphe de l'Eucharistie*. Cette galerie est consacrée
à la peinture religieuse flamande, du maniérisme au
baroque : *La Sainte Parenté* de Martin de Vos, *Sain
Augustin en extase* de Crayer, *Saint Paul* et *Saint Matthieu
deux têtes d'apôtres par Van Dyck.
Deux autres salles montrent l'évolution des genres
portrait, nature morte (*Le Cellier* de Snyders, *La Pour
voyeuse de légumes* de Beuckelaer), scènes de genre
(Jordaens) et paysage, avec Soens et Rubens.

École française du 18ᵉ s. – La première salle présente
deux œuvres de Watteau, le portrait du sculpteur Antoine
Pater et une œuvre de jeunesse. Remarquez le *Portrait de
Jean de Jullienne*, ami et mécène du peintre, par François
de Troy, le *Concert champêtre* et les *Délassements de la
campagne* par J.-B. Pater, collaborateur de Watteau. Dans
la 2ᵉ salle, toiles de Louis et François Watteau, dont *Les
Quatre Heures de la journée* (4 toiles).

carnet pratique

V

RESTAURATION
● *Valeur sûre*
Les Forges – *58 r. Émile-Drue - 59770
Marly - 2 km à l'E de Valenciennes par av.
Verdun (D 934) -* ☏ *03 27 41 31 22
- fermé 1er au 15 août, dim. soir et lun.
- 108/190F.* Ce restaurant familial vous
accueille en toute simplicité dans un décor
de briques et de poutres. Le patron et chef
vous propose une cuisine bien tournée,
composée de produits frais.

HÉBERGEMENT
● *Valeur sûre*
Hôtel Notre Dame – *1 pl.
Abbé-Thellier-de-Poncheville -* ☏ *03 27 42
30 00 - 35 ch. : 300/400F -* ☐ *40F.* Dans
un quartier calme du centre-ville. Ses
chambres fonctionnelles sont réparties dans
les deux ailes de l'hôtel, reliées par le hall
de réception. La plupart d'entre elles
s'ouvrent sur un petit jardin.

Carpeaux – Au centre du musée, un vaste espace
baigné de lumière met en scène l'œuvre de Carpeaux
et retrace l'évolution de son art : sculptures monumentales, bustes, esquisses sur le thème de la femme
et de l'enfant qui révèlent l'aptitude de l'artiste à
suggérer le mouvement et la vie. Quelques peintures
évoquent la vie mondaine du sculpteur et ses
qualités de portraitiste (autoportraits) ou de visionnaire.
À côté, sculptures d'artistes contemporains : Crauk,
Desruelles...

École française des 19e et 20e s. – De grands formats ▶
illustrent le goût de cette époque pour la peinture
d'histoire : *La Mort du maréchal Lannes* de Guérin,
Exécution de Marie Stuart d'A. de Pujol, *L'Épée de
Damoclès* de F. Auvray. Le paysage est à l'honneur
avec Charlet, Boudin, Rousseau et Harpignies. La
section du 20e s. évoque les recherches des artistes
comme Herbin ou Félix Delmarle sur la ligne et la
couleur.

> **LE COIN DES
> NÉO-CLASSIQUES**
> *Trait de la jeunesse de
> Pierre le Grand* (1828)
> grand format historique
> par Charles de Steuben,
> et le *Dévouement de la
> princesse Sybille* (1832)
> par Félix Auvray.

VALENCIENNES

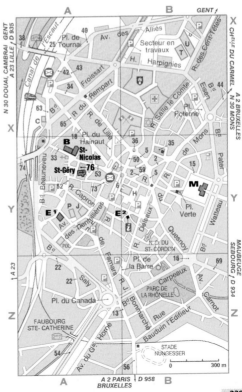

Jeune pêcheur à la coquille par Carpeaux (1857-58).

JEAN-BAPTISTE CARPEAUX

Sculpteur, peintre et dessinateur, Jean-Baptiste Carpeaux (Valenciennes 1827-Courbevoie 1875) remporte le Grand Prix de Rome en 1854. Devenu sculpteur officiel, il réalise de nombreux bustes, pleins de finesse, des portraits du Second Empire ; il participe aussi au décor de monuments publics :

– *Le Triomphe de Flore,* bas-relief (pavillon de Flore à Paris),

– *La Danse,* pour la façade de l'Opéra à Paris (musée d'Orsay),

– *Les Quatre Parties du monde* pour la fontaine de l'Observatoire à Paris,

– statue de Watteau à Valenciennes.

En son hommage, un monument de Félix Desruelles lui a été élevé, avenue du Sénateur-Girard. D'autres œuvres, plâtres ou esquisses en terre cuite sont visibles au musée d'Orsay et au musée du Petit Palais à Paris, au musée Roybet-Fould à Courbevoie et au musée des Beaux-Arts de Valenciennes.

Crypte archéologique – Du centre du musée, on accède, au niveau inférieur, aux sections d'archéologie régionale : peintures murales découvertes à Famars, bronzes (statue d'Éros de Bavay) et plat d'argent de Saulzoir de l'époque gallo-romaine ; bijoux et parures à décor d'émail cloisonné, peintures funéraires et gisants du Moyen Âge.

Bibliothèque municipale

Mar. et jeu. 14h-18h30, mer. et sam. 10h-12h, 14h-18h30, ven. 10h-20h. Possibilité de visite guidée sam. à 11h sur demande. ☎ *03 27 22 57 00.*

Dans les bâtiments de l'ancien **collège des jésuites** (début 17ᵉ s.). Façade de briques à parements de pierre, décorée au rez-de-chaussée d'œils-de-bœuf et de guirlandes Louis XVI. Au 1ᵉʳ étage, la **bibliothèque des jésuites★**, dont la décoration peinte date du 18ᵉ s., est un vaisseau voûté rythmé par 5 arcs doubleaux qui reposent sur des corbeaux de style rocaille. Elle comprend 350 000 volumes : manuscrits dont la *Cantilène de sainte Eulalie* (le plus ancien poème français connu, écrit en langue d'oïl vers 880), incunables, imprimés rares du 17ᵉ s. au 20ᵉ s.

alentours

St-Saulve

2 km au Nord-Est. Quitter la ville par l'av. de Liège, N 30.

Chapelle du Carmel – *1 r. Barbusse.* Achevée en 1966, cette chapelle a été conçue d'après une maquette du sculpteur Szekely et les plans de l'architecte Guislain, qui ont privilégié les effets de volumes et l'emploi de matériaux pauvres. La chapelle s'élève un peu en retrait de la route, flanquée d'un clocher asymétrique.

L'intérieur baigne dans une lumière très douce dispensée au-dessus de l'autel par des vitraux non figuratifs qui mettent en valeur le jeu de formes géométriques.

Sebourg

9 km à l'Est. Quitter Valenciennes par la D 934 vers Maubeuge, tourner à gauche dans la D 59 à Saultain, puis à droite dans la D 350 à Estreux.

Ce bourg rural s'étage sur les pentes de la vallée verdoyante de l'Aunelle. L'**église** (12ᵉ-16ᵉ s.) fait l'objet d'un pèlerinage à saint Druon, berger et ermite du 12ᵉ s. invoqué pour guérir les hernies. Dans le bas-côté droit, gisants (14ᵉ s.) de Henri de Hainaut, sire de Sebourg, et de sa femme. *Visite guidée sur demande.* ☎ *03 27 26 51 87 (M. Heuclin) ou* ☎ *03 27 26 51 91 (M. Dezobry).*

Bruay-sur-l'Escaut *(5 km au Nord par la D 935)*

L'**église** abrite le **cénotaphe** de sainte Pharaïlde, sœur de sainte Gudule, bloc de pierre blanche du 13ᵉ s. représentant une femme aux formes gracieuses. *Sur demande. Presbytère.* ☎ *03 27 47 60 89.*

Denain *(10 km au Sud-Ouest par la N 30)*

Le 24 juillet 1712, les villageois assistent à la victoire du maréchal de Villars devant le prince Eugène. Dès 1828, la découverte de gisements de houille propulse le bourg agricole au rang de centre industriel. Véritable gruyère, la cité posséda jusqu'à 15 puits de mine. Le dernier, celui du Renard, dont le terril domine la ville, est exploité jusqu'en 1948. Des traces de la grande époque subsistent. De l'ex-**coron J.-Bart** *(av. Villars)*, il reste un bâtiment (1852), transformé en conservatoire de musique. C'est là que vécut le mineur et poète Jules Mousseron (1868-1943). La **cité Ernestine** *(se garer et entrer aux n°s 138 et 140 de la rue Ludovic-Trarieux)*, qui garde son atmosphère populaire, se compose de corons d'une vingtaine de logements. Au Nord, la **cité Bellevue** forme un ensemble de maisons de porions et de chefs porions, parfois disposées de part et d'autre de fours à pain.

LES CARREAUX DE GERMINAL

C'est dans cette ville et dans la région que **Émile Zola** est venu chercher son inspiration pour écrire *Germinal*.

DE LA « RÉCLAME » À LA « PUB »

Jean Mineur, à l'origine de la « réclame » au cinéma, est né à Bruay-sur-l'Escaut. Il s'agissait à l'époque de rideaux publicitaires peints, puis de films publicitaires muets. En 1938, sa société s'installe sur les Champs-Élysées, qu'elle ne quittera plus. Le sympathique personnage du Petit Mineur – tous les cinéphiles de l'Hexagone le connaissent –, fait son entrée dans les salles obscures en 1952, dessiné par Albert Champeaux. Ayant posé sa lanterne, il projette son piolet au cœur d'une cible où apparaît le fameux numéro de téléphone 0001 créé en 1949 et surnommé le « Balzac ». Après plusieurs partenariats (avec Pathé-Cinéma, puis avec Cinéma et Publicité), la régie Médiavision voit le jour, en 1971. Depuis 1998, le Petit Mineur s'est légèrement transformé ; le voilà plus moderne et plus actuel, avec un nouveau scénario tout en images de synthèse.

Abbaye et jardins de **Valloires**★

Ce site solitaire du val d'Authie forme un très bel ensemble architectural et paysager. L'ancienne abbaye cistercienne et ses jardins rayonnent au milieu de bois où alternent champs, prairies, étangs et vergers. Dans le jardin des « îles », on voudrait s'appeler Robinson. C'est un océan de verdure, calme comme un lac, où émerge un archipel coloré : îles d'Or et d'Argent, îles aux Lilas, aux Papillons... 4000 sortes de roses vous flattent le nez. Le décor intérieur de la chapelle du monastère est un chef-d'œuvre baroque.

La situation

Cartes Michelin n°s 51 pli 12 ou 236 pli 12 – Somme (80). Au Nord du département de la Somme. Venant de Doullens, la D 938/D 119 longe la rive droite de l'Authie qu'il faut traverser à hauteur de Saulchoy ou Maintenay pour rejoindre la D 192 longeant la rive gauche. De Montreuil, Le Touquet, Le Crotoy ou Rue, rejoindre la N 1, vers Nampont-St-Martin où il faut prendre la D 192.

Les gens

Le monastère, fondé au 12e s. par un comte de Ponthieu, devint le lieu de sépulture de cette famille. En 1346, les chevaliers tués à Crécy y sont transportés. 300 ans plus tard, des incendies ravagent l'abbaye, mais les moines sont riches et, en 1730, l'abbé, un Broglie, ordonne une importante coupe de bois, en vue d'une reconstruction achevée en 1756, sur les plans de Coignard. Le décor est dû au baron **Pfaff de Pfaffenhoffen** (1715-1784), Viennois fixé à St-Riquier en 1750. De 1817 à 1880, les **basiliens** s'installent à Valloires. Le monastère abrite désormais une maison d'enfants.

RESTAURATION

Le Moulin de Maintenay – 62870 Maintenay - 3 km de l'abbaye de Valloires par D 192 - ☎ 03 21 90 43 74 - fermé 1er janv. au 15 fév. - réserv. obligatoire - 60/100F. Accordez-vous un instant féerique sur les bords de l'Authie où culture et gourmandise font bon ménage ! Dans ce moulin du 12e s. magnifiquement restauré, un musée amusera les curieux et les « tartines du meunier » ou les crêpes combleront les gourmands.

visiter

L'abbaye★

D'avr. à mi-nov. : visite guidée (3/4h) 10h-12h, 14h-18h (d'oct. à mi-nov. : fermeture à 17h). 30F. ☎ *03 22 29 62 33.*
On aperçoit le colombier (16ᵉ s.), en face un bâtiment que prolonge, à gauche et en retrait, le **logis abbatial** *(façade Est)* encadré de pavillons. La salle capitulaire n'est plus proche de l'église comme au Moyen Âge, mais au sein du logis ; décorée de boiseries par Pfaff, elle a l'aspect d'un salon. La galerie du cloître est voûtée d'arêtes. Au rez-de-chaussée de l'aile Est se trouve le réfectoire ; à l'étage, les appartements de l'abbé et les cellules. La sacristie s'orne de boiseries de Pfaff et de toiles de Parrocel.

◀ **Église★** – « Elle ferait les délices de Mme de Pompadour, mais saint Bernard n'y trouverait rien à redire » : cette remarque d'un voyageur illustre l'accord entre la sobriété architecturale de l'édifice et la finesse ornementale du décor, dû à Pfaff.

Une tribune sculptée de chutes d'instruments musicaux supporte les **orgues** (**1**) ; de chaque côté, les statues symbolisent la religion. Balustrade et petit buffet sont ornés de putti et d'angelots musiciens. Des cariatides soutiennent le grand buffet couronné par une statue du roi David encadrée d'anges musiciens. Deux anges adorateurs en plomb doré sont placés de part et d'autre du maître-autel (**3**) que domine un original « suspense » eucharistique, en forme de crosse abbatiale, chef-d'œuvre de ferronnerie de Jean Veyren. Deux anges blancs en papier mâché planent au-dessus de l'autel. Stalles (**4**) sculptées de trophées religieux ; celles de l'abbé et du prieur encadrent l'entrée de la chapelle absidiale, ornée de boiseries. Dans le croisillon droit,

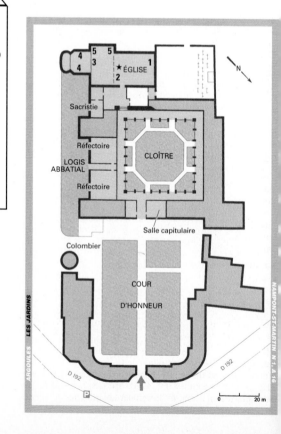

gisants d'un comte et d'une comtesse de Ponthieu (**5**) ; dans le croisillon gauche, on voit la baie par laquelle les moines malades suivaient l'office.

Les jardins★

De mi-mars à déb. nov. : 10h-17h (de mai à déb. sept. : fermeture à 18h30). 39F. ☎ 03 22 23 53 55.

Dessinés en 1987 par l'architecte paysagiste Gilles ▶ Clément, ils comptent 4 000 variétés de plantes et d'arbustes sur 7 ha. Un parcours permet de découvrir la grande diversité végétale. Le cloître végétal est relié à la roseraie par une pelouse qu'une allée centrale divise. Sur la partie haute, dominée par un belvédère, s'épanouit le jardin à l'anglaise avec le jardin des îles dont les couleurs varient selon les saisons. Le jardin des 5 sens rassemble les végétaux qui illustrent le goût (saveur sucrée des fraises, acidité des pommes), le toucher (piquant des plantes à épines, poisseux des bourgeons de marronniers), l'ouïe (feuilles bruissantes du tremble), la vue (toute la gamme de couleurs est représentée par le péthunia) et enfin l'odorat (jasmin, lis, menthe). En contrebas, le jardin de marais, plus sauvage, est coupé par un canal artificiel, allusion au bras de l'Authie, le Riverel, qui traversait la propriété.

> **À VOIR**
> La magnifique **roseraie**, en carrés de 5 m de côté, réunit une centaine de variétés de roses. Deux incontournables : la *rose de Valloires*, petite fleur semi-double, rose pâle, créée en 1992, dont Catherine Deneuve est la marraine, et la *rose des Cisterciens Delarle* créée en 1998 à l'occasion des 900 ans de l'ordre de Cîteaux. Ces fleurs se mêlent à des plantes aromatiques, médicinales et potagères, réplique du jardin monacal.

alentours

Buire-le-Sec *(4 km au Nord)*
Traverser le pont ; à Maintenay prendre la D 139.

Musée des Marionnettes du monde★ – ◙ Prenez le ▶ temps de découvrir cette famille cosmopolite. Ce voyage à travers les cultures du monde vous mène du Guignol de Lyon au Jacques de Lille, en passant par les marionnettes asiatiques, indiennes, grecques, tchèques, africaines, sans oublier les cabotans picards, Lafleur et Sandrine d'Amiens. On regrette deux grands absents : le couple wallon Tchantchès et Nanèsse de Liège – espérons qu'ils rejoignent vite la grande famille. ♿ *Vac. scol. d'été : tlj sf lun. et mar. 17h-18h30, w.-end et j ; fériés 14h30-18h30 ; vac. scol. de Pâques zone B : mer.-dim. 14h30-18h30 ; avr.-juin : w.-end et j. fériés 14h30-18h30. Gratuit. Possibilité d'animations (manipulation de marionnettes) et spectacles sur réservation (tarif non communiqué). ☎ 03 21 81 80 34.*

> **À VOIR**
> Le fabuleux **théâtre de marionnettes à tiges de Java** (années 1920) regroupe 80 personnages ravissants.

> **IDÉE-CADEAU**
> S'arrêter à la petite boutique de marionnettes annexée au musée.

Abbaye de **Vaucelles**

Cette ancienne abbaye cistercienne fondée en 1132 par saint Bernard dépassait en dimensions toutes ses consœurs européennes. L'église abbatiale, à l'origine plus vaste que N.-D. de Paris, n'a pas survécu à la Révolution. La magie des lieux opère toujours dans la salle des Moines et la salle capitulaire restaurées.

La situation

Cartes Michelin n⁰ˢ 53 plis 13, 14 ou 236 pli 27– Nord (59). Les vestiges de l'abbaye se trouvent sur la rive droite du canal de St-Quentin, entre Bantouzelle et Rues-des-Vignes. De Cambrai, à 12 km au Nord, accès par la N 44 puis la D 96 ou la D 76-D 103 ; de St-Quentin, la N 44 puis la D 96 ; de Péronne, la D 917 puis D 96. Par l'A 26/E 17, prendre la D 917 vers Cambrai et la D 96.

Le nom

Vaucelles vient de *vallis cellae*, « cellules de la vallée » (12ᵉ s.). C'est une allusion aux bâtiments de pierre érigés par les moines pour remplacer les huttes de bois préexistantes dans les marécages de la vallée de l'Escaut.

Les gens

L'abbaye cistercienne de Vaucelles naît sur un domaine offert en 1131 par Hugues d'Oisy. Saint Bernard en pose la première pierre le 1er août 1132. Le monastère prospère. Il compte au 13e s. 300 moines de chœur, auxquels s'ajoutent les novices et les frères convers.

visiter

Vestiges de l'abbaye

♿ *De déb. mars à mi-nov. : 10h-12h, 14h-17h30, dim. et j. fériés 15h-18h30. Fermé lun. (sf juil.-août). 35F.* ☎ *03 27 78 50 65.*

L'abbatiale érigée entre 1190 et 1235, démolie à la fin du 18e s., était, avec ses 137 m de long, la plus grande église du pays après Cluny. Des fouilles ont révélé des fondations et un carrelage au niveau du déambulatoire.

Bâtiment claustral – Vestige principal, il comporte 4 salles : le scriptorium, l'auditorium, la salle capitulaire à voûtes d'ogives, et le passage sacré, qui doit son nom aux tombes des trois premiers abbés, canonisés en 1179. Subsistent aussi des éléments du palais abbatial (18e s.) et des restes du mur d'enceinte qui courait sur 7 km.

La salle capitulaire de l'abbaye possède une très bonne acoustique, qui en fait le lieu de nombreux concerts de musique classique.

alentours

Vers le pont sur l'Escaut et le canal de St-Quentin (écluse double), fréquentés par les pêcheurs, quelques sites agréables invitent à la détente ; l'occasion d'un petit pique-nique ou d'une jolie balade en famille.

Les-Rues-des-Vignes

4 km au Nord par la D 103.

Archéo'site – Des habitats des époques gallo-romaine (cave du 2e s.), mérovingienne (nécropole des 6e-7e s. et taverne) et carolingienne (village et ateliers) sont reconstitués. Certains illustrent les résultats des fouilles menées à l'emplacement de l'ancien village, Vinchy, séjour des rois et hauts dignitaires francs (7e-8e s.). *Visite guidée (1h1/2, dernière entrée 1/2h av. fermeture) tlj sf lun. 9h-12h, 14h-18h, w.-end et j. fériés 14h-18h. 30F.* ☎ *03 27 78 99 42.*

Villeneuve-d'Ascq★

Voilà une technopole surprenante, qui associe avec bonheur technologie et environnement. Ses moulins et ses fermes l'aident à conserver le sens des ▶ traditions. Son architecture post-moderne, de briques, de bois et de verre, en fait un gigantesque musée en plein air. La ville nouvelle abrite un trésor inestimable : la donation Masurel. Villeneuve-d'Ascq ne manque pas de matière grise : la cité regroupe la plupart des universités de la région et forme 10 % des ingénieurs français.

La situation

Cartes Michelin n°s 51 pli 16 ou 236 pli 16 – Nord (59).
Villeneuve-d'Ascq se trouve à 8 km à l'Est de Lille. On y découvre un nouvel urbanisme. Le VAL relie la ville au reste de l'agglomération lilloise.

🄳 *Château de Flers, chemin du Chat-Botté, 59650 Villeneuve-d'Ascq,* ☎ *03 20 43 55 75.*

Le nom

La ville nouvelle regroupe depuis 1970 les communes d'Annappes, Flers et Ascq, dont les centres anciens ont été conservés comme noyaux d'activité. Ascq a été conservé dans le nom de la ville, en souvenir du massacre de 86 patriotes le 2 avril 1944.

Les gens

65 042 Villeneuvois. Dans les années 1960, les étudiants colonisent le territoire d'Annappes. Les chercheurs leur emboîtent le pas.

se promener

Château de Flers

Se renseigner. ☎ *03 20 43 55 56.*
Ce château flamand (1661) s'entoure de douves qu'enjambait un pont-levis. Les bâtiments en brique avec chaînages de pierre, surmontés de pignons à pas de moineaux, abritent l'Office de tourisme et un musée archéologique (expos temporaires).

Parc et lac du Héron

Accès, depuis le château, en longeant le méandre du lac, ou par l'av. Champollion. **🄗** Une promenade mène aux moulins (*r. A-Samain*) et au musée qui leur est adjoint. À côté du **moulin à farine** (1776) se dresse le **moulin des Olieux** (1743) qui produisait de l'huile de lin. Continuez vers le **parc archéologique** : reconstitutions d'habitats de la région, depuis le néolithique jusqu'à la fin du Moyen Âge. *De mai à fin oct. : dim. 15h-18h30. Gratuit.* ☎ *03 20 43 55 70.*

visiter

Musée d'Art moderne★★

Quitter la N 227 à « Château de Flers ». **🚻** *Tlj sf mar. 10h-18h. Fermé 1er janv., 1er mai, 25 déc. 43F, gratuit 1er dim. du mois 10h-14h.* ☎ *03 20 19 68 68.*
Cet édifice moderne surplombe le lac du Héron ; il ressemble à une sorte de Lego en brique et en verre. Dans le parc des sculptures, on découvre des œuvres contemporaines : un mobile et un stabile d'**Alexander Calder**, *La Croix du Sud* (1969) et *Guillotine pour huit* (1936). Et surtout, par **Picasso**, *Femme aux bras écartés* (1962), une idole en ciment et galets, à la fois colossale et fragile, qui semble flexible comme une feuille de papier.

QUELQUES FERMES D'ANTAN

Souvent baptisées du nom de leur propriétaire, ces anciennes exploitations agricoles permettent de découvrir l'architecture typique des fermes de la région avec leurs murs en rouges-barres (assises alternées de briques et pierres ou silex) :

ferme Dupire, elle abrite plusieurs associations ;

ferme St-Sauveur, beaux bâtiments du 18e s. autour d'une cour rectangulaire ;

ferme Verbecque-Courouble, elle ne conserve que deux bâtiments ;

ferme D'en Haut, elle accueille des ateliers d'artistes ;

ferme Descamps, elle a été rénovée par les Compagnons du Devoir et du Tour de France ;

ferme Petitprez, elle est de type cense picarde.

LA FIN D'UNE ÉPOQUE

Le moulin des Olieux est le dernier des « tordoirs », autrefois très nombreux : la région lilloise en comptait plus de 200 au 19e s.

VISITES GUIDÉES

À pied : départ à
14h30.
À vélo : départ à 9h30
du château de Flers.
Consulter l'Office de
tourisme pour les tarifs
et les rendez-vous.

Le hall donne accès à droite aux expositions, et à
gauche à l'accueil et aux services (bibliothèque,
cafétéria...).

À VOIR ET À SAVOIR
L'une des premières toiles
acquises par Dutilleul sera
Maisons et arbre (1907)
de **Braque**. La toile venait
juste d'être refusée au
Salon d'automne.

La collection Masurel – Issue de la donation
Geneviève et Jean Masurel. C'est une collection initiée
en 1907, par Roger Dutilleul, oncle de Jean Masurel.
Elle comprend plus de 230 œuvres, du début du
20ᵉ s., surtout des toiles. Les fauves (Rouault,
Derain, Van Dongen), naïfs (Bauchant, Vivin),
surréalistes (Miró), cubistes et abstraits sont bien
représentés. Remarquer des toiles de **Braque** *(Les Usines
du rio Tinto)*, et de **Picasso** (l'*Homme nu assis* et la
Tête de femme). Pour la technique des papiers collés,
s'arrêter sur *Tête d'homme* (Picasso) et *Le Petit Éclaireur*
(Braque).

Les œuvres exposées de **Fernand Léger** illustrent
bien l'évolution stylistique de l'artiste, du *Paysage*
(1914) à sa maquette pour une peinture murale
(1938) en passant par ses études de volume et des œuvres
telles que *Femme au bouquet* ou *Nature morte au
compotier*.

Une salle est dédiée à **Modigliani**, peintures, dessins
et marbre blanc, *Tête de femme* (1913), le seul connu.
Cette œuvre inachevée, hiératique, semble
combiner des influences de l'art khmer et de la statuaire africaine. Ses portraits séduisent par le jeu
des lignes et des couleurs ; remarquez l'étirement des
cous.

Peinture *par Juan Miró*
(1927).

Parmi les peintres abstraits, citons **Kandinsky** et **Klee** ;
de Staël connut Roger Dutilleul par l'intermédiaire du
peintre **Lanskoy**, protégé du collectionneur. D'autres
artistes de l'école de Paris sont présents, **Charchoune**,
Buffet, **Chapoval** et **Utrillo**.

Musée des Moulins

Visite guidée (3/4h à 2h) tlj sf sam. et j. fériés 14h-17h, dim. 15h-18h. Fermé de mi-déc. à mi-janv. 30F. ☏ *03 20 05 49 34.*

Ce musée, à côté des moulins, est géré par l'Association régionale des amis des moulins. Il montre le mécanisme de ces machines que Don Quichotte affrontait. On y découvre les outils (18e et 19e s.) du charpentier, du meunier, du bûcheron... et une collection de meules.

Musée du Souvenir

Du dim. des Rameaux à fin juin et de déb. sept. au 11 nov. : dim. et j. fériés 15h30-18h30. Gratuit. ☏ *03 20 91 87 57.*

Témoignages sur l'histoire de la guerre, le massacre des Ascquois, dont le plus jeune avait 15 ans, le procès des accusés allemands en 1949 et la vie des fusillés.

Un monument commémore le massacre qui eut lieu dans la nuit du 1er avril 1944. Le long de la voie ferrée, 86 pierres rappellent le nombre de disparus.

Musée du Terroir *(accès par la rue du 8-Mai)*

Juin-sept. : tlj sf lun. 14h30-18h, dim. 9h30-13h, 14h30-18h ; de mi-mars à fin mai et oct.-nov. : mar., mer., jeu., 2e et 4e dim. du mois, j. fériés 14h30-17h30, dim. 9h30-13h ; de déb. déc. à mi-mars : dim. 9h30-13h. 15F. ☏ *03 20 91 87 57.*

Dans le centre ancien d'Annappes, à la **ferme Delporte**, cense typique de la région, en brique et pierre de Lézennes. Collections d'outillage agricole, production d'artisanat traditionnel : forge, serrurerie, menuiserie, laiterie... ; estaminet, jeux...

Forum des Sciences-Centre F.-Mitterrand

Vac. scol. : tlj sf lun 8h45-19h, w.-end et j. fériés 14h-19h ; hors vac. scol. : tlj sf lun. 8h45-17h30, mer. 8h45-19h, w.-end et j. fériés 14h-19h. Fermé deux 1re sem. de sept., 1er janv., 1er mai et 25 déc. 60F. ☏ *03 20 19 36 36.*

Ouvert en 1996, il sensibilise aux nouvelles technologies par des expositions temporaires sur des thèmes scientifiques. Espace-atelier pour jeunes, espace d'éveil pour enfants de 3 à 6 ans et centre de documentation. Le **planétarium**, hémisphère de 14 m de diamètre, propose une initiation à la lecture du ciel, des comètes, des planètes, de l'heure...

Nu assis à la chemise *par Modigliani (1917).*

Villers-Cotterêts

Comment résister à l'appel conjugué de la salamandre, des Trois Mousquetaires et de la Dame aux camélias ? Cette petite ville d'allure paisible, mais à l'activité économique soutenue, est née de la royale passion de la chasse. Patrimoine de la famille d'Orléans jusqu'en 1789, Villers-Cotterêts verra défiler une légion de célébrités, dont François Ier, Henri II, Rabelais, Desmoustier, Nerval, et surtout les trois Dumas, dont la ville entretient le souvenir.

La situation

Cartes Michelin n°s 56 Nord du pli 13 et pli 3, ou 237 pli 8 – Aisne (02). Au Sud de l'Aisne, entre les vallées de l'Ourcq, de la Crise et de l'Automne, Villers-Cotterêts se rafraîchit auprès de la forêt de Retz. De Paris (75 km), Soissons (25 km) et Laon (55 km), on rejoint la cité de Dumas par la N 2. 🛈 8 pl. A.-Briand (face au château), 02600 Villers-Cotterêts, ☏ *03 23 96 55 10.*

Les armoiries

Elles se parent d'azur, avec une salamandre d'argent, la tête contournée, lançant du feu par la gueule, surmontée de la lettre F couronnée, accostée de deux H d'or.

Les gens

9 839 Cotteréziens. Connaissiez-vous l'adage « s'amuse comme à Villers-Cotterêts » ? Les habitants prétendent qu'il remonte à l'époque où Diane de Poitiers réunissait sa « Petite Bande des Dames de la Cour » au château.

comprendre

Naissance de l'état civil – François Ier remplace le château royal du 12e s. par une demeure Renaissance achevée en 1535 et multiplie les dépendances.

C'est ici qu'il promulgue la célèbre « ordonnance de Villers-Cotterêts » (1539) prescrivant la substitution du français au latin dans les actes publics et notariés. Parmi les 192 articles figure l'obligation, faite aux curés, d'inscrire sur un registre les dates de naissance et de mort de chaque paroissien. Le peuple devait auparavant recourir à la mémoire de témoins pour justifier son état civil. C'est seulement en 1792 que le soin de tenir les registres de l'état civil a été confié aux municipalités.

Un enfant des Isles – Le premier des « Trois Dumas » est le fils d'un colon de St-Domingue, le marquis Davy de la Pailleterie, et d'une femme de couleur, Marie Cessette Du mas (travaillant « au mas »). Le marquis refuse de reconnaître l'enfant, qui devient dragon de la Reine sous le nom de Dumas, et est nommé général en 1794. Entre temps, l'officier file le parfait amour avec une jeune Cotterézienne, mène une campagne en Égypte, mais se retrouve bientôt disgracié par Napoléon Ier pour ses opinions républicaines. Il se retire alors à Villers-Cotterêts et y vit modestement. Sa mort survient quatre ans après la naissance d'Alexandre, le futur romancier.

La jeunesse d'Alexandre Dumas – Les années passent très dures pour la veuve et son fils. Alexandre entre à l'étude d'un notaire de la ville et y recopie des actes jusqu'à l'âge de 20 ans. Sa mère lui annonce un jour qu'elle ne dispose plus que de 253 F. Il prélève 53 F, laisse le reste à sa mère, et part pour Paris. Il joue au billard le prix de sa place dans la diligence et gagne la partie : le voici dans la capitale avec un pécule intact. Sa belle écriture le fait entrer au secrétariat du duc d'Orléans, futur Louis-Philippe. Sa carrière littéraire va alors s'ouvrir.

Dumas fils – Dumas père épouse sa voisine de palier, qui lui donne un fils en 1824, également baptisé Alexandre et dont la notoriété littéraire, avec *La Dame aux camelias* n'a rien à envier à celle de papa. Ce roman a inspiré à Verdi sa fameuse *Traviata*.

se promener

Parc du Château de François Ier

Attribué à Le Nôtre, il garde les traits de sa composition des 17e et 18e s. (lignes d'ensemble du parterre et perspective de l'allée Royale). Le parc découvert, splendide tapis vert, montre encore la base de son bassin circulaire. Au bout de l'allée Royale centrale, la porte blanche accède à la forêt (sentiers pédestres) comme les Grandes Allées, sur le flanc droit de la pelouse.

UN BON MOT DE DUMAS PÈRE

À un jaloux qui voulait l'offenser en faisant allusion à ses origines africaines, le truculent Alexandre rétorqua « Eh oui, mon père était mulâtre, ma grand-mère était noire et mon arrière-grand-père un singe. Vous le voyez, ma race commence là où la vôtre finit. »

Alexandre Dumas père est l'auteur de plus de 600 œuvres, parmi lesquelles de grands classiques, citons Les Trois Mousquetaires *et* Le Comte de Monte-Cristo.

Sur les traces des trois Dumas

La place du Docteur-Mouflier, ex-place de la Fontaine, ▶ apparaît dans *Mes Mémoires* de Dumas père. Outre l'hostellerie de son grand-père, s'y trouvaient l'étude de maître Hennesson, où il recopiait les actes (Crédit Lyonnais), et le bureau de tabac de Mme Dumas. La **maison natale** de l'écrivain, signalée par une plaque, est au 46 rue A.-Dumas. De part et d'autre de la porte du garage sont inscrits les titres de ses œuvres les plus connues. La rue A.-Dumas débouche sur la place du même nom où s'élevait sa statue de bronze, due à un élève de Rodin, hélas fondue par les Allemands en 1914-1918. Il ne reste que la plume, confiée au musée. De cette place, le cimetière où reposent les Dumas se rejoint par la rue de Bapaume. L'autre statue de Dumas, œuvre de Bourret, est visible dans le petit square rue L.-Lagrange.

Musée A.-Dumas – Trois salles évoquent le souvenir des Dumas. Exposition de lettres, romans, toiles, caricatures, bustes et objets dont le costume d'académicien de Dumas fils. ⅋ *Tlj sf mar. 14h30-17h (dernière entrée 3/4h av. fermeture). Fermé j. fériés et dernier dim. du mois. 20F.* ☎ *03 23 96 23 30.*

visiter

Château de François Ier

Visite guidée (3/4h) tlj sf mar. à 10h30, 14h30 et 16h. Fermé 1er janv., 1er mai, 25 déc. 20F. ☎ *03 23 96 55 10.*
En 1806, Napoléon affecte le château abandonné au dépôt de mendicité organisé pour le département de la Seine. En cachette, dès l'âge de dix ans, Alexandre Dumas s'initie ici au maniement de l'épée, avec le père Mounier, un ancien maître d'armes.
Entrez dans la **cour d'honneur**. Des bâtiments encore marqués par le ton Renaissance (hautes lucarnes en brique flanquées de piliers couronnés d'urnes) l'encadrent à l'Est et à l'Ouest. Les deux ordres se superposent sur la façade du logis principal : piliers ioniques surmontés de colonnes corinthiennes soutenant une suite de consoles feuillagées. L'étage s'évide d'une loggia peu profonde au-dessus de laquelle vous dévisage le portrait de François Ier.
Le **grand escalier★**, à double volée, est un chef-d'œuvre ▶ de la Renaissance (1535). Au bout de la galerie, l'**escalier du Roi**, contemporain du grand escalier, a gardé de son décor d'origine des scènes mythologiques sculptées (un satyre barbu dévêtant une nymphe endormie, Vénus désarmant l'Amour et Hercule étouffant entre ses bras le Lion de Némée).

« Nutrisco Extinguo » *(« je l'entretiens et je l'éteins »).*

alentours

Forêt de Retz *(voir ce nom)*

Montgobert

10 km au Nord-Est par la N 2 et la D 2 à gauche. Tourner ensuite dans une petite route vers Montgobert.
Musée du Bois et de l'Outil – Dans le **château de Montgobert**, à la lisière de la forêt de Retz, le bâtiment (18e s.) appartenait à Pauline Bonaparte et à son mari, le général Leclerc, enterré dans le parc. Collection d'outils du bois. Aux étages, espace consacré à la forêt et à sa gestion. Exposition sur l'ONF et présentation des métiers du bois en forêt ; ateliers reconstitués. *De mars à fin oct. : w.-end et j. fériés 14h-18h (juil.-août : tlj). 20F.* ☎ *03 23 96 36 69.*

« Un château de briques à coins de pierre », tel apparaît le domaine d'Oigny-en-Valois.

Château d'Oigny-en-Valois

8 km au Sud-Est par la D 936 puis à gauche la D 1380. De Pâques à fin sept. : jeu.-dim. et j. fériés 14h-18h. 40F (30F, parc seul). ☎ 03 23 96 01 11.

Inondé de verdure, tout en contrastes, l'ensemble séduit immédiatement. La demeure du 15ᵉ s. et ses jardins sont depuis 30 ans l'objet des soins de la famille Pétrel.

Jardins★ – Outre l'arboretum, les rosiers, le jardin à la française, les rocailles, le parc aromatique, les plantes aquatiques et annuelles, on découvre le « cercle astrologique des fleurs » (au centre, table gravée d'une carte du ciel vue du château) et « l'Églantine du jardinier » (9 jardins thématisent les 5 sens). Musée du Jardin dans les anciennes écuries et boutique verte.

Le Vimeu

Écoutez-le, goûtez-le, vivez-le, ce « Pays » picard, avec sa petite musique d'hier, son gâteau « battu », son bocage et ses vergers de pommiers à cidre. Hospitalier et généreux, plein de saveurs, le Vimeu entretient les racines de son terroir. Son industrie traditionnelle, serrurerie et ferronnerie, se développe dès le 17ᵉ s. et se maintient encore de nos jours.

La situation
Cartes Michelin nᵒˢ 52 pli 6 ou 236 plis 21, 22 – Somme (80). Entre Somme et Bresle, le Vimeu est une région de culture et d'élevage. La D 940 longe la côte. À l'intérieur des terres, la D 928 relie Abbeville à Blangny, longeant l'A 28. D'Amiens, suivre la vallée de la Somme (N 235-D 3) ou la D 936 à Picquigny, vers Oisemont via Airaines.

Le nom
La région doit son nom à une rivière : la Vimeuse.

Les gens
C'est dans le château de Huppy que le colonel de Gaulle établit son poste de commandement le 29 mai 1940 ; trois jours plus tard, il est promu général.

alentours

Friville-Escarbotin *(15 km à l'Ouest de St-Valery)*
Musée des Industries du Vimeu – *De Pâques à fin oct. : visite guidée (1h) tlj sf sam. 14h30-17h30, dim. et j. fériés 14h30-18h30. 15F. ☎ 03 22 26 42 37.*
Dans un édifice du 17ᵉ s., il retrace l'histoire de la petite métallurgie : serrurerie, robinetterie, quincaillerie. Exposition de machines du 19ᵉ s. et reconstitutions

carnet pratique

d'ateliers : serrurerie, atelier d'un cleftier de Dargnies,
atelier de fonderie de Friville-Escarbotin. Aperçu de la
production actuelle du Vimeu (diaporama).

Huppy *(10 km au Sud d'Abbeville)*
L'**église** des 15e et 16e s. (vitraux Renaissance historiés)
et le **château** du 17e s. composent un tableau agréable.
Une plaque rappelle le séjour du général de Gaulle, et un
musée d'art local, « Huppy autrefois », se trouve dans le
clocher de l'église : évocation des passages du Général,
art sacré et présentation du village. *14h-17h.*

Moulin de St-Maxent *(13 km au Sud d'Abbeville)*
Les ailes de ce moulin en bois (18e s.) se sont
immobilisées en 1941. Il conserve son pivot dit « pioche »,
sa « queue » servant de contrepoids, son toit d'écailles de
châtaignier, et ses trois étages pour la bluterie, les meules
et le mécanisme.

Mémorial canadien de **Vimy**★

Ce mémorial grandiose, inauguré en 1936, demanda
11 ans de travail au sculpteur et architecte canadien
W. Seymour Allward. C'est le plus prestigieux des
monuments commémoratifs du Canada en Europe.
Il évoque bien sûr la terrible bataille de la crête de
Vimy, mais au-delà, c'est tous les Poilus canadiens de
la Grande Guerre et leur combat acharné pour la
liberté qu'il célèbre.

La situation
*Cartes Michelin nos 51 pli 15 ou 236 pli 15 – Pas-de-Calais
(62).* Élevé sur un terrain cédé au Canada, le mémorial
se dresse sur le sommet de la cote 145, point culminant
de la crête de Vimy, pivot central du système défensif
allemand entre 1914 et 1917. D'Arras (8 km) ou Lens
(6 km), accès par la N 17. De l'A 26, on trouve la N 17
(direction Lens). Suivez les pylônes du monument.

Les gens
La crête est enlevée aux Allemands en avril 1917 par
quatre divisions du corps expéditionnaire canadien,
appartenant à la 3e armée britannique du général
Allenby. Malgré ce succès, le front allemand ne sera pas
percé. 3 598 Canadiens tombent, 10 602 sont blessés.

*66 655 Canadiens périront
en France lors de la
Grande Guerre.*

**LE MÉMORIAL EN
CHIFFRES**
Le monument repose sur
une base de 11 000 t de
béton renforcé de cen-
taines de tonnes d'acier.
6 000 t de pierres cal-
caires ont été importées
d'une carrière romaine de
l'Adriatique pour ériger les
pylônes et les statues
sculptées.

visiter

Sobre et colossal, le mémorial comporte deux pylônes
flanqués de statues. Il est dominé, à l'avant, par la
silhouette d'une femme triste. Elle incarne le Canada
pleurant ses enfants. Tout en bas, un tombeau recouvert
de branches de laurier, d'un casque et d'une épée. De

chaque côté du mur de façade, au bas des marches, deux groupes de personnages sculptés : l'un illustre le Brisement du sabre et l'autre la Sympathie pour les victimes. L'enceinte porte les noms de 11 285 Canadiens morts en France sans sépulture connue.

Les deux pylônes – à feuilles d'érable pour le Canada, et à fleurs de lys pour la France – symbolisent les sacrifices des deux pays ; au sommet, les statues de la Justice et de la Paix ; en-dessous, la Vérité, la Connaissance, la Vaillance et la Sympathie. Entre les pylônes et à leur base, un soldat mourant tend le flambeau à ses camarades.

Sur la pente de la colline, un réseau de tranchées canadiennes et allemandes a été restauré ainsi qu'une partie du **tunnel Grange** qui mesurait à l'origine 750 m. Le terrain est encore semé de trous d'obus et de cratères de mines. *D'avr. à fin nov. : visite guidée (1/2h) 10h-17h30 ; visite libre toute l'année du centre d'interprétation historique, du mémorial et des tranchées. Gratuit.* ☎ *03 21 48 72 29.*

Au Sud, **Neuville-St-Vaast** fut arraché aux Allemands par la 5ᵉ DI du général Mangin en juin 1915, après huit jours de combats acharnés.

Découverte et détente vous attendent au cœur des villes et villages de Picardie, de Flandres et d'Artois. Une de vos flâneries vous conduira peut-être rue du Clape-en-Bas à Montreuil-sur-Mer.

Index

Source iconographique

p. 1 : Pratt-Pries/DIAF
p. 4 : B. Machet/HOA QUI
p. 4 : P. Cheuva/DIAF
p. 5 : H. Gyssels/DIAF
p. 5 : H. Gyssels/DIAF
p. 14-15 : J. Guillard/SCOPE
p. 17 : H. Gyssels/DIAF
p. 20 : F. Jalain/EXPLORER
p. 23 : P. Mores/PLURIEL
p. 24 : G. Gsell/DIAF
p. 25 : Y. Tierny/MICHELIN
p. 25 : R. Mazin/DIAF
p. 26 : B. Kaufmann/MICHELIN
p. 27 : P. Cheuva/DIAF
p. 29 : G. Crépel/MICHELIN
p. 30 : Y. Tierny/MICHELIN
p. 32 : Th. Leconte/DIAF
p. 34 : L. Roux/SYGMA
p. 35 : P. Cheuva/DIAF
p. 36 : F. Balloy/PLURIEL
p. 38 : G. Crépel/MICHELIN
p. 39 : Y. Tierny/MICHELIN
p. 40-41 : G. Gsell/DIAF
p. 42-43 : G. Larmuseau/PLURIEL
p. 42 : Jarry-Tripelon/TOP
p. 42 : B. Fureleau/TOP
p. 43 : M. Dewynter/MICHELIN
p. 44 : G. Guittot/DIAF
p. 45 : P. Cheuva/DIAF
p. 45 : R. Decottignies/
        DIAPHOR Lille
p. 46 : Y. Tierny/MICHELIN
p. 47 : P. Cheuva/DIAF
p. 47 : G. Crépel/MICHELIN
p. 47 : P. Mores/PLURIEL
p. 48-49 : J.-C. Gesquière/SCOPE
p. 48 : M. Guillou/MICHELIN
p. 49 : E. Baret
p. 50 : Centre Minier de Lewarde
p. 50 : J. Dupont/EXPLORER
p. 51 : Pratt-Pries/DIAF
p. 51 : J.-E. Paquier/TOP
p. 52-53 : F. Le Diascorn/TOP
p. 52 : R. Corbel/MICHELIN
p. 52 : R. Corbel/MICHELIN
p. 53 : R. Corbel/MICHELIN
p. 53 : R. Corbel/MICHELIN
p. 54 : J.-E. Paquier/TOP
p. 55 : A. Lahousse/DIAPHOR Lille
p. 55 : J. Carton/DIAPHOR Lille
p. 55 : M. Langray/PLURIEL
p. 56-57 : J.-F. Rivière/TOP
p. 56 : G. Rigoulet/HOA QUI
p. 57 : C. Valentin/HOA QUI
p. 57 : H. Amiard/TOP
p. 58 : C. Valentin/HOA QUI
p. 59 : H. Amiard/TOP
p. 60-61 : RMN
p. 60 : Arnaudet/RMN
p. 61 : Collection VIOLLET
p. 62 : Ch. Moutarde/© Musée
        de l'Armée, Paris
p. 62 : L. Gillote/© Musée
        de l'Armée, Paris
p. 63 : PMVP/© ADAGP Paris 2000
p. 64 : R. Corbel/MICHELIN
p. 65 : R. Corbel/MICHELIN
p. 66 : R. Corbel/MICHELIN
p. 67 : R. Corbel/MICHELIN
p. 68 : R. Corbel/MICHELIN
p. 69 : R. Corbel/MICHELIN
p. 70-71 : J. Guillard/SCOPE
p. 70 : H. Gyssels/DIAF
p. 70 : B. Kaufmann/MICHELIN
p. 71 : E. Baret
p. 71 : B. Kaufmann/MICHELIN
p. 72 : E. Baret
p. 72 : E. Baret
p. 73 : H. Gyssels/DIAF
p. 73 : B. Kaufmann/MICHELIN
p. 74-75 : P. Cheuva/DIAF
p. 74 : G. Blot/RMN
p. 75 : G. Rigoulet/HOA QUI
p. 75 : B. Kaufmann/MICHELIN
p. 76 : Ph. Matsas/OPALE
p. 76 : P. Agosta/OPALE
p. 77 : G. Blot/RMN
p. 78-79 : E. Valentin/HOA QUI

p. 80 : P. Mores/PLURIEL
p. 82 : E. Baret
p. 83 : Le Prieuré
p. 85 : F. Balloy/PLURIEL
p. 85 : P. Mores/DIAPHOR Lille
p. 88 : O.T. Amiens
p. 91 : Skertzo
p. 92 : E. Baret
p. 92-93 : E. Revault/PIX
p. 93 : B. Kaufmann/MICHELIN
p. 96 : A. Limoisin/PLURIEL
p. 98 : H. Gyssels/DIAF
p. 104 : B. Machet/HOA QUI
p. 105 : Musée des Beaux-Arts,
         Arras
p. 111 : J. Gorniak/DIAPHOR Lille
p. 112 : P. Cheuva/DIAF
p. 112 : P. Cheuva/DIAF
p. 113 : Musée des Traditions
         Populaires et d'Histoire,
         Azincourt
p. 114 : P. Houze/DIAPHOR Lille
p. 117 : Musée de Bavay
p. 119 : G. Gsell/DIAF
p. 120 : J.-Ch. Gérard/DIAF
p. 121 : B. Kaufmann/MICHELIN
p. 123 : B. Paterson/CAMPAGNE
p. 125 : Brasseurs de France
p. 126 : Y. Tierny/MICHELIN
p. 127 : J.-C. Gesquière/SCOPE
p. 128 : P. Cheuva/DIAF
p. 129 : M. de Clermont-Tonnerre,
         Château de Bertangles
p. 130 : J. Carton/PLURIEL
p. 131 : RMN
p. 134 : Y. Tierny/MICHELIN
p. 134 : Y. Tierny/MICHELIN
p. 136 : F. Balloy/PLURIEL
p. 137 : Nausicaa
p. 137 : P. Mores/Nausicaa
p. 139 : Y. Tierny/MICHELIN
p. 141 : Dentelle de Calais
p. 141 : Y. Tierny/MICHELIN
p. 142 : Y. Tierny/MICHELIN
p. 143 : Y. Tierny/MICHELIN
p. 146 : Musée des Beaux-Arts et
         de la Dentelle, Calais
p. 148 : H. Gyssels/DIAF
p. 150 : RMN
p. 152 : L. Lecat/Musée de Cambrai
p. 155 : R. Corbel/MICHELIN
p. 156 : Y. Tierny/MICHELIN
p. 158 : Musée Matisse, Le
         Cateau-Cambrésis /© 2000
         Succession H. Matisse
p. 160 : S. Lefebvre/CDT Aisne
p. 164 : B. Kaufmann/MICHELIN
p. 167 : MICHELIN
p. 169 : PIX
p. 169 : Brumaire
p. 170 : Musée Antoine Vivenel,
         Compiègne
p. 172 : J. Guillard/SCOPE
p. 178 : Y. Tierny/MICHELIN
p. 179 : Y. Tierny/MICHELIN
p. 183 : Maison de la Faïence,
         Desvres
p. 185 : RMN
p. 188 : J. Guillard/SCOPE
p. 189 : P. Cheuva/DIAF
p. 191 : B.N. Paris/
         HARLINGUE-VIOLLET
p. 196 : Y. Tierny/MICHELIN
p. 196 : Lebrun/PLURIEL
p. 197 : P. Cheuva/DIAF
p. 199 : P. Mores/DIAPHOR Lille
p. 204 : ROGER-VIOLLET
p. 204 : B. Kaufmann/MICHELIN
p. 206 : P. Cheuva/DIAF
p. 211 : RMN
p. 213 : Pratt-Pries/DIAF
p. 213 : G. Gsell/DIAF
p. 215 : J. Guillard/SCOPE
p. 216 : Appim/La Coupole
p. 217 : P. Cheuva/DIAF
p. 220 : G. Larmuseau/PLURIEL
p. 222 : P. Stritt/HOA QUI
p. 223 : J. Guillard/SCOPE

p. 224 : B. Kaufmann/MICHELIN
p. 225 : H. Gyssels/DIAF
p. 226 : E. Baret
p. 228 : Th. Demont/MICHELIN
p. 232 : P. Cheuva/Réflexion
         Centre historique minier
         de Lewarde
p. 232 : P. Cheuva/Réflexion
         Centre historique minier
         de Lewarde
p. 234 : Médiathèque Municipale
         Jean Lévy, Lille
p. 236 : B. Kaufmann/MICHELIN
p. 239 : R. G. Ojeda/RMN
p. 240 : P. BernardRMN
p. 240-241 : J. Miller/DIAF
p. 244 : Y. Tierny/MICHELIN
p. 244 : Y. Tierny/MICHELIN
p. 245 : Musée de l'Hospice
         Comtesse, Lille
p. 246 : P. Cheuva/DIAF
p. 249 : H. Gyssels/DIAF
p. 250 : E. Revault/PIX
p. 252 : E. Baret
p. 255 : Musée des Temps
         Barbares, Marle
p. 257 : S. Maire/MICHELIN
p. 257 : Th. Dhermy
p. 262 : Y. Tierny/MICHELIN
p. 264 : B. Kaufmann/MICHELIN
p. 265 : S. Sauvignier/MICHELIN
p. 269 : Th. Demont/MICHELIN
p. 272 : B. Brillion/MICHELIN
p. 275 : G. Gsell/DIAF
p. 275 : P. Léger/Historial de la
         Grande Guerre, Péronne
p. 278 : IFA/DIAF
p. 281 : B. Machet/HOA QUI
p. 283 : E. Baret
p. 289 : P. Cheuva/DIAF
p. 291 : Y. Tierny/MICHELIN
p. 291 : W. Godefroot/PRESSE
         SPORTS
p. 293 : E. Baret
p. 294 : R. Mazin/DIAF
p. 298 : J. Guillard/SCOPE
p. 300 : G. Guittot/DIAF
p. 303 : Y. Tierny/MICHELIN
p. 304 : Y. Tierny/MICHELIN
p. 305 : G. Larmuseau/PLURIEL
p. 306 : Willi/TOP
p. 308 : D. Thierry/DIAF
p. 311 : R. Mazin/DIAF
p. 312 : Th. Demont/MICHELIN
p. 313 : Meissonnier/CAMPAGNE
p. 315 : Musée-atelier du Verre,
         Sars Poterie
p. 318 : E. Baret
p. 322 : Th. Demont/MICHELIN
p. 322 : J.-C. Maes/JACANA
p. 323 : Th. Jullien/DIAF
p. 325 : G. Guittot/DIAF
p. 326 : G. Biollay/DIAF
p. 329 : D. Fouss/DIAF
p. 329 : D. Fouss/DIAF
p. 329 : S. Cordier/JACANA
p. 330-331 : Y. Tierny/MICHELIN
p. 332 : Jarry-Tripelon/TOP
p. 333 : CAP-VIOLLET
p. 333 : Jarry-Tripelon/TOP
p. 337 : Musée des Beaux-Arts,
         Tourcoing
p. 338 : MICHELIN
p. 340 : P. Cheuva/DIAF
p. 344 : Les Amis de l'Abbaye de
         Vaucelles
p. 347 : Musée d'Art Moderne,
         Villeneuve-d'Ascq
         © ADAGP Paris 2000
p. 347 : Musée d'Art Moderne,
         Villeneuve-d'Ascq
p. 348 : ROGER-VIOLLET
p. 349 : D. Thierry/DIAF
p. 350 : F. Charrondière/
         DIAPHOR Lille
p. 351 : G. Crépel/MICHELIN
p. 352 : Y. Tierny/MICHELIN

357

La Fondation du Patrimoine

Par dizaines de millions, vous partez chaque année à la découverte de l'immense richesse du patrimoine bâti et naturel de la France. Vous visitez ces palais nationaux et ces sites classés que l'État protège et entretient. Mais vous admirez également ce patrimoine de proximité, ce trésor constitué de centaines de milliers de chapelles, fontaines, pigeonniers, moulins, granges, lavoirs ou ateliers anciens..., indissociables de nos paysages et qui font le charme de nos villages.

Ce patrimoine n'est pas protégé par l'État. Souvent abandonné il se dégrade inexorablement. Chaque année, des milliers de témoignages de la vie économique, sociale et culturelle du monde rural disparaissent à jamais.

La Fondation du Patrimoine, organisme privé à but non lucratif, reconnu d'utilité publique, a été créé en 1996. Sa mission est de recenser les édifices et les sites menacés, de participer à leur sauvegarde et de rassembler toutes les énergies en vue de leur restauration, leur mise en valeur et leur réintégration dans la vie quotidienne.

Les délégations régionales et départementales sont la clef de voûte de l'action de la Fondation sur le terrain. À partir des grands axes définis au niveau national, elles déterminent leur propre politique d'action, retiennent les projets et mobilisent les associations, les entreprises, les communes et tous les partenaires potentiels soucieux de patrimoine et d'environnement.

Rejoignez la Fondation du Patrimoine !

L'enthousiasme et la volonté d'entreprendre en commun sont à la base de l'action de la Fondation.

En devenant membre ou sympathisant de la Fondation, vous défendez l'avenir de votre patrimoine.

✂ ···

Bulletin d'adhésion

Nom et prénom :
··

··

Adresse :
··

Date :   Téléphone *(facultatif)* :

Membre actif *(don supérieur ou égal à 300F)*
Membre bienfaiteur *(don supérieur ou égal à 3 000F)*
Sympathisant *(don inférieur à 300F)*
Je souhaite que mon don soit affecté au département suivant :

··

Bulletin à renvoyer à :
Fondation du Patrimoine, Palais de Chaillot, 1 place du Trocadéro, 75116 Paris.
Merci de libeller votre chèque à l'ordre de la Fondation du Patrimoine.

Fondation du Patrimoine, Palais de Chaillot, 1 place du Trocadéro, 75116 Paris.
Téléphone : 01 53 70 05 70 – Télécopie : 01 53 70 69 79.

358

LE GUIDE VERT a changé, aidez nous à toujours mieux répondre à vos attentes en complétant ce questionnaire.

Merci de renvoyer ce questionnaire à l'adresse suivante :
Michelin Éditions des Voyages / Questionnaire Marketing G. V.
46, avenue de Breteuil 75324 Paris Cedex 07

---

1. Est-ce la première fois que vous achetez LE GUIDE VERT ?   oui   non
Si oui, passez à la question n° 3. Si non, répondez à la question n° 2.

---

2. Si vous connaissiez déjà LE GUIDE VERT, quelle est votre appréciation sur les changements apportés ?

	Nettement moins bien	Moins bien	Égal	Mieux	Beaucoup mieux
La couverture					
Les cartes du début du guide					
Les plus beaux sites					
Circuits de découvertes					
Lieux de séjours					
La lisibilité des plans					
Villes, sites, monuments.					
Les adresses					
La clarté de la mise en pages					
Le style rédactionnel					
Les photos					
La rubrique Informations pratiques en début de guide					

---

3. Pensez-vous que LE GUIDE VERT propose un nombre suffisant d'adresses ?

HÔTELS :	Pas assez	Suffisamment	Trop
Toutes gammes confondues			
À bon compte			
Valeur sûre			
Une petite folie			

RESTAURANTS :	Pas assez	Suffisamment	Trop
Toutes gammes confondues			
À bon compte			
Valeur sûre			
Une petite folie			

---

4. Dans LE GUIDE VERT, le classement des villes et des sites par ordre alphabétique est d'après vous, une solution :

Très mauvaise	Mauvaise	Moyenne	Bonne	Très bonne

5. Que recherchez-vous prioritairement dans un guide de voyage ?
Classez les critères suivants par ordre d'importance (de 1 à 12).

6. Sur ces mêmes critères, pouvez-vous attribuer une note entre 1 et 10 à votre guide.

	5. Par ordre d'importance	6. Note entre 1 et 10
Les plans de villes		
Les cartes de régions ou de pays		
Les conseils d'itinéraires		
La description des villes et des sites		
La notation par étoile des sites		
Les informations historiques et culturelles		
Les anecdotes sur les sites		
Le format du guide		
Les adresses d'hôtels et de restaurants		
Les adresses de magasins, de bars, de discothèques...		
Les photos, les illustrations		
Autre (spécifier)		

7. La date de parution du guide est-elle importante pour vous ?   oui ☐   non ☐

8. Notez sur 20 votre guide :

9. Vos souhaits, vos suggestions d'amélioration :

Vous êtes :   Homme ☐   Femme ☐   Âge ☐

Agriculteur exploitant		Employé
Artisan, commerçant, chef d'entreprise		Ouvrier
Cadre et profession libérale		Préretraité
Enseignant		Autre personne sans
Profession intermédiaire		activité professionnelle

Nom et prénom :

Adresse :

Titre acheté :